公務員の
退職手当質疑応答集

全訂第7版

退職手当制度研究会
［編著］

学陽書房

はしがき

　国家公務員の退職手当制度については、昭和21年7月に初めて統一的な制度となり、昭和28年には現行の国家公務員退職手当法が制定され、これまで様々な改正が行われてきました。また、退職手当制度の対象者は、一般職給与法が適用される国家公務員だけでなく、行政執行法人職員等の労使の団体交渉により勤務条件が定まる職員や、国務大臣、大使、国会職員、裁判官、自衛官等の特別職国家公務員まで含まれ、極めて広範にわたっています。さらに、同制度は、その性格上、国家公務員法、給与関係法を始め多くの法令と関係しております。

　このため、国家公務員退職手当制度の実務担当者にとって制度の運用上重要なポイントとなる事項を簡潔にまとめた冊子の発刊が望まれていたことから、昭和57年に具体的な問題・事例を中心とした実務担当者向けの本書が発刊されました。

　その後、昭和60年、平成元年、5年、19年、24年及び27年に本書の改訂が行われましたが、令和3年6月に国家公務員法等の一部を改正する法律（令和3年法律第61号）が成立し、令和5年4月1日に施行されました。

　この改正は、国家公務員の定年を段階的に65歳に引き上げるとともに管理監督職勤務上限年齢制による降任及び転任の制度を導入することなどを内容とするもので、国家公務員の退職手当についても定年引上げに伴う措置が設けられました。

　本書の全訂第7版の発刊に当たっては、令和3年の国家公務員法等の一部を改正する法律による退職手当法改正を始めとするここ数年の退職手当法令及び関係法令の改正を受けて、この度第7次改訂を行うことといたしました。

　本書が活用され、国家公務員はもとより国民の方々が退職手当制度について理解を深めてくださることを願う次第です。

令和5年5月

　　　　　　　　　　　　　　　　　　　　　　　退職手当制度研究会

※　目次中の各項目に係るそれぞれの問については巻末付録の「問一覧（目次詳細）」（394頁）を参照

目　次

第1編　総　説 …………………………………………………… 21

　　1　退職手当制度の沿革 ………………………………………… 23
　　2　退職手当の基本法規 ………………………………………… 23
　　3　退職手当の性格 ……………………………………………… 26
　　4　退職手当の種類 ……………………………………………… 27
　　5　退職手当の請求権 …………………………………………… 27
　　6　退職手当の自主返納、受給権放棄 ………………………… 28
　　7　退職手当の追給 ……………………………………………… 31

第2編　国家公務員退職手当法 …………………………………… 33

第1章　総　則（第1条～第2条の3）

　1　趣旨（第1条）
　　8　慰労金の支給 ………………………………………………… 35
　2　適用範囲（第2条）
　　9　常時勤務に服することを要する国家公務員 ……………… 35
　　10　国会議員等の退職手当 ……………………………………… 36
　　11　国務大臣等の退職手当 ……………………………………… 36
　　12　国務大臣が内閣改造により辞職した場合 ………………… 37
　　13　各省の大臣が内閣改造等により他省の大臣として再任された場合 … 37
　　14　司法修習生となった場合 …………………………………… 38
　　15　最高裁判所の裁判官となった場合 ………………………… 38
　　16　任期付職員及び臨時的任用職員 …………………………… 39
　　17　任期終了等 …………………………………………………… 40
　　18　分限免職 ……………………………………………………… 40
　　19　分限免職の取消し …………………………………………… 41
　　20　一般職と特別職の兼職者が退職した場合 ………………… 41

| | 21 | 暫定再任用職員の退職手当 | 41 |

③ 遺族の範囲及び順位（第2条の2）

	22	親族の範囲	42
	23	遺族が生死不明の場合	42
	24	遺族が死亡した場合	42
	25	遺族が相続権を放棄した場合	42
	26	遺族で同順位者が複数いる場合	43
	27	複数いる同順位の遺族のうちの1人が退職手当の受給権を放棄した場合	43
	28	第1順位者である遺族が退職手当の受給権を放棄した場合	43
	29	遺族が未成年者の場合	44
	30	遺族が1人もいない場合	44
	31	生計関係の認定基準	44
	32	事実上の婚姻関係にある者	45
	33	いわゆる法律婚と事実婚とが併存する場合	46
	34	遺族から排除される者	46
	35	法第2条の2第4項の「故意に死亡させた者」	47
	36	「故意に死亡させた者」の判断	47

④ 退職手当の支払（第2条の3）

	37	退職手当の支払方法	47
	38	退職手当の法定控除	48
	39	退職手当の住宅貸付等の債務の控除	54
	40	退職手当と留学費用返還金との相殺	55
	41	退職手当と過払給与金との相殺	55
	42	退職手当のいわゆる口座振込払	56
	43	退職手当の複数口座への振込み	56
	44	退職手当の支払期限	56
	45	法第2条の3第2項の「特別の事情」	57
	46	退職後行方不明（その1）	57
	47	退職後行方不明（その2）	58
	48	退職後死亡	58

第2章　一般の退職手当（第2条の4～第8条の2）

1　退職手当の基本額（第2条の4）
49　退職手当の基本額の種類 …………………………………………… 59
50　退職手当の基本額の算定 …………………………………………… 60

2　俸給月額
51　俸給月額と諸手当 …………………………………………………… 60
52　休職者等の俸給月額 ………………………………………………… 62
53　給与が賃金又は手当の名称で支給される者の俸給月額 ………… 62
54　給与の減額改定に伴い支給される差額 …………………………… 63

3　退職理由
55　退職理由と適用条項 ………………………………………………… 64
56　傷病の程度 …………………………………………………………… 65
57　「公務上」又は「通勤による」の認定の基準 …………………… 65
58　派遣法と公務上の認定 ……………………………………………… 65
59　退職手当支給後の公務認定 ………………………………………… 66
60　通勤途上における死亡 ……………………………………………… 67
61　定年年齢 ……………………………………………………………… 68
62　定年に達した日 ……………………………………………………… 69
63　勤務延長の内容等 …………………………………………………… 70
64　勤務延長の期限の到来による退職 ………………………………… 72
65　勤務延長の期限の到来前に退職する場合 ………………………… 73
66　その者の事情によらないで引き続いて勤続することを困難とする
　　理由 …………………………………………………………………… 74
67　「定年に達した日以後その者の非違によることなく退職した者」…… 74
68　退職後に非違行為が判明した場合 ………………………………… 75
69　勧奨退職の廃止 ……………………………………………………… 75
70　退職理由の記録の作成者等 ………………………………………… 76

4　自己の都合による退職等の場合の退職手当の基本額（第3条）
71　法第3条に該当する退職の場合 …………………………………… 76
72　法第3条第2項の「その者の都合により退職した者」 ………… 77
73　臨時的任用職員の任期満了前の退職 ……………………………… 78

| | 74 | 法律の規定に基づく任期 ……………………………………… 79 |
| | 75 | 6月を超えない任期の臨時的任用職員の退職手当 …………… 79 |

⑤ 11年以上25年未満勤続後の定年退職等の場合の退職手当の基本額（第4条）

| | 76 | 法第4条の退職 …………………………………………………… 81 |

⑥ 25年以上勤続後の定年退職等の場合の退職手当の基本額（第5条）

| | 77 | 法第5条の退職 …………………………………………………… 82 |

⑦ 俸給月額の減額改定以外の理由により俸給月額が減額されたことがある場合の退職手当の基本額に係る特例（第5条の2）

	78	基礎在職期間 ……………………………………………………… 83
	79	法第5条の2第1項の基本額の特例の基本的考え方 ………… 85
	80	俸給表間の異動等に伴う俸給月額の減額 ……………………… 85
	81	分限処分による降格に伴う俸給月額の減額 …………………… 86
	82	俸給の調整額の調整数の改定に伴う俸給月額の減額 ………… 86
	83	臨時的任用職員が任期付任用職員となった際の俸給月額の減額 …… 88
	84	平成17年改正法施行前の俸給月額の減額 ……………………… 89
	85	地方公務員としての出向期間中の本俸の減額 ………………… 89
	86	地方公務員から職員になった場合の俸給月額の減少 ………… 89
	87	法第5条の2第1項の特例と法第5条の3の特例の同時適用 ……… 90
	88	地方公務員等から再び職員となった場合に係る減額日 ……… 91
	89	減額が複数回あった場合の特定減額前俸給月額 ……………… 92

⑧ 定年前早期退職者に対する退職手当の基本額に係る特例（第5条の3）

	90	定年前早期退職特例措置の要件 ………………………………… 95
	91	法第5条の3の「政令で定める一定の期間前」………………… 96
	92	法第5条の3の「政令で定める年齢」…………………………… 97
	93	法第5条の3の「政令で定める割合」…………………………… 98
	94	法第5条の3の規定の適用例 …………………………………… 99

⑨ 退職手当の基本額の最高限度額（第6条、第6条の2、第6条の3）

| | 95 | 最高限度額 ………………………………………………………… 100 |

10 退職手当の調整額(第6条の4)

- 96 退職手当の調整額の基本的考え方 …………………………………101
- 97 国務大臣や審議会常勤委員等の調整額 ………………………………102
- 98 地方公務員や公庫等職員であった期間の取扱い ……………………102
- 99 法第6条の4第1項に規定する「現実に職務をとることを要しない期間」……………………………………………………………………104
- 100 無断欠勤した期間………………………………………………………105
- 101 分限免職が取消しとなった場合の退職の日から復職の日までの期間……………………………………………………………………106
- 102 調整額が零又は2分の1となる場合…………………………………107
- 103 平成17年改正法施行後取扱決定第三第20項第1号に規定する「120月を超えていたもの」………………………………………108
- 104 平成17年改正法施行後取扱決定第三第20項第1号に規定する「120月を超えていたもの」の数え方………………………………108
- 105 行政職俸給表㈡の適用職員で第8号区分に属する者 ………………108
- 106 月単位による調整額の計算……………………………………………109
- 107 調整額の計算の対象とされない休職月等……………………………109
- 108 法第6条の4第1項に規定する「職員を政令で定める法人その他の団体の業務に従事させるための休職」……………………112
- 109 法第6条の4第1項に規定する「休職であつて職員を当該職員の職務に密接な関連があると認められる学術研究その他の業務に従事させるためのもの」……………………………………………113
- 110 いわゆる専従休職期間…………………………………………………115
- 111 平成18年4月1日前の育児休業期間…………………………………117
- 112 施行令第6条第3項第2号の「当該育児休業に係る子が1歳に達した日」………………………………………………………………119
- 113 育児休業に係る子が1歳に達した日の確認…………………………119
- 114 特定基礎在職期間中の育児休業等……………………………………120
- 115 自己啓発等休業期間の扱い……………………………………………120
- 116 平成18年4月1日より前に存在しなくなった職種であった期間の扱い……………………………………………………………………121
- 117 月の途中で昇格・降格した場合の職員の区分………………………122

118	併任や兼官により複数の職員の区分に該当する場合	122
119	同じ調整月額が複数あった場合	122
120	内閣総理大臣の定めがない職種・区分の適用関係	123
121	職員の区分について内閣総理大臣の定めをする際の意見聴取	123

⑪ 一般の退職手当の額に係る特例（第6条の5）

122	法第6条の5の対象者	124

⑫ 勤続期間の計算（第7条）

123	勤続期間の基本的事項	124
124	「職員としての引き続いた在職期間」	125
125	勤続期間と基礎在職期間の違い	125
126	勤続期間と調整額の算定の基礎となる期間に係る除算	126
127	月単位による在職期間の計算	130
128	勤続期間の計算における休職期間の半減方法	130
129	勤続期間の計算における育児休業期間	131
130	地方公務員期間の取扱い	131
131	法第7条第5項の「その他の事由」	132
132	一般地方独立行政法人等期間の取扱い	132
133	公庫等―地方公務員の取扱い	133
134	一般地方独立行政法人―地方公務員の取扱い	133
135	公庫等に出向し地方公共団体を経由した者	133
136	最短の勤続期間	134

⑬ 公庫等職員として在職した後引き続いて職員となった者に対する退職手当の特例（第7条の2）

137	公庫等への出向期間の通算措置の概要	134
138	公庫等在職期間の通算要件	135
139	公庫等の要件	135
140	法第7条の2第1項の「要請」	136
141	2以上の公庫等への出向	136
142	他法で公庫等職員である期間と同様に取り扱うこととされている出向期間	137
143	法第7条の2第2項の趣旨	142
144	公庫等出向中の休職期間等の取扱い	143

- 145 公庫等から財団法人等への再出向……………………………144
- 146 公庫等から地方公共団体に異動した者の在職期間(その1)………144
- 147 公庫等から地方公共団体に異動した者の在職期間(その2)………144
- 148 非特定独法化に伴い法定承継された職員の当該法人での在職期間…………………………………………………………145
- 149 非特定独法化に伴い法定承継された職員の当該法人での育児休業期間…………………………………………………………146
- 150 公庫等に出向中の業務上災害による傷病のため復帰後退職することとなった場合………………………………………………147
- 151 公庫等への退職出向期間中に退職した場合の退職手当の支払……147

14 独立行政法人等役員として在職した後引き続いて職員となった者に対する退職手当に係る特例（第8条）

- 152 独立行政法人等への役員出向期間の通算要件………………148
- 153 法第8条第1項の「要請」…………………………………149
- 154 独立行政法人等への役員出向中の病気休職期間の取扱い…………149
- 155 2以上の独立行政法人等への役員出向………………………149
- 156 公庫等へ職員出向し役員となった場合………………………150

15 定年前に退職する意思を有する職員の募集等（第8条の2）

- 157 早期退職募集制度の内容………………………………………150
- 158 早期退職募集制度と勧奨退職の違い…………………………151
- 159 募集や認定等を行う主体………………………………………151
- 160 2号募集の要件…………………………………………………152
- 161 募集の実施回数、募集期間、募集時期………………………153
- 162 募集の期間の延長………………………………………………153
- 163 募集の期間の末日から退職すべき期日までが長期に及ぶ場合………154
- 164 募集人数及び応募上限数の設定における留意点……………154
- 165 出向者を対象とする募集………………………………………155
- 166 病気休職、育児休業、配偶者同行休業中の職員に対する募集………156
- 167 処分を受けるべき行為をしたことを疑うに足りる相当な理由がある場合………………………………………………………157
- 168 認定を行うことが公務に対する国民の信頼を確保する上で支障を生ずると認める場合…………………………………157

169 応募者を引き続き職務に従事させることが公務の能率的運営を確保し、又は長期的な人事管理を計画的に推進するために特に必要であると認める場合……158
  170 「必要な方法」を定めていない場合……159
  171 不認定者を繰上げ認定することの可否……159
  172 募集人数を超える人数の認定……159
  173 応募人数が募集人数を超えない場合の不認定……160

第3章　特別の退職手当（第9条・第10条）

1　予告を受けない退職者の退職手当（第9条）
  174 予告を受けない退職者の退職手当……161
  175 育児休業に伴う臨時的任用職員が、育児休業職員の復帰により退職（免職）となる場合の取扱い……162

2　失業者の退職手当（第10条）
  176 失業者の退職手当の趣旨……163
  177 失業者の退職手当の受給資格……168
  178 失業の認定……169
  179 支給制限処分を行う場合の失業者の退職手当……169
  180 基本手当の給付日数……169
  181 基本手当の日額の決め方……170
  182 「退職の月前における最後の6月に支払われた給与の総額」……171
  183 まとめて支払われる通勤手当の取扱い……171
  184 寒冷地手当の取扱い……172
  185 給付日数の延長……172
  186 基本手当の計算例……173
  187 基本手当に相当する退職手当の受給手続……174

第4章　退職手当の支給制限等（第11条～第19条）

1　概要等（第11条等）
  188 退職手当の支給制限処分等……176
  189 懲戒免職等処分の範囲……176
  190 支給制限処分等の主体……177

191	支給制限処分等の対象となる退職手当	177
192	支給制限処分等の際に勘案すべき事情	177
193	支給制限等に係る書面の様式	178
194	支給制限処分等の処分性	181

② 懲戒免職等処分を受けた場合等の退職手当の支給制限（第12条）

195	支給制限処分の対象となる失職	181
196	失職と執行猶予	182
197	執行猶予の期間経過	182
198	処分前の一般の退職手当等の額	182
199	所在が知れないときの通知	183

③ 退職手当の支払の差止め（第13条）

200	支払差止処分	183
201	支払差止処分の対象となる刑事事件	184
202	「犯罪があると思料するに至つたとき」	184
203	その者に対し一般の退職手当等の額を支払うことが…支障を生ずると認めるとき	184
204	懲戒免職等処分を受けるべき行為	185
205	出向期間中に行った非違が退職後に発覚した場合	185
206	支払差止処分を取り消さなければならない場合	185
207	支払差止処分後に支給制限処分が行われたときの取扱い	186

④ 退職後禁錮以上の刑に処せられた場合等の退職手当の支給制限（第14条）

208	重ねて支給制限処分を行うことの可否	187
209	退職後に起訴された場合	187
210	意見の聴取の手続	187

⑤ 退職手当の返納（第15条・第16条）

211	返納命令処分	188
212	返納額の範囲	188
213	返納の手続	189
214	返納命令処分の対象となる刑事事件	189
215	返納命令処分が可能な期間	189
216	「生計の状況」	189

217　税額の調整……………………………………………………………190

⑥　**退職手当受給者の相続人からの退職手当相当額の納付（第17条）**
　　218　納付命令処分の趣旨……………………………………………………190
　　219　納付命令処分を行う際の考慮要素……………………………………191
　　220　納付命令処分が可能な期間……………………………………………191

⑦　**退職手当審査会（第18条）**
　　221　退職手当審査会…………………………………………………………191

⑧　**退職手当審査会への諮問（第19条）**
　　222　諮問の対象となる処分…………………………………………………192
　　223　「口頭で意見を述べる機会」……………………………………………192

第5章　雑　　則（第20条・第21条）

① **地方公務員となった者の取扱い（第20条）**
　　224　地方公務員となった場合………………………………………………193
　　225　試験採用と退職手当の請求……………………………………………193
　　226　「その他の事由」…………………………………………………………194

② **実施規定（第21条）**
　　227　法第21条を委任根拠とする政令の規定………………………………194

第6章　附　　則

　　228　法原始附則第6項から第8項まで及び第11項の概要………………195
　　229　法原始附則第9項の内容………………………………………………196
　　230　法原始附則第12項から第14項までの内容……………………………197
　　231　法原始附則第15項の内容………………………………………………197
　　232　法原始附則第16項の内容………………………………………………197
　　233　60歳超の職員を対象にした早期退職の募集…………………………198
　　234　当分の間の法第5条の3の適用………………………………………198
　　235　当分の間の法第5条の2第1項の特例と法第5条の3の特例の同時
　　　　　適用………………………………………………………………………199

第7章　改正法律の附則（平成17年改正法関係）

　　236　平成17年法律第115号附則第3条の内容……………………………201

237	退職出向者の新制度切替日前日額等……………………………206
238	定年前早期退職特例措置が適用される場合の新制度切替日前日額の割増率……………………………………………………………207
239	定年退職者の新制度切替日前日額の退職理由…………………207
240	旧法等退職手当額の勤続期間計算における育児休業期間の取扱い………………………………………………………………………208
241	育児休業や病気休職の復職者に係る新制度切替日前日額の俸給月額…………………………………………………………………208
242	平成17年法律第115号附則第5条の内容………………………208

第8章　非常勤職員

243	退職手当法の適用を受ける非常勤職員の範囲…………………211
244	国の一般会計又は特別会計の歳出予算の常勤職員給与の目から俸給が支給される者………………………………………………212
245	期間業務職員…………………………………………………………212
246	非常勤職員の退職手当の概要……………………………………213
247	非常勤職員の適用条項の制限……………………………………214
248	期間業務職員の退職手当法適用要件……………………………215
249	期間業務職員の勤務日（その１）………………………………217
250	期間業務職員の勤務日（その２）………………………………218
251	期間業務職員の勤務日（その３）………………………………219
252	期間業務職員の勤務日（その４）………………………………219
253	期間業務職員の退職理由…………………………………………220
254	期間業務職員の６月以下の公務上死傷病………………………220
255	期間業務職員の俸給月額…………………………………………221
256	期間業務職員の調整額……………………………………………221
257	期間業務職員の退職手当の計算例………………………………221
258	期間業務職員の週休日をはさんでの採用………………………222
259	国の期間業務職員→国の「職員」………………………………223
260	職員を退職して翌日に期間業務職員となった場合……………224
261	国の期間業務職員に再採用された場合…………………………224
262	地方の期間業務職員→国の「職員」……………………………225

263　地方の期間業務職員→地方の「職員」→国の「職員」……………225
　　264　非常勤職員の「予告を受けない退職者の退職手当」に係る資格
　　　　　要件……………………………………………………………………226
　　265　非常勤職員の「失業者の退職手当」に係る資格要件………………226

第3編　特別法令……………………………………………229

　① 派遣法等（総論）
　　266　派遣法等の概要………………………………………………………231
　　267　特別法令に基づく国家公務員の休業等の概要……………………242
　② 防衛省の職員の給与等に関する法律（昭和27年法律第266号）
　　268　任期制自衛官の退職手当…………………………………………246
　　269　防衛大学校卒業生の退職手当……………………………………249
　　270　予備自衛官等の退職手当…………………………………………250
　　271　自衛隊員の懲戒処分としての降格による給与の減額………………251
　③ 最高裁判所裁判官退職手当特例法（昭和41年法律第52号）
　　272　最高裁判所裁判官に係る退職手当…………………………………252
　④ 競争の導入による公共サービスの改革に関する法律
　　　（平成18年法律第51号）
　　273　公共サービス従事者となるため退職し再び職員となった場合の
　　　　　退職手当………………………………………………………………255

第4編　関係事項……………………………………………259

　　274　退職手当の請求………………………………………………………261
　　275　退職手当の端数処理…………………………………………………261
　　276　遺族に等分支給する場合の端数処理………………………………262
　　277　退職手当の追給に係る端数処理……………………………………262
　　278　消滅時効………………………………………………………………262
　　279　退職手当額の通知……………………………………………………263

巻末付録 ……………………………………………………………… 267

国家公務員退職手当支給率早見表 …………………………………………… 269
法令・通知
　国家公務員退職手当法（昭和28年法律第182号）（抄）………………… 270
　国家公務員退職手当法施行令（昭和28年政令第215号）（抄）………… 292
　国家公務員退職手当法の一部を改正する法律の施行に伴う経過措置
　　に関する政令（平成18年政令第30号）（抄）………………………… 343
　国家公務員退職手当法の規定による早期退職希望者の募集及び認定
　　の制度に係る書面の様式等を定める内閣官房令（平成25年総務省
　　令第58号）（抄）………………………………………………………… 347
　失業者の退職手当支給規則（昭和50年総理府令第14号）（抄）………… 349
　国家公務員退職手当法施行令第四条の二の規定による退職の理由の
　　記録に関する内閣官房令（平成25年総務省令第57号）（抄）………… 356
　国家公務員退職手当法の運用方針（昭和60年4月30日総人第261号）
　　（抄）………………………………………………………………………… 357
　国家公務員退職手当法の一部を改正する法律（平成17年法律第115
　　号）の施行後の退職手当の取扱いについて（平成18年3月14日総
　　人恩総第204号）（抄）…………………………………………………… 364
　国家公務員の自己啓発等休業に関する法律第8条第2項の規定によ
　　り読み替えて適用される国家公務員退職手当法第7条第4項に規
　　定する内閣総理大臣が定める要件について（平成19年7月20日総
　　人恩総第812号）…………………………………………………………… 386
　国家公務員退職手当法の適用を受ける非常勤職員について（昭和60
　　年4月30日総人第260号）………………………………………………… 387
　期間業務職員の退職手当に係る取扱いについて（平成22年9月30日
　　総人恩総第836号）………………………………………………………… 388
　早期退職募集制度の運用について（平成25年5月24日総人恩総第
　　403号）（抄）……………………………………………………………… 389
問一覧（目次詳細）………………………………………………………………… 394

図表目次

図表1	退職手当の種類	27
図表2	退職手当の基本額の類型	59
図表3	一般職給与法と退手法上における俸給の概念	63
図表4	主な退職理由と適用条項	64
図表5	国家公務員の定年	68
図表6	6月を超えない任期の臨時的任用職員の勤続期間	80
図表7	法第5条の2第2項各号に規定する基礎在職期間	84
図表8	法第5条の2第1項の特例と法第5条の3の特例の同時適用	91
図表9	減額が複数回あった場合の特定減額前俸給月額	93
図表10	誕生日が10月2日の者の場合の定年に達する日	97
図表11	地方公務員や公庫等職員であった期間の取扱い	103
図表12	調整額が零又は2分の1となる場合	107
図表13	調整額の計算の対象とされない休職月等	110
図表14	平成18年4月1日前の育児休業期間	118
図表15	施行令別表第一ロの表	123
図表16	休職等に係る除算及びその根拠条文（主なもの）	126
図表17	月単位による在職期間の計算	130
図表18	労働基準法及び船員法の国家公務員に対する適用関係	163
図表19	失業者の退職手当の概要	164
図表20	雇用保険法の失業等給付と失業者の退職手当の対応関係	168
図表21	雇用保険の基本手当の所定給付日数	170
図表22	給与支給調書	173
図表23	退職手当支給制限処分書	179
図表24	法第5条の2第1項の特例と法第5条の3の特例の同時適用	200
図表25	改正法附則第3条の内容	202
図表26	退職手当法適用区分表	215
図表27	退職手当の支給の可否	216
図表28	公共サービス従事者となるため退職し再び職員となった場合の退職手当	256

凡　例

　本書の内容は、令和5年4月1日現在のものである。また、本書の説明中、一般職給与法に規定する俸給の額の例示は、令和5年4月1日現在において定められている一般職給与法（最終改正：令和4年法律第81号）に基づくものである。

　本書の説明中、「支給率」とは、法第3条から第5条までに規定する率に、法原始附則第6項から第8項までに規定するいわゆる調整率を乗じた後のものを指している部分がある。調整率を乗じた後の支給率については、巻末付録の国家公務員退職手当支給率早見表を参照されたい。

　主な法令名の略称は次のとおりである。
- 国家公務員退職手当法（昭和28年法律第182号）　→　退職手当法、法
- 国家公務員退職手当法施行令（昭和28年政令第215号）　→　退職手当法施行令、施行令
- 国家公務員退職手当法の運用方針（昭和60年総人第261号）　→　運用方針
- 最高裁判所判例　→　判例
- 下級裁判所判例　→　裁判例
- 国家公務員退職手当法の一部を改正する法律（平成17年法律第115号）の施行後の退職手当の取扱いについて（平成18年3月14日総人恩総第204号）　→　平成17年改正法施行後取扱決定
- 一般職の職員の給与に関する法律（昭和25年法律第95号）　→　一般職給与法

　本書中の【詳解○○頁】は、『公務員の退職手当法詳解〈第7次改訂版〉』（学陽書房）の参照頁を示している。

第1編 総説

1 退職手当制度の沿革

問 終戦後の退職手当制度の沿革（「国家公務員退職手当法」の制定まで）について、簡単に説明されたい。

答 終戦前における退職手当制度は、各省庁において区々に運用されていたが、終戦後においては、各省庁区々であった退職手当制度を全廃し、統一のとれた新しい退職手当制度として、昭和22年3月29日に「退官・退職手当支給要綱」が閣議決定され、これに基づく「退官・退職手当支給準則」（昭和22年3月29日大蔵省給与局長通牒給発第475号）が定められ、昭和21年7月1日官庁職員給与制度改正の日に遡及して実施されることとなった。その後、新憲法が施行され、国家公務員と地方公務員とが分離されることとなった。昭和24年5月11日からは退職手当が初めて法制化され、「昭和24年度総合均衡予算の実施に伴う退職手当の臨時措置に関する政令」（昭和24年政令第264号）が適用された。昭和25年に、この政令の内容をそのまま取り入れて、「国家公務員等に対する退職手当の臨時措置に関する法律」（昭和25年法律第142号）が制定され、昭和25年5月4日から施行された。この法律は、同法第1条（目的及び効力）において、昭和28年7月31日限り、効力を失うものとすることとされており、同年8月1日以後においては、恩給、国家公務員共済組合法による退職給付、退職手当を総合する新たな恒久的退職給与制度を制定実施することと明記されていた。昭和28年に、議員立法によって現行法の基礎となっている「国家公務員等退職手当暫定措置法」（昭和28年法律第182号）が制定され、昭和28年8月1日から適用されている。その後、職員の年金制度が共済組合の長期給付制度に統一されるに至ったのを機会に、昭和34年に法律名を「国家公務員等退職手当法」とする根本的改正が加えられ、また、三公社（電電、専売、国鉄）の経営形態の変更等に伴い、昭和62年に法律名が「国家公務員退職手当法」に改められた。

【詳解10～16頁】

2 退職手当の基本法規

問 退職手当については、どのような基本法規・通達があるのか。

答 (1) 国家公務員の退職手当の基本法規・通達としては、次のものが

ある。
① 国家公務員退職手当法（昭和28年法律第182号）
② 国家公務員退職手当法施行令（昭和28年政令第215号）
③ 国家公務員退職手当法の一部を改正する法律の施行に伴う経過措置に関する政令（平成18年政令第30号）
④ 退職手当審査会令（平成26年政令第194号）
⑤ 失業者の退職手当支給規則（昭和50年総理府令第14号）
⑥ 国家公務員退職手当法の規定による退職手当の支給制限等に係る書面の様式を定める内閣官房令（平成21年総務省令第27号）
⑦ 国家公務員退職手当法の規定に基づく意見の聴取の手続に関する規則（平成21年総務省令第29号）
⑧ 国家公務員退職手当法施行令第4条の2の規定による退職の理由の記録に関する内閣官房令（平成25年総務省令第57号）
⑨ 国家公務員退職手当法の規定による早期退職希望者の募集及び認定の制度に係る書面の様式等を定める内閣官房令（平成25年総務省令第58号）
⑩ 国家公務員退職手当法附則第12項、第14項及び第16項の規定による退職手当の基本額の特例等に関する内閣官房令（令和4年内閣官房令第3号）
⑪ 国家公務員退職手当法の適用を受ける非常勤職員等について（昭和60年4月30日総人第260号）
⑫ 国家公務員退職手当法の運用方針（昭和60年4月30日総人第261号）
⑬ 国家公務員退職手当法の一部を改正する法律（平成17年法律第115号）の施行後の退職手当の取扱いについて（平成18年3月14日総人恩総第204号）
⑭ 早期退職募集制度の運用について（平成25年5月24日総人恩総第403号）
⑮ 期間業務職員の退職手当に係る取扱いについて（平成22年9月30日総人恩総第836号）
⑯ 退職手当審査会運営規則（平成26年退職手当審査会決定）
(2) 国家公務員退職手当法の特例を定めた法令としては、次のものがある。

① 国際機関等に派遣される一般職の国家公務員の処遇等に関する法律（昭和45年法律第117号）
② 国際機関等に派遣される一般職の国家公務員の処遇等に関する法律の施行に伴う国家公務員等の退職手当に関する経過措置を定める等の政令（昭和45年政令第350号）
③ 国際機関等に派遣される防衛省の職員の処遇等に関する法律（平成7年法律第122号）
④ 国と民間企業との間の人事交流に関する法律（平成11年法律第224号）
⑤ 法科大学院への裁判官及び検察官その他の一般職の国家公務員の派遣に関する法律（平成15年法律第40号）
⑥ 判事補及び検事の弁護士職務経験に関する法律（平成16年法律第121号）
⑦ 福島復興再生特別措置法（平成24年法律第25号）
⑧ 令和3年東京オリンピック競技大会・東京パラリンピック競技大会特別措置（平成27年法律第33号）
⑨ 平成31年ラグビーワールドカップ大会特別措置法（平成27年法律第34号）
⑩ 令和7年に開催される国際博覧会の準備及び運営のために必要な特別措置に関する法律（平成31年法律第18号）
⑪ 令和9年に開催される国際園芸博覧会の準備及び運営のために必要な特別措置に関する法律（令和4年法律第15号）
⑫ 科学技術・イノベーション創出の活性化に関する法律（平成20年法律第63号）
⑬ 科学技術・イノベーション創出の活性化に関する法律施行令（平成20年政令第314号）
⑭ 教育公務員特例法（昭和24年法律第1号）
⑮ 教育公務員特例法施行令（昭和24年政令第6号）
⑯ 国家公務員の育児休業等に関する法律（平成3年法律第109号）
⑰ 国会職員の育児休業等に関する法律（平成3年法律第108号）
⑱ 裁判官の育児休業に関する法律（平成3年法律第111号）
⑲ 国家公務員の自己啓発等休業に関する法律（平成19年法律第45号）
⑳ 国家公務員の自己啓発等休業に関する法律第8条第2項の規定によ

り読み替えて適用される国家公務員退職手当法第7条第4項に規定する内閣総理大臣が定める要件について（平成19年総人恩総第812号）
㉑　国家公務員の配偶者同行休業に関する法律（平成25年法律第78号）
㉒　国会職員の配偶者同行休業に関する法律（平成25年法律第80号）
㉓　裁判官の配偶者同行休業に関する法律（平成25年法律第91号）
㉔　災害対策基本法施行令（昭和37年政令第288号）
㉕　大規模災害からの復興に関する法律施行令（平成25年政令第237号）
㉖　防衛省の職員の給与等に関する法律（昭和27年法律第266号）
㉗　最高裁判所裁判官退職手当特例法（昭和41年法律第52号）
㉘　沖縄の復帰に伴う国家公務員退職手当法の適用の特別措置等に関する政令（昭和47年政令第176号）
㉙　競争の導入による公共サービスの改革に関する法律（平成18年法律第51号）　　　　　　　　　　　　　　　　　　　　　【詳解26～28頁】
㉚　国家戦略特別区域法（平成25年法律第107号）
㉛　国家戦略特別区域法施行令（平成26年政令第99号）
㉜　国家戦略特別区域法第19条の2の規定による国家公務員退職手当法の特例に関する内閣官房令（平成27年内閣官房令第7号）

3　退職手当の性格

問　国家公務員の退職手当の性格は、どういうものか。

答　国家公務員の退職手当の基本的な性格は、当該公務員の在職期間中における公務への貢献、すなわち勤続・功労に対する報償が基本にある。

　この理由としては、①退職手当額は退職日の俸給月額を基礎に計算され、また退職手当支給率は、勤続期間1年当たりの支給割合が均一でなく、相当長期に至るまでは勤続期間が長くなるに伴って増加し、また自己都合が低く公務上の死亡が高いなど、退職理由によっても支給率が変わる仕組みとなっていること、②職員が懲戒免職、失職等により退職する場合には、一般の退職手当等の全部又は一部を支給しないことができること、等が挙げられている。　　　　　　　　　　　　　　【詳解4～5頁】

【参考】
　　民間企業の退職金の性格については、功績報償説、賃金後払説、生活保

障説等の諸説があって必ずしも定説があるわけではない。

4 退職手当の種類

問 退職手当には、どのような種類があるのか。

答 退職手当法による退職手当の種類は、次のとおりである。

◎図表1　退職手当の種類

```
          ┌ 一般の退職手当（法第2条の4）＝基本額（法第3条～第6条の3）
          │                              ＋調整額（法第6条の4）
退職手当  ┤          ┌ 予告を受けない退職者の退職手当（法第9条）
          └ 特別の退職手当┤
                      └ 失業者の退職手当（法第10条）
```

退職手当は、大きく分けて「一般の退職手当」（「第2編第2章　一般の退職手当」参照）と「特別の退職手当」（「第2編第3章　特別の退職手当」参照）に分類される。

「一般の退職手当」とは、通常称されているところの退職手当であり、勤続期間及び退職理由に応じた「基本額」（問49参照）と勤続中の公務への貢献度を反映させた「調整額」（問96参照）を足し合わせたものからなる。

「特別の退職手当」とは、一部の者を除いて国家公務員には労働基準法、船員法及び雇用保険法が適用されていないが、これらの法律による給付、すなわち労働基準法による解雇手当、船員法による雇止手当及び雇用保険法による失業等給付に相当するものは、国家公務員にも実質的に保障する必要があるため、一般の退職手当が一定額未満である等の一定の要件を満たす者に限りこれを退職手当として支給しようとするものである。

【詳解68頁】

5 退職手当の請求権

問 退職手当について、退職者に請求権は存在するか。

答 国家公務員の退職手当は、職員が退職した場合、一定の支給制限事

由（法第12条第1項及び第14条第1項参照）に該当しない以上は、法第20条等の規定に該当する場合を除き、一律に支給されるものである。したがって、国が支払義務を負う金銭債務であるとともに、退職者が請求権をもつ給付でもある。また、退職手当請求権は、金銭的又は財産的価値を有する権利であり、「財産権」に該当する。なお、退職手当請求権は退職した日に発生する（請求権の消滅時効については、問278参照）。　【詳解6～7頁】

6　退職手当の自主返納、受給権放棄

問　退職手当の自主返納や退職手当の受給権放棄は可能なのか。国会議員である国務大臣等が退職手当受給権を放棄することは可能なのか。

答　(1)　退職手当の自主返納については、公務員が退職し退職手当が支給された後の私人の自主的判断によるものであり、後で述べる国会議員である国務大臣等の場合を除いて自由に認められる。

次に、受給権放棄については、私法上の一般労働者の賃金の放棄については、労働法上これを規制するものは特に存在しない。また、公権たる公務員の俸給、退職手当等の放棄の可否に関する明文の規定はない。

伝統的公法理論によれば、「公権は、普通、公益上の見地から与えられるものであるから、これを放棄することができない。これを放棄することにより、特にその者に公権を認めた本来の目的を害するに至るからである。俸給権・恩給権・選挙権・訴権等は、いずれもその例である。」（田中二郎著『新版行政法上巻〈全訂第2版〉』弘文堂）とされている。

近年の学説においては、公権の放棄を全面的に否定するものは見受けられないものの、公権としての性質からその放棄は原則としては否定されるべきであるとする説から、公権・私権の別なく個別の権利の性質から考えるべきであるとする説まであり、通説が何かは判然としていない。

本問題に関しては、一定の要件の下に俸給請求権の放棄を認めた例として、公務員の俸給を受ける権利を放棄することは、公務員と国又は地方公共団体との間に存する特別権力関係を破壊し、公益を害するに至るおそれがあるから、一般に許されないものと解すべきであるが、右のようなおそれが全く存しない場合には、有効にこれをなし得るものと解すべきであるとの裁判例がある（仙台高裁　昭31(ネ)273号　昭和32年7月15日判決）。

公権の放棄について原則的に否定する立場に立ったとしても、権利者の純粋な経済的利益のみに関わる公権の放棄や、公権を害するおそれが存しない事情における公権の放棄は許されると解しても当を失しないと考えられる。特に、退職手当は給与と異なり、現実に公務を遂行している現役職員に対する給付ではなく、退職者に対する給付であるため、その放棄は直接公益を害するものではないと考えられる。したがって、退職手当請求権は、自己の意思に基づいて放棄できると考えられる。

　なお、藤沢高校教員退職手当事件（横浜地裁　昭49(ワ)730号　昭和52年7月20日判決）においては、「退職手当請求権は、請求者の権利放棄により消滅する。」と判示されている。

　退職手当請求権の放棄により、国が退職手当の支払債務を免れるか否かについては、退職手当法上何らの規定がないことから、民法の規定が適用されることとなり、同法第519条の規定により、債権者の一方的意思表示により債務が免除され、債権は消滅することになる。ただし、退職手当請求権の放棄に当たっては、口頭の意思表示ではなく、文書によることが望ましいと考えられる。

　【参考】
　民法（明治29年法律第89号）（抄）
　　第519条　債権者が債務者に対して債務を免除する意思を表示したときは、その債権は、消滅する。

(2)　国会議員である国務大臣等が退職手当を自主返納したり退職手当請求権を放棄することについては、公職選挙法（昭和25年法律第100号）第199条の2の規定に違反することとなる。同条においては、公職の候補者等が当該選挙区内にある者に対し寄附を行うことを禁じているが、「国」も選挙区内にある者に含まれるものと解されており、かつ、退職手当を自主返納したり退職手当請求権を放棄することは、「国に対する寄附」に該当するため同条に抵触することとなる。国務大臣等が退職手当の支給を受けずに、各省各庁の長等がこれを供託することは可能であるが、会計法上の時効（5年）により退職手当請求権が消滅した時点で、国への寄附になり、公職選挙法違反となるものと解されている（退職手当請求権の消滅時効については、問278参照）。

【参考】
　公職選挙法（昭和25年法律第100号）（抄）
　　（公職の定義）
　第3条　この法律において「公職」とは、衆議院議員、参議院議員並びに地方公共団体の議会の議員及び長の職をいう。
　　（収入、寄附及び支出の定義）
　第179条　略
　2　この法律において「寄附」とは、金銭、物品その他の財産上の利益の供与又は交付、その供与又は交付の約束で党費、会費その他債務の履行としてなされるもの以外のものをいう。
　3　略
　4　前三項の金銭、物品その他の財産上の利益には、花輪、供花、香典又は祝儀として供与され、又は交付されるものその他これらに類するものを含むものとする。
　　（公職の候補者等の寄附の禁止）
　第199条の2　公職の候補者又は公職の候補者となろうとする者（公職にある者を含む。以下この条において「公職の候補者等」という。）は、当該選挙区（選挙区がないときは選挙の行われる区域。以下この条において同じ。）内にある者に対し、いかなる名義をもつてするを問わず、寄附をしてはならない。ただし、政党その他の政治団体若しくはその支部又は当該公職の候補者等の親族に対してする場合及び当該公職の候補者等が専ら政治上の主義又は施策を普及するために行う講習会その他の政治教育のための集会（参加者に対して饗応接待（通常用いられる程度の食事の提供を除く。）が行われるようなもの、当該選挙区外において行われるもの及び第199条の5第4項各号の区分による当該選挙ごとに当該各号に定める期間内に行われるものを除く。以下この条において同じ。）に関し必要やむを得ない実費の補償（食事についての実費の補償を除く。以下この条において同じ。）としてする場合は、この限りでない。
　2〜4　略

7 退職手当の追給

問 退職手当の支給後、俸給の増額改定が退職の日以前まで遡及して適用された場合、退職手当の追給が必要になるのか。

答 退職手当の算定の基礎となる俸給月額は、「退職の日」における俸給月額である（法第5条の2第1項が適用される場合には特定減額前俸給月額）。このため、退職手当の支給後、俸給の増額改定が退職の日まで遡及して適用された場合、改定後の俸給月額が退職手当の算定基礎となり、退職手当の追給が必要となる。　　　　　　　　　　　　　　　　【詳解69頁】

第 2 編

国家公務員退職手当法

第1章 総　則
（第1条～第2条の3）

1　趣旨（第1条）

8　慰労金の支給

問　退職手当に代わるものとして慰労金を支給することはできるのか。

答　退職手当法は、退職手当の基準を定めたものであり、およそ退職による給付については、他の法律に基づく給付（例えば、共済給付、災害補償給付等）を除き、これを退職手当として一律に規制しようとするものである（法第1条参照）。

したがって、この法律による退職手当のほかに、実質的にこれに相当する給付を法律に基づかないで支給することは、その名称、形式等の如何を問わずできないものと解されている。　　　　　　　　　　【詳解31頁】

2　適用範囲（第2条）

9　常時勤務に服することを要する国家公務員

問　法第2条第1項に規定する「常時勤務に服することを要する国家公務員」とは、具体的にはどのような職員をいうのか。

答　「常時勤務に服することを要する国家公務員」とは、一般的には現行制度の下での法律上又は予算上の定員内職員とされている。なお、特別職の審議会等の委員であっても、その官職が法令によって常勤とされ、か

つ、月額の俸給が支給されることとされているものは全て退職手当の支給対象とされている。

なお、定員外職員であっても国の一般会計又は特別会計の歳出予算の常勤職員給与の目から俸給が支給される者（いわゆる常勤労務者）や一定の要件を満たした期間業務職員については、「常時勤務に服することを要する国家公務員」には含まれないが、これに準ずる者として法を適用することとされている（問243参照）。

【詳解32～34、36頁】

10 国会議員等の退職手当

問 国会議員及び国会議員の秘書には、退職手当が支給されるのか。

答 国会議員については、その勤務の性質、態様からみて、「常勤を要しない者」に該当し、退職手当法に基づく退職手当は支給されないものと解されている（昭29.6.10蔵計第1372号参照）。

国会議員の秘書については、特別職の国家公務員であるが、その勤務の性質、態様からみて、国会議員と同様に退職手当法に基づく退職手当は支給されないものと解されている。なお、別途、「国会議員の秘書の給与等に関する法律」（平成2年法律第49号）及び「国会議員の秘書の退職手当支給規程」（昭37.3.31両院議長協議決定）により、退職手当が支給されることになっている。

【詳解32～33頁】

11 国務大臣等の退職手当

問 国務大臣、副大臣、大臣政務官、大臣補佐官又は秘書官に対して退職手当を支給するのか。

答 国務大臣、副大臣、大臣政務官、大臣補佐官及び秘書官は、特別職の国家公務員であり、常時勤務に服することを要する者として退職手当法の適用対象とされている。なお、国務大臣等が国会議員である場合は退職手当の自主返納は禁じられている（問6参照）。

【詳解33頁】

12　国務大臣が内閣改造により辞職した場合

問　国務大臣が内閣改造により辞職した場合は、法第何条の退職手当を支給するのか。

答　在任期間19年以下の国務大臣が内閣改造や内閣総辞職により辞職した場合の退職手当の基本額については、法第3条第1項及び第2項が適用される。在任中に死亡した場合には、公務上の死亡であれば法第5条第1項（及び第6条の5）、公務外の死亡であれば法第3条第1項が適用される。勤続期間の計算方法は一般職員と同様である。

国務大臣の退職手当の調整額については、法第6条の4第4項第5号ロが適用されるため、退職手当の基本額の100分の8.3に相当する額となる（問97参照）。

なお、副大臣、大臣政務官等についても同様である。　　【詳解74頁】

13　各省の大臣が内閣改造等により他省の大臣として再任された場合

問　各省の大臣が内閣改造や内閣総辞職に伴い新内閣において他省の大臣となった場合、退職手当を支払うのか。

答　各省の大臣は、内閣総理大臣が国務大臣の中から任命する。

内閣改造により新内閣において他省の大臣に発令替えとなる場合については、国務大臣としての地位は引き続いており、同じ省の大臣に留任する場合と同じく国務大臣としての身分は引き続くため、退職手当は支払われない（発令替え後に国務大臣を辞職する際に、発令替え前の在職期間を通算して退職手当が支給される。）。

また、内閣が総辞職した場合には、日本国憲法第71条の規定により、内閣は新たに内閣総理大臣が任命されるまでは引き続き職務を行うことから、国務大臣が、内閣総辞職後に日本国憲法第71条に基づき（いわゆる職務執行内閣の）国務大臣として引き続き在職した後、引き続き新内閣における閣僚に任命された場合、国務大臣としての身分は引き続くため、退職手当は支払われない（新内閣の国務大臣を辞職する際に、前内閣の国務大臣としての在職期間を通算して退職手当が支給される。）。

【参考】
日本国憲法（抄）
第68条　内閣総理大臣は、国務大臣を任命する。但し、その過半数は、国会議員の中から選ばれなければならない。
②　略
第69条　内閣は、衆議院で不信任の決議案を可決し、又は信任の決議案を否決したときは、10日以内に衆議院が解散されない限り、総辞職をしなければならない。
第70条　内閣総理大臣が欠けたとき、又は衆議院議員総選挙の後に初めて国会の召集があつたときは、内閣は、総辞職をしなければならない。
第71条　前2条の場合には、内閣は、あらたに内閣総理大臣が任命されるまで引き続きその職務を行ふ。

国家行政組織法（昭和23年法律第120号）（抄）
　（行政機関の長）
第5条　略
2　略
3　各省大臣は、国務大臣のうちから、内閣総理大臣が命ずる。ただし、内閣総理大臣が自ら当たることを妨げない。

14　司法修習生となった場合

問　職員が退職し、引き続いて司法修習生となった場合には、退職手当を支給して差し支えないか。

答　司法修習生は、退職手当法の適用を受ける職員には該当しない。したがって、職員を退職した際に退職手当を支給することとなる（昭33.5.12蔵計第1359号参照）。　　　　　　　　　　　　　　　　　【詳解33頁】

15　最高裁判所の裁判官となった場合

問　職員が退職し、引き続いて最高裁判所裁判官に任命された場合には、退職手当を支給して差し支えないか。

答 最高裁判所の裁判官の退職手当については、最高裁判所裁判官退職手当特例法が適用される。

　最高裁判所の裁判官に対する退職手当の算定の基礎とされる勤続期間の計算は、最高裁判所の裁判官としての引き続いた在職期間によることとされており、職員が退職し、引き続いて最高裁判所の裁判官となった場合には、職員を退職した際に退職手当法に基づく退職手当を支給することとされている（問272、最高裁判所裁判官退職手当特例法第3条及び第6条参照）。

【詳解33、544～547頁】

【参考】
最高裁判所裁判官退職手当特例法（昭和41年法律第52号）（抄）
第3条　前条の退職手当の算定の基礎となる勤続期間の計算は、退職手当法第7条第1項の規定にかかわらず、最高裁判所の裁判官としての引き続いた在職期間による。
2　退職手当法第7条第2項から第4項まで及び第6項から第8項までの規定は、前項の規定による在職期間の計算について準用する。この場合において、同条第6項ただし書中「6月以上1年未満（第3条第1項（傷病又は死亡による退職に係る部分に限る。）、第4条第1項又は第5条第1項の規定により退職手当の基本額を計算する場合にあつては、1年未満）」とあるのは、「1年未満」と読み替えるものとする。
　（一般職員等が最高裁判所の裁判官となつた場合の取扱い）
第6条　一般職員が退職した場合において、その者が退職の日又はその翌日に最高裁判所の裁判官となつたときは、その退職については、退職手当法第7条第3項及び第20条第1項の規定は、適用しない。
2　一般職員又は地方公務員が引き続いて最高裁判所の裁判官となつた場合には、退職手当に関する法令の規定の適用については、最高裁判所の裁判官となつた日の前日に一般職員又は地方公務員を退職したものとみなす。

16　任期付職員及び臨時的任用職員

問　任期付職員や臨時的任用職員には退職手当は支給されるのか。

答　一般職の任期付職員の採用及び給与の特例に関する法律（平成12年

法律第125号）第3条に規定する任期付職員、一般職の任期付研究員の採用、給与及び勤務時間の特例に関する法律（平成9年法律第65号）第3条第1項の規定による任期付研究員、国家公務員法第60条第1項の規定による臨時的任用者、国家公務員の育児休業等に関する法律（平成3年法律第109号）第7条第1項の規定による臨時的任用者等は、常時勤務を要する職員に該当するため、これらの者が退職したときは、勤続期間等に応じ、退職手当が支給される。

　なお、これらの者が任期終了に伴い退職した場合には、退職手当法第3条第1項（勤続11年未満）、同法第4条第1項（勤続11年以上25年未満）、同法第5条第1項（勤続25年以上）が適用される。　　【詳解87～88頁】

17　任期終了等

問　職員の退職には、任期終了に伴う退職も含まれるのか。

答　退職手当法の「退職」とは、職員たる身分を最終的に退くことであり、自己都合退職、死亡、定年、免職、失職、解職等職を離れる全ての場合をいい、任期終了による退職も含まれる。任期終了者については、勤続11年未満は法第3条第1項が、勤続11年以上25年未満は法第4条第1項が、勤続25年以上は法第5条第1項が適用される（勤務年数の計算については問123参照）。なお、定年前早期退職特別措置（問90参照）は適用されない。

【詳解34～35頁】

18　分限免職

問　国家公務員法第78条の規定による分限免職の場合は、退職手当を支給するものと解して差し支えないか。

答　職員の勤務実績がよくない場合、心身の故障のため、職務の遂行に支障があり、又はこれに堪えない場合、その他その官職に必要な適格性を欠く場合等により分限免職にされた職員に対しては、退職手当を支給することとなる。なお、懲戒免職にされた職員に対しては、退職手当を一部又は全部不支給とすることができる（法第12条。問188～189参照）。

【詳解74、83～85頁】

19　分限免職の取消し

問　職員が分限免職により退職手当の支給を受けたが、後で当該免職処分が取り消された場合には、既に支給された退職手当は返納して在職期間は引き続くものとして取り扱うものと解して差し支えないか。

答　貴見のとおりと解する（昭29.6.10蔵計第1372号参照）。

20　一般職と特別職の兼職者が退職した場合

問　それぞれ俸給月額や勤続期間の異なる一般職の官職と特別職の官職を兼ねている者が退職した場合にはどう取り扱うのか。

答　職員の身分の特殊な事例として、一般職の常勤官職と特別職の常勤官職を兼ねる場合がある。この場合、それぞれの官職について勤続期間、俸給月額が存在することとなるが、退職手当の計算に当たっては、一方の官職を先に退職したとしてもその際に退職手当を支給することはせず、法第2条に規定する「職員」としての身分を離れた際、すなわち、全ての官職から退職した際に、最初に「職員」としての身分を取得してから最後の退職までの期間を勤続期間として退職手当の額を計算することとなる。　【詳解79頁】

21　暫定再任用職員の退職手当

問　国家公務員法等の一部を改正する法律（令和3年法律第61号）附則第4条に基づく暫定再任用職員の退職手当の取扱いはどのようになるのか。

答　国家公務員法等の一部を改正する法律附則第7条第8項等の規定により、暫定再任用職員については退職手当法の適用がない。このため、定年退職した者が国家公務員法等の一部を改正する法律附則第4条に基づき再任用される場合は、当該定年退職により退職手当が支給され、再任用された後に再度退職するときには退職手当が支給されない。再任用された者に退職手当が支給されないのは、民間企業において再雇用に係る退職金が支給されないことが一般的であることを勘案したことによるものである。

【詳解487～488頁】

3 遺族の範囲及び順位（第2条の2）

22 親族の範囲

問 職員が死亡した場合には、退職手当は遺族に支給することになるが、子、父母、親族等の範囲は民法の規定（例えば民法第725条）によって解釈して差し支えないか。

答 貴見のとおりと解する。 【詳解55、58頁】

23 遺族が生死不明の場合

問 職員が死亡し、遺族のうち第1順位者について同順位者がなく、かつ、その者が生死不明である場合には、次順位者に退職手当を支給してよいか。

答 失踪宣告がなされていない限り、次順位者に退職手当を支給することはできない。民事法の一般原則に従い供託の措置をとるべきである（昭29.6.10蔵計第1372号参照）。 【詳解59頁】

24 遺族が死亡した場合

問 退職手当の支給を受けるべき遺族となった者が、その支給を受けないうちに死亡した場合は、退職手当は次順位の遺族に支給されるのか。

答 退職手当の支給を受けるべき遺族は職員の死亡当時の範囲及び順位によって自ら定まるのであり、お尋ねの場合は、次順位の遺族に支給されるのではなく、死亡した遺族の相続財産としてその者の相続人に支給されることとなる。 【詳解59頁】

25 遺族が相続権を放棄した場合

問 退職手当の支給を受けるべき第1順位者の遺族が相続放棄した場合、退職手当は第2順位の遺族に支給されるのか。

（答）　第1順位者の遺族に退職手当が支給されることとなる。

　退職手当の受給権は、相続財産には属さず、受給権者たる遺族固有の権利であることから、第1順位者の遺族が相続権を放棄しても退職手当の受給権を放棄したことにはならない。

　相続権とは別に、退職手当の受給権を放棄したときについては、問28を参照。
【詳解59頁】

26　遺族で同順位者が複数いる場合

（問）　遺族に退職手当が支給される場合において、同順位者が複数いる場合はどのように支給するのか。

（答）　退職手当の支給を受ける同順位者の遺族が2人以上である場合には、その人数によって等分して支給することとなる（法第2条の2第3項参照）。

27　複数いる同順位の遺族のうちの1人が退職手当の受給権を放棄した場合

（問）　退職手当の支給を受けるべき遺族で同順位者が複数いる場合、そのうちの1人が退職手当の受給権を放棄した場合は、当該放棄した遺族が受給することとなっていた退職手当額は他の遺族に支給されるのか。

（答）　他の遺族には支給されない。退職手当の受給権は、受給権者が各々退職手当法の規定に基づいて直接に取得する固有の権利であり、同順位者の共有財産とはならないことから、複数の同順位者のうちの1人が受給権を放棄したとしても、その者に支払われるべき退職手当が他の同順位の遺族に支給されることはない。
【詳解59頁】

28　第1順位者である遺族が退職手当の受給権を放棄した場合

（問）　第1順位者である遺族が退職手当の受給権を放棄した場合は、次順位者に支給することとなるのか。

答 次順位者には支給されない。退職手当の受給権は、第1順位者である遺族固有の権利であり、相続財産には属していないことから、これを放棄しても次順位者には支給されない。なお、第1順位者の遺族から、退職手当を放棄する意思が明確に確認されない限りは、支給権者においてこれを供託するのが適当である。
【詳解58～59頁】

29 遺族が未成年者の場合

問 退職手当の支給を受ける遺族が未成年者の場合、当該未成年者に支給してよいか。

答 意思能力のない未成年者である場合には、親権者又は後見人に対して支給すべきであり、意思能力のある未成年者である場合には、親権者又は後見人の同意を確認の上、未成年者本人に対して支給するのが妥当である（昭29.6.10蔵計第1372号参照）。
【詳解59頁】

30 遺族が1人もいない場合

問 職員が死亡し、死亡当時、退職手当の支給を受けるべき遺族が1人もいないときは、退職手当はどうなるのか。

答 職員の死亡当時、法第2条の2第1項に規定する遺族が1人もいないときは、退職手当は誰にも支給されないこととなる（昭29.6.10蔵計第1372号参照）。

この場合、戸籍謄本、住民票等により遺族となるべき者がいないことを確認する必要がある。
【詳解55頁】

31 生計関係の認定基準

問 職員が死亡した場合における生計関係の認定基準は、どのようなものか。

答 職員の死亡当時主としてその収入によって生計を維持していたかどうかの認定基準は、その親族が①扶養手当支給上の扶養親族となっているか、②住民票等によって同一の居住となっているか、③共済組合の認定上

被扶養者となっているか、④税法上の扶養控除対象者となっているか等を総合的に勘案し、個々の実態に即して判断する必要がある。　【詳解57頁】

32　事実上の婚姻関係にある者

問　法第2条の2第1項第1号括弧内の「届出をしないが、職員の死亡当時事実上婚姻関係と同様の事情にあつた者」とは、どのような者であるのか。

答　内縁の夫又は妻である。内縁関係とは、婚姻の届出を欠くが、社会通念上夫婦としての共同生活の実態が認められる事実関係をいい、次のいずれの要件も満たすことが必要であると解されている。

① 　当事者間に、夫婦の共同生活と社会通念上認められる事実関係を成立させようとする合意があること
② 　当事者間に、上記①の事実関係が存在すること

　ただし、退職手当が公的性格を有する給付であることにも鑑み、このような公的給付を受給することが妥当でない者、すなわち、民法第734条、第735条又は第736条に規定するような内縁関係にある者は、お尋ねの法第2条の2第1項第1号括弧内の規定に該当しないものと解されている。

【詳解55～57頁】

【参考】

　民法（明治29年法律第89号）（抄）

　　（近親者間の婚姻の禁止）

　第734条　直系血族又は3親等内の傍系血族の間では、婚姻をすることができない。ただし、養子と養方の傍系血族との間では、この限りでない。

　2　第817条の9の規定により親族関係が終了した後も、前項と同様とする。

　　（直系姻族間の婚姻の禁止）

　第735条　直系姻族の間では、婚姻をすることができない。第728条又は第817条の9の規定により姻族関係が終了した後も、同様とする。

　　（養親子等の間の婚姻の禁止）

　第736条　養子若しくはその配偶者又は養子の直系卑属若しくはその配偶

者と養親又はその直系尊属との間では、第729条の規定により親族関係が終了した後でも、婚姻をすることができない。

33 いわゆる法律婚と事実婚とが併存する場合

問 職員の死亡当時、届出のある配偶者といわゆる内縁関係にある者とが併存する場合、退職手当の支給を受ける者はどちらになるのか。

答 民法の届出主義、重婚の禁止及び社会通念に照らし、届出による婚姻関係が原則的には優先するが、法律婚が形骸化している場合には内縁関係にある者が退職手当の支給を受け得ると解する。　　　【詳解55～56頁】

34 遺族から排除される者

問 法第2条の2第4項の規定により「退職手当の支給を受けることができる遺族としない」とされる者は、具体的にどのような者か。

答 次に掲げる者は、退職手当法上の「遺族」とされない。
① 職員を故意に死亡させた者
　　すなわち、遺族の範囲内にある者のうち、職員を故意に死亡させた者が該当する。例えば、妻が夫たる職員を死亡させた場合である。この場合、次順位の遺族（例えば、職員の子）があれば、その者に退職手当が支給される。
② 職員の死亡前に、同人が死亡したならば退職手当の支給を受けることとなる先順位の遺族となるべき者を故意に死亡させた者
　　例えば、職員、配偶者及び子の家族構成においては、職員が死亡した場合には配偶者が先順位の遺族となるが、その配偶者を子が死亡させた場合が該当し、その場合、職員が死亡したときは、次順位の遺族（例えば、職員の父母）があれば、その者に退職手当が支給される。
③ 職員の死亡前に、職員が死亡したならば退職手当の支給を受けることとなる同順位の遺族となるべき者を故意に死亡させた者
　　例えば、職員及び子3人（a、b、c）という家族構成においては、職員が死亡した場合には子3人が同順位の遺族となるが、aがbを死亡させた場合が該当し、その場合、職員が死亡したときは、cに

退職手当が支給される。

【詳解59〜60頁】

35　法第2条の2第4項の「故意に死亡させた者」

問　法第2条の2第4項の「故意に死亡させた者」の意味はどういうことか。

答　死亡させること自体に故意があることをもって足り、退職手当の支給を受けようとする故意がある必要はないと解されている。また、「過失致死」や「傷害致死」は含まれない。

【詳解60頁】

36　「故意に死亡させた者」の判断

問　「故意に死亡させた者」の「故意」の有無は、司法判断（判決）によるのか。

答　支給官庁において必要な調査等を行った上で「故意」の有無について判断できるものと解される（司法判断によることを排除する趣旨ではないが、司法判断が確定するまでには相応の期間を要すること等に留意の上対応されたい。）。

4　退職手当の支払（第2条の3）

37　退職手当の支払方法

問　退職手当はいかなる方法で支払うべきか。

答　法第2条の3第1項は、退職手当の支払方法について、全額払、現金払及び直接払の3つの原則を定めており、「他の法令に別段の定めがある場合」及び「政令で定める確実な方法により支払う場合」以外は、これらの原則に従った支払方法を採らなければならない。

なお、公益上の必要性、事務・手続の簡素化、受給者の便宜性等の観点から例外を認めることが実情に沿う場合があることから、他の法令及び退

職手当法施行令の定めにより例外を認めている。　　　　　【詳解60～66頁】

38　退職手当の法定控除

問　職員に支給する退職手当から一部控除が認められるケースとしては、どのようなものがあるのか。

答　退職手当には、全額払の原則があるが（法第2条の3第1項）、次に掲げるような場合には、法第2条の3第1項の「他の法令に別段の定めがある場合」に該当し、それぞれの金額を退職手当から一部控除した上、本人に支払うことが認められている（運用方針第2条の3関係第1号参照）。

① 　地方税法（昭和25年法律第226号）第41条及び第50条の6並びに第328条の5及び第328条の6に基づく徴収を行う場合
② 　国家公務員共済組合法（昭和33年法律第128号）第101条に基づく控除を行う場合
③ 　所得税法（昭和40年法律第33号）第199条及び第201条に基づく徴収を行う場合

【詳解61～65頁】

【参考】

地方税法（昭和25年法律第226号）（抄）

（個人の道府県民税の賦課徴収）

第41条　個人の道府県民税の賦課徴収は、本款に特別の定めがある場合を除くほか、当該道府県の区域内の市町村が、当該市町村の個人の市町村民税の賦課徴収（均等割の税率の軽減を除く。）の例により、当該市町村の個人の市町村民税の賦課徴収と併せて行うものとする。この場合において、第17条の4の規定に基づく還付加算金、第321条第2項の規定に基づく納期前の納付に対する報奨金、第321条の2、第326条、第328条の10若しくは第328条の13の規定に基づく延滞金、第328条の11の規定に基づく過少申告加算金若しくは不申告加算金又は第328条の12の規定に基づく重加算金の計算については、道府県民税及び市町村民税の額の合算額によって当該各条の規定を適用するものとする。

2 　第317条の4（第317条の2第1項から第5項までの規定によつて提出すべき申告書に虚偽の記載をして提出した者に係る部分に限る。）、第

324条、第328条の16第1項及び第3項から第6項まで並びに第332条から第334条までの規定は、前項の規定によつて市町村が個人の市町村民税の賦課徴収の例により賦課徴収を行う個人の道府県民税について準用する。
3　道府県は、市町村が第1項の規定によつて行う個人の道府県民税の賦課徴収に関する事務の執行について、市町村に対し、必要な援助をするものとする。
　（特別徴収税額）
第50条の6　第41条第1項の規定により特別徴収義務者が徴収すべき分離課税に係る所得割の額は、次の各号に掲げる場合の区分に応じ、当該各号に掲げる税額とする。
　一　退職手当等の支払を受ける者が提出した次条第1項の規定による申告書（以下この条並びに次条第2項及び第3項において「退職所得申告書」という。）に、その支払うべきことが確定した年において支払うべきことが確定した他の退職手当等で既に支払がされたもの（次号において「支払済みの他の退職手当等」という。）がない旨の記載がある場合　その支払う退職手当等の金額について第50条の3及び第50条の4の規定を適用して計算した税額
　二　退職手当等の支払を受ける者が提出した退職所得申告書に、支払済みの他の退職手当等がある旨の記載がある場合　その支払済みの他の退職手当等の金額とその支払う退職手当等の金額との合計額について第50条の3及び第50条の4の規定を適用して計算した税額から、その支払済みの他の退職手当等につき第41条第1項の規定により徴収された又は徴収されるべき分離課税に係る所得割の額を控除した残額に相当する税額
2　退職手当等の支払を受ける者がその支払を受ける時までに退職所得申告書を提出していないときは、第41条第1項の規定により特別徴収義務者が徴収すべき分離課税に係る所得割の額は、その支払う退職手当等の金額について第50条の3及び第50条の4の規定を適用して計算した税額とする。
3　第1項各号又は前項の規定により第50条の3の規定を適用する場合における所得税法第30条第2項の退職所得控除額の計算については、前2

項の規定による分離課税に係る所得割を徴収すべき退職手当等を支払うべきことが確定した時の状況によるものとする。
4　所得税法第202条の規定は、前3項の規定を適用する場合について準用する。
　（特別徴収の手続）
第328条の5　市町村は、前条の規定によつて分離課税に係る所得割を特別徴収の方法によつて徴収しようとする場合には、当該分離課税に係る所得割の納税義務者に対して退職手当等の支払をする者（他の市町村において退職手当等の支払をする者を含む。）を当該市町村の条例によつて特別徴収義務者として指定し、これに徴収させなければならない。
2　前項の特別徴収義務者は、退職手当等の支払をする際、その退職手当等について分離課税に係る所得割を徴収し、その徴収の日の属する月の翌月の10日までに、総務省令で定める様式によつて、その徴収すべき分離課税に係る所得割の課税標準額、税額その他必要な事項を記載した納入申告書を市町村長に提出し、及びその納入金を当該市町村に納入する義務を負う。
3　第321条の5第4項及び第5項並びに第321条の5の2の規定は、前項の規定により同項の納入金を納入する場合について準用する。この場合において、第321条の5の2第1項中「支払つた給与」とあるのは「支払つた退職手当等」と、「納入」とあるのは「申告納入」と、「前条第1項」とあるのは「第328条の5第2項」と読み替えるものとする。
　（特別徴収税額）
第328条の6　前条第2項の規定により徴収すべき分離課税に係る所得割の額は、次の各号に掲げる場合の区分に応じ、当該各号に掲げる税額とする。
　一　退職手当等の支払を受ける者が提出した次条第1項の規定による申告書（以下この条、次条第2項及び第3項並びに第328条の8において「退職所得申告書」という。）に、その支払うべきことが確定した年において支払うべきことが確定した他の退職手当等で既に支払がされたもの（次号において「支払済みの他の退職手当等」という。）がない旨の記載がある場合　その支払う退職手当等の金額について第328条の2及び第328条の3の規定を適用して計算した税額

二　退職手当等の支払を受ける者が提出した退職所得申告書に、支払済みの他の退職手当等がある旨の記載がある場合　その支払済みの他の退職手当等の金額とその支払う退職手当等の金額との合計額について第328条の2及び第328条の3の規定を適用して計算した税額から、その支払済みの他の退職手当等につき前条第2項の規定により徴収された又は徴収されるべき分離課税に係る所得割の額を控除した残額に相当する税額
2　退職手当等の支払を受ける者がその支払を受ける時までに退職所得申告書を提出していないときは、前条第2項の規定により徴収すべき分離課税に係る所得割の額は、その支払う退職手当等の金額について第328条の2及び第328条の3の規定を適用して計算した税額とする。
3　第1項各号又は前項の規定により第328条の2の規定を適用する場合における所得税法第30条第2項の退職所得控除額の計算については、前2項の規定による分離課税に係る所得割を徴収すべき退職手当等を支払うべきことが確定した時の状況によるものとする。
4　所得税法第202条の規定は、前3項の規定を適用する場合について準用する。

国家公務員共済組合法（昭和33年法律第128号）（抄）
　（掛金等の給与からの控除）
第101条　組合員の給与支給機関は、毎月、報酬その他の給与を支給する際、組合員の給与から掛金等に相当する金額を控除して、これを組合員に代わつて組合に払い込まなければならない。
2　組合員（組合員であつた者を含む。以下この条において同じ。）の給与支給機関は、組合員が組合に対して支払うべき掛金等以外の金額又は前項の規定により控除して払い込まれなかつた掛金等の金額があるときは、報酬その他の給与（国家公務員退職手当法（昭和28年法律第182号）に基づく退職手当又はこれに相当する手当を含む。以下この項及び次項において同じ。）を支給する際、組合員の報酬その他の給与からこれらの金額に相当する金額を控除して、これを組合員に代わつて組合に払い込まなければならない。
3～5　略

所得税法（昭和40年法律第33号）（抄）
　（源泉徴収義務）
第199条　居住者に対し国内において第30条第１項（退職所得）に規定する退職手当等（以下この章において「退職手当等」という。）の支払をする者は、その支払の際、その退職手当等について所得税を徴収し、その徴収の日の属する月の翌月10日までに、これを国に納付しなければならない。
　（徴収税額）
第201条　第199条（源泉徴収義務）の規定により徴収すべき所得税の額は、次の各号に掲げる場合の区分に応じ当該各号に定める税額とする。
一　退職手当等の支払を受ける居住者が提出した退職所得の受給に関する申告書に、その支払うべきことが確定した年において支払うべきことが確定した他の退職手当等で既に支払がされたもの（次号において「支払済みの他の退職手当等」という。）がない旨の記載がある場合　次に掲げる場合の区分に応じそれぞれ次に定める金額を課税退職所得金額とみなして第89条第１項（税率）の規定を適用して計算した場合の税額
　　イ　その支払う退職手当等が一般退職手当等（第30条第７項（退職所得）に規定する一般退職手当等をいう。次号イ及び第203条第１項第２号（退職所得の受給に関する申告書）において同じ。）に該当する場合　その支払う退職手当等の金額から退職所得控除額を控除した残額の２分の１に相当する金額（当該金額に1,000円未満の端数があるとき、又は当該金額の全額が1,000円未満であるときは、その端数金額又はその全額を切り捨てた金額。次号イにおいて同じ。）
　　ロ　その支払う退職手当等が短期退職手当等（第30条第４項に規定する短期退職手当等をいう。次号ロ及び第203条第１項第２号において同じ。）に該当する場合　次に掲げる場合の区分に応じそれぞれ次に定める金額（当該金額に1,000円未満の端数があるとき、又は当該金額の全額が1,000円未満であるときは、その端数金額又はその全額を切り捨てた金額）
　　　(1)　その支払う退職手当等の金額から退職所得控除額を控除した残

　　　　額が300万円以下である場合　当該残額の２分の１に相当する金額

　　⑵　⑴に掲げる場合以外の場合　150万円とその支払う退職手当等の金額から300万円に退職所得控除額を加算した金額を控除した残額との合計額

　ハ　その支払う退職手当等が特定役員退職手当等（第30条第５項に規定する特定役員退職手当等をいう。次号ハ及び第203条第１項第２号において同じ。）に該当する場合　その支払う退職手当等の金額から退職所得控除額を控除した残額に相当する金額（当該金額に1,000円未満の端数があるとき、又は当該金額の全額が1,000円未満であるときは、その端数金額又はその全額を切り捨てた金額。次号ハにおいて同じ。）

二　退職手当等の支払を受ける居住者が提出した退職所得の受給に関する申告書に、支払済みの他の退職手当等がある旨の記載がある場合　次に掲げる場合の区分に応じそれぞれ次に定める金額を課税退職所得金額とみなして第89条第１項の規定を適用して計算した場合の税額から、その支払済みの他の退職手当等につき第199条の規定により徴収された又は徴収されるべき所得税の額を控除した残額に相当する税額

　イ　その支払う退職手当等とその支払済みの他の退職手当等がいずれも一般退職手当等に該当する場合　その支払う退職手当等の金額とその支払済みの他の退職手当等の金額との合計額から退職所得控除額を控除した残額の２分の１に相当する金額

　ロ　その支払う退職手当等とその支払済みの他の退職手当等がいずれも短期退職手当等に該当する場合　次に掲げる場合の区分に応じそれぞれ次に定める金額（当該金額に1,000円未満の端数があるとき、又は当該金額の全額が1,000円未満であるときは、その端数金額又はその全額を切り捨てた金額）

　　⑴　その支払う退職手当等の金額とその支払済みの他の退職手当等の金額との合計額から退職所得控除額を控除した残額が300万円以下である場合　当該残額の２分の１に相当する金額

　　⑵　⑴に掲げる場合以外の場合　その支払う退職手当等の金額とその支払済みの他の退職手当等の金額との合計額から300万円に退

職所得控除額を加算した金額を控除した残額と150万円との合計額

ハ　その支払う退職手当等とその支払済みの他の退職手当等がいずれも特定役員退職手当等に該当する場合　その支払う退職手当等の金額とその支払済みの他の退職手当等の金額との合計額から退職所得控除額を控除した残額に相当する金額

ニ　イからハまでに掲げる場合以外の場合　政令で定めるところにより計算した金額

2　前項各号に規定する退職所得控除額は、同項の規定による所得税を徴収すべき退職手当等を支払うべきことが確定した時の状況における第30条第3項第1号に規定する勤続年数に準ずる勤続年数及び同条第6項第3号に掲げる場合に該当するかどうかに応ずる別表第6に掲げる退職所得控除額（同項第1号に掲げる場合に該当するときは、同項の規定に準じて計算した金額）による。

3　退職手当等の支払を受ける居住者がその支払を受ける時までに退職所得の受給に関する申告書を提出していないときは、第199条の規定により徴収すべき所得税の額は、その支払う退職手当等の金額に100分の20の税率を乗じて計算した金額に相当する税額とする。

39　退職手当の住宅貸付等の債務の控除

問　共済組合に対して住宅貸付等の債務がある職員が死亡により退職し、その者の遺族に退職手当を支給する場合において、当該遺族の退職手当から当該債務に相当する金額を控除することができるのか。

答　職員が死亡以外の理由により退職した場合において、その者が共済組合に対して債務があるときには、国家公務員共済組合法第101条の規定に基づいて当該債務につき退職手当から控除することが認められている。

しかしながら、照会の事例については、国家公務員共済組合法上控除できる旨の明文の規定がないこと、遺族に支給される退職手当が相続財産でないこと等に鑑み、控除することはできないものと解される。

40 退職手当と留学費用返還金との相殺

問 職員が留学費用返還債務を負ったまま退職した場合に、当該債務を退職手当支給の際に相殺することができるか。

答 退職手当には全額払の原則があり（法第2条の3第1項）、他の法令において明示的に退職手当と相殺又は控除できる旨規定されていない限り、全額を支払わなければならないため、国が留学費用返還債権を自働債権として、退職手当支払債務を免れる（相殺する）ことはできない。

（注） 民間法制においては、労働基準法第24条に基づき、退職手当を含む賃金債権について全額現金払の原則が規定されており、退職手当を含む賃金を受働債権とする相殺禁止の趣旨を包含することとされている（関西精機事件〔最判昭31年11月2日／労働者の任務懈怠を理由とする損害賠償債権による相殺を禁止〕、日本勧業経済会事件〔最判昭36年5月31日／労働者の背任行為に対する損害賠償債権による相殺を禁止〕）。

　退職手当法第2条の3は、小倉電話局事件〔最判昭43年3月12日〕において、国家公務員の退職手当についても労働基準法第24条の規定が適用ないし準用されるものと解するのが適当との判断がなされたことも踏まえ、昭和60年改正において明文化されたものであるため、国家公務員の退職手当債権を受働債権とする相殺禁止の趣旨が妥当すると考えられる。

【詳解61、568～569頁】

41 退職手当と過払給与金との相殺

問 給与の過払い分を退職手当の支給の際に相殺することはできるか。

答 前問回答の趣旨から、給与の過払い分の返還債権を自働債権、退職手当債権を受働債権として相殺することはできない。なお、自働債権、受働債権ともに賃金債権である場合について、賃金過払いの不当利得返還請求権を自働債権とし、その後の賃金支払請求権を受働債権とする相殺は、過払いと合理的に接着した時期になされ、かつ労働者の経済生活の安定をおびやかすおそれのないときは、労働基準法第24条第1項の規定に違反しないとする判例がある（最判昭44.12.18）。

42 退職手当のいわゆる口座振込払

問 退職手当を口座振込の方法により支払うことができるのか。

答 受給者本人の申出に基づき、その者の指定する銀行等の口座に退職手当を振り込むいわゆる振込払については、積極的に解されており、法第2条の3第1項本文に規定する支払方法に含まれる（運用方針第2条の3関係第2号参照）。これは、退職手当の完全、確実かつ容易な入手を保障しようとする現金払・直接払の原則に違背しないと考えられるためである。

【詳解66頁】

43 退職手当の複数口座への振込み

問 退職手当を複数口座への振込みとすることができるか。

答 同時に、合計して全額が支給されるのであれば、差し支えない。

44 退職手当の支払期限

問 退職手当はいつまでに支払わなければならないのか。

答 一般の退職手当は、法第2条の3第2項において、職員が退職した日から起算して1か月以内に支払わなければならないと定められている。退職手当の支給手続が支給期限前に完了した場合には、退職手当は支払期限の到来を待たずに直ちに支給されなければならない。

なお、「死亡により退職した者に対する退職手当の支給を受けるべき者を確知することができない場合その他特別の事情がある場合は、この限りでない」とされており、この「特別の事情」については、次のような場合が該当する。

【詳解66～67頁】

運用方針第2条の3関係

一～三　略

　　四　本条第2項に規定する「特別の事情がある場合」とは、例えば次に掲げる場合をいう。

　　　イ　死亡等による予期し得ない退職のため、事前に退職手当の支給手続を行うことができなかった場合や退職手当管理機関が退職手当審査会

に諮問した場合等であって、退職手当の支給手続に相当な時間を要するとき。
　ロ　基礎在職期間に第5条の2第2項第2号から第7号までに掲げる在職期間が含まれると考えられる場合等であって、その確認に相当な時間を要するとき。

45　法第2条の3第2項の「特別の事情」

問　銀行振込先が確知できないことは、法第2条の3第2項に規定する「特別の事情」に該当するか。

答　退職した者（死亡による退職の場合には、その遺族）の存在が確知でき、これらの者に対する現金による支払が可能であれば、銀行振込先が確知できないことは「特別の事情」に当たらない。もとより、銀行振込の方法による支払は、受給者本人の申出に基づき、その者の指定する銀行等の口座に振り込むことから、本人の利益として退職手当の完全、確実かつ容易な入手を保障しようとする現金払・直接払の原則に違背しないのであって、本人が振込みの意思又は振込先を支給者に対し明らかにしないのであれば、当然、本来の現金払によるべきである。

46　退職後行方不明（その1）

問　職員が退職後行方不明となったため、家族から退職手当の請求があった場合において、その者が職員の収入によって生計を維持されている者であるときは、これに応じて差し支えないか。

答　退職手当は、職員が死亡以外の理由により退職した場合には職員本人に、職員が死亡により退職した場合にはその遺族に支給することとされている。また、退職手当は、その全額を、現金で直接受給者に支払うこととされている（法第2条第1項及び第2条の3第1項参照）。
　したがって、照会の事例のようにたとえ職員と同一生計内にある者から職員が受けるべき退職手当の請求があったとしても、職員本人に直接支払わなければならず、その者の家族からの請求に応ずることはできない。

【詳解35頁】

47 退職後行方不明（その2）

問 退職した職員が行方不明のため、退職手当を本人に支給できない場合は、どのように取り扱うのか。給与を支払うために登録されていた口座に退職手当を振り込んでよいか。

答 退職した職員が行方不明のため退職手当を本人に支給できない場合には、民事法の一般原則に従い供託の措置をとるべきである。退職手当のいわゆる口座振込（問42参照）は、受給者本人の申出に基づく場合には、法第2条の3第1項本文に規定する支払方法に含まれるとされるものであるから、受給者本人の申出によらず、給与を支払うために登録されていた口座に退職手当を振り込むことはできない。

なお、家庭裁判所において選任された財産管理人から退職手当の請求があった場合においては、これに応じて差し支えないとされている（昭50.12.24総人第721号参照）。

【詳解36頁】

48 退職後死亡

問 職員が退職し、退職手当の支給を受けないうちに死亡した場合には、その退職手当は誰に支給するのか。

答 職員が退職し、退職手当の支給手続中、すなわちその支給を受けないうちに死亡した場合には、その退職手当は相続財産として民法の規定による当該職員の相続人に対し支給することとなる（退職手当を支給すべき遺族が死亡した場合については、問24参照）。

【詳解59頁】

第2章　一般の退職手当

（第2条の4～第8条の2）

1　退職手当の基本額（第2条の4）

49　退職手当の基本額の種類

問　退職手当の基本額とは何か。

答　退職手当の基本額は、次の図のように、勤続期間と退職理由との組合せによる退職事由に応じて3つに区分されている。

―◎図表2　退職手当の基本額の類型―

退職手当の基本額 ─┬─ 自己の都合による退職等の場合の退職手当の基本額（法第3条）
　　　　　　　　　├─ 11年以上25年未満勤続後の定年退職等の場合の退職手当の基本額（法第4条）
　　　　　　　　　└─ 25年以上勤続後の定年退職等の場合の退職手当の基本額（法第5条）

　これは、勤続期間又は退職理由を基準として功績・功労の高さを評価し、これに応じて退職手当の取扱いを異にしていることによるものである。
　なお、この退職手当の基本額を計算するにあたっての特例を定めたのが法第5条の2～第6条の3である。

- 俸給月額の減額改定以外の理由により俸給月額が減額されたことがある場合の退職手当の基本額に係る特例（法第5条の2）
- 定年前早期退職者に対する退職手当の基本額に係る特例（法第5条の3）
- 退職手当の基本額の最高限度額（法第6条～第6条の3）

【詳解68頁】

50　退職手当の基本額の算定

問　退職手当の基本額はどのように計算するのか。計算の具体例を示して説明されたい。

答　退職手当の基本額の算定は、退職の日における俸給月額に勤続期間及び退職理由に応じた退職事由別支給率を乗じることを基本としている。

　したがって、退職手当の基本額の算定の基礎は、「俸給月額」（問51参照）、「勤続期間」（問123参照）及び「退職理由」（問55参照）の３つである。

　（例１）　退職時級号俸：行㈠９級19号俸、勤続期間：38年、退職理由：定年退職

　　　退職日俸給月額は506,100円、支給率は47.709となるため、退職手当の基本額は、

　　　506,100円×47.709＝24,145,524円

　　となる。

　（例２）　退職時級号俸：行㈠４級20号俸、勤続期間：15年、退職理由：自己都合退職

　　　退職日俸給月額は300,500円、支給率は10.3788となるため、退職手当の基本額は、

　　　300,500円×10.3788＝3,118,829円

　　となる。

2　俸給月額

51　俸給月額と諸手当

問　退職手当の算定の基礎となる俸給月額には、手当が含まれているのか。

答　退職手当の算定の基礎となる俸給月額は、いわゆる本俸のみであって、諸手当は含まれていない。

　一般職給与法の適用を受ける者にあっては、同法第５条第１項に規定す

る俸給とされている。この俸給には、同法第10条の規定による俸給の調整額は含まれる（一般職の職員の給与に関する法律の運用方針（昭26.1.11給実甲第28号）第5条関係第1項参照）。

　その他の者にあっては、名称の如何にかかわらず勤務に対する報酬として支給される給与であって、同法第5条第1項に規定する俸給に相当するものとされている（運用方針第3条関係第1号参照）。　　【詳解69～70頁】

【参考】

　一般職の職員の給与に関する法律（昭和25年法律第95号）（抄）

　第5条　俸給は、一般職の職員の勤務時間、休暇等に関する法律（平成6年法律第33号。以下「勤務時間法」という。）第13条第1項に規定する正規の勤務時間（以下単に「正規の勤務時間」という。）による勤務に対する報酬であつて、この法律に定める俸給の特別調整額、本府省業務調整手当、初任給調整手当、専門スタッフ職調整手当、扶養手当、地域手当、広域異動手当、研究員調整手当、住居手当、通勤手当、単身赴任手当、特殊勤務手当、特地勤務手当（第14条の規定による手当を含む。第19条の9において同じ。）、超過勤務手当、休日給、夜勤手当、宿日直手当、管理職員特別勤務手当、期末手当及び勤勉手当を除いた全額とする。

　2　略

　　（俸給の調整額）

　第10条　人事院は、俸給月額が、職務の複雑、困難若しくは責任の度又は勤労の強度、勤務時間、勤労環境その他の勤務条件が同じ職務の級に属する他の官職に比して著しく特殊な官職に対し適当でないと認めるときは、その特殊性に基づき、俸給月額につき適正な調整額表を定めることができる。

　2　前項の調整額表に定める俸給月額の調整額は、調整前における俸給月額の100分の25をこえてはならない。

　一般職の職員の給与に関する法律の運用方針（昭和26年1月11日給実甲第28号）（抄）

　第5条関係

　第1項　「俸給」には、第10条の規定による俸給の調整額を含む。

第2項　略

52　休職者等の俸給月額

問　退職の日における俸給月額が、休職等により一部支給されない状態の場合には、どのように取り扱うのか。

答　退職手当の計算の基礎となる俸給月額は、職員が退職の日において、休職、停職、減給その他の理由により、その俸給の一部又は全部を支給されない場合においては、これらの理由がないと仮定した場合において、その者が受けるべき俸給月額とすることとされている（施行令第1条の3参照）。

　「これらの理由がないと仮定した場合」とは、いわゆる復職調整的な仮定計算を行うことを指すものではなく、その者につき現に発令されているいわゆる級号俸の俸給月額によるという意味である。　【詳解71～72頁】

53　給与が賃金又は手当の名称で支給される者の俸給月額

問　給与が賃金又は手当の名称で支給される者については、退職手当の算定の基礎となる俸給月額は、どのように取り扱うのか。

答　(1)　賃金又は手当の額のうち俸給に相当する部分の額がその算定上明らかである場合には、次に掲げる額とされている。
　① 賃金又は手当の額が月額で定められている者については、当該俸給に相当する部分の月額
　② 賃金又は手当の額が日額で定められている者については、当該俸給に相当する部分の日額の21倍に相当する額
　(2)　賃金又は手当の額のうち俸給に相当する部分の額がその算定上明らかでない場合には、次に掲げる額とされている。
　① 賃金又は手当の額が月額で定められている者については、当該月額の8割5分に相当する額
　② 賃金又は手当の額が日額で定められている者については、当該日額の8割5分に相当する額の21倍に相当する額

　　　　　　　　　　　（運用方針第3条関係第2号参照）　【詳解71頁】

54 給与の減額改定に伴い支給される差額

問 退職手当の算定の基礎となる俸給月額には、給与の減額改定に伴い経過措置として支給される差額は含まれるのか。

答 法附則第9項に基づき、給与の減額改定に伴い経過措置として支給される差額は俸給月額には含まないものとされている。

ただし、法第6条の5第2項に規定する「基本給月額」には、給与の減額改定に伴い経過措置として支給される差額は含まれる（法附則第9項ただし書）。

【詳解70、165頁】

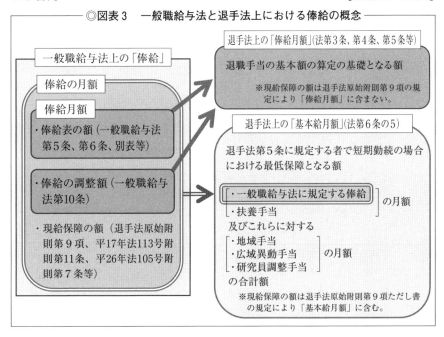

◎図表3　一般職給与法と退手法上における俸給の概念

3　退職理由

55　退職理由と適用条項

問　主な退職理由と法の適用条項とは、どのような関係になっているのか。

答　主な退職理由別の退職の態様には、①自己都合、②死亡、③傷病、④定年、⑤応募認定、⑥整理等がある。このうち、死亡又は傷病による退職については、公務上と公務外とに区別され、さらに、公務外傷病による退職については、通勤によるものとその他のもの（いわゆる私事傷病）に区別される。また、応募認定による退職については、いわゆる1号募集によるものといわゆる2号募集によるものに区別される（問157参照）。

これら退職理由と法第7条の規定により計算した勤続期間（問123参照）との組合せによって適用される条項（法第3条、第4条、第5条）が異なる。具体的には、以下の表のとおりである。　　　　　【詳解80頁】

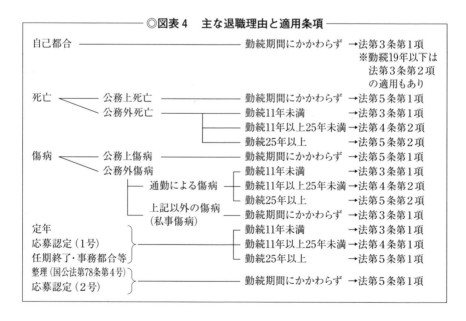

◎図表4　主な退職理由と適用条項

56　傷病の程度

問　退職手当法上、傷病による退職の「傷病」とは、どの程度のものをいうのか。

答　法第3条第2項、第4条第2項又は第5条第1項第4号若しくは第2項に規定する「傷病」とは、厚生年金保険法（昭和29年法律第115号）第47条第2項に規定する障害等級に該当する程度の障害の状態にある傷病とされている（施行令第2条参照）。

なお、この障害等級に該当する程度の障害の状態にない傷病を理由とする退職は、自己都合退職となる。　　　　　　　　　　　　【詳解82～83頁】

57　「公務上」又は「通勤による」の認定の基準

問　退職理由にある「公務上」又は「通勤による」の認定は、何によって行うのか。

答　退職理由である傷病又は死亡が、公務上のもの又は通勤によるものであるかどうかを認定するに当たっては、国家公務員災害補償法（昭和26年法律第191号）その他の法律の規定により職員の公務上の災害又は通勤による災害に対する補償を実施する場合における認定の基準に準拠しなければならないとされている（施行令第5条参照）。　　　【詳解93、97頁】

58　派遣法と公務上の認定

問　いわゆる派遣法の規定に基づく派遣職員が、派遣先の業務上の傷病・死亡により退職した場合には、退職手当法上「公務上の傷病・死亡」として扱うのか。

答　いわゆる派遣法（問266参照）の規定に基づく派遣職員が派遣先の業務上の傷病・死亡により退職した場合については、それぞれの派遣法において、退職手当法の適用に当たっては派遣先の業務による傷病・死亡を公務による傷病・死亡とみなすこと等が規定されている。

【詳解497～515、532～535頁】

59　退職手当支給後の公務認定

問　死亡した職員の遺族に対して公務外死亡による退職手当を支給した後に当該死亡が公務災害によるものと認定された場合は、改めて公務上死亡による退職手当を支給し直すこととなるのか。

答　退職理由が公務外死亡か公務上死亡かは事実認定の問題であり、支給後に公務上死亡と認定されれば、支給した退職手当と公務上死亡による退職手当との差額を追給することとなる。

　ただし、退職手当の請求権は、国に対する金銭債権であり、5年で時効により消滅する（会計法第30条。消滅時効については問278参照）。退職手当請求権は退職時に発生するので、退職後5年以上経過している場合には消滅時効にかかる可能性が高いが、時効の完成が猶予等されている可能性もあるため、事実関係の確認が必要である。

【参考】

会計法（昭和22年法律第35号）（抄）
第30条　金銭の給付を目的とする国の権利で、時効に関し他の法律に規定がないものは、これを行使することができる時から5年間行使しないときは、時効によつて消滅する。国に対する権利で、金銭の給付を目的とするものについても、また同様とする。

第31条　金銭の給付を目的とする国の権利の時効による消滅については、別段の規定がないときは、時効の援用を要せず、また、その利益を放棄することができないものとする。国に対する権利で、金銭の給付を目的とするものについても、また同様とする。
②　金銭の給付を目的とする国の権利について、消滅時効の完成猶予、更新その他の事項（前項に規定する事項を除く。）に関し、適用すべき他の法律の規定がないときは、民法の規定を準用する。国に対する権利で、金銭の給付を目的とするものについても、また同様とする。

民法（明治29年法律第89号）（抄）
（裁判上の請求等による時効の完成猶予及び更新）
第147条　次に掲げる事由がある場合には、その事由が終了する（確定判決又は確定判決と同一の効力を有するものによって権利が確定すること

なくその事由が終了した場合にあっては、その終了の時から6箇月を経過する）までの間は、時効は、完成しない。
一 裁判上の請求
二 支払督促
三 民事訴訟法第275条第1項の和解又は民事調停法（昭和26年法律第222号）若しくは家事事件手続法（平成23年法律第52号）による調停
四 破産手続参加、再生手続参加又は更生手続参加
2 略

（強制執行等による時効の完成猶予及び更新）
第148条 次に掲げる事由がある場合には、その事由が終了する（申立ての取下げ又は法律の規定に従わないことによる取消しによってその事由が終了した場合にあっては、その終了の時から6箇月を経過する）までの間は、時効は、完成しない。
一 強制執行
二 担保権の実行
三 民事執行法（昭和54年法律第4号）第195条に規定する担保権の実行としての競売の例による競売
四 民事執行法第196条に規定する財産開示手続又は同法第204条に規定する第三者からの情報取得手続
2 略

60 通勤途上における死亡

問 通勤途上における死亡については、退職手当法上どのように取り扱うのか。

答 通勤途上における死亡は、公務外死亡として、勤続11年未満は法第3条第1項、勤続11年以上25年未満は法第4条第2項、勤続25年以上は法第5条第2項の適用となる（勤続期間の計算については、問123参照）。

【詳解72頁】

61 定年年齢

問 国家公務員の定年年齢は、どのようになっているのか。

答 国家公務員の定年は、次表のとおりである。

◎図表5　国家公務員の定年

区分		職員	定年年齢 R5.4〜R7.3	R7.4〜R9.3	R9.4〜R11.3	R11.4〜R13.3	R13.4〜	根拠法令
一般職	行政機関の職員	一般職員（一般職の職員の給与に関する法律適用職員）事務職員などの一般職員	61歳	62歳	63歳	64歳	65歳	国家公務員法第81条の6等（人事院規則11-8第2条等）
		病院、診療所等の医師・歯科医師	65歳					
		矯正施設、国立ハンセン病療養所等の医師・歯科医師	66歳	67歳	68歳	69歳	70歳	
		庁舎の監視等を行う労務職員	63歳			64歳	65歳	
		職務内容が特殊な官職等　事務次官、外局の長官、省名審議官等	62歳		63歳		65歳	
		国立感染症研究所副所長、海技試験官等	63歳			64歳	65歳	
		迎賓館長、宮内庁次長、金融庁長官等	65歳					
	検察官	検事総長	65歳					国家公務員法第81条の6、検察庁法第22条等
		その他の検察官	64歳		65歳			
	行政執行法人の職員		一般職員と概ね同じ					国家公務員法第81条の6及び独立行政法人通則法第59条第2項
特別職	行政府	内閣総理大臣等　会計検査院長及び検査官	65歳					会計検査院法第5条
		公正取引委員会委員長及び委員	70歳					私的独占の禁止及び公正取引の確保に関する法律第30条
		その他（内閣総理大臣、大使、宮内庁長官等）	なし					—
		防衛省　自衛官　階級　将、将補	60歳					自衛隊法第45条等
		一佐	57歳					
		二佐、三佐	56歳					
		一尉〜一曹	55歳					
		二曹、三曹	54歳					
		各幕僚長の職にある自衛官	62歳					
		事務官等	一般職員と概ね同じ					
	司法府	裁判官　最高裁の裁判官	70歳					憲法第79条（裁判所法第50条）
		高裁、地裁及び家裁の裁判官	65歳					憲法第80条（裁判所法第50条）
		簡裁の裁判官	70歳					憲法第80条（裁判所法第50条）
		裁判所職員	一般職員と概ね同じ					裁判所職員臨時措置法（国家公務員法を準用）

立法府	国会職員	下記以外の職員	一般職員と概ね同じ	国会職員法第15条の6
		各議院事務局の事務総長、議長・副議長の秘書参事、常任委員会専門員、各議院法制局の法制局長、国会図書館の館長と専門調査員	なし	国会職員法第16条
		国会議員・議員秘書（退職手当法の適用なし）	なし	―

※令和5年4月1日時点の法令等のデータに基づいて作成

　国家公務員法第81条の6第1項の規定によれば、職員は、定年に達したときは、定年に達した日以後における最初の3月31日又は任命権者があらかじめ指定する日のいずれか早い日に退職することとされている。したがって、任命権者が特に指定する日を設けなければ、職員は、定年に達した日に退職しないで、当該定年に達した日の属する年度末に退職することとなる（裁判官、検察官等についてはこの限りでない。）。　【詳解76頁】

　【参考】
　国家公務員法（昭和22年法律第120号）（抄）
　（定年による退職）
　第81条の6　職員は、法律に別段の定めのある場合を除き、定年に達したときは、定年に達した日以後における最初の3月31日又は第55条第1項に規定する任命権者若しくは法律で別に定められた任命権者があらかじめ指定する日のいずれか早い日（次条第1項及び第2項ただし書において「定年退職日」という。）に退職する。
　②　前項の定年は、年齢65年とする。ただし、その職務と責任に特殊性があること又は欠員の補充が困難であることにより定年を年齢65年とすることが著しく不適当と認められる官職を占める医師及び歯科医師その他の職員として人事院規則で定める職員の定年は、65年を超え70年を超えない範囲内で人事院規則で定める年齢とする。
　③　略

62　定年に達した日

問　「定年に達した日」とはいつか。

答　その職員に適用される定年年齢に達した日が「定年に達した日」であり、その計算方法については、「年齢計算ニ関スル法律」（明治35年法律

第50号）の定めるところによることとなる。すなわち、定年が65歳の場合は、65歳の誕生日の前日が「定年に達した日」となる。　　　【詳解75頁】

【参考】
年齢計算ニ関スル法律（明治35年法律第50号）（抄）
① 年齢ハ出生ノ日ヨリ之ヲ起算ス
② 民法第143条ノ規定ハ年齢ノ計算ニ之ヲ準用ス

民法（明治29年法律第89号）（抄）
（暦による期間の計算）
第143条　週、月又は年によって期間を定めたときは、その期間は、暦に従って計算する。
2　週、月又は年の初めから期間を起算しないときは、その期間は、最後の週、月又は年においてその起算日に応当する日の前日に満了する。ただし、月又は年によって期間を定めた場合において、最後の月に応当する日がないときは、その月の末日に満了する。

63　勤務延長の内容等

問　勤務延長とは、どのようなものか。勤務延長された場合には、定年退職日に退職手当を支給することとなるのか。

答　国家公務員法第81条の7の規定によれば、任命権者は、職員が定年により退職すべきこととなる場合において、その職員の職務の特殊性又はその職員の職務遂行上の特別の事情からみてその退職により公務運営に著しい支障が生ずると認められる十分な理由があるときは、その者の定年退職日の翌日から1年を超えない範囲内で期限を定め、職員を引き続き勤務させることができることとされている。ただし、期限は1年を超えない範囲内で延長することができるが、定年退職日の翌日から3年を超えることはできない。

つまり、勤務延長とは、定年により退職することとなる者を退職させないで、定年を超えて引き続き勤務させるものであり、この場合、身分、給与その他の勤務条件は従前のそれと同様とされる。

したがって、職員が勤務延長された場合には、定年により退職すべき日

において「退職」という事実が発生しないので、退職手当は支給されず、勤務延長後に実際に退職した際に退職手当が支給されることになる。

【詳解77～78頁】

【参考】
国家公務員法（昭和22年法律第120号）（抄）
　　（定年による退職の特例）
第81条の7　任命権者は、定年に達した職員が前条第1項の規定により退職すべきこととなる場合において、次に掲げる事由があると認めるときは、同項の規定にかかわらず、当該職員に係る定年退職日の翌日から起算して1年を超えない範囲内で期限を定め、当該職員を当該定年退職日において従事している職務に従事させるため、引き続き勤務させることができる。ただし、第81条の5第1項から第4項までの規定により異動期間（これらの規定により延長された期間を含む。）を延長した職員であつて、定年退職日において管理監督職を占めている職員については、同条第1項又は第2項の規定により当該定年退職日まで当該異動期間を延長した場合であつて、引き続き勤務させることについて人事院の承認を得たときに限るものとし、当該期限は、当該職員が占めている管理監督職に係る異動期間の末日の翌日から起算して3年を超えることができない。
　一　前条第1項の規定により退職すべきこととなる職員の職務の遂行上の特別の事情を勘案して、当該職員の退職により公務の運営に著しい支障が生ずると認められる事由として人事院規則で定める事由
　二　前条第1項の規定により退職すべきこととなる職員の職務の特殊性を勘案して、当該職員の退職により、当該職員が占める官職の欠員の補充が困難となることにより公務の運営に著しい支障が生ずると認められる事由として人事院規則で定める事由
②　任命権者は、前項の期限又はこの項の規定により延長された期限が到来する場合において、前項各号に掲げる事由が引き続きあると認めるときは、人事院の承認を得て、これらの期限の翌日から起算して1年を超えない範囲内で期限を延長することができる。ただし、当該期限は、当該職員に係る定年退職日（同項ただし書に規定する職員にあつては、当該職員が占めている管理監督職に係る異動期間の末日）の翌日から起算

して3年を超えることができない。
③ 前2項に定めるもののほか、これらの規定による勤務に関し必要な事項は、人事院規則で定める。

人事院規則11－8（職員の定年）（抄）
（勤務延長ができる事由）
第4条　法第81条の7第1項第1号の人事院規則で定める事由は、業務の性質上、当該職員の退職による担当者の交替により当該業務の継続的遂行に重大な障害が生ずることとする。
2　法第81条の7第1項第2号の人事院規則で定める事由は、職務が高度の専門的な知識、熟達した技能若しくは豊富な経験を必要とするものであるため、又は勤務環境その他の勤務条件に特殊性があるため、当該職員の退職により生ずる欠員を容易に補充することができず業務の遂行に重大な障害が生ずることとする。

（勤務延長に係る職員の同意）
第5条　任命権者は、勤務延長（法第81条の7第1項の規定により職員を引き続き勤務させることをいう。以下同じ。）を行う場合及び勤務延長の期限（同項の期限又は同条第2項の規定により延長された期限をいう。以下同じ。）を延長する場合には、あらかじめ職員の同意を得なければならない。

（勤務延長の期限の繰上げ）
第6条　任命権者は、勤務延長の期限の到来前に当該勤務延長の事由が消滅した場合は、職員の同意を得て、当該勤務延長の期限を繰り上げるものとする。

64　勤務延長の期限の到来による退職

問　勤務延長の期限の到来により退職する場合には、定年退職の退職手当と同様に取り扱うのか。

答　退職手当法上、定年により退職した者には、勤務延長の期限の到来により退職した者を含めることとされている（法第4条第1項及び第5条第1項参照）。

よって、職員が勤務延長の期限の到来により退職する場合は、勤続期間に応じ、法第3条から第5条までの規定による退職手当が支給される。

【詳解77～78頁】

65 勤務延長の期限の到来前に退職する場合

問 勤務延長の期限の到来前に退職する場合には、退職手当はどのように取り扱うのか。

答 (1) 法第4条第2項及び第5条第2項の規定によれば、法第4条第1項及び第5条第1項の規定は、勤続期間に応じ、「定年に達した日以後その者の非違によることなく退職した者」に対する退職手当の額について準用することとされている。

「定年に達した日以後その者の非違によることなく退職した者」とは、その者の都合により退職した者のうち、「国家公務員法第81条の7第1項の期限又は同条第2項の規定により延長された期限の到来前にその者の非違によることなく退職した者」等をいうこととされている（問67参照）（運用方針第4条関係第3号ロ及び第5条関係第3号参照）。

(2) したがって、職員が勤務延長の期限の到来前に退職する場合であっても、その退職について特に本人の落ち度がない限り定年退職と同様の扱いとし、勤続期間に応じ、法第4条又は第5条の規定に基づく退職手当が支給される。また、この場合、法附則第6項及び第8項並びに昭和48年法第30号附則第5項及び第7項のいわゆる退職手当の額の調整率についても適用されることとなっている（運用方針第4条関係第4号及び第5条関係第4号参照）。

(3) なお、勤続11年未満で、かつ、定年に達した日以後その者の非違によることなく退職した者に係る法第3条の規定の適用については、同条第2項の規定を適用しないで、同条第1項の規定を適用することとされている（運用方針第3条関係第3号ロ参照）。

また、勤務延長された者が懲戒免職、失職等により退職する場合には、法第12条第1項の規定により一般の退職手当等の全部又は一部を支給しないこととすることができる（問188参照）。

【詳解83～84、93～94頁】

66　その者の事情によらないで引き続いて勤続することを困難とする理由

問　「その者の事情によらないで引き続いて勤続することを困難とする理由により退職した者」とは、どのような者か。

答　法第4条第1項第2号及び第5条第1項第5号に規定する「その者の事情によらないで引き続いて勤続することを困難とする理由により退職した者」とは、施行令第3条及び第4条に規定される者であり、任期の終了による退職、定年の定めのない職の事務の都合による退職、内閣等関与人事退職、競争の導入による公共サービスの改革に関する法律に基づく特定退職などが該当する。

【詳解86〜88頁】

67　「定年に達した日以後その者の非違によることなく退職した者」

問　「定年に達した日以後その者の非違によることなく退職した者」とは、どのような者か。

答　法第4条第2項及び第5条第2項に規定する「定年に達した日以後その者の非違によることなく退職した者」とは、具体的には、運用方針第4条関係第3号ロに規定する者であり、例えば、その者の都合により退職した者であって、

- 定年に達した日以後定年退職日の前日までの間において、その者の非違によることなく退職した者
- 定年に達し、いわゆる勤務延長となり、延長された期限の到来前にその者の非違によることなく退職した者（問65参照）

である。

勤続11年以上で、定年に達した日以後その者の非違によることなく自己の都合等により退職した者は、法第4条第2項及び第5条第2項の規定によらなければ自己都合退職と同じ支給率が適用されるところ、他の退職との均衡等を考慮し、本人の落ち度がない限り、定年退職と同じ支給率とするものである。

なお、勤続11年未満で、かつ、定年に達した日以後その者の非違による

ことなく退職した者に係る法第3条の規定の適用については、同条第2項の規定を適用しないで、同条第1項の規定を適用することとされている（運用方針第3条関係第3号ロ参照）。　　　　　　　　　　【詳解93〜94頁】

68　退職後に非違行為が判明した場合

問　法第4条第2項及び第5条第2項に規定する「定年に達した日以後その者の非違によることなく退職した者」であるとして退職手当を支給した者について、退職手当の支給後に、在職中の非違行為が発覚した場合、退職理由を変更して退職手当の額を計算し直し、差額について返納を受けることは可能か。

答　設問の場合、退職手当の支給後に、退職理由を変更して退職手当の支給をし直すことはできない。懲戒免職等処分を受けるべき行為をしたと認められる場合には、法第15条、第16条及び第17条に規定する退職手当の返納命令処分・納付命令処分によるべきである。

69　勧奨退職の廃止

問　退職理由の一つとされていた「勧奨退職」は廃止されたのか。

答　退職手当法上の退職理由の一つとされていた「勧奨退職」は、廃止された。

　退職の勧奨行為とは、人事の刷新、行政能率の維持・向上を図る等のため、任命権者又はその委任を受けた者が行う、職員本人の自発的な退職意思を形成させるための事実上の慫慂行為である。職員がこのような退職の勧奨行為に応じてその者の非違によることなく退職した場合について、従前の退職手当法では、退職理由として「勧奨退職」を位置づけ、退職手当の算定上、自己都合退職よりも有利な支給率を適用していた。

　平成24年の退職手当法改正による早期退職募集制度の導入に伴い、退職理由の一つとしての勧奨退職は廃止された（問158参照）。【詳解73、476頁】

70　退職理由の記録の作成者等

問　退職理由の記録は、誰が作成するのか。また、その記録の保管者及び保管期間はどうなっているのか。

答　施行令第4条の2においては、各省各庁の長等は、法第3条各号（第1号中任期を終えて退職した者に係る部分及び第2号を除く。）に掲げる者（いわゆる事務都合退職者）の退職の理由について、記録を作成しなければならない旨が規定されているため、退職理由の記録は法第8条の2第1項に規定する各省各庁の長等が作成する。

　また、国家公務員退職手当法施行令第4条の2の規定による退職の理由の記録に関する内閣官房令（平成25年総務省令第57号）において、退職理由の記録は職員の退職後速やかに作成しなければならないこと、退職理由の記録は各省各庁の長等が保管すること、その保管期間は作成の日から5年間であること等が定められている。

【詳解89～90頁】

4　自己の都合による退職等の場合の退職手当の基本額（第3条）

71　法第3条に該当する退職の場合

問　法第3条に該当する退職の場合には、どのようなものがあるか。

答　法第3条に該当する退職の場合は、法第4条、第5条に該当しない退職の場合の全てである。

具体的な例としては次のとおりである。
① 勤続期間にかかわらず全ての自己都合
② 勤続期間にかかわらず全ての私事傷病（通勤傷病以外の公務外傷病）
③ 勤続11年未満の定年
④ 勤続11年未満の応募認定（いわゆる1号募集）
⑤ 勤続11年未満の任期終了
⑥ 勤続11年未満のいわゆる事務都合退職

⑦　勤続11年未満の公務外死亡
⑧　勤続11年未満の通勤傷病
⑨　勤続11年未満の定年に達した日以後でその者の非違によらない退職
⑩　勤続11年未満の引上げ前の定年に達した日以後でその者の非違によらない退職

【詳解81～82頁】

72　法第3条第2項の「その者の都合により退職した者」

問　法第3条第2項の「その者の都合により退職した者」とは、どのような者をいうのか。

答　法第3条第2項の規定により傷病（施行令第2条及び問57参照）又は死亡により退職した者は含まれないことは明らかである。
　また、次に掲げる者に対しては、法第3条第2項の規定は適用しないこととされている（運用方針第3条関係第3号参照）。
①　定年により退職した者
②　勤務延長の期限の到来により退職した者（当該期限の到来前にその者の非違によることなく退職した者を含む。）
③　定年に達した日以後定年退職日の前日までの間にその者の非違によることなく退職した者
④　裁判官で日本国憲法第80条に定める任期を終えて退職し、又は任期の終了に伴う裁判官の配置等の事務の都合により任期の終了前1年内に退職したもの
⑤　法律の規定に基づく任期を終えて退職した者
⑥　定年の定めのない職を職員の配置等の事務の都合により退職した者
⑦　施行令第3条第4号に掲げる職を職員の配置等の事務の都合により定年に達する日前に退職した者
⑧　勤続11年未満の引上げ前の定年に達した日以後でその者の非違によることなく退職した者
　また、応募認定退職した者についても、同様に適用しない。
　よって、「その者の都合により退職した者」とは、純然たる自己都合退職や、障害の状態が施行令第2条に定める障害の程度に達しない場合の傷

病を理由とした退職、その者の意思や希望によらない場合であっても国家公務員法第78条の分限免職により退職した者（「傷病」及び「整理」による場合を除く。）等が該当することとなる。　　　　【詳解74、83～84頁】

73　臨時的任用職員の任期満了前の退職

問　育休代替職員として臨時的に任用した職員について、育児休業中の職員が当初予定していた育児休業期間よりも早く復帰したため、代替職員も期間満了前に退職することとなった。この場合、法第3条第2項も適用することとなるのか。

答　法律の規定に基づく任期のある者については、基本的に、所要の任期を全うしなければ任期終了による退職手当は支給されない。国家公務員の育児休業等に関する法律（平成3年法律第109号）第7条第1項第2号の臨時的任用職員も同様であるが、育児休業中の職員が当初予定していた育児休業期間（請求期間）よりも早く復帰したことは、代替職員の任用期間が当初の予定よりも早まったものであることから、法第3条第2項は適用せず、法第3条第1項を適用する。

【参考】
国家公務員の育児休業等に関する法律（平成3年法律第109号）（抄）
　（育児休業に伴う任期付採用及び臨時的任用）
第7条　任命権者は、第3条第2項又は第4条第1項の規定による請求があった場合において、当該請求に係る期間（以下この項及び第3項において「請求期間」という。）について職員の配置換えその他の方法によって当該請求をした職員の業務を処理することが困難であると認めるときは、当該業務を処理するため、次の各号に掲げる任用のいずれかを行うものとする。この場合において、第2号に掲げる任用は、請求期間について1年（第4条第1項の規定による請求があった場合には、当該請求による延長前の育児休業の期間の初日から当該請求に係る期間の末日までの期間を通じて1年）を超えて行うことができない。
　一　請求期間を任期の限度として行う任期を定めた採用
　二　請求期間を任期の限度として行う臨時的任用
　2～6　略

74 法律の規定に基づく任期

問 運用方針第3条関係第3号ニの「法律の規定に基づく任期」(定年、勤務延長期限を除く)には、どのようなものがあるのか。

答 例えば、国家公務員法第60条に規定する臨時的任用者の任期、国家公務員の育児休業等に関する法律第7条第1項に規定する臨時的任用者の任期、一般職の任期付研究員の採用、給与及び勤務時間の特例に関する法律(平成9年法律第65号)第3条に規定する任期付研究員の任期、一般職の任期付職員の採用及び給与の特例に関する法律(平成12年法律第125号)第3条に規定する任期付職員の任期等がある。　　　　　　【詳解88頁】

75 6月を超えない任期の臨時的任用職員の退職手当

問 国家公務員法第60条第1項の規定に基づき「6月を超えない任期」で臨時的任用をされた者が、その任期の終了により退職した場合の退職手当について、説明されたい。法第3条第2項の適用はあるのか。

答 国家公務員法第60条第1項の規定に基づく臨時的任用職員は、6月を超えない任期により任用されるものである(人事院規則の定めるところ等により任期を更新することができる。)。

　国家公務員法第60条第1項の規定に基づく臨時的任用職員は、常時勤務に服することを要する国家公務員であるから、退職手当法上の「職員」となり、退職手当法の適用がある。

　任期終了による退職であって、職員となった日の属する月から退職した日の属する月までの月数が6月以上である場合、退職手当の計算において、法第7条第6項ただし書により、退職手当の基本額の算定の基礎となる勤続期間は1年とされ(図表6参照)、また、退職手当の調整額については、法第6条の4第1項により計算した額の2分の1となる(問102参照)。

　任期終了による退職であって、職員となった日の属する月から退職した日の属する月までの月数が6月未満である場合、勤続期間は零年とされ、また、調整額も零となる(問102参照)。

　また、法第3条第2項は、自己の都合により退職した者について適用さ

れるものであり、任期の終了により退職する者には適用されない（問72参照）。

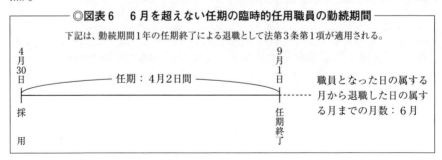

【参考】
国家公務員法（昭和22年法律第120号）（抄）
　（臨時的任用）
第60条　任命権者は、人事院規則の定めるところにより、緊急の場合、臨時の官職に関する場合又は採用候補者名簿がない場合には、人事院の承認を得て、6月を超えない任期で、臨時的任用を行うことができる。この場合において、その任用は、人事院規則の定めるところにより人事院の承認を得て、6月の期間で、これを更新することができるが、再度更新することはできない。
②　人事院は、臨時的任用につき、その員数を制限し、又は、任用される者の資格要件を定めることができる。
③　人事院は、前2項の規定又は人事院規則に違反する臨時的任用を取り消すことができる。
④　臨時的任用は、任用に際して、いかなる優先権をも与えるものではない。
⑤　前各項に定めるもののほか、臨時的に任用された者に対しては、この法律及び人事院規則を適用する。

人事院規則8－12（職員の任免）（抄）
　（臨時的任用の期間）
第40条　臨時的任用の期間は、その任用を行った日から6月を超えることができない。

2 前条第1項第2号又は第3号の場合における臨時的任用は、6月を限って更新することができる。この場合において、同項第2号に掲げる場合の臨時的任用の更新については、法第60条第1項後段の人事院の承認があったものとみなす。
3 臨時的任用は、いかなる場合においても、再度更新することができない。

5　11年以上25年未満勤続後の定年退職等の場合の退職手当の基本額（第4条）

76　法第4条の退職

問　法第4条に該当する退職の場合には、どのようなものがあるのか。

答　法第4条に該当する退職の場合の例は、次のものである。
① 勤続11年以上25年未満の定年
② 勤続11年以上25年未満の任期終了
③ 勤続11年以上25年未満のいわゆる事務都合退職
④ 勤続11年以上25年未満の応募認定（いわゆる1号募集）
⑤ 勤続11年以上25年未満の通勤傷病
⑥ 勤続11年以上25年未満の公務外死亡
⑦ 勤続11年以上25年未満の定年に達した日以後でその者の非違によらない退職
⑧ 勤続11年以上25年未満の引上げ前の定年に達した日以後でその者の非違によらない退職

6　25年以上勤続後の定年退職等の場合の退職手当の基本額（第5条）

77　法第5条の退職

問　法第5条に該当する退職の場合には、どのようなものがあるか。

答　法第5条に該当する退職の場合の例は、次のものである。
① 勤続25年以上の定年
② 勤続期間にかかわらず全ての整理退職
③ 勤続期間にかかわらず全ての応募認定（いわゆる2号募集）
④ 勤続期間にかかわらず全ての公務上傷病
⑤ 勤続期間にかかわらず全ての公務上死亡
⑥ 勤続25年以上の任期終了
⑦ 勤続25年以上のいわゆる事務都合退職
⑧ 勤続25年以上の応募認定（いわゆる1号募集）
⑨ 勤続25年以上の通勤傷病
⑩ 勤続25年以上の公務外死亡
⑪ 勤続25年以上の定年に達した日以後でその者の非違によらない退職
⑫ 勤続25年以上の引上げ前の定年に達した日以後でその者の非違によらない退職

7 俸給月額の減額改定以外の理由により俸給月額が減額されたことがある場合の退職手当の基本額に係る特例（第5条の2）

78 基礎在職期間

問 基礎在職期間（法第5条の2第2項）について簡単に説明されたい。

答 基礎在職期間は、任用上の採用から退職までの在職期間とは異なり、単なる期間の長さだけではなく、日付にも着目した期間であって、退職手当の支給の基礎となるものとして規定する引き続いた期間（出向期間等も含めて通算した在職期間全体そのもの）であり、以下の期間から構成される。法第7条の勤続期間が退職手当の基本額の算定の基礎となっているのに対し、基礎在職期間は、次問の法第5条の2第1項の特例のほか、

- 退職手当の調整額（法第6条の4。問96参照）
- 退職手当の支払の差止め（法第13条第1項第2号及び第2項第1号。問200参照）
- 退職後禁錮以上の刑に処せられた場合等の退職手当の支給制限（法第14条第1項第1号）
- 退職をした者の退職手当の返納（法第15条第1項第1号。問211参照）
- 退職手当受給者の相続人からの退職手当相当額の納付（法第17条第3項及び第4項。問218参照）

の算定の基礎となっている。

勤続期間との違いについては、問125を参照されたい。

【詳解102、105～116頁】

◎図表7　法第5条の2第2項各号に規定する基礎在職期間

基礎在職期間	略図（下線部分が当該各号に規定する期間）
1　職員としての引き続いた在職期間	・<u>職員</u> ・<u>職員(一般職)</u>→職員(特別職)→<u>職員(一般職)</u> ・<u>職員</u>→地方公務員等→<u>職員</u>
2　法第7条第5項の規定により職員としての引き続いた在職期間に含むものとされた地方公務員としての引き続いた在職期間	・<u>地方公務員</u>→職員 ・<u>地方公務員(A県)</u>→<u>地方公務員(B県)</u>→職員
3　法第7条の2第1項に規定する再び職員となった者の同項に規定する公庫等職員としての引き続いた在職期間	・職員→<u>公庫等職員</u>→職員 ・職員→<u>公庫等職員(A公庫)</u>→<u>公庫等職員(B公庫)</u>→職員
4　法第7条の2第2項に規定する場合における公庫等職員としての引き続いた在職期間	・<u>公庫等職員</u>→職員 ・<u>公庫等職員(A公庫)</u>→<u>公庫等職員(B公庫)</u>→職員
5　法第8条第1項に規定する再び職員となった者の同項に規定する独立行政法人等役員としての引き続いた在職期間	・職員→<u>独立行政法人等役員</u>→職員 ・職員→<u>独立行政法人等役員(A法人)</u>→<u>独立行政法人等役員(B法人)</u>→職員
6　法第8条第2項に規定する場合における独立行政法人等役員としての引き続いた在職期間	・<u>独立行政法人等役員</u>→職員 ・<u>独立行政法人等役員(A法人)</u>→<u>独立行政法人等役員(B法人)</u>→職員
7　前各号に掲げる期間に準ずるものとして政令で定める在職期間	施行令第5条の2において、国の機関の独立行政法人化等に伴い当該法人に承継された職員の当該法人職員としての在職期間等を規定するほか、退職手当の算定の基礎となる勤続期間の計算上、地方公務員としての在職期間として計算される一般地方独立行政法人等職員としての在職期間（法第5条の2第2項第2号～第6号の補完的在職期間）について規定。 ・職員→<u>行政執行法人以外の独立行政法人職員(承継職員)</u>→職員 ・地方公務員→<u>一般地方独立行政法人等職員</u>→地方公務員→職員

79 法第5条の2第1項の基本額の特例の基本的考え方

問 法第5条の2第1項の基本額の特例の基本的考え方について説明されたい。

答 国家公務員については、本人の意に反し降任させる人事は、勤務実績がよくない場合等一定事由に該当する場合に限り、分限処分として実施できる（国家公務員法第78条等）。また、本人の同意の下に降任させる人事を行い、俸給月額を減額させることもあり得る。こうした場合、退職手当額が退職時の俸給月額を基礎として算定される仕組みとなっていることから、俸給月額の減額前に退職したと仮定した場合の退職手当額よりも実際の退職手当額が大幅に下がる可能性がある。在職期間の長期化等に対応するために俸給月額を減額するといった人事運用や、複線型人事管理にも適切に対応できるよう、在職期間中に俸給月額の減額があった場合に適用される退職手当の基本額の算定について、平成17年の退職手当法の改正により、いわゆるピーク時特例として設けられたものである。これにより、俸給月額の減額前に退職する場合よりも退職手当額が大きく下がらないようにした。

具体的には、退職時の俸給月額がピーク時の俸給を下回った場合に、ピーク時までの期間とピーク時後から退職時までの期間に分けて基本額を計算することとし、俸給月額の減額前に退職する場合より退職手当額が大きく下がらないようにすることとしたものである。　【詳解99〜102頁】

80 俸給表間の異動等に伴う俸給月額の減額

問 俸給表間の異動や一般職・特別職・行政執行法人の間で異動したことに伴い俸給月額が減額された者も法第5条の2第1項の特例の対象となるのか。

答 対象となる。法第5条の2第1項の特例は、基礎在職期間中に俸給月額の減額改定（俸給月額を改定する法令等が制定され、この改定により俸給月額が減額されること）以外の理由によりその者の俸給月額が減額される場合が対象となっており、俸給表間の異動や一般職・特別職・行政執行法人の間の異動に伴う俸給月額の減額のほか、本人の同意に基づく降格

による減額もこれに含まれる（運用方針第5条の2関係第4号参照）。

【詳解99〜101頁】

81　分限処分による降格に伴う俸給月額の減額

問　勤務成績不良や官職に不適格であることを理由に降格を受けたことにより俸給月額が減額された者も法第5条の2第1項の特例の対象となるのか。

答　対象となる。勤務成績不良や官職に不適格であることを理由に降任され（分限処分）、俸給月額が減額されたような場合については、分限免職は、懲戒処分とは異なり、本人の非違を罰するものではなく、公務能率増進の観点から官職の職責に適合した能力を有するものを当該官職に任用するためのものであること、また、特例の対象外とすることにより、かえって降任処分が行いにくくなるとの弊害も予想されることなどから特例の対象から除外しないこととしている。

【詳解101頁】

82　俸給の調整額の調整数の改定に伴う俸給月額の減額

問　一般職給与法第10条に規定する俸給の調整額について、人事院規則9－6（俸給の調整額）別表第1の調整数欄に掲げられる調整数が改定されたことに伴い俸給月額が減額された場合、法第5条の2第1項の特例の対象となるのか。

答　対象となる。俸給の調整額とは、職務内容や勤務条件等の特殊性に基づき、人事院規則に規定される調整基本額と調整数により算出されるものであり、俸給月額の一部である（問51参照）。

　俸給の調整額の調整基本額は、俸給の調整額の水準を調整するために改定されるものである一方、俸給の調整額の調整数は、特定の官職について、可変的な職務内容や勤務条件等に応じて必要な都度人事院規則において定められるものであり、調整数の変更は、俸給の調整額の減額改定ではなく、新しい俸給の調整額が設定されたものとして扱うことが適当であるため、設問の場合は「俸給月額の減額改定」には該当せず、法第5条の2第1項の特例の対象となる。

【参考】
　一般職の職員の給与に関する法律（昭和25年法律第95号）（抄）
　　（俸給の調整額）
　第10条　人事院は、俸給月額が、職務の複雑、困難若しくは責任の度又は勤労の強度、勤務時間、勤労環境その他の勤労条件が同じ職務の級に属する他の官職に比して著しく特殊な官職に対し適当でないと認めるときは、その特殊性に基づき、俸給月額につき適正な調整額表を定めることができる。
　２　前項の調整額表に定める俸給月額の調整額は、調整前における俸給月額の100分の25をこえてはならない。

人事院規則９－６（俸給の調整額）（抄）
　　（支給官職及び支給額）
　第１条　給与法第10条の規定により俸給の調整を行う官職は、別表第１の勤務箇所欄に掲げる勤務箇所に勤務する同表の職員欄に掲げる職員の占める官職とする。
　２　職員（次項に掲げる職員を除く。）の俸給の調整額は、調整基本額にその者に係る別表第１の調整数欄に掲げる調整数を乗じて得た額とする。
　３　次の各号に掲げる職員の俸給の調整額は、調整基本額にその者に係る別表第１の調整数欄に掲げる調整数を乗じて得た額に、当該各号に定める数を乗じて得た額とする。
　一　法第60条の２第２項に規定する定年前再任用短時間勤務職員　勤務時間法第５条第２項の規定により定められたその者の勤務時間を同条第１項に規定する勤務時間で除して得た数
　二　育児休業法第13条第１項に規定する育児短時間勤務職員及び育児休業法第22条の規定による短時間勤務をしている職員　育児休業法第17条（育児休業法第22条において準用する場合を含む。）の規定により読み替えられた勤務時間法第５条第１項ただし書の規定により定められたその者の勤務時間を同項本文に規定する勤務時間で除して得た数
　三　育児休業法第23条第２項に規定する任期付短時間勤務職員　育児休業法第25条の規定により読み替えられた勤務時間法第５条第１項ただ

し書の規定により定められたその者の勤務時間を同項本文に規定する勤務時間で除して得た数
4　前2項に規定する調整基本額は、次の各号に掲げる職員の区分に応じ、当該各号に定める額（その額が俸給月額（前項各号に掲げる職員にあっては、その者に適用される俸給表並びにその職務の級及び号俸に応じた額。以下この項において同じ。）の100分の4.5を超えるときは、俸給月額の100分の4.5に相当する額）とする。
　一　次号に掲げる職員以外の職員　当該職員に適用される俸給表及び職務の級に応じた別表第2に掲げる額
　二　前項第1号に掲げる職員　当該職員に適用される俸給表及び職務の級に応じた別表第3に掲げる額
5　第2項及び第3項の規定にかかわらず、これらの規定による俸給の調整額が俸給月額の100分の25を超えるときは、俸給月額の100分の25に相当する額を俸給の調整額とする。
別表第1　略
別表第2　略
別表第3　略

83　臨時的任用職員が任期付任用職員となった際の俸給月額の減額

問　臨時的任用職員等（常勤）であった者が引き続いて任期付任用職員等（常勤）となったことにより俸給月額の減額が生じた場合、法第5条の2第1項の特例の対象となるのか。

答　常勤の臨時的任用職員と任期付任用職員はいずれも退職手当法上の職員であり、また、臨時的任用職員であった者が任期付任用職員となったことによる俸給月額の減額は、「俸給月額の減額改定以外の理由による俸給月額の減額」に該当する。このため、設問の場合、法第5条の2第1項の特例の対象となる。

84 平成17年改正法施行前の俸給月額の減額

問 平成17年改正法施行前の俸給月額の減額は、法第5条の2第1項の特例の対象となるのか。

答 対象とならない。この特例は、その者に係る平成17年改正法の施行日又は適用日である新制度切替日以後の基礎在職期間における俸給月額の減額が対象となる。

なお、新制度切替日以後に俸給月額の減額があるということは、同日以後の特定の日の俸給月額と比較して俸給月額が低くなっていることを意味する。したがって、新制度切替日の日付で降格人事が行われた場合は、当該降格後の俸給月額に比較する俸給月額が新制度切替日前のものであることから、法第5条の2第1項は適用されず、実際には、新制度切替日の翌日以後の俸給月額の減額について当該特例が適用されることとなる。

【詳解101、452頁】

85 地方公務員としての出向期間中の本俸の減額

問 地方公務員としての出向期間中に本俸が減額された場合は法第5条の2第1項の適用対象となるのか。

答 対象とならない。法第5条の2第1項の「俸給月額が減額されたことがある場合」とは、あくまで職員（国家公務員）として受ける俸給月額が減額されたことがある場合をいい、地方公務員等としての在職期間においてその者の本俸（俸給月額に相当するものをいう。）が減額された場合は、本特例の対象とならない（運用方針第5条の2関係第3号イ参照）。

【詳解100～101頁】

86 地方公務員から職員になった場合の俸給月額の減少

問 地方公務員から職員（国家公務員）になった場合において、地方公務員として受けていた本俸より当該職員となった際に受けていた俸給月額が少ない場合は、当該地方公務員として受けていた本俸を特定減額前俸給月額としてよいか。

答 当該地方公務員として受けていた本俸を特定減額前俸給月額としてはならない。法第5条の2第1項の「俸給月額が減額されたことがある場合」とは、あくまで職員（国家公務員）として受ける俸給月額が減額されたことがある場合をいい、地方公務員から職員となった場合において、地方公務員を退職した際に受けていた本俸より当該退職に引き続いて職員となった際に受けていた俸給月額が少ない場合はこれに該当しない（運用方針第5条の2関係第3号ロ参照）。　　　　　　　　　　　　　【詳解100頁】

87　法第5条の2第1項の特例と法第5条の3の特例の同時適用

問　法第5条の2第1項の特例措置の対象者が同時に法第5条の3の定年前早期退職特例措置の対象者である場合、退職手当はどのように計算するのか、具体例により示されたい。

答　法第5条の2第1項の特例措置の対象者が同時に法第5条の3の定年前早期退職特例措置の対象者である場合、割増率は、特定減額前俸給月額と退職時の年齢によって算出し、それを特定減額前俸給月額と退職日俸給月額の両方に乗じて退職手当額を算出する。具体的な計算例は次のとおり。

- 特定減額前俸給月額(A) ＝ 指定職4号俸、退職時58歳 ＝ 895,000円×1.07 ＝ 957,650円
- 退職日俸給月額(B) ＝ 行(一)9級36号俸、退職時58歳 ＝ 524,300円×1.07（特定減額前俸給月額が指定職4号俸であるため割増率は1年につき1％）＝ 561,001円
- 減額日前日支給率(ロ) ＝ 勤続32年・応募認定退職（1号）＝ 43.81695
- 退職日支給率(イ) ＝ 勤続35年・応募認定退職（1号）＝ 47.709
- 調整額は4,420,000円と仮定

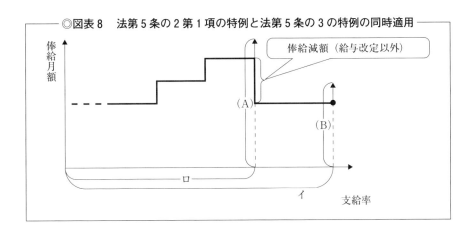

◎図表8　法第5条の2第1項の特例と法第5条の3の特例の同時適用

この場合の退職手当額は、(A)×ロ＋(B)×（イ－ロ）＋調整額＝約4,856万円となる。（早期退職割増の1年当たり割増率は特定減額前俸給月額(A)により、割増年数は退職時年齢により判断することになる。）

【詳解102〜103頁】

なお、定年前早期退職特例措置については、令和5年4月1日以降の国家公務員の定年引上げに伴い当分の間の措置が設けられていることに留意が必要である。

【詳解361〜363頁、問235参照】

88　地方公務員等から再び職員となった場合に係る減額日

問　職員が引き続いて地方公務員（又は公庫等職員）となり再び職員となった場合において、当該地方公務員（又は当該公庫等職員）から引き続き職員となった際に受けていた俸給月額が、俸給の減額改定以外の理由により、当該地方公務員（又は当該公庫等職員）となった日の前日に受けていた俸給月額より少ない場合については、法第5条の2第1項の「減額日」はいつになるのか。

答　この場合の「減額日」は、職員から当該地方公務員又は当該公庫等職員となった日となる。

89　減額が複数回あった場合の特定減額前俸給月額

問　次の各ケースにおける特定減額前俸給月額について示されたい。
① 給与改定による俸給月額の減額があり、その後に給与改定以外の理由の俸給月額の減額があった場合
② 給与改定以外の理由による俸給月額の減額があり、その後に給与改定による俸給月額の減額があった場合
③ 給与改定とそれ以外の理由の俸給月額の減額が同時にあった場合
④ 給与改定以外の理由による俸給月額の減額が複数回あった場合

答　それぞれの事例の場合の特定減額前俸給月額は次のとおり。

【詳解103～104頁】

──**◎図表9　減額が複数回あった場合の特定減額前俸給月額**──

① 給与改定による俸給月額の減額があり、その後に給与改定以外の理由の俸給月額の減額があった場合

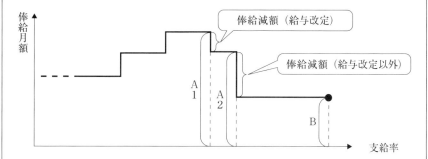

　この場合の特定減額前俸給月額（給与改定以外の理由での減額前の俸給月額のうち最高額のもの）は、A2となる。

② 給与改定以外の理由による俸給月額の減額があり、その後に給与改定による俸給月額の減額があった場合

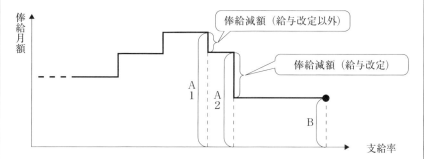

　この場合の特定減額前俸給月額（給与改定以外の理由での減額前の俸給月額のうち最高額のもの）は、A1となる。

③ 給与改定とそれ以外の理由の俸給月額の減額が同時にあった場合

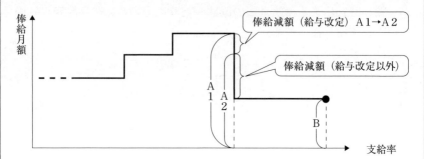

この場合の特定減額前俸給月額(給与改定以外の理由での減額前の俸給月額)は、A2となる。

④ 給与改定以外の理由による俸給月額の減額が複数回あった場合

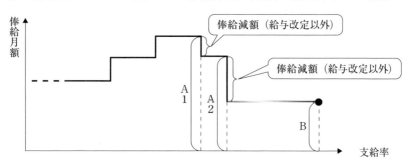

この場合の特定減額前俸給月額(給与改定以外の理由での減額前の俸給月額のうち最高額のもの)は、A1となる。

8 定年前早期退職者に対する退職手当の基本額に係る特例（第5条の3）

90 定年前早期退職特例措置の要件

問 法第5条の3の定年前早期退職特例措置が適用されるための要件について、法第5条の3の委任に基づき政令で規定されている内容を含め、簡単に説明されたい。

答 法第5条の3において、定年前早期退職特例措置が適用されるための要件として、下記が定められている。

① 法第4条第1項第3号及び第5条第1項（第1号を除く。）に規定する者であること
- 応募認定退職
- 整理退職
- 公務上傷病又は公務上死亡による退職
- 勤続25年以上の者であって施行令第4条に規定する者（いわゆる事務都合退職者）

② 退職日俸給月額が一般職給与法の指定職俸給表6号俸（事務次官クラス）の額に相当する額以上である者その他政令で定める者ではないこと

③ 定年に達する日（65歳定年であれば65歳の誕生日の前日）から政令で定める一定期間（6月）前までに退職した者であること

④ 勤続期間が20年以上であること

⑤ 年齢が政令で定める年齢（定められている定年から20年を減じた年齢）以上であること

上記②の「退職日俸給月額が一般職給与法の指定職俸給表6号俸の額に相当する額以上である者その他政令で定める者」については、施行令第5条の3第1項に規定されており、

- 裁判官で日本国憲法第80条に定める任期を終えて退職し、又は任期の終了に伴う裁判官の配置等の事務の都合により任期の終了前1年内に退職したもの

- 法律の規定に基づく任期を終えて退職した者
- 特定減額前俸給月額が一般職給与法の指定職俸給表6号俸の額に相当する額以上である者

である。これは、「施行令第4条に規定する者」には任期終了による退職者が含まれるため、これらの者への本特例措置の適用を除外するとともに、法第5条の2第1項に規定するいわゆるピーク時特例適用者については退職手当の算定の基礎として特定減額前俸給月額が用いられるため、退職日俸給月額が指定職俸給表6号俸相当未満であっても、特定減額前俸給月額が指定職俸給表6号俸相当以上であれば本特例措置の適用を除外することとしているものである。

また、勤続11年以上20年未満の応募認定退職者は①には該当するが④に該当せず、勤続20年以上25年未満の事務都合退職者は④には該当するが①には該当しないため、いずれも本特例の適用がない。

なお、定年前早期退職特例措置については、令和5年4月1日以降の国家公務員の定年引上げに伴い当分の間の措置が設けられていることに留意が必要である。

【詳解361～362頁、問232参照】

【詳解118～123頁】

91 法第5条の3の「政令で定める一定の期間前」

問 法第5条の3の「定年に達する日から政令で定める一定の期間前までに退職した者」とは、どのような者か。

答 「定年に達する日」の計算方法は、年齢計算ニ関スル法律の定めるところによることとされている。すなわち、「誕生日の前日」が定年に達する日となる（運用方針第5条の3関係第1号参照）。

「政令で定める一定の期間」とは「6月」である（施行令第5条の3第2項参照）。

またその期間の計算方法は、民法第143条の規定を準用することとされている（運用方針第5条の3関係第2号）。

以上のとおり、定年に達する日から6月前までに退職した者が定年前早期退職特例措置の適用対象となる。一方、定年に達する日（誕生日の前日）の6月前の応当日の翌日からはこの特例措置の適用はない。

※　定年前早期退職特例の措置については、令和5年4月1日以降の国家公務員の定年引上げに伴い当分の間の措置が設けられていることに留意が必要である。

【詳解119頁】

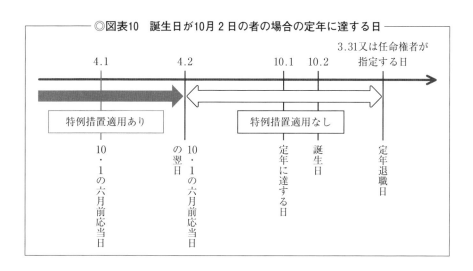

92　法第5条の3の「政令で定める年齢」

問　法第5条の3の「政令で定める年齢」とは何歳か。また、年齢の単位（数え方）はどうなっているのか。

答　「政令で定める年齢」とは、「退職の日において定められているその者に係る定年から20年を減じた年齢」とされている（施行令第5条の3第3項参照）。

したがって、定年が65歳の場合は45歳である。

「退職の日におけるその者の年齢」の単位は、年齢のとなえ方に関する法律（昭和24年法律第96号）第1項の定めるところによることとされており（運用方針第5条の3関係第3号参照）、具体的には、「満年齢の年単位」である。

なお、定年前早期退職特例措置については、令和5年4月1日以降の国家公務員の定年引上げに伴い当分の間の措置が設けられていることに留意が必要である。

【詳解361〜362頁、問232参照】

【詳解120頁】

【参考】
年齢のとなえ方に関する法律（昭和24年法律第96号）（抄）
1　この法律施行の日以後、国民は、年齢を数え年によつて言い表わす従来のならわしを改めて、年齢計算に関する法律（明治35年法律第50号）の規定により算定した年数（1年に達しないときは、月数）によつてこれを言い表わすのを常とするように心がけなければならない。
2　略

93　法第5条の3の「政令で定める割合」

問　法第5条の3の表中「政令で定める割合」とは、どのような割合か。

答　法第5条の3の規定により読み替えて適用する法第4条第1項及び第5条第1項又は第5条の2第1項に規定する「政令で定める割合」は、施行令第5条の3第4項及び第5項に規定されており、その内容はいずれも下記のとおりである。

　※定年前早期退職特例措置については、令和5年4月1日以降の国家公務員の定年引上げに伴い当分の間の措置が設けられていることに留意が必要である。
【詳解361～362頁、問232参照】

退職日俸給月額（又は特定減額前俸給月額）による職員の区分	割合（1年につき）
一般職給与法指定職俸給表4号俸相当以上（局長クラス）	100分の1
一般職給与法指定職俸給表1号俸相当以上、4号俸相当未満（審議官クラス）	100分の2
一般職給与法指定職俸給表1号俸相当未満（課長クラス以下）（下記に該当しない者）	100分の3
一般職給与法指定職俸給表1号俸相当未満（課長クラス以下）（退職の日において定められているその者に係る定年と退職の日におけるその者の年齢との差に相当する年数が1年である職員に限る）	100分の2

※退職日俸給月額（又は特定減額前俸給月額）が一般職給与法指定職俸給表6号俸相当（事務次官クラス）以上である職員については、法第5条の3の適用がない（問90参照）。

94　法第5条の3の規定の適用例

問　法第5条の3の規定の適用について具体例を示されたい。

答　具体例は次のとおり。

〈設例〉
　○勤続期間・退職理由　35年・応募認定退職
　○退職時の満年齢　57歳（定年は65歳）
　○退職時俸給月額　430,000円
　○支給率　47.709
　○退職手当の調整額（問96参照）第6号区分が48月、第7号区分が12月

〈退職手当の額〉
　①退職手当の基本額
　　430,000円×{1＋0.03×(65－57)}×47.709＝25,438,438.8円
　②退職手当の調整額
　　54,150円×48＋43,350円×12＝3,119,400円
　③退職手当額
　　①＋②＝28,557,838.8円

なお、定年前早期退職特例措置については、令和5年4月1日以降の国家公務員の定年引上げに伴い当分の間の措置が設けられていることに留意が必要である。

【詳解361～363頁、問235参照】

　※　法第5条の2第1項の特例措置の対象者が同時に法第5条の3の定年前早期退職特例措置の対象者である場合の退職手当の計算例については、問87を参照されたい。

9 退職手当の基本額の最高限度額（第6条、第6条の2、第6条の3）

95 最高限度額

問 法第6条、第6条の2及び第6条の3について、それぞれ簡単に説明されたい。

答 法第6条は、退職手当の基本額の最高限度額を定めたものである。国家公務員の退職手当は、勤続・功労に対する報償を基本とするものであり、その額は勤続年数が長くなるに従い増加することとなるが、退職手当の支給水準の適正化を図る等のため、退職日俸給月額の60月分に相当する額を支給額の上限とし、これを超える場合には、当該額をその者の退職手当の基本額として支給することとしている。

法第6条の2は、俸給月額の減額改定以外の理由により俸給月額が減額されたことがある場合の退職手当の基本額について最高限度額を定めたものである。法第5条の2第1項第2号ロの割合、すなわち、その者の勤続期間を特定減額前俸給月額に係る減額日の前日までの勤続期間とし、退職理由を現に退職した理由と同一のものとした場合の支給割合の区分に応じ、当該割合が60以上の場合には特定減額前俸給月額に60を乗じて得た額を、また、当該割合が60未満の場合には特定減額前俸給月額に当該割合を乗じて得た額に、退職日俸給月額に60から当該割合を控除した割合を乗じて得た額を加えた額を、それぞれ、その者の退職手当の基本額の上限とすることとしている。

法第6条の3は、定年前早期退職特例対象者に係る退職手当の基本額の最高限度額を定めたものである。定年前早期退職特例対象者については、特例により割増しされた退職日俸給月額の60月分に相当する額が上限となり、また、定年前早期退職特例対象者で俸給月額の減額改定以外の理由による俸給月額の減額があった場合の特例も適用されるものについては、法第5条の2第1項第2号ロの割合が60以上の場合には特例により割増しされた特定減額前俸給月額に60を乗じて得た額が、また、当該割合が60未満の場合には割増しされた特定減額前俸給月額に当該割合を乗じて得た額

に、割増しされた退職日俸給月額に60から当該割合を控除した割合を乗じて得た額を加えた額が、それぞれ上限となる。

なお、退職手当の支給水準の引下げに伴い、現在は、俸給月額の47.709月分が支給率（割合）の上限となっていることから、現在、法第6条に規定する最高限度に達するものはなく、また、法第6条の2及び第6条の3に規定する「第5条の2第1項第2号ロの割合」が60以上となるものはない。

【詳解125～129頁】

10　退職手当の調整額（第6条の4）

96　退職手当の調整額の基本的考え方

問　退職手当の調整額の基本的考え方について説明されたい。

答　退職手当の調整額は、勤続期間に中立的な形で公務への貢献度を退職手当に反映させるため、民間企業における退職金のポイント制の考え方を公務員の人事管理・運用に合った形で取り入れたものであり、官職の職制上の段階、職務の級、階級その他職務の複雑、困難、責任の度に関する事項を考慮して職員の区分を定め、基礎在職期間（法第5条の2第2項）の初日の属する月から末日の属する月までの各月ごとに、この職員の区分が高いものから60月分についてそれぞれの職員の区分に応じて定められている額（調整月額）を合計して計算するものである。　【詳解131頁】

職員の区分と調整月額（行㈠の場合）

区分	対応する職員	調整月額
1	指定職（6号俸以上）	95,400円
2	指定職（5号俸以下）	78,750円
3	行㈠10級	70,400円
4	行㈠9級	65,000円
5	行㈠8級	59,550円
6	行㈠7級	54,150円
7	行㈠6級	43,350円
8	行㈠5級	32,500円
9	行㈠4級	27,100円
10	行㈠3級	21,700円
11	その他の職員	0円

※ 調整額が零又は上記により計算した額の2分の1に相当する額となる場合については、問102を参照。

※ 一定の特別職幹部職員等の調整額は、基本額の100分の8に相当する額となる。

97 国務大臣や審議会常勤委員等の調整額

問 国務大臣や審議会常勤委員等の特別職幹部職員等の調整額はどのように計算するのか。

答 法第6条の4第4項第5号ロ及び法附則第11項の規定により退職手当の基本額に100分の8.3を乗じた額が調整額となる。　【詳解162頁】

98 地方公務員や公庫等職員であった期間の取扱い

問 調整額の算定上、地方公務員や公庫等職員であった期間はどのように取り扱うのか。

答 地方公共団体や公庫等へ退職出向している期間などのいわゆる特定基礎在職期間については、次のとおり、特定基礎在職期間と職員としての在職期間の連続形態等によって特定基礎在職期間中にどのような職務（行

(一)、行(二)、税務、指定職など）に従事している職員として在職していたものとみなすかを決定することとしている（施行令第6条の2、平成17年改正法施行後取扱決定第二第1項及び第2項参照）。その上で、特定基礎在職期間中の職務の級、階級、号俸又は俸給月額については、当該特定基礎在職期間に関して適用される初任給の決定、昇格、昇給等に関する規定（人事院規則9－8（初任給、昇格、昇給等の基準）及び同規則に基づく通知等）の例により定めたものとみなして調整額の算定に用いる（平成17年改正法施行後取扱決定第二第3項参照）。　　　　　　　　　　【詳解154～161頁】

◎図表11　地方公務員や公庫等職員であった期間の取扱い

連続形態	連続する職務の区分	みなされる職務
(ア) ①職員としての在職期間 ↓ ②特定基礎在職期間 ↓ ③職員としての在職期間	③の期間の初日に従事していた職務が、特定職務（指定職の職員、裁判官、検察官又は特別職の職員等の職務）であった場合	①の期間の末日に従事していた職務と同種の職務に従事する職員 【ケース1】
	③の期間の初日に従事していた職務が、特定職務以外の職務であった場合	③の期間の初日に従事していた職務と同種の職務 【ケース2】
(イ) ①特定基礎在職期間 ↓ ②職員としての在職期間	②の期間の初日に従事していた職務が、特定職務であった場合	①の期間に従事していた職務が当該期間を通じておおむね1種類の職員が従事する職務と類似しているものであった場合は当該職員が従事する職務、それ以外の場合にあっては個別に内閣総理大臣が決定する職務 【ケース3】
	②の期間の初日に従事していた職務が、特定職務以外の職務であった場合	②の期間の初日に従事していた職務と同種の職務 【ケース4】

【ケース1】

職員	→	地方公務員等	→	職員
行(一)		行(一)みなし		指定職（特定職務）

【ケース2】

職員	→	地方公務員等	→	職員
行㈠		税務職みなし		税務職

【ケース3】

地方公務員等(※)	→	職員
例えば、当該期間を通じておおむね研究職相当の職務又は業務に従事していた場合には、研究職みなしとする。		指定職（特定職務）

※特定基礎在職期間にその者が現に従事していた職務又は業務が当該特定基礎在職期間を通じておおむね1種類の職員が従事する職務と類似しているものであった場合にあっては当該職員が従事する職務、それ以外の場合にあっては内閣総理大臣が決定する職務に従事する職員

【ケース4】

地方公務員等	→	職員
教育㈠みなし		教育㈠

99 法第6条の4第1項に規定する「現実に職務をとることを要しない期間」

問 法第6条の4第1項に規定する「現実に職務をとることを要しない期間」について、説明されたい。

答 法第6条の4第1項に規定する「…により現実に職務をとることを要しない期間」について、主なものは下記の期間である。なお、調整額の算定の基礎となる基礎在職期間の初日の属する月から末日の属する月までについての除算については、問107、問126を参照されたい。

- 専従休職
- 自己啓発等休業
- 配偶者同行休業
- 育児休業
- 育児短時間勤務
- 研究休職（政令で定める要件を満たさないもの）

- 共同研究休職（いわゆる研究公務員又は教育公務員以外の者のものや、政令で定める要件を満たさないもの）
- 私事傷病等による休職
- 懲戒処分による停職
- 裁判官弾劾法（昭和22年法律第137号）第39条の規定による職務の停止の期間及び検察庁法（昭和22年法律第61号）第24条の規定により欠位を待つ期間
- 週休日（土曜日及び日曜日等。勤務日とされた日を除く。）
- 休日（いわゆる祝日）及び12月29日から１月３日までの日（勤務日とされた日を除く。）

なお、例えば以下の期間は「…により現実に職務をとることを要しない期間」に該当しない。

- 公務上の傷病による休職
- 通勤による傷病による休職
- 設立援助休職
- 研究休職（政令で定める要件を満たすもの）
- 一般職給与法第15条の規定により給与の減額を受けている期間
- 一般職の職員の勤務時間、休暇等に関する法律（平成６年法律第33号）第16条に規定する休暇（年次休暇、病気休暇、特別休暇、介護休暇及び介護時間）
- 国際機関派遣
- いわゆる研究公務員又は教育公務員の共同研究休職（政令で定める要件を満たすもの）
- 民間企業への交流派遣
- 法科大学院への派遣
- 弁護士職務経験制度による弁護士職務従事

【詳解132～152頁】

100　無断欠勤した期間

問　無断欠勤した期間は「現実に職務をとることを要しない期間」に含まれるのか。

答 無断欠勤や休暇等の期間については、法第6条の4第1項に規定する「現実に職務をとることを要しない期間」には含まれない。

【詳解135〜136頁】

101 分限免職が取消しとなった場合の退職の日から復職の日までの期間

問 分限免職が取消しとなった場合、退職の日から復職の日までの期間については、「現実に職務をとることを要しない期間」に該当し、その月数の2分の1を除算することとなるのか。

答 免職により退職した日から復職の日までの期間については、一般職給与法第15条の給与の減額期間扱いとなり、「現実に職務をとることを要しない期間」には該当せず、除算の対象とはならない（運用方針第6条の4関係第2号イ）。

【参考】

「人事院の判定によって免職処分が取り消された場合、原処分によって勤務しなかった期間に係る給与については、勤務しなかった場合であっても在職していれば当然に支給される給与（例　給与法適用職員の扶養手当、期末手当、住居手当、寒冷地手当）は、判定の結果に基づき当然に追給されるが、勤務することを前提として支給される俸給、地域手当、勤勉手当、俸給の特別調整額については、当然に追給されない（給与法5、15等）。しかし、勤務しなかったことについて当該職員には責めに帰すべき事由がないので、……このため、人事院は、職員がその処分によって失った給与の弁済を受けられるよう関係庁の長等に指示を行うものとされているのである（法92条2後段　人規13－1　68）。実際の指示は、取消判定の場合は、「原処分を受けたことにより支給されなかった俸給その他の給与を本人に弁済すべきことを指示する」とされ、修正判定の場合は、……とされている。」（森園幸男・吉田耕三・尾西雅博編『逐条国家公務員法〈全訂版〉』学陽書房）

102　調整額が零又は2分の1となる場合

問　調整額が零又は法第6条の4第1項により計算した額の2分の1となる場合について説明されたい。

答　法第6条の4第4項に基づき調整額が零又は法第6条の4第1項により計算した額の2分の1となる場合は、次の表のとおりである。

◎図表12　調整額が零又は2分の1となる場合

自己都合等による退職		勤続10年未満		勤続10年以上25年未満
		0　①		1/2　②
自己都合等以外による退職		勤続6月未満	勤続6月以上5年未満	勤続5年以上25年未満
	A		1/2　③	1/1　④
	B	0　⑤		

A　公務上死傷病、公務外死傷病、整理退職、応募認定（いわゆる2号募集）等
B　A以外（任期満了、定年、応募認定（いわゆる1号募集）等）

　退職者の退職理由が自己都合による退職の場合には、①勤続10年未満の場合には調整額は零となり（法第6条の4第4項第4号）、②勤続10年以上25年未満の場合には調整額は法第6条の4第1項により計算した額の2分の1となる（法第6条の4第4項第3号）。

　また、退職者の退職理由が自己都合以外の理由による退職の場合には、A（図表12参照）による退職理由の場合には、③勤続5年未満の場合には調整額は法第6条の4第1項により計算した額の2分の1となり（法第6条の4第4項第1号）、④勤続5年以上25年未満の場合には、調整額は法第6条の4第1項により計算した額の1分の1となる。

　一方、B（図表12参照）による退職理由の場合には、⑤勤続6月未満の場合には、調整額は零となるが（法第6条の4第4項第2号）、それ以外についてはAによる退職と同様となる。

　勤続6月未満の場合にAとBで差が生じるのは、法第7条第6項ただし書の括弧に該当するか否かにより勤続期間が異なるためである。

　なお、勤続25年以上については、退職理由にかかわらず調整額は満額となる。

【詳解161〜162頁】

103 平成17年改正法施行後取扱決定第三第20項第１号に規定する「120月を超えていたもの」

問 行政職俸給表㈡の適用を受けていた職員の調整額で、施行令別表第１ロの表第10号区分の項第２号に規定する内閣総理大臣の定めるものとして、平成17年改正法施行後取扱決定第三第20項第１号に規定する「120月を超えていたもの」の調整額の算定は次の①、②のいずれとなるのか。

① 調整額の対象となる職務の級（行政職俸給表㈡３級以上の級等。②も同じ）であった期間が120月を超えていた期間、すなわち当該職務の級であった121月以降の月が調整額の対象となる（当該期間が130月の場合は10月分の調整額が支給される）。

② 調整額の対象となる職務の級であった期間が120月を超えていれば、当該期間は全て調整額の対象となる（60月分の調整額が支給される）。

答 ①となる。　　　　　　　　　　　　　　　　　　　【詳解154頁】

104 平成17年改正法施行後取扱決定第三第20項第１号に規定する「120月を超えていたもの」の数え方

問 施行令別表第１ロの表第10号区分の項第２号に規定する内閣総理大臣の定めるものとして、平成17年改正法施行後取扱決定第三第20項第１号に規定する「120月を超えていたもの」の該当を判断する際、休職月等を除算して月を数えるのか。

答 平成17年改正法施行後取扱決定においては、設問のような場合について、休職月等を除算して数える旨の規定はないため、要件を満たす在職期間については休職月等であっても除算せず月を数える。

105 行政職俸給表㈡の適用職員で第８号区分に属する者

問 平成18年４月以後の行政職俸給表㈡の適用を受けていた職員で、職員の区分が第８号区分に属する者はどのような者か。

(答) その属する職務の級が5級であった者のうち、3人以上の職種の長（2人の職種の長と当該2人の職種の長の直接指揮監督する者が合わせておおむね10人以上であった場合にあっては、2人の職種の長）を直接指揮監督する職務に従事していた者とされている。

なお、職種の長とは、人事院規則9－8（初任給、昇格、昇給等の基準）の行政職俸給表㈡級別標準職務表に規定する電話交換手の組長、作業船の船長、機関長、甲板長若しくは操機長、一般技能職員の職長、家政職員の主任、車庫長又は守衛長若しくは巡視長（人事院規則が適用される者以外の者でこれらに準ずるものを含む。）をいう。

また、職種の長及び職種の長を直接指揮監督する職務に従事していた者であることが、発令内容等から確認できるものに限られている（平成17年改正法施行後取扱決定第三第18項第1号参照）。

106　月単位による調整額の計算

(問) 法第6条の4第1項の規定によれば、調整額は月単位として計算されることから、1日でも職員として在職していればその月は調整額の計算の対象とされるのか。

(答) 貴見のとおり、調整額の計算の対象とされる。ただし、その月が休職月等で基礎在職期間の属する各月から除算される月である場合には、当然、当該月は調整額の対象とはならない。

107　調整額の計算の対象とされない休職月等

(問) 調整額の計算の対象とされない休職月等の特定方法について、具体例により示されたい。

(答) 調整額の計算の対象とされない休職月等の特定方法は、次の事例のとおりである（法第6条の4第1項、施行令第6条第3項参照）。

【詳解140～152頁】

◎図表13 調整額の計算の対象とされない休職月等

【ケース1】
①及び②=勤務
③=10日勤務の後、病気休職（公務外）
④～⑩=病気休職
⑪=20日病気休職の後、勤務
⑫=勤務
※ ①～⑫の各月は同一の職員の区分

→ 休職月等に該当するのは、④～⑩の7月（③及び⑪は、現実に職務をとることを要する日があるので休職月等には該当しない）

→ 7×1/2=3.5⇒4（1未満の端数を切り上げ）

※ よって、基礎在職期間の属する各月から除かれる休職月等は、最初の月から順に数えて4になるまでにある休職月等、すなわち④、⑤、⑥及び⑦の月

【ケース2】
①及び②=勤務
③=10日勤務の後、病気休職（公務外）
④及び⑤=病気休職
⑥=勤務
⑦～⑪=病気休職
⑫=勤務
※ ①～⑦の各月は第8号区分、⑧の月は途中より第7号区分、⑨～⑫の各月は第7号区分

→ 同一の月に2以上の職員の区分に属している場合は、最も高い額となる職員の区分に属していたこととなるため⑧は第7号区分

→ 休職月等に該当するのは、④、⑤及び⑦（第8号区分）並びに⑧～⑪（第7号区分）の各月
→ 職員の区分が同一である休職月等のグループごとに計算するので、
　第8号区分グループ：$3 \times 1/2 = 1.5 \Rightarrow 2$
　第7号区分グループ：$4 \times 1/2 = 2$
※ よって、基礎在職期間の属する各月から除かれる休職月等は、第8号区分に属していた休職月等については④及び⑤の月、第7号区分に属していた休職月等については⑧及び⑨の月

【ケース3】
①及び②＝勤務
③＝10日勤務の後、病気休職（公務外）
④及び⑤＝病気休職
⑥＝10日病気休職の後、育児休業（子は0歳）
⑦～⑨＝育児休業（子は0歳）
⑩＝育児休業（15日間子は0歳、以降は1歳）
⑪＝育児休業（子は1歳）
⑫＝勤務
※　①～⑫の各月において同一の職員の区分

①	②	③	④	⑤	⑥	⑦	⑧	⑨	⑩	⑪	⑫

→ 休職月等に該当するのは、④～⑪の8月（病気休職＝④及び⑤、育児休業（0歳）＝⑥～⑩、育児休業（1歳）＝⑪）
→ 1/2 除算の対象となるのは④、⑤及び⑪の3月であるから、$3 \times 1/2 = 1.5 \Rightarrow 2$
→ 1/3 除算の対象となるのは⑥～⑩の5月であるから、$5 \times 1/3 ≒ 1.67 \Rightarrow 2$
※ よって、基礎在職期間の属する各月から除かれる休職月等は、1/2除算の休職月等については④及び⑤の月、1/3除算の休職月等については⑥及び⑦の月

108 法第6条の4第1項に規定する「職員を政令で定める法人その他の団体の業務に従事させるための休職」

問 法第6条の4第1項に規定する「職員を政令で定める法人その他の団体の業務に従事させるための休職」について、説明されたい。

答 法第6条の4第1項に規定する「職員を政令で定める法人その他の団体の業務に従事させるための休職」とは、いわゆる休職出向であり、いわゆる設立援助休職の場合や、休職のうち内閣総理大臣の指定する法人の業務に従事する場合などがある。

設立援助休職とは、国家公務員法第79条の規定による休職であって人事院規則11－4（職員の身分保障）第3条第1項第4号に定められているものであり、国が必要な援助又は配慮をすることとされている公共的機関の設立に伴う臨時的必要に基づき、これらの機関のうち人事院が指定するものにおいて職員の職務と関連がある業務に従事するため、休職するものである。現在は人事院により指定されている機関がないことから、現在設立援助休職中である職員はいないが、過去に設立援助休職をしていた者が退職する際の退職手当の計算において設立援助休職の期間を通算する（休職月等として扱わない）等のために、施行令第6条第1項各号において、設立援助休職法人であった法人などを定めている。

また、休職（研究休職など）により内閣総理大臣の指定する法人の業務に従事する場合についても、退職手当の計算において当該休職期間を通算する（休職月等として扱わない）ために、施行令第6条第1項において、「法第6条の4第1項に規定する政令で定める法人その他の団体は……及びこれらに準ずる法人その他の団体で内閣総理大臣の指定するものとする」としており、内閣総理大臣の指定する法人としては、財団法人交流協会（現：公益財団法人日本台湾交流協会）及び財団法人日本日中覚書貿易事務所（昭和49年閉鎖）のほか、財団法人世界平和研究所（現：公益財団法人中曽根康弘世界平和研究所）（関係省庁のみ）がある。　　【詳解140頁】

【参考】

国家公務員法（昭和22年法律第120号）（抄）

（本人の意に反する休職の場合）

第79条　職員が、左の各号の一に該当する場合又は人事院規則で定めるそ

の他の場合においては、その意に反して、これを休職することができる。

　一・二　略

人事院規則11－4（職員の身分保障）（抄）
（休職の場合）
第3条　職員が次の各号のいずれかに該当する場合には、これを休職にすることができる。

　一～三　略
　四　法令の規定により国が必要な援助又は配慮をすることとされている公共的機関の設立に伴う臨時的必要に基づき、これらの機関のうち、人事院が指定する機関において、その職員の職務と関連があると認められる業務に従事する場合
　五　略
2　略

109　法第6条の4第1項に規定する「休職であつて職員を当該職員の職務に密接な関連があると認められる学術研究その他の業務に従事させるためのもの」

問　法第6条の4第1項に規定する「休職であつて職員を当該職員の職務に密接な関連があると認められる学術研究その他の業務に従事させるためのもので当該業務への従事が公務の能率的な運営に特に資するものとして政令で定める要件を満たすもの」について、説明されたい。

答　法第6条の4第1項に規定する「休職であつて職員を当該職員の職務に密接な関連があると認められる学術研究その他の業務に従事させるためのもの」とは、いわゆる研究休職である。研究休職とは、人事院規則11－4（職員の身分保障）第3条第1項第1号に定められているものであり、学校、研究所その他人事院の指定する公共的施設において、その職員の職務に関連がある学術に関する事項の調査、研究又は指導に従事するため、休職するものである。この研究休職のうち、研究休職先における業務への従事が公務の能率的な運営に特に資するものとして政令

で定められている要件を満たすものについては、退職手当の計算において当該研究休職の期間が通算される（休職月等として扱われない。）。なお、政令で定められている要件を満たさない研究休職については、休職月等として扱われ、2分の1除算の対象となる（問126参照）。

この政令で定める要件については、施行令第6条第2項において、

- 従事する法人が、国立大学法人、大学共同利用機関法人、公立大学法人、放送大学学園、沖縄科学技術大学院大学学園、私立大学を設置する学校法人、行政執行法人以外の独立行政法人及び特殊法人のいずれかであること
- 学術の調査、研究又は指導への従事が公務の能率的な運営に特に資するものとして内閣総理大臣の定める要件に該当すること

が定められている。

この内閣総理大臣の定める要件については、平成17年改正法施行後取扱決定第一において、

- 相当程度高度な学術の調査、研究又は指導に従事するものであり、かつ、その成果によって休職の期間の終了後においても公務の能率的な運営に特に資することが見込まれるものであること（休職の期間の初日（休職の期間が更新された場合にあっては、更新された休職の期間の初日）が平成29年1月1日前である場合は、その前日までに各省各庁の長等が内閣総理大臣の承認を受けていたこと）
- 学術の調査、研究又は指導への従事が、法人の要請に基づき行われたものであること
- 学術の調査、研究又は指導への従事を終えて法人を退職した者が当該法人から退職手当（これに相当する給付を含む。）の支給を受けていないこと

が定められている。

【詳解141～144頁】

【参考】

国家公務員法（昭和22年法律第120号）（抄）

（本人の意に反する休職の場合）

第79条　職員が、左の各号の一に該当する場合又は人事院規則で定めるその他の場合においては、その意に反して、これを休職することができる。

一・二　略

人事院規則11－4（職員の身分保障）（抄）
（休職の場合）
第3条　職員が次の各号のいずれかに該当する場合には、これを休職にすることができる。
　一　学校、研究所、病院その他人事院の指定する公共的施設において、その職員の職務に関連があると認められる学術に関する事項の調査、研究若しくは指導に従事し、又は人事院の定める国際事情の調査等の業務若しくは国際約束等に基づく国際的な貢献に資する業務に従事する場合（次号に該当する場合、派遣法第2条第1項の規定による派遣の場合及び法科大学院派遣法第11条第1項の規定による派遣の場合を除く。）
　二～五　略

110　いわゆる専従休職期間

問　いわゆる専従休職期間の退職手当法上の扱いについて、説明されたい。

答　施行令第6条第3項第1号において、休職月等として、国家公務員法第108条の6第1項ただし書又は行政執行法人の労働関係に関する法律第7条第1項ただし書に規定する事由等により現実に職務をとることを要しない期間が規定されている。これは、職員がその勤務条件の維持改善を図ることを目的として組織する職員団体の役員として従事するいわゆる専従休職期間であり、1月が全て専従休職期間である月については、法第6条の4第1項及び施行令第6条第3項第1号により、調整額の算定の際に用いられる基礎在職期間の属する各月から除算（全除算）され、また、法第7条第4項により、勤続期間からも除算（全除算）される（問126参照）。

【詳解146～147、169頁】

【参考】
　国家公務員法（昭和22年法律第120号）（抄）
　　（職員団体）
　第108条の２　この法律において「職員団体」とは、職員がその勤務条件の維持改善を図ることを目的として組織する団体又はその連合体をいう。
　②～⑤　略
　　（職員団体のための職員の行為の制限）
　第108条の６　職員は、職員団体の業務にもつぱら従事することができない。ただし、所轄庁の長の許可を受けて、登録された職員団体の役員としてもつぱら従事する場合は、この限りでない。
　②～⑥　略

　行政執行法人の労働関係に関する法律（昭和23年法律第257号）（抄）
　　（職員の団結権）
　第４条　職員は、労働組合を結成し、若しくは結成せず、又はこれに加入し、若しくは加入しないことができる。
　２　委員会は、職員が結成し、又は加入する労働組合（以下「組合」という。）について、職員のうち労働組合法第２条第１号に規定する者の範囲を認定して告示するものとする。
　３～５　略
　　（組合のための職員の行為の制限）
　第７条　職員は、組合の業務に専ら従事することができない。ただし、行政執行法人の許可を受けて、組合の役員として専ら従事する場合は、この限りでない。
　２～５　略

111　平成18年4月1日前の育児休業期間

問　平成18年4月1日前の育児休業期間（平成4年4月1日前の「義務教育諸学校等の女子教育職員及び医療施設、社会福祉施設等の看護婦、保母等の育児休業に関する法律」（昭和50年法律第62号）の規定に基づく育児休業期間を含む。）はどのように取り扱うのか。

答　平成18年4月1日以降の育児休業期間に係る取扱い（育児休業に係る子が1歳に達した日の属する月までの期間に対する3分の1除算の特例）の対象には、平成18年4月1日前における以下のものも含まれる。

① 　国家公務員の育児休業等に関する法律第3条第1項（同法第27条第1項及び裁判所職員臨時措置法において準用する場合を含む。）の規定による育児休業

② 　国会職員の育児休業等に関する法律第3条第1項の規定による育児休業

③ 　裁判官の育児休業に関する法律第2条第1項の規定による育児休業

④ 　一般職の職員の給与に関する法律等の一部を改正する法律（平成22年法律53号）附則第7条の規定による改正前の国家公務員の育児休業等に関する法律附則第2条の規定により同法第3条の規定による育児休業の承認とみなされる育児休業の許可に係る育児休業

⑤ 　国会職員の育児休業等に関する法律の一部を改正する法律（平成22年法律第62号）の規定による改正前の国会職員の育児休業等に関する法律附則第2条の規定により同法第3条の規定による育児休業の承認とみなされる育児休業の許可に係る育児休業

上記④については、すなわち、義務教育諸学校等の女子教育職員及び医療施設、社会福祉施設等の看護婦、保母等の育児休業に関する法律を廃止する法律（以下「女子教育職員等育児休業法」という。）が廃止された平成4年4月1日より前に女子教育職員等育児休業法に基づき許可された育児休業であって、その期間の終期が同日以降のものである。

【詳解149～150頁】

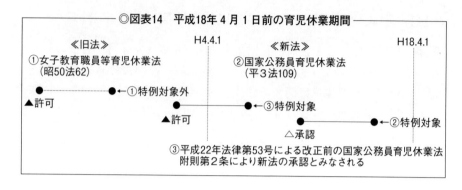

【参考】

国家公務員の育児休業等に関する法律（平成3年法律第109号）（抄）

※　一般職の職員の給与に関する法律等の一部を改正する法律（平成22年法律第53号）附則第7条の規定による改正前のもの

　　附　則

（施行期日）

第1条　この法律は、平成4年4月1日から施行する。

（経過措置）

第2条　この法律の施行の際現に義務教育諸学校等の女子教育職員及び医療施設、社会福祉施設等の看護婦、保母等の育児休業に関する法律（昭和50年法律第62号。次条において「女子教育職員等育児休業法」という。）第3条の規定による育児休業の許可を受けて育児休業をしている職員については、当該許可は第3条の規定による育児休業の承認とみなす。

義務教育諸学校等の女子教育職員及び医療施設、社会福祉施設等の看護婦、保母等の育児休業に関する法律を廃止する法律（平成3年法律第112号）（抄）

　　義務教育諸学校等の女子教育職員及び医療施設、社会福祉施設等の看護婦、保母等の育児休業に関する法律（昭和50年法律第62号）は、廃止する。

附　則

（施行期日）

第1条　この法律は、平成4年4月1日から施行する。

112　施行令第6条第3項第2号の「当該育児休業に係る子が1歳に達した日」

問　施行令第6条第3項第2号の「当該育児休業に係る子が1歳に達した日」とは、当該子の1歳の誕生日の前日と解してよいか。

答　貴見のとおり、誕生日の前日である。「定年に達した日」と同様、その計算方法については年齢計算ニ関スル法律の定めるところによることとなる。

【参考】

年齢計算ニ関スル法律（明治35年法律第50号）（抄）

① 　年齢ハ出生ノ日ヨリ之ヲ起算ス

② 　民法第143条ノ規定ハ年齢ノ計算ニ之ヲ準用ス

民法（明治29年法律第89号）（抄）

（暦による期間の計算）

第143条　週、月又は年によって期間を定めたときは、その期間は、暦に従って計算する。

2　週、月又は年の初めから期間を起算しないときは、その期間は、最後の週、月又は年においてその起算日に応当する日の前日に満了する。ただし、月又は年によって期間を定めた場合において、最後の月に応当する日がないときは、その月の末日に満了する。

113　育児休業に係る子が1歳に達した日の確認

問　育児休業に係る子が1歳に達した日はどのように確認するのか。

答　当該育児休業に係る子の生年月日が記載されているもの（組合員証等公的資料）により確認することとなる。

114　特定基礎在職期間中の育児休業等

問　特定基礎在職期間中に育児休業等を取得した場合、その期間の調整額はどのように計算したらよいのか。

答　特定基礎在職期間中に「現実に職務をとることを要しない期間」に相当する期間がある場合には、平成17年改正法施行後取扱決定第二第5項に基づき、当該相当する期間を施行令第6条第3項第1号から第3号までに規定する「現実に職務をとることを要しない期間」とみなして、これらの規定により調整額を計算することとなる。　　　　　【詳解159～161頁】

115　自己啓発等休業期間の扱い

問　自己啓発等休業の期間は、退職手当法上、どのように取り扱うのか。

答　自己啓発等休業期間に係る退職手当の取扱いについては、国家公務員の自己啓発等休業に関する法律（平成19年法律第45号）第8条に特例が定められている（問126、問267参照）。同条第1項は、自己啓発等休業期間について、退職手当法上の現実に職務をとることを要しない期間に該当するものと定めており、第2項は、勤続期間の計算において、自己啓発等休業期間を原則として全除算、公務の能率的な運営に特に資するものと認められることその他の内閣総理大臣が定める要件に該当する場合については2分の1除算することを定めている。

　調整額の計算においても、法第6条の4第1項並びに施行令第6条第3項第1号及び第3号により、同様の除算がある。

　内閣総理大臣が定める要件とは、

- 自己啓発等休業による修学又は国際貢献活動の内容が、その成果によって当該自己啓発等休業の期間の終了後においても公務の能率的な運営に特に資することが見込まれるものとして、当該自己啓発等休業期間の初日の前日までに各省各庁の長等が内閣総理大臣の承認を受けたこと
- 自己啓発等休業期間後、職員としての在職期間（懲戒による停職期間、専従休職期間、育児休業期間、配偶者同行休業期間などを除く。）が5年以上あること（通勤又は公務上の死傷病による退職、整理退職、任期

終了による退職等の場合についてはこの限りでない。)
などである。　　　　　　　　　　　　　【詳解146～147、526～528頁】

【参考】
国家公務員の自己啓発等休業に関する法律（平成19年法律第45号）（抄）
（自己啓発等休業をした職員についての国家公務員退職手当法の特例）
第8条　国家公務員退職手当法（昭和28年法律第182号）第6条の4第1項及び第7条第4項の規定の適用については、自己啓発等休業をした期間は、同法第6条の4第1項に規定する現実に職務をとることを要しない期間に該当するものとする。
2　自己啓発等休業をした期間についての国家公務員退職手当法第7条第4項の規定の適用については、同項中「その月数の2分の1に相当する月数（国家公務員法第108条の6第1項ただし書若しくは行政執行法人の労働関係に関する法律（昭和23年法律第257号）第7条第1項ただし書に規定する事由又はこれらに準ずる事由により現実に職務をとることを要しなかつた期間については、その月数）」とあるのは、「その月数（国家公務員の自己啓発等休業に関する法律（平成19年法律第45号）第2条第5項に規定する自己啓発等休業の期間中の同条第3項又は第4項に規定する大学等における修学又は国際貢献活動の内容が公務の能率的な運営に特に資するものと認められることその他の内閣総理大臣が定める要件に該当する場合については、その月数の2分の1に相当する月数）」とする。

116　平成18年4月1日より前に存在しなくなった職種であった期間の扱い

【問】　平成18年4月1日より前に非公務員化されたり存在しなくなったりした職種等であった期間については、調整額の計算においてどのように取り扱うのか。

【答】　一般職給与法の旧教育職俸給表㈡、㈢としての在職期間、平成18年4月1日までに非公務員化された特定独立行政法人の在職期間等については、これらの在職を職員以外の在職とみなし、調整額について特定基礎在職期間と同様に取り扱うこととしている（国家公務員退職手当法の一部を改

正する法律の施行に伴う経過措置に関する政令（平成18年政令第30号）第5条参照）。

【詳解458～459頁】

117　月の途中で昇格・降格した場合の職員の区分

問　月の途中で昇格・降格したこと等により、同一の月に複数の職員の区分に該当する場合には、どのように調整月額を決定するのか。

答　同一の月に複数の職員の区分に属していた場合には、調整月額が最も高い職員の区分のみに属していたものとみなし、当該調整月額をその月の調整月額として決定することとなる（施行令第6条の5第1項参照）。

【詳解163頁】

118　併任や兼官により複数の職員の区分に該当する場合

問　併任や兼官をしていることにより、同一の月に複数の職員の区分に該当する場合、どのように調整月額を決定するのか。

答　同一の月に複数の職員の区分に属していた場合には、調整月額が最も高い職員の区分のみに属していたものとみなし、当該調整月額をその月の調整月額として決定することとなる（施行令第6条の5第1項参照）。

【詳解163頁】

119　同じ調整月額が複数あった場合

問　高い方から順に数えて同じ調整月額が複数あった場合には、調整額の計算においてどのような順序で加算するのか。

答　調整月額のうちにその額が等しいものがある場合には、基礎在職期間の末日の属する月（＝退職月）に近い月に係るものから順に加算することとなる（施行令第6条の5第2項参照）。

【詳解163頁】

120　内閣総理大臣の定めがない職種・区分の適用関係

問　施行令別表第1の職員の区分の表下欄中「……のうち内閣総理大臣の定めるもの」と規定されているにもかかわらず内閣総理大臣決定に定められていない職種・区分の適用関係は、どうなるのか。

答　施行令別表第1の職員の区分の表下欄中「内閣総理大臣の定めるもの」と規定されているもので、現に内閣総理大臣の定めのないものは、当該区分に該当するものがないものであり、同表の当該規定の適用はない（いわゆる空振り規定となっている。）。

◎図表15　施行令別表第一ロの表

第8号区分	8　平成18年4月以後の一般職給与法の海事職俸給表㈡の適用を受けていた者でその属する職務の級が6級であつたもののうち内閣総理大臣の定めるもの
第9号区分	8　平成18年4月以後の一般職給与法の海事職俸給表㈡の適用を受けていた者でその属する職務の級が6級であつたもの（第8号区分の項第8号に掲げる者を除く。）

第8号区分の項第8号に規定する内閣総理大臣の定めはない。したがって、海事職俸給表㈡の適用を受けていた者でその属する職務の級が6級の者は全て第9号区分に属することとなる。

121　職員の区分について内閣総理大臣の定めをする際の意見聴取

問　施行令で、行政執行法人等については、調整額の算定に用いる職員の区分について内閣総理大臣の定めをしようとするときは当該行政執行法人等の意見を聴くものとすることとされているのはなぜか。

答　行政執行法人については、国民のニーズや社会経済情勢の変化に弾力的に対応できるよう、勤務条件法定主義の例外を設け、給与制度を自主的に決定することができる等の自立性が与えられていることから、このような特殊性に配慮して、行政執行法人（特定独立行政法人）の職員に関する調整額の算定に用いる職員の区分についての内閣総理大臣の定めをしよ

うとするときは、(勤務条件の決定主体たる) 行政執行法人の意見を聴くものとする旨を明記したものである。同様に、旧国有林野職員に係る職員の区分については、農林水産大臣の意見を聴くものとする旨を明記している（施行令別表第一イの備考及びロの備考1参照）。

11 一般の退職手当の額に係る特例（第6条の5）

122 法第6条の5の対象者

問 法第6条の5はどのような者が対象となるのか。

答 法第6条の5の規定は、法第5条第1項に規定する者、すなわち、整理退職、応募認定退職（いわゆる2号募集）、公務上死亡又は公務上傷病により退職した者が対象となっており、勤続期間の短い退職者に実益があるものとなっている。

【詳解164頁】

12 勤続期間の計算（第7条）

123 勤続期間の基本的事項

問 勤続期間の基本的事項について説明されたい。

答 法第7条においては、勤続期間の計算の基本的な事項について規定している。
法第7条の勤続期間の計算の原則は、次のとおりである。
① 勤続期間の計算は、職員としての引き続いた在職期間により計算される。
② 在職期間の計算は、月単位の計算方法による。
③ 職員が退職し、退職の日又はその翌日に再び職員となったときは、引き続いて在職したものとみなされる。
④ 在職期間のうち、休職月等については原則としてその2分の1を除算する（問126参照）。

⑤　地方公務員としての引き続いた在職期間については、職員としての在職期間に含む。
⑥　原則として、上記により計算した在職期間に1年未満の端数がある場合には、その端数は切り捨てる。ただし、計算した在職期間が6月以上1年未満（傷病・死亡・応募認定（2号募集）・整理による退職については1年未満）の場合には、勤続期間を1年とする。
⑦　法第10条の規定により失業者の退職手当の額を計算する場合には、上記⑥によらず、計算した在職期間に1月未満の端数がある場合には、その端数は切り捨てる。

【詳解166頁】

124　「職員としての引き続いた在職期間」

問　法第7条第1項の「職員としての引き続いた在職期間」とはどのような意味か。

答　職員として身分を保有している期間が、文字どおり引き続いていることであり、1日以上の空白がないことと解されている。週休日等を空けて採用された場合は「引き続いた」とはみなされない。　　【詳解166頁】

125　勤続期間と基礎在職期間の違い

問　法第7条に規定する勤続期間と法第5条の2第2項に規定する基礎在職期間の違いについて説明されたい。

答　法第7条に規定する勤続期間とは、退職手当の基本額の算定の基礎となる期間であり、支給の対象となる在職期間から休職期間を半減するなど、一定の計算を終えた後のいわば量的な意味合いを示すものである。

一方、法第5条の2第2項に規定する基礎在職期間とは、任用上の採用から退職までの職員としての在職期間のほか、地方公共団体又は公庫等への退職出向期間も含めて通算した在職期間の始期から終期まで（単なる期間の長さだけではなく、日付にも着目した期間）を指す期間であり、退職手当の調整額の算定の基礎となるものである。

126　勤続期間と調整額の算定の基礎となる期間に係る除算

問　勤続期間と、調整額の算定の基礎となる期間について、休職月等による除算の扱いに差があるのか。

答　休職月等については、
- 基本額の算定の基礎となる勤続期間
- 調整額の算定の基礎となる基礎在職期間の初日の属する月から末日の属する月までの各月

について、それぞれ除算の規定が設けられており、全除算・2分の1除算・全通算といった扱いに差はない。

　※　ただし、両者は別の概念（問125参照）であり、除算に係る計算方法も異なる（問107、問123、問128参照）ことから、勤続期間を計算すればそれを用いて調整額が算定できるというものではない。

　主な休職等に係る除算の扱いと根拠条文については、以下のとおり（問99、問266、問267参照）。

◎図表16　休職等に係る除算及びその根拠条文（主なもの）

	休職等	除算・通算	勤続期間についての除算・通算根拠	調整額の算定の基礎となる基礎在職期間の初日の属する月から末日の属する月までの各月についての除算・通算根拠
退職手当法上の休職月等に該当しない	公務上の傷病による休職	全通算	（退職手当法第6条の4第1項において休職月等に該当しない旨が規定されているため、法第7条第4項も適用されない）	退職手当法第6条の4第1項（休職月等に該当しない）
	通勤による傷病による休職	全通算	同上	同上
	設立援助休職	全通算	同上	同上
	研究休職（公務の能率的な運営に特に資するものとして政令で定める要件を満たすもの）	全通算	同上	同上
	一般職職員の国際機関派遣	全通算	国際機関等に派遣される一般職の国家公務員の処遇等に関する法律第9条第2項	国際機関等に派遣される一般職の国家公務員の処遇等に関する法律第9条第2項

防衛省職員の国際機関派遣	全通算	国際機関等に派遣される防衛省の職員の処遇等に関する法律第10条第2項	国際機関等に派遣される防衛省の職員の処遇等に関する法律第10条第2項
民間企業への交流派遣	全通算	国と民間企業との間の人事交流に関する法律第17条第2項	国と民間企業との間の人事交流に関する法律第17条第2項
法科大学院への派遣	全通算	法科大学院への裁判官及び検察官その他の一般職の国家公務員の派遣に関する法律第19条第2項	法科大学院への裁判官及び検察官その他の一般職の国家公務員の派遣に関する法律第19条第2項
弁護士職務経験制度	全通算	判事補及び検事の弁護士職務経験に関する法律第11条第2項	判事補及び検事の弁護士職務経験に関する法律第11条第2項
いわゆる研究公務員の共同研究休職（当該共同研究等の効率的実施に特に資するものとして政令で定める要件を満たすもの）	全通算	研究開発システムの改革の推進等による研究開発能力の強化及び研究開発等の効率的推進等に関する法律第17条第1項	研究開発システムの改革の推進等による研究開発能力の強化及び研究開発等の効率的推進等に関する法律第17条第1項
いわゆる教育公務員の共同研究休職（当該共同研究等の効率的実施に特に資するものとして政令で定める要件を満たすもの）	全通算	教育公務員特例法第34条第1項	教育公務員特例法第34条第1項
災害対策基本法に基づく派遣	全通算	災害対策基本法施行令第18条第3項第6号	災害対策基本法施行令第18条第3項第6号
大規模災害からの復興に関する法律に基づく派遣	全通算	大規模災害からの復興に関する法律施行令第42条第3項第6号	大規模災害からの復興に関する法律施行令第42条第3項第6号
武器攻撃事態等における国民の保護のための措置に関する法律に基づく派遣	全通算	武器攻撃事態等における国民の保護のための措置に関する法律施行令第38条の規定によりその例によることとされる災害対策基本法施行令第18条第3項第6号	武器攻撃事態等における国民の保護のための措置に関する法律施行令第38条の規定によりその例によることとされる災害対策基本法施行令第18条第3項第6号
公益財団法人東京オリンピック・パラリンピック競技大会組織委員会への派遣	全通算	令和3年東京オリンピック競技大会・東京パラリンピック競技大会特別措置法第24条第2項	令和3年東京オリンピック競技大会・東京パラリンピック競技大会特別措置法第24条第2項
公益財団法人ラグビーワールドカップ2019組織委員会への派遣	全通算	平成31年ラグビーワールドカップ大会特別措置法第11条第2項	平成31年ラグビーワールドカップ大会特別措置法第11条第2項

退職手当法上の休職月等に該当する	公益社団法人福島相双復興推進機構への派遣	全通算	福島復興再生特別措置法第48条の10第2項	福島復興再生特別措置法第48条の10第2項
	公益財団法人福島イノベーション・コースト構想推進機構への派遣	全通算	福島復興再生特別措置法第89条の10第2項	福島復興再生特別措置法第89条の10第2項
	公益社団法人2025年日本国際博覧会協会への派遣	全通算	令和7年に開催される国際博覧会の準備及び運営のために必要な特別措置に関する法律第32条第2項	令和7年に開催される国際博覧会の準備及び運営のために必要な特別措置に関する法律第32条第2項
	一般社団法人2027年国際園芸博覧会協会への派遣	全通算	令和9年に開催される国際園芸博覧会の準備及び運営のために必要な特別措置に関する法律第22条第2項	令和9年に開催される国際園芸博覧会の準備及び運営のために必要な特別措置に関する法律第22条第2項
	いわゆる専従休職	全除算	退職手当法第7条第4項	退職手当法施行令第6条第3項第1号
	自己啓発等休業（下記以外）	全除算	国家公務員の自己啓発等休業に関する法律第8条第1項及び第2項	国家公務員の自己啓発等休業に関する法律第8条第1項 退職手当法施行令第6条第3項第1号
	自己啓発等休業（公務の能率的な運営に特に資するものと認められることその他の内閣総理大臣が定める要件に該当する場合）	2分の1除算	国家公務員の自己啓発等休業に関する法律第8条第1項及び第2項	国家公務員の自己啓発等休業に関する法律第8条第1項 退職手当法施行令第6条第3項第3号（施行令第6条第3項第1号の規定の適用が除外されるため）
	配偶者同行休業	全除算	国家公務員の配偶者同行休業に関する法律第9条第1項及び第2項	国家公務員の配偶者同行休業に関する法律第9条第1項 退職手当法施行令第6条第3項第1号
	育児休業（下記以外）	2分の1除算	国家公務員の育児休業等に関する法律第10条第1項 退職手当法第7条第4項	国家公務員の育児休業等に関する法律第10条第1項 退職手当法施行令第6条第3項第3号

育児休業（子が１歳に達した日の属する月まで）	３分の１除算	国家公務員の育児休業等に関する法律第10条第１項及び第２項	国家公務員の育児休業等に関する法律第10条第１項 退職手当法施行令第６条第３項第２号
育児短時間勤務	３分の１除算	国家公務員の育児休業等に関する法律第20条第１項及び第２項	国家公務員の育児休業等に関する法律第20条第１項 退職手当法施行令第６条第３項第２号
育児時間	全通算	―（休職月等に該当しない）	―（休職月等に該当しない）
上記以外の休職等 ・私事傷病による休職 ・懲戒による停職 ・研究休職（政令で定める要件を満たさないもの） ・共同研究休職（いわゆる研究公務員又は教育公務員以外のものや、政令で定める要件を満たさないもの）など	２分の１除算	退職手当法第７条第４項	退職手当法施行令第６条第３項第３号

職員（国家公務員）ではない期間（退職出向）	扱い	勤続期間についての通算根拠	基礎在職期間についての通算根拠
地方公務員	全通算	退職手当法第７条第５項	退職手当法第５条の２第２項第２号
公庫等職員	全通算	退職手当法第７条の２第１項	退職手当法第５条の２第２項第３号
独立行政法人等役員	全通算	退職手当法第８条第１項	退職手当法第５条の２第２項第５号
個別の特例法により認められる法人（問142参照）の職員	全通算	個別の特例法（退職手当法第７条の２第１項の公庫等職員とみなす旨が規定されている）	退職手当法第５条の２第２項第３号（公庫等職員とみなされるため）

127 月単位による在職期間の計算

問 法第7条第2項の規定によれば、在職期間は月を単位として計算されることから、1日でも職員として在職していれば1月として計算されるのか。

答 貴見のとおりと解する。　　　　　　　　　　　　　【詳解167頁】

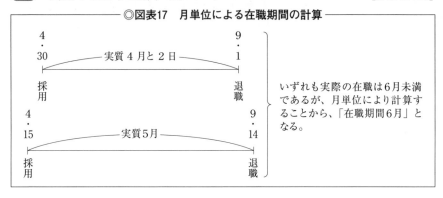

◎図表17　月単位による在職期間の計算

128 勤続期間の計算における休職期間の半減方法

問 職員が私事傷病により5月16日から翌年の5月15日までの1年間休職となっている場合には、勤続期間はどのように計算するのか。

答 勤続期間の計算における在職期間の計算は、「現実に職務をとることを要する日のあった月」である5月及び翌年の5月を除いた6月から翌年の4月までの現実に職務をとらなかった11月間の2分の1である5.5月間を在職期間から除算することとなる（法第7条第4項参照）。なお、最終的に勤続期間を算定する際には、失業者の退職手当の額を計算する場合を除き、原則として計算した在職期間における1年未満の端数は切捨てとなる（法第7条第6項参照）。

129 勤続期間の計算における育児休業期間

問 以下の場合について、勤続期間の計算はどのように計算するのか。

～令和3年4月5日　　　通常勤務
令和3年4月6日～令和3年5月14日　産前休暇
令和3年5月15日～令和3年7月9日　産後休暇
令和3年7月10日～令和4年7月25日　育児休業
　　　　（子が1歳に達した日＝令和4年5月13日）
令和4年7月26日～　　　　　　　通常勤務

答 産前産後休暇については、一般職の職員の勤務時間、休暇等に関する法律における特別休暇に該当するものであり、退職手当法上、「現実に職務をとることを要しない期間」に当たらない（問99参照）。令和3年7月以前と令和4年7月以降の各月は現実に職務をとることを要する日のある月であり、休職月等には該当しない。

休職月等は、令和3年8月から令和4年6月までの各月である。このうち、育児休業に係る子が1歳に達した日の属する月までの期間（3分の1除算）は、令和3年8月から令和4年5月までの10月間であり、それ以外の期間（2分の1除算）は、令和4年6月の1月間である。

このため、勤続期間の計算に当たっては、10月×1/3＋1月×1/2＝3.833333…月を職員としての引き続いた在職期間（職員となった日の属する月から退職した日の属する月までの月数）から除算することとなる。なお、最終的に勤続期間を計算する際には、失業者の退職手当の額を計算する場合を除き、原則として計算した在職期間における1年未満の端数は切捨てとなる（法第7条第6項参照）。

※　上記は、勤続期間の計算である。調整額の算定の基礎となる基礎在職期間の属する各月からの除算方法については上記と異なる（問107参照）。

130 地方公務員期間の取扱い

問 地方公務員から引き続いて国の職員になった場合の地方公務員としての在職期間は、どのように取り扱うのか。

答 地方公務員が、退職手当の支給を受けないで引き続いて国の職員となった場合には、地方公務員としての在職期間は、国の職員としての在職期間に通算することとされている。その者の地方公務員としての引き続いた在職期間の計算については、法第7条第1項から第4項までの規定を準用することとなる。

　なお、地方公務員を退職した際に退職手当の支給を受けている場合には、退職手当の算定の基礎となった在職期間は、その者の地方公務員としての引き続いた在職期間には含まないこととされている（法第7条第5項及び施行令第7条第1項参照）。
【詳解170～173頁】

131　法第7条第5項の「その他の事由」

問　法第7条第5項の「その他の事由」とは、具体的にどのような事由か。

答　法第7条第5項の「その他の事由」とは、自己の意思に基づく転職、異動等の全ての場合を含むこととされている（運用方針第7条関係参照）。
【詳解169頁】

132　一般地方独立行政法人等期間の取扱い

問　地方公務員➡一般地方独立行政法人等➡地方公務員➡職員の経歴を有する職員については、在職期間は全て通算して差し支えないか。

答　照会の事例において、一般地方独立行政法人等における勤務が任命権者等の要請を受けた人事交流であり、かつ、地方公共団体及び一般地方独立行政法人等において通算規定を有している場合に限り、全ての在職期間を通算することとなる（施行令第7条第3項参照）。【詳解173～174頁】

【参考】
　○一般地方独立行政法人等とは、次に掲げる公庫等、地方公社及び一般地方独立行政法人をいう。
　　公庫等……法第7条の2第1項に規定する公庫等
　　地方公社……地方住宅供給公社法（昭和40年法律第124号）に規定する地方住宅供給公社、地方道路公社法（昭和45年法律第82号）に規定す

る地方道路公社及び公有地の拡大の推進に関する法律（昭和47年法律第66号）に規定する土地開発公社
- 一般地方独立行政法人……地方独立行政法人法（平成15法律第118号）第2条第1項に規定する地方独立行政法人であって、同条第2項に規定する特定地方独立行政法人（＝役職員の身分が地方公務員）ではないものをいう。

133 公庫等―地方公務員の取扱い

問 公庫等➡地方公務員➡職員の経歴を有する職員については、在職期間は全て通算して差し支えないか。

答 照会の事例において、公庫等から地方公務員への出向が任命権者等の要請を受けた人事交流であり、かつ、公庫等及び地方公共団体において通算規定を有している場合に限り、全ての在職期間を通算することとなる（施行令第7条第5項参照）。　【詳解175頁】

134 一般地方独立行政法人―地方公務員の取扱い

問 一般地方独立行政法人➡地方公務員➡職員の経歴を有する職員の一般地方独立行政法人の職員としての在職期間については、職員としての在職期間に通算することができないものと解して差し支えないか。

答 貴見のとおりと解する。

135 公庫等に出向し地方公共団体を経由した者

問 職員➡公庫等➡地方公務員➡職員の経歴を有する職員については、在職期間は全て通算して差し支えないか。

答 照会の事例において、職員から公庫等へ、及び公庫等から地方公務員への出向が任命権者等の要請を受けた人事交流であり、かつ、公庫等及び地方公共団体において通算規定を有している場合に限り、全ての在職期間を通算することができる（施行令第7条第6項参照）。　【詳解175頁】

136 最短の勤続期間

問 職員が退職して退職手当が支給されることとなる最短の勤続期間は、どのくらいか。

答 職員が自己都合、定年、応募認定（いわゆる１号募集）等により退職する場合は、在職期間６月以上１年未満は１年とし、傷病又は死亡、整理、応募認定（いわゆる２号募集）等により退職する場合は、在職期間１年未満（１日でもよい）は１年として計算することとなる（法第７条第６項ただし書参照）。

【詳解176頁】

13 公庫等職員として在職した後引き続いて職員となった者に対する退職手当の特例（第７条の２）

137 公庫等への出向期間の通算措置の概要

問 法第７条の２に規定する公庫等への出向期間の通算措置について、その概要を説明されたい。

答 法第７条の２は、国家公務員が人事交流により公庫等（特別の法律により設立された法人（行政執行法人を除く。）でその業務が国の事務又は事業と密接な関連を有するもののうち政令で定めるもの）の職員として出向（いわゆる退職出向）し、再び国家公務員に復帰した後退職する場合の退職手当について、勤続期間等の計算においては当該出向期間を引き続いた国家公務員としての在職期間とみなす旨を定めたものである。なお、国家公務員が公庫等に出向する際には、法第20条第３項により退職手当は支給されない。

これは、公庫等への出向歴を有する国家公務員の退職手当について、法第７条第１項に規定する勤続期間の計算の原則に従って公庫等職員としての在職期間を国家公務員としての在職期間に通算しないこととした場合には、公庫等へ出向しなかった国家公務員に比較し退職手当の計算において不利益となるところ、公庫等への出向が任命権者等の要請により行われるものであること、また、国と公庫等との間における人事交流を円滑に行う

必要があること、さらには、民間企業においても出向制度を有する企業のほとんどが社員の出向期間を退職手当の取扱い上通算していること等を考慮し、通算措置が設けられているものである。　　　　　　　【詳解177頁】

138　公庫等在職期間の通算要件

問　職員が公庫等へ職員出向した場合、在職期間の通算が行われるための要件を簡単に説明されたい。

答　次に掲げる要件の全てを満たす場合に在職期間の通算が行われる（法第7条の2第1項参照）。
① 　職員（国家公務員）が任命権者等の要請に応じ、公庫等職員となるため退職したものであること
② 　出向先の法人が、特別の法律により設立された法人でその業務が国の事務又は事業と密接な関連を有するものであるなど「公庫等」に該当すること（「公庫等」の要件については、問139を参照）
③ 　公庫等職員は、役員及び常時勤務に服することを要しない者以外のいわゆる常勤一般職員であること
④ 　職員を退職し、引き続いて公庫等職員となり、引き続き公庫等職員として在職し、その後引き続いて職員に復帰したものであること
なお、法第7条の2第1項に基づき職員を退職した際、退職手当は支給されない（法第20条第3項）。　　　　　　　　　　　【詳解177～187頁】

139　公庫等の要件

問　法第7条の2第1項に規定する公庫等となるための要件を簡単に説明されたい。

答　法第7条の2第1項に規定する公庫等については、法律上、
① 　特別の法律により設立された法人であること
② 　法人の業務が国の事務又は事業と密接な関連を有すること
　　※ 　具体的には、当該法人のいわゆる設立根拠法において、当該法人の予算、事業計画等に関して主務大臣の認可を必要としているか等を参考としつつ、判断される。

③　政令（＝退職手当法施行令第9条の2）で指定されていること
④　当該法人における退職手当に関する規程において、職員（国家公務員）が任命権者又はその委任を受けた者の要請に応じ、引き続いて当該法人に使用される者となった場合に、職員としての勤続期間を当該法人に使用される者としての勤続期間に通算することと定めていること

が求められている。
　また、施行令第9条の2で規定されるためには、
⑤　職員出向の必要性
があることが必要である。
【詳解178～179頁】

140　法第7条の2第1項の「要請」

問　法第7条の2第1項の「要請」とはどのような意味か。

答　法第7条の2第1項に規定する「要請」とは、任命権者等が、職員に対し、公庫等職員として在職した後再び職員に復帰させることを前提として、公庫等に退職出向することを慫慂（しょうよう）する行為であると解されている（運用方針第7条の2関係第1号参照）。
　したがって、自己の意思に基づく転職や任命権者等の勧めによるものであっても復帰予定でない者は、法第7条の2第1項の規定が適用されない。
【詳解178頁】

141　2以上の公庫等への出向

問　職員が任命権者の要請に応じ、公庫等を2以上勤務して職員に復帰した場合（職員➡公庫等➡公庫等➡職員）には、これら2以上の法人の在職期間を通算して差し支えないか。

答　貴見のとおりと解する。その場合、2つ目以降の公庫等の退職手当支給規程においてそれ以前の公庫等の職員としての在職期間を通算する規定があり、それ以前の公庫等の職員としての在職期間に係る退職手当の支給を受けていないことが必要となる。

142 他法で公庫等職員である期間と同様に取り扱うこととされている出向期間

問 退職手当について、他の法令によって、公庫等職員である期間と同様に取り扱うこととされている出向期間にはどのようなものがあるか。

答 下記の法律において、各法人職員を公庫等職員とみなすこととしているため、同法の施行日以降に職員（国家公務員）が任命権者等の要請に応じて当該法人に出向した場合には、退職手当を支給せず、国に復帰した際に、当該法人への出向期間が職員としての引き続いた在職期間とみなされる。

【詳解190～193頁】

法　律	常勤職員が公庫等職員とみなされる法人
オリンピック東京大会の準備等のために必要な特別措置に関する法律（昭和36年法律第138号）第6条第1項	昭和39年に開催されるオリンピック東京大会の準備及び運営を行なうことを目的とする政令で定める法人（財団法人オリンピック東京大会組織委員会）
日本万国博覧会の準備及び運営のために必要な特別措置に関する法律（昭和41年法律第105号）第6条第1項	財団法人日本万国博覧会協会
札幌オリンピック冬季大会の準備等のために必要な特別措置に関する法律（昭和42年法律第86号）第7条第1項	財団法人札幌オリンピック冬季大会組織委員会
沖縄国際海洋博覧会の準備及び運営のために必要な特別措置に関する法律（昭和47年法律第24号）第5条第1項	財団法人沖縄国際海洋博覧会協会
国際科学技術博覧会の準備及び運営のために必要な特別措置に関する法律（昭和56年法律第24号）第6条第1項	財団法人国際科学技術博覧会協会
国際花と緑の博覧会の準備及び運営のために必要な特別措置に関する法律（昭和61年法律第28号）第5条第1項	財団法人国際花と緑の博覧会協会

長野オリンピック冬季競技大会の準備及び運営のために必要な特別措置に関する法律（平成4年法律第52号）第3条第1項	財団法人長野オリンピック冬季競技大会組織委員会
平成17年に開催される国際博覧会の準備及び運営のために必要な特別措置に関する法律（平成9年法律第118号）第4条第1項	平成17年に開催される国際博覧会の準備及び運営を行うことを目的とする政令で定める法人（財団法人2005年日本国際博覧会協会）
中部国際空港の設置及び管理に関する法律（平成10年法律第36号）第12条第1項	中部国際空港の設置及び管理に関する法律第4条第1項による国土交通大臣の指定を受けた者（中部国際空港株式会社）
平成14年ワールドカップサッカー大会特別措置法（平成10年法律第76号）第3条第1項	財団法人2002年ワールドカップサッカー大会日本組織委員会
民間資金等の活用による公共施設等の整備等の促進に関する法律（平成11年法律第117号）第78条第4項	民間資金等の活用による公共施設等の整備等の促進に関する法律第2条第7項に規定する公共施設等運営権を有する者
アイヌの人々の誇りが尊重される社会を実現するための施策の推進に関する法律（平成31年法律第16号）第25条第2項	アイヌの人々の誇りが尊重される社会を実現するための施策の推進に関する法律第20条第1項による国土交通大臣及び文部科学大臣の指定を受けた者
港湾法（昭和25年法律第218号）第43条の29第4項	港湾法第43条の11第1項による国土交通大臣の指定を受けた国際戦略港湾の港湾運営会社

【参考】

オリンピック東京大会の準備等のために必要な特別措置に関する法律（昭和36年法律第138号）（抄）

（大会運営者の職員に係る退職手当の特例等）

第6条　大会運営者の職員（常時勤務に服することを要しないものを除く。以下次項において同じ。）は、国家公務員等退職手当法（昭和28年法律第182号）第7条の2の規定の適用については、同条第1項に規定する公庫等職員とみなす。

2・3　略

日本万国博覧会の準備及び運営のために必要な特別措置に関する法律（昭和41年法律第105号）（抄）
　　（博覧会協会の職員に係る退職手当の特例等）
第6条　博覧会協会の職員（常時勤務に服することを要しないものを除く。次項において同じ。）は、国家公務員等退職手当法（昭和28年法律第182号）第7条の2の規定の適用については、同条第1項に規定する公庫等職員とみなす。
2・3　略

札幌オリンピック冬季大会の準備等のために必要な特別措置に関する法律
　　（昭和42年法律第86号）（抄）
　　（組織委員会の職員に係る退職手当の特例等）
第7条　組織委員会の職員（常時勤務に服することを要しないものを除く。次項において同じ。）は、国家公務員等退職手当法（昭和28年法律第182号）第7条の2の規定の適用については、同条第1項に規定する公庫等職員とみなす。
2・3　略

沖縄国際海洋博覧会の準備及び運営のために必要な特別措置に関する法律
　　（昭和47年法律第24号）（抄）
　　（博覧会協会の職員に係る退職手当の特例等）
第5条　博覧会協会の職員（常時勤務に服することを要しないものを除く。次項において同じ。）は、国家公務員退職手当法（昭和28年法律第182号）第7条の2の規定の適用については、同条第1項に規定する公庫等職員とみなす。
2・3　略

国際科学技術博覧会の準備及び運営のために必要な特別措置に関する法律
　　（昭和56年法律第24号）（抄）
　　（博覧会協会の職員に係る退職手当の特例等）
第6条　博覧会協会の職員（常時勤務に服することを要しない者を除く。次項において同じ。）は、国家公務員退職手当法（昭和28年法律第182号）第

7条の2第1項に規定する公庫等職員とみなして、同条の規定を適用する。

2・3 略

国際花と緑の博覧会の準備及び運営のために必要な特別措置に関する法律（昭和61年法律第28号）（抄）

（博覧会協会の職員に係る退職手当の特例等）

第5条 博覧会協会の職員（常時勤務に服することを要しない者を除く。次項において同じ。）は、国家公務員退職手当法（昭和28年法律第182号）第7条の2第1項に規定する公庫等職員とみなして、同条の規定を適用する。

2・3 略

長野オリンピック冬季競技大会の準備及び運営のために必要な特別措置に関する法律（平成4年法律第52号）（抄）

（組織委員会の職員に係る退職手当の特例等）

第3条 組織委員会の職員（常時勤務に服することを要しない者を除く。次項において同じ。）は、国家公務員退職手当法（昭和28年法律第182号）第7条の2第1項に規定する公庫等職員とみなして、同条の規定を適用する。

2・3 略

平成17年に開催される国際博覧会の準備及び運営のために必要な特別措置に関する法律（平成9年法律第118号）（抄）

（博覧会協会の職員に係る退職手当の特例等）

第4条 博覧会協会の職員（常時勤務に服することを要しない者を除く。次項において同じ。）は、国家公務員退職手当法（昭和28年法律第182号）第7条の2第1項に規定する公庫等職員とみなして、同条の規定を適用する。

2・3 略

中部国際空港の設置及び管理に関する法律（平成10年法律第36号）（抄）

（指定会社の職員に係る退職手当等の特例）

第12条　指定会社の職員（常時勤務に服することを要しない者を除く。次項において同じ。）は、国家公務員退職手当法（昭和28年法律第182号）第7条の2第1項に規定する公庫等職員とみなして、同条及び同法第20条第3項の規定を適用する。

2・3　略

平成14年ワールドカップサッカー大会特別措置法（平成10年法律第76号）（抄）

（組織委員会の職員に係る退職手当の特例等）

第3条　組織委員会の職員（常時勤務に服することを要しない者を除く。次項において同じ。）は、国家公務員退職手当法（昭和28年法律第182号）第7条の2第1項に規定する公庫等職員とみなして、同条の規定を適用する。

2・3　略

民間資金等の活用による公共施設等の整備等の促進に関する法律（平成11年法律第117号）（抄）

（国派遣職員に係る特例）

第78条　略

2・3　略

4　国派遣職員は、国家公務員退職手当法（昭和28年法律第182号）第7条の2及び第20条第3項の規定の適用については、同法第7条の2第1項に規定する公庫等職員とみなす。

5～7　略

アイヌの人々の誇りが尊重される社会を実現するための施策の推進に関する法律（平成31年法律第16号）（抄）

（国派遣職員に係る特例）

第25条　略

2　国派遣職員（国家公務員法第2条に規定する一般職に属する職員が、任命権者又はその委任を受けた者の要請に応じ、指定法人の職員（常時勤務

に服することを要しない者を除き、第21条に規定する業務に従事する者に限る。以下この項において同じ。）となるため退職し、引き続いて当該指定法人の職員となり、引き続き当該指定法人の職員として在職している場合における当該指定法人の職員をいう。次項において同じ。）は、国家公務員退職手当法（昭和28年法律第182号）第７条の２及び第20条第３項の規定の適用については、同法第７条の２第１項に規定する公庫等職員とみなす。

3　略

港湾法（昭和25年法律第218号）（抄）
（国派遣職員に係る特例）

第43条の29　国派遣職員（国家公務員法（昭和22年法律第120号）第２条に規定する一般職に属する職員が、任命権者又はその委任を受けた者の要請に応じ、国際戦略港湾の港湾運営会社の職員（常時勤務に服することを要しない者を除き、埠頭群の運営の事業に関する業務に従事する者に限る。以下この項において同じ。）となるため退職し、引き続いて当該港湾運営会社の職員となり、引き続き当該港湾運営会社の職員として在職している場合における当該港湾運営会社の職員をいう。以下この条において同じ。）は、同法第82条第２項の規定の適用については、同項に規定する特別職国家公務員等とみなす。

2・3　略

4　国派遣職員は、国家公務員退職手当法（昭和28年法律第182号）第７条の２及び第20条第３項の規定の適用については、同法第７条の２第１項に規定する公庫等職員とみなす。

5〜7　略

143　法第７条の２第２項の趣旨

問　法第７条の２第２項の規定の趣旨について説明されたい。

答　(1)　法第７条の２第２項の規定は、公庫等職員が、公庫等の要請に応じ、国の職員となった場合には、公庫等職員としての在職期間を職員としての在職期間に通算する旨定めている。

(2) 本項の「要請」とは、公庫等が、公庫等職員に対し、国の職員として在職した後再び公庫等職員に復帰させることを前提として、国に退職出向することを慫慂(しょうよう)する行為であると解されている（運用方針第7条の2関係第2号参照）。

また、本項は、公庫等職員が人事交流により国等へ出向した場合における退職手当の通算措置を行うため、国の側においても所要の規定を具備する必要上設けられているものである。すなわち、国の職員が公庫等へ出向した場合における退職手当の通算措置を行う前提として、出向先の公庫等が具備すべき要件の一つとして法第7条の2第1項において、国の職員が、任命権者等の要請に応じ、公庫等職員となった場合には、国の職員としての在職期間を公庫等職員としての在職期間に通算することと定めている法人に限ることとされているが、このような公庫等の退職手当規程に対応するものとして、国においても措置したものである。

(3) したがって、本項が適用されるケースは本来的に予定されておらず、公庫等から復帰前提で国に出向してきた公庫等職員が、客観的にやむを得ない事情、例えば死亡等の真にやむを得ない理由により公庫等へ復帰することができないような場合に初めて適用される余地のある規定であると解されている。

【詳解187～188頁】

144 公庫等出向中の休職期間等の取扱い

問 任命権者の要請に応じ、公庫等への出向歴を有する職員が、当該出向中に病気休職等によって現実に職務をとることを要しない期間がある場合には、勤続期間の計算上、法第7条の2第3項の規定に基づき法第7条第4項の規定を準用することとし、当該在職期間の2分の1を除算するか。

答 貴見のとおり、勤続期間の計算上、休職月等となる月数の2分の1を除算することとなる。

【詳解188頁】

145 公庫等から財団法人等への再出向

問 職員が、任命権者等の要請に応じ、公庫等へ出向した後、当該公庫等職員としての身分を保有したまま更に公庫等以外の財団法人、社団法人等へ再出向し、その後再び職員に復帰した場合には、全期間が通算されるのか。

答 職員を公庫等へ退職出向させた後、更に公庫等職員としての身分を有したまま公益社団法人・公益財団法人、一般社団法人・一般財団法人、民間企業等へ再出向させるという人事運用は、法第7条の2の立法趣旨等に鑑み、厳に慎むこととされている（昭58.12.23総人局第952号参照）。

【詳解188頁】

146 公庫等から地方公共団体に異動した者の在職期間（その1）

問 職員➡公庫等➡地方公共団体又は地方公社等➡公庫等➡職員の経歴を有する職員については、在職期間は全て通算して差し支えないか。

答 照会の事例において、任命権者等の要請に応じて行われた人事交流であり、かつ、公庫等、地方公共団体及び地方公社等において通算規定を有している場合に限り、全ての在職期間を通算することができる（施行令第9条の3第1項参照）。

【詳解189頁】

147 公庫等から地方公共団体に異動した者の在職期間（その2）

問 公庫等➡地方公共団体又は地方公社➡公庫等➡職員の経歴を有する職員については、在職期間は全て通算して差し支えないか。

答 照会の事例において、任命権者等の要請を受けた人事交流であり、かつ、公庫等及び地方公共団体において通算規定を有している場合に限り、全ての在職期間を通算することができる（施行令第9条の3第2項参照）。

【詳解189～190頁】

148 非特定独法化に伴い法定承継された職員の当該法人での在職期間

問 組織改革により、国の機関（特定独立行政法人（行政執行法人）を含む。）が非特定独立行政法人（行政執行法人以外の独立行政法人）となった際に、当該国の機関の職員から当該法人に法定承継された職員が引き続き当該法人の職員として在職した後再び国の職員となって退職した場合、当該法人職員としての在職期間は職員としての在職期間及び基礎在職期間に通算されるのか。

答 法第7条の在職期間については、非特定独立行政法人の設立根拠法（あるいは特定独立行政法人を非特定化するための法律）の経過措置として、非特定独立行政法人に法定承継された職員が再度国の職員となった場合に、当該非特定独立行政法人の職員としての在職期間を法第2条第1項に規定する職員としての在職期間とみなす旨規定されていれば通算されることとなる。また、法第5条の2第2項の基礎在職期間については、同項第7号に規定する「政令で定める在職期間」として施行令第5条の2各号において非特定独立行政法人の職員としての在職期間が規定されている場合は、基礎在職期間に含まれることとなる。

【参考】

独立行政法人労働政策研究・研修機構法（平成14年法律第169号）（抄）
　　　附　則
（職員の引継ぎ等）
第2条　機構の成立の際現に厚生労働省の部局又は機関で政令で定めるものの職員である者は、別に辞令を発せられない限り、機構の成立の日において、機構の職員となるものとする。

第4条　略

2　略

3　機構の成立の日の前日に厚生労働省の職員として在職する者が、附則第2条の規定により引き続いて機構の職員となり、かつ、引き続き機構の職員として在職した後引き続いて国家公務員退職手当法第2条第1項に規定する職員となった場合におけるその者の同法に基づいて支給する退職手当の算定の基礎となる勤続期間の計算については、その者の機構

の職員としての在職期間を同項に規定する職員としての引き続いた在職期間とみなす。ただし、その者が機構を退職したことにより退職手当（これに相当する給付を含む。）の支給を受けているときは、この限りでない。

4　略

国家公務員退職手当法施行令（昭和28年政令第215号）（抄）
　第5条の2　法第5条の2第2項第7号に規定する政令で定める在職期間は、次に掲げる在職期間とする。
　一～十三　略
　十四　独立行政法人労働政策研究・研修機構法（平成14年法律第169号）附則第4条第3項の規定により退職手当の算定の基礎となる勤続期間の計算について職員としての引き続いた在職期間とみなされる独立行政法人労働政策研究・研修機構の職員としての在職期間
　十五～五十　略

149　非特定独法化に伴い法定承継された職員の当該法人での育児休業期間

問　組織改革により、国の機関が非特定独立行政法人（行政執行法人以外の独立行政法人）となった際に、当該国の機関の職員から当該法人に法定承継された職員が、当該法人で育児休業を取得して国に復帰し退職することとなった場合、勤続期間の計算上、この育児休業の取扱いはどうなるのか（当該非特定独立行政法人の設立根拠法等に、当該非特定独立行政法人に法定承継された職員が再度国の職員となった場合に、当該非特定独立行政法人の職員としての在職期間を法第2条第1項に規定する職員としての在職期間とみなす旨規定されている場合）。

答　育児休業の期間の月数の2分の1（子が1歳に達した日の属する月までの期間については3分の1）に相当する月数を除算することとなる。
　勤続期間の計算において、当該非特定独立行政法人の職員としての在職期間は、法第2条第1項に規定する職員としての在職期間とみなされることから、育児休業の期間の除算についても、法第2条第1項に規定する職

員である場合の扱いと同様である。

150 公庫等に出向中の業務上災害による傷病のため復帰後退職することとなった場合

問 公庫等に出向中、業務上災害による傷病のため当該公庫等において休職した後、国に復帰し、休職期間を経てその傷病が原因で退職することとなった場合の①公庫等在職中の休職期間についての勤続期間計算上の取扱い、②国に復帰してからの休職期間の勤続期間計算上の取扱い、③当該退職について公務上傷病退職とすることができるか、について説明されたい。

答 ①公庫等への出向中の休職期間は公務上傷病休職に準ずるものとして除算しない、②国に復帰してからの休職期間は公務外の傷病による休職となるので、2分の1に相当する月数を除算することとなる（法第7条の2第3項において準用する法第7条第4項参照）、③公務上傷病退職とすることはできない。

151 公庫等への退職出向期間中に退職した場合の退職手当の支払

問 職員であった者が公庫等への退職出向期間中にやむを得ず公庫等を退職した場合の退職手当の支払は、どの機関が行うのか。また、その実質的な費用負担関係はどうなるのか。

答 当該公庫等が、その負担により公庫等職員としての在職期間及び退職出向前の国の職員としての在職期間を通算して支払うこととなる。

ただし、職員が公庫等への退職出向中に退職する場合については、客観的にやむを得ない事情、例えば死亡等の事由によって国に復帰不可能となったような場合等に限られることに留意されたい。

14 独立行政法人等役員として在職した後引き続いて職員となった者に対する退職手当に係る特例（第8条）

152 独立行政法人等への役員出向期間の通算要件

問 職員が独立行政法人等へ役員として出向した場合、当該役員としての在職期間の通算が行われるための要件を簡単に説明されたい。

答 次に掲げる要件の全てを満たす場合に在職期間の通算が行われる（法第8条第1項参照）。

① 職員（国家公務員）が任命権者等の要請に応じ、独立行政法人等役員（常勤の役員に限る。）となるため退職したものであること

② 出向先の法人が、特別の法律により設立された法人でその業務が国の事務又は事業と密接な関連を有するものであるなど「独立行政法人等」に該当すること

※ 法第8条第1項に規定する独立行政法人等については、法律上、
　① 特別の法律により設立された法人であること
　② 法人の業務が国の事務又は事業と密接な関連を有すること
　③ 政令（＝退職手当法施行令第9条の4）で指定されていること
　④ 当該法人における退職手当に関する規程において、職員（国家公務員）が任命権者又はその委任を受けた者の要請に応じ、引き続いて当法人の役員となった場合に、職員としての勤続期間を当該法人の役員としての勤続期間に通算することと定めていること
が求められている。
　また、施行令第9条の4で規定されるためには、
　⑤ 役員出向の必要性
があることが必要である。

③ 職員を退職し、引き続いて独立行政法人等役員となり、引き続き独立行政法人等役員として在職し、その後引き続いて職員に復帰したものであること

なお、法第8条第1項に基づき職員を退職した際、退職手当は支給されない（法第20条第4項）。

【詳解193～194頁】

153 法第8条第1項の「要請」

問 法第8条第1項の「要請」とはどのような意味か。

答 「要請」とは、任命権者等が、職員に対し、独立行政法人等役員として在職した後再び職員に復帰させることを前提として、独立行政法人等に出向することを慫慂する行為であると解されている（運用方針第8条関係第1号参照）。

したがって、自己の意思に基づく転職や任命権者等の勧めによるものであっても復帰予定でないものは、法第8条第1項の規定が適用されない。

【詳解194頁】

154 独立行政法人等への役員出向中の病気休職期間の取扱い

問 任命権者の要請に応じ、独立行政法人等への役員出向歴を有する職員が、当該出向中に病気休職によって現実に職務をとることを要しない期間がある場合には、勤続期間の計算上、法第8条第3項の規定に基づき法第7条第4項の規定を準用することとし、当該在職期間の2分の1を除算するのか。

答 貴見のとおり、勤続期間の計算上、休職月等となる月数の2分の1を除算することとなる。

【詳解201頁】

155 2以上の独立行政法人等への役員出向

問 職員が任命権者の要請に応じ、2以上の独立行政法人等で役員として勤務し職員に復帰した場合（職員➡独立行政法人(A)役員➡独立行政法人(B)役員➡職員）には、これら2以上の法人の在職期間を通算して差し支えないか。

答 貴見のとおり、在職期間を通算して差し支えない。その場合、2つ目以降の独立行政法人等の退職手当支給規程においてそれ以前の独立行政法人等の職員としての在職期間を通算する規定があり、それ以前の独立行政法人等の職員としての在職期間に係る退職手当の支給を受けていないことが必要となる。

156 公庫等へ職員出向し役員となった場合

問 公庫等に職員出向し、出向先の公庫等で役員に就任した場合は、法第8条の適用はあるのか。

答 適用はない（職員出向先の公庫等から国に復帰後、あらためて法第8条第1項に基づき同法人に役員出向するのであれば可能である。）。

15 定年前に退職する意思を有する職員の募集等（第8条の2）

157 早期退職募集制度の内容

問 早期退職募集制度とは何か。

答 平成24年の退職手当法改正により、国家公務員の年齢別構成の適正化を通じた組織活力の維持等を図る観点から、早期退職募集制度（応募認定退職）を創設した（法第8条の2）。

同制度は、政令で定める年齢（退職の日において定められているその者に係る定年から20年を減じた年齢）以上の職員を対象に、各省各庁の長等がその都度勤続年数や職位といった応募条件を定めて定年前に退職する意思を有する職員の募集を行い、職員が応募後、認定を受けて指定された日に退職した場合には、退職手当の額が自己都合退職した場合よりも割増しされるものである。

早期退職募集には2種類あり、法第8条の2第1項第1号に規定する募集（1号募集）は上述した年齢別構成の適正化を図るためのものであり、同項第2号に規定する募集（2号募集）は組織改廃等を円滑に実施するためのものである。応募認定退職の場合における退職手当の支給率は、1号募集の場合は定年退職と同率となり、2号募集の場合は整理退職と同率になる。また、法第5条の3の要件を満たす場合は定年前早期退職特例措置が適用される。

なお、令和5年4月1日以降の国家公務員の定年引上げに伴い当分の間の措置が設けられることに留意が必要である。 【詳解205～206頁】

158　早期退職募集制度と勧奨退職の違い

問　早期退職募集制度は、従前の勧奨退職と何が異なるのか。

答　早期退職募集制度（応募認定退職）は、特定多数の職員に対して事前に応募条件・応募手続等を周知した上で、自発的に退職しようとする者を募る仕組みであり、個別の職員に直接退職を促す退職の勧奨行為（勧奨退職）とは異なる。

	退職の勧奨行為（勧奨退職）	早期退職募集（応募認定退職）
働きかけの対象	個別の職員	特定多数の職員
働きかけの内容	自発的な退職を直接促す	自発的に退職する者を募集する
働きかけの態様	積極的に職員に働きかける	職員からの応募を待つ
選定基準・手続の公開等	通常、明らかにされない	募集対象者・応募手続・応募超過の場合における選定方法等の事前周知
実施時期	不定（随時）	募集の期間を区切って募集

159　募集や認定等を行う主体

問　早期退職募集制度において、募集や認定等を行う主体はどこか。

答　早期退職募集制度において、募集や認定等を行う主体は、各省各庁の長等（財政法第20条第2項に規定する各省各庁の長及び行政執行法人の長並びにこれらの委任を受けた者）である（法第8条の2第1項）。

退職手当法上、退職手当の支給権者は各省各庁の長等であることから、職員の退職を応募認定退職とするかどうかの判断（認定）を各省各庁の長等が行うこととしている。

なお、上記の「委任」は、募集の都度行っても、事務分掌規程等で包括的に定めても差し支えない。また、各省各庁の長等が連携し、合同で募集を行うことも差し支えない。

【詳解204～205頁】

【参考】
　財政法（昭和22年法律第34号）（抄）
　　第20条　略

②　衆議院議長、参議院議長、最高裁判所長官、会計検査院長並びに内閣総理大臣及び各省大臣（以下各省各庁の長という。）は、毎会計年度、第18条の閣議決定のあつた概算の範囲内で予定経費要求書、継続費要求書、繰越明許費要求書及び国庫債務負担行為要求書（以下予定経費要求書等という。）を作製し、これを財務大臣に送付しなければならない。

160　2号募集の要件

問　早期退職募集について、いわゆる「2号募集」は組織の改廃又は官署若しくは事務所の移転があれば実施してよいのか。

答　法第8条の2第1項第2号に規定する募集（2号募集）は、単に組織改廃等がある場合に実施できるものではなく、以下の条件を満たす場合に実施できるものである。
　①　法令により明確に規定された組織の改廃に伴うものであること。
　②　配置転換など任用上の努力を尽くしてもなお、継続任用が困難な状況であること。

平成24年の退職手当法改正前は、組織改廃等の場合には、その組織に属する職員に対して配置転換等の任用上の対処か退職のいずれかの措置が講じられ、退職については、
①　自己都合退職
②　勧奨退職
③　各省限りの組織改廃等の退職
④　整理退職（国家公務員法第78条第4号の分限免職を含む）
のいずれかの退職が行われてきた。平成24年の退職手当法改正に伴い、上記②、③及び④（分限免職部分を除く。）を廃止することとなったため、平成24年の退職手当法改正前の各省限りの組織改廃等の退職又は分限免職以外の整理退職に相当する事例について、できる限り本人の退職意思を尊重しつつ円滑な組織改廃等を進め、人事当局における機動的な人事管理に資するよう、2号募集が創設された。このような規定の趣旨から、退職手当法第8条の2第1項第2号に規定する「組織の改廃」とは、法令により明確に規定された組織を指す（平成24年改正法施行前の各省限りの組織改廃等退職・整理退職の規定の解釈と同様）と解されており、また、「円滑

に実施することを目的とし」とは、配置転換など任用上の努力を尽くしてもなお、継続任用が困難な状況である場合に該当するものと解する。

【詳解206頁】

【参考】
国家公務員法（昭和22年法律第120号）（抄）
（本人の意に反する降任及び免職の場合）
第78条　職員が、次の各号に掲げる場合のいずれかに該当するときは、人事院規則の定めるところにより、その意に反して、これを降任し、又は免職することができる。
一～三　略
四　官制若しくは定員の改廃又は予算の減少により廃職又は過員を生じた場合

161　募集の実施回数、募集期間、募集時期

【問】　早期退職募集について、1年間に実施する回数、募集期間、募集時期に制限はあるのか。

【答】　早期退職募集について、1年間に実施する回数に制限はなく各省各庁の長等の判断により複数回行うことも可能であるが、同一の対象範囲に対する募集の常態化は組織内のモラールダウンや応募者数の減少があり得るため、効果的な募集・認定が行えるよう工夫が望まれる。

募集の期間（応募受付期間）については、通年と設定することはできず、上記と同様の観点から、長くても2月程度の設定で運用することが望ましい。年度を跨ぐ募集期間の設定は差し支えない。

募集の時期については、特段の制限はない。

【詳解208～209頁】

162　募集の期間の延長

【問】　早期退職募集について、募集の期間の延長は可能か。また、延長を複数回行っても差し支えないか。

【答】　早期退職募集について、募集の目的を達成するため必要があるときは、施行令第9条の7の規定に基づき募集の期間を延長することができ

る。なお、国家公務員退職手当法の規定による早期退職希望者の募集及び認定の制度に係る書面の様式等を定める内閣官房令第5条第4号において、募集の期間を延長する場合があり得るときは、その旨を募集実施要項に記載する旨が定められている。

募集の期間の延長に当たっては、
- 延長により募集の期間を実質的に通年とすることはできないこと
- 延長される期間における募集条件は当初の条件と同一にすること（このため、募集の期間の延長によっても、退職すべき期日又は退職すべき期間の末日を超える募集期間は設定できない）
- 応募上限数を設定していた場合には、延長後の募集の期間の終了の年月日時が到来するまでに応募した職員の数が当該応募上限数に達した時点で当該募集の期間は満了すること（施行令第9条の7第3項）

等に留意する必要がある。

また、募集の期間の延長を複数回行うことは可能である。

【詳解210〜211頁】

163 募集の期間の末日から退職すべき期日までが長期に及ぶ場合

問 早期退職募集について、募集の期間の末日から退職すべき期日までが長期に及んでもよいのか。

答 早期退職募集により認定を受けた職員は、人事当局に対して退職する意思を明らかにしており、また、退職すべき期日が到来するまでの間はいつでも応募の取下げを行うことができることから、モラールダウンの可能性も踏まえ、募集の期間の末日から退職すべき期日までが長期に及ぶことは好ましくない。

164 募集人数及び応募上限数の設定における留意点

問 早期退職募集について、募集人数や応募上限数を設定する上での留意すべき点はあるか。また、募集人数や応募上限数を「〇人程度」や「若干名」とすることは可能か。

答 早期退職募集について募集人数を設定する際には、その募集がいわゆる1号募集の場合、募集の対象となる職員の範囲に含まれる職員の数が募集人数に1を加えた数以上となるようにしなければならない（施行令第9条の5第2項）。つまり、募集の対象となる職員の範囲に含まれる職員が10名である場合には、募集人数は9人以下とする必要がある。なお、いわゆる2号募集についてはこの限りではない。

また、施行令第9条の7に規定する応募上限数を設定するときは、透明性を確保する（十分周知されていないのではないか、特定の職員にのみ事前に声をかけて短期間で募集の期間を満了にしたのではないかといった疑念を招かないようにする）ため、極端に少ない人数での応募上限数の設定は、十分な合理的理由がない限り好ましくない。

募集人数を「○人程度」や「若干名」とすることは可能であるが、この場合、「募集人数を超える分の応募者」を特定することができないため、法第8条の2第5項ただし書に基づき必要な方法を定めて募集人数を超える分の応募者について不認定とすることが困難になる。

同様に、「応募上限に達した時点」を特定することができないため、応募上限数を「○人程度」や「若干名」とすることは適切ではない。

【詳解207～208頁】

165　出向者を対象とする募集

問 早期退職募集について、他府省庁に出向中の者や退職出向している者を募集対象にできるか。

答 早期退職募集は、各省各庁の長等が、当該各省各庁の長等に係る退職手当法上の「職員」を対象に募集を行うものであるため、他府省庁に出向中の者や退職出向している者を募集の対象にすることはできない。

ただし、各省各庁の長等は、出向者に対しても必要に応じ、募集実施要項等の内容について情報提供をすることができ、また、その結果として出向者から職員復帰後に応募をする旨の意向を確認した場合には、その者について人事上の措置を講じて職員に復帰させ、その後応募申請書を受け付けることができる（早期退職募集制度の運用について（平成25年5月24日総人恩総第403号）第一第2項(3)、第二第2項、第三第2項(5)、第四第1項）。

例えば、募集の対象を「応募の時点において本省内部部局に勤務する者」と設定している場合、他府省に出向中の者や退職出向している者が募集期間の前又は途中で本省内部部局に勤務する者となれば、募集期間内に応募すれば認定を受けることができる。

なお、独立行政法人、特殊法人等への役員出向者については、独立行政法人、特殊法人等への役員出向の運用について（平成15年6月15日関係府省官房長等申合せ）4．に留意する必要がある。　　　　　　【詳解203頁】

【参考】
独立行政法人、特殊法人等への役員出向の運用について（平成15年6月15日関係府省官房長等申合せ）（抄）

1．〜3．　略

4．早期退職募集制度の取扱い

　役員出向者が任期満了時点で国に復帰した場合に、直ちに早期退職募集制度に応募し、退職することを妨げないものとする。また、役員出向者が任期途中に出身府省に復帰して早期退職募集制度に応募し、退職することについては、法人をあたかも国の出先機関のように捉えて国の人事の一環として異動を行っているように受け止められないようにする必要があることから、役員出向者の選任に当たっては、任期途中に早期退職募集制度への応募が見込まれる者は可能な限り除外するよう努めるものとする。なお、出向後のやむを得ない事情の変化等がある場合には、出身府省の人事当局が法人と調整の上、役員出向者を任期途中に復帰させ、早期退職募集制度に応募し、退職することを妨げないものとする。

166　病気休職、育児休業、配偶者同行休業中の職員に対する募集

問　早期退職募集について、病気休職、育児休業、配偶者同行休業中の職員を募集対象に含めることは可能か。

答　病気休職、育児休業、配偶者同行休業中の者は、退職手当法上の職員であるため、早期退職募集における募集の対象に含めることは可能である（各省各庁の長等が、募集実施要項において募集の対象となる職員の範囲を設定する際、上記の者を含めるべきか否かを判断する。）。

167 処分を受けるべき行為をしたことを疑うに足りる相当な理由がある場合

問 法第8条の2第5項第3号に規定する「処分を受けるべき行為をしたことを疑うに足りる相当な理由がある場合」とは、具体的にどのような場合か。

答 法第8条の2第5項第3号は、早期退職募集において各省各庁の長等が応募を不認定とすることができる場合の一つとして、応募者が国家公務員法第82条の規定による一定の懲戒処分又はこれに準ずる処分を受けるべき行為（在職期間中の応募者の非違に当たる行為であって、その非違の内容及び程度に照らして当該処分に値することが明らかなものをいう。）をしたことを疑うに足りる相当な理由がある場合を定めている。

これは、具体的な状況に応じ、①本人の供述、②関係者の供述、③職場内外で収集し得た物証、などを総合的に勘案し、事実関係について相当程度の確証が得られた事態を想定している。

168 認定を行うことが公務に対する国民の信頼を確保する上で支障を生ずると認める場合

問 法第8条の2第5項第3号に規定する「その他応募者に対し認定を行うことが公務に対する国民の信頼を確保する上で支障を生ずると認める場合」に該当する具体的な例を示されたい。

答 法第8条の2第5項第3号に規定する「その他応募者に対し認定を行うことが公務に対する国民の信頼を確保する上で支障を生ずると認める場合」とは、例えば、次に掲げる場合をいう（運用方針第8条の2関係第6号）。

○応募者に非違行為があると思料される場合で、例えば次に掲げる場合

- 応募者が逮捕され、その逮捕の理由となった犯罪又はその者が犯したと思料される犯罪に係る法定刑の上限が禁錮以上に当たるものである場合
- 応募者が法第8条の2第5項第2号に規定する処分を受けるべき行為をしたと思料されるが、その者が行方不明となり事実の聴取等ができ

ない場合
○応募者が選挙の公認候補予定者である場合等、応募者が選挙に立候補することが明らかである場合

【詳解216頁】

169 応募者を引き続き職務に従事させることが公務の能率的運営を確保し、又は長期的な人事管理を計画的に推進するために特に必要であると認める場合

問 法第8条の2第5項第4号に規定する「応募者を引き続き職務に従事させることが公務の能率的運営を確保し、又は長期的な人事管理を計画的に推進するために特に必要であると認める場合」とは、具体的にどのような場合か。

答 法第8条の2第5項第4号に規定する「応募者を引き続き職務に従事させることが公務の能率的運営を確保し、又は長期的な人事管理を計画的に推進するために特に必要であると認める場合」とは、各省各庁の長等が、

① 組織として現下の課題に即時かつ的確に対応していく上で応募者が不可欠な人材であり、当該応募者に組織から抜けられてはその円滑かつ速やかな欠員補充が困難で、公務の能率的な運営に支障を来たす場合

又は

② 将来の公務の能率的な運営にとって応募者が不可欠な人材であり、現時点で当該応募者に組織から抜けられては巨視的な人材戦略上問題がある場合

であると認めるときであって、かつ、職員の意思を尊重し原則として応募を認定するという早期退職募集の趣旨とのバランスを考慮しても「特に必要」と認めるとき、に絞ったものである。

【詳解216頁】

170　「必要な方法」を定めていない場合

問　早期退職募集について、応募者の数が募集人数を超えた場合、募集人数の範囲内に制限するために必要な方法を定めていないときはどのような扱いになるのか。

答　早期退職募集について、法第8条の2第5項ただし書に規定する「必要な方法」を定めていない場合（又は定めていても募集実施要項と併せて周知していない場合）、法第8条の2第5項各号に該当しない限り、応募者の数にかかわらず応募者全員を認定することになる。

　なお、「必要な方法」は、あらかじめ定め募集実施要項と併せて周知する必要があることから、募集開始後に応募状況に鑑みて「必要な方法」を定めることはできないことに留意が必要である。　　　　【詳解215頁】

171　不認定者を繰上げ認定することの可否

問　早期退職募集について、募集人数を超えたため「必要な方法」により一部の者を不認定とした場合、その後に認定者の認定が失効するなどの事情変更があれば不認定者を繰上げ認定することは可能か。

答　早期退職募集について、設問のような繰上げ認定はできない。不認定となった応募が人事当局の都合によりいつでも繰上げ認定される可能性があるとすると、職員が不安定な状態に置かれることになるためである。

172　募集人数を超える人数の認定

問　早期退職募集について、認定者数を募集人数内に制限するために「必要な方法」を定めていたが、応募状況及び人事上の都合等を勘案し、募集人数を超えて認定しても差し支えないか。

答　差し支えない。募集人数を超える分の応募者のうち、「必要な方法」に沿って何人を不認定とするかは各省各庁の長等の判断によるものであり、全員を認定することも可能である。

　ただし、募集人数を超えて認定するが「必要な方法」に沿って一部を不認定とする場合、認定した職員と不認定とした職員の間で不公平感が生じ

ると考えられる場合には、認定と不認定の差について合理的な説明ができるようにしておくべきであり、「必要な方法」の内容等について事前に十分な検討をしておくことが必要である。
【詳解215頁】

173 応募人数が募集人数を超えない場合の不認定

問 早期退職募集について、応募人数が募集人数を超えない場合であっても、法第8条の2第5項各号に掲げられたもの以外の事由をもって不認定とし得る旨を定めることはできないか。

答 できない。法第8条の2第5項の条文上明らかである。

【詳解215頁】

第3章　特別の退職手当

（第9条・第10条）

1　予告を受けない退職者の退職手当（第9条）

174　予告を受けない退職者の退職手当

問　法第9条の「予告を受けない退職者の退職手当」について説明されたい。

答　労働基準法（昭和22年法律第49号）第20条及び第21条又は船員法（昭和22年法律第100号）第46条の規定に該当する場合（いわゆる予告のない解雇）には、これらの規定により労働者に対していわゆる解雇手当又は雇止手当が支給されることになる。

　退職手当法第9条においては、職員にこれらの規定に該当する解雇が行われた場合、これらの規定による解雇手当又は雇止手当は、一般の退職手当に含まれるものとするとされている。ただし、一般の退職手当（法第3条から第6条の3までの規定による退職手当の基本額に法第6条の4の規定による退職手当の調整額を加えた額）が解雇手当（平均賃金の30日分）又は雇止手当（給料の1月分）に満たないときは、その差額に相当する金額を一般の退職手当の外に特別の退職手当（「予告を受けない退職者の退職手当」）として支給することとされている。

　労働基準法及び船員法の適用を受ける者は、行政執行法人の職員等である。行政執行法人の職員を除く一般職の職員については、これらの法律を適用したとしたならば解雇手当又は雇止手当が支給される場合が対象となる。職員に対する労働基準法及び船員法の適用については、図表18を参照されたい。

　職員の責に帰すべき事由があると認められる退職、例えば、懲戒免職、

刑事事件に関与して禁錮以上の刑に処せられ失職した場合には、「予告を受けない退職者の退職手当」についても、一般の退職手当と同様、支給制限処分の対象とされている。

【詳解221〜223頁】

175 育児休業に伴う臨時的任用職員が、育児休業職員の復帰により退職（免職）となる場合の取扱い

問 育児休業に伴う臨時的任用職員については、育児休業職員が休業事由の消滅により職務に復帰することとなった場合は退職（免職）となるが、法第9条の規定による「予告を受けない退職者の退職手当」の支給対象となるのか。

答 退職の予告から退職する日まで30日以上の余裕がないときは、法第9条の規定による予告を受けない退職者の退職手当の支給対象となる。

在職期間が6月以上あり一般の退職手当が支給される場合で、当該一般の退職手当が解雇手当又は雇止手当に相当する額に満たないときは、その差額に相当する額を、在職期間が6月未満で一般の退職手当が支給されない場合は、解雇手当又は雇止手当に相当する額を、それぞれ特別の退職手当として支給することとなる。

なお、「解雇手当又は雇止手当に相当する額」について、労働基準法による解雇手当は退職の予告の日から退職する日までの日数を30日から短縮した当該短縮後の日数分の手当額となり、船員法による雇止手当は退職の予告の有無にかかわらず、1月分の給与と同額の手当額となる。

【詳解223頁】

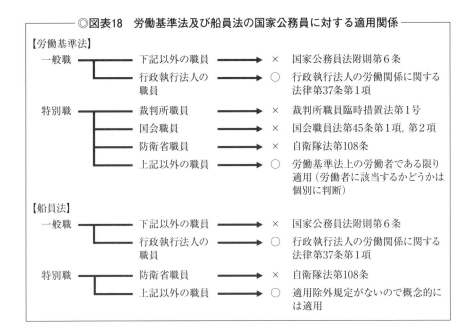

◎図表18 労働基準法及び船員法の国家公務員に対する適用関係

2 失業者の退職手当（第10条）

176 失業者の退職手当の趣旨

問 法第10条（失業者の退職手当）の規定を設けている趣旨は何か。

答 法第10条の規定は、雇用保険法（昭和49年法律第116号）との関連において設けられているものである。

雇用保険法は、その目的として、労働者が失業した場合に必要な給付を行うことにより、労働者の生活の安定を図るとともに、求職活動を容易にする等その就職を促進し、併せて労働者の職業の安定に資するため、失業の予防、雇用状態の是正及び雇用機会の増大、労働者の能力の開発及び向上その他労働者の福祉の増進を図ることを掲げている。

この雇用保険制度は、社会保険制度の仕組みとなっており、被保険者及びその事業主は応分の保険料を負担することとされている。

国家公務員については、法律によって身分が保障されており、民間労働

者のような景気変動による失業が予想されにくいこともあって、雇用保険法の適用対象から除外されている。すなわち、
① いわゆる定員内職員については、雇用保険法が適用されず、保険料の負担も失業等給付もない。
② 期間業務職員については、採用後直ちに雇用保険法が適用される。ただし、これらの者も所定の要件を満たした月が引き続いて6月を超えるに至り、退職手当法上職員とみなされることになった場合（問243、問248参照）には、その時点から雇用保険法の適用対象から除外される（雇用保険法第6条及び雇用保険法施行規則第4条参照）。

しかしながら、雇用保険法は、同法の趣旨からみて社会保険制度として広く適用されるべき建前のものであり、国家公務員といえども退職後失業している場合には、同法の失業等給付程度のものはこれを保障する必要があると考えられる。

このような趣旨に鑑み、退職手当法において第10条「失業者の退職手当」を設け、国家公務員が退職時に支給された退職手当が雇用保険法の失業等給付相当額に満たず、退職後一定の期間失業している場合には、その差額分を特別の退職手当として、失業の認定を受けた日について公共職業安定所を通じて支給することとされているものである。【詳解223〜226頁】

◎図表19　失業者の退職手当の概要

項 (法第10条)	規　定　の　概　要
第1項 (図表20の①に対応する。以下、同じ。)	勤続12月以上で退職した職員（第4項又は第6項の規定に該当する者を除く。）が原則として退職の日の翌日から1年以内に失業している場合であって、退職の際支給された一般の退職手当等（一般の退職手当及び第9条の規定による退職手当）の額が、その者に雇用保険法の規定を適用したとした場合に受けることができる基本手当の総額に満たないときは、その満たない額の範囲内において、一般の退職手当等の額を基本手当の日額で除して得た数に等しい日数（以下「待期日数」という。）を超えて失業している日について、その者に基本手当の日額に相当する金額を、退職手当として、雇用保険法の規定による基本手当の支給の条件に従い、公共職業安定所（行政執行法人の職員にあっては当該行政執行法人の事務所とする。以下同じ。）を通じて支給する。

第2項 (②)	勤続12月以上で退職した職員（第5項又は第7項の規定に該当する者を除く。）が原則として退職の日の翌日から1年以内に失業している場合であって、その退職が失職、懲戒免職等によるため一般の退職手当等の支給を受けていないときは、その者に雇用保険法の規定を適用したとした場合に受けることができる基本手当の総額の範囲内において、その失業している日につき、基本手当の日額に相当する金額を、退職手当として、雇用保険法の規定による基本手当の支給の条件に従い、公共職業安定所を通じて支給する。
第3項	前2項の規定による退職手当の支給に係る退職が定年退職等である職員が、退職後一定期間求職の申込みをしない旨を申し出た場合又は退職後に事業を開始等した職員がその旨を申し出た場合には、内閣官房令で、支給期間の特例を設けることができる。
第4項 (③)	勤続6月以上で退職した職員（第6項の規定に該当する者を除く。）であって、雇用保険の被保険者とみなしたならば高年齢被保険者に該当する者が退職の日後失業している場合において、その者が支給を受けた一般の退職手当等の額が、雇用保険法の規定による高年齢求職者給付金の額に満たない場合には、その差額を退職手当として、高年齢求職者給付金の支給の条件に従い、公共職業安定所を通じて支給する。
第5項 (④)	勤続6月以上で退職した職員（第7項の規定に該当する者を除く。）であって、雇用保険の被保険者とみなしたならば高年齢被保険者に該当する者が退職の日後失業している場合において、その者が一般の退職手当等の支給を受けないときは、雇用保険法の規定による高年齢求職者給付金に相当する金額を退職手当として、高年齢求職者給付金の支給の条件に従い、公共職業安定所を通じて支給する。
第6項 (⑤)	勤続6月以上で退職した職員であって、雇用保険の被保険者とみなしたならば、短期雇用特例被保険者に該当する者が退職の日後失業している場合において、その者が支給を受けた一般の退職手当等の額が、雇用保険法の規定による特例一時金の額に相当する金額に満たない場合には、その差額を退職手当として、特例一時金の支給の条件に従い、公共職業安定所を通じて支給する。
第7項 (⑥)	勤続6月以上で退職した職員であって、雇用保険の被保険者とみなしたならば、短期雇用特例被保険者に該当する者が退職の日後失業している場合において、その者が一般の退職手当等の支給を受けないときは、雇用保険法の規定による特例一時金に相当する金額を、退職手当として、特例一時金の支給の条件に従い、公共職業安定所を通じて支給する。
第8項	前2項の規定に該当する者が、これらの規定による退職手当を受ける前

	に公共職業安定所長の指示した公共職業訓練等を受ける場合には、これらの規定による退職手当を支給しないで、公共職業訓練等を受け終わる日までの間に限り、第1項又は第2項の規定による基本手当に相当する退職手当を支給する。
第9項	第1項、第2項又は前項の規定による退職手当の支給を受ける者が、次に掲げる場合のいずれかに該当する場合には、雇用保険法第24条から第28条までの規定（給付日数についての訓練延長、個別延長、広域延長、全国延長）による基本手当の支給の例により、第1項又は第2項の退職手当を支給することができる。 一　その者が公共職業安定所長の指示した公共職業訓練等を受ける場合 二　その者が次のいずれかに該当する場合 　イ　特定退職者が内閣官房令で定める者のいずれかに該当し、かつ、公共職業安定所長が指導基準に照らして再就職を促進するために必要な職業指導を行うことが適当であると認めたもの 　ロ　雇用保険法第22条第2項に規定する就職が困難な者が、内閣官房令で定める者に該当し、かつ、公共職業安定所長が指導基準に照らして再就職を促進するために必要な職業指導を行うことが適当であると認めたもの 三　厚生労働大臣が雇用保険法第25条第1項の規定による措置（広域職業紹介活動による職業あっせんを受けることが適当と認める者について基本手当の給付日数の延長措置）を決定した場合 四　厚生労働大臣が雇用保険法第27条第1項の規定による措置（失業状況が全国的に著しく悪化した場合における基本手当の給付日数の延長措置）を決定した場合
第10項 （⑦）	第1項又は第2項の規定による退職手当の支給を受けることができる者に対して、雇用保険法第36条、第37条及び第56条の3から第59条までの規定に準じ、次に掲げる給付を退職手当として支給する。 一　公共職業安定所長の指示した公共職業訓練等を受けている者については、技能習得手当 二　前号の公共職業訓練等を受けるため、その者により生計を維持されている同居の親族と別居して寄宿する者については、寄宿手当 三　退職後、公共職業安定所に求職の申込みをした後において、疾病又は負傷のために職業に就くことができない者については、傷病手当 四　職業に就いた者については、就業促進手当 五　公共職業安定所の紹介した職業に就くため、又は公共職業訓練等を受けるため、その住所又は居所を変更する者については、移転費 六　求職活動に伴い雇用保険法第59条第1項各号のいずれかに該当する行為をする者については、求職活動支援費

第11項	第4項又は第5項及び第6項又は第7項の規定による退職手当（特例一時金相当）の支給を受けることができる者については、前項に掲げる給付のうち、就業促進手当、移転費及び求職活動支援費を退職手当として支給する。
第12項	第10項第3号に掲げる傷病手当に相当する退職手当の支給があった場合には、それに見合う日数分の第1項又は第2項の規定による基本手当に相当する退職手当の支給があったものとみなす。
第13項	第10項第4号に掲げる就業促進手当に相当する退職手当の支給があった場合には、政令で定める日数分の第1項又は第2項の規定による基本手当に相当する退職手当の支給があったものとみなす。
第14項	偽りその他不正の行為によって「失業者の退職手当」を受けた場合には、雇用保険法第10条の4の規定の準用により、政府は、不正受給額の返還及び不正受給額の2倍に相当する額以下の金額の納付を命ずることができる。
第15項	同一失業日において、雇用保険法による失業等給付と「失業者の退職手当」の受給資格とがともにある場合には、失業等給付を優先支給する。

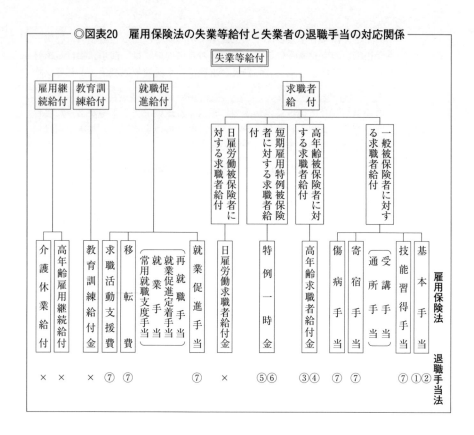

◎図表20　雇用保険法の失業等給付と失業者の退職手当の対応関係

177　失業者の退職手当の受給資格

問　「失業者の退職手当」の受給資格について説明されたい。

答　「失業者の退職手当」の支給を受けるためには、勤続期間が12月以上あることが必要であり、かつ、退職の日の翌日から1年の期間内に失業しており、一般の退職手当等の額が基本手当の支給総額に満たないことが必要である。ただし、以下の場合は受給期間延長等を受けることができる。

①　前記1年の期間内に妊娠、出産、育児、疾病又は負傷その他公共職業安定所長がやむを得ないと認める理由で、引き続き30日以上職業に就くことができない者が、公共職業安定所長にその旨申し出た場合には、その職業に就けない日数が加算されるが、この加算日数を含めて、最長4

年の期間内とされている（法第10条第1項及び失業者の退職手当支給規則第7条参照）。

② 前記1年の期間内に事業を開始等した者が公共職業安定所長にその旨申し出た場合には、事業の実施期間に相当する期間を、最大3年間支給期間に算入しない特例により、仮に事業を休廃業した場合でも、その後の再就職活動に当たって基本手当を受給することができる（法第10条第3項及び失業者の退職手当支給規則第8条の3参照）。　【詳解232～237頁】

178　失業の認定

問　「失業」とはどういう意味か。また「失業の認定」はどこで受けるのか。

答　法第10条に規定する「失業」の意味は、雇用保険法第4条第3項に規定する「失業」と同様である。すなわち、職員が「離職し、労働の意思及び能力を有するにもかかわらず、職業に就くことができない状態にあることをいう」こととされている。

また、「失業の認定」は、失業等給付の場合と同様、公共職業安定所において受けることとなっている。　【詳解236、269～270頁】

179　支給制限処分を行う場合の失業者の退職手当

問　職員が懲戒免職等処分を受けた場合又は禁錮以上の刑が確定し失職した場合に、一般の退職手当の全額について支給制限処分を行ったとしても、法第10条の規定による「失業者の退職手当」は支給できるものと解して差し支えないか。

答　貴見のとおりと解する（法第10条第2項参照）。　【詳解245～246頁】

180　基本手当の給付日数

問　「失業者の退職手当」の計算の基礎となる基本手当の所定給付日数について説明されたい。

答　被保険者期間、被保険者の年齢・離職の理由等に応じてその者の給

付日数が決定される仕組みとなっている。基本手当の給付日数は、次表のとおりである（雇用保険法第22条参照）。

◎図表21　雇用保険の基本手当の所定給付日数

1　倒産・解雇等による離職者（3を除く）

区分＼被保険者であった期間	1年未満	1年以上5年未満	5年以上10年未満	10年以上20年未満	20年以上
30歳未満	90日	90日	120日	180日	－
30歳以上35歳未満	90日	120日	180日	210日	240日
35歳以上45歳未満	90日	150日	180日	240日	270日
45歳以上60歳未満	90日	180日	240日	270日	330日
60歳以上65歳未満	90日	150日	180日	210日	240日

2　倒産・解雇等以外の事由による離職者（3を除く）

区分＼被保険者であった期間	1年未満	1年以上5年未満	5年以上10年未満	10年以上20年未満	20年以上
全年齢	－	90日	90日	120日	150日

3　就職困難者

区分＼被保険者であった期間	1年未満	1年以上5年未満	5年以上10年未満	10年以上20年未満	20年以上
45歳未満	150日	300日	300日	300日	300日
45歳以上65歳未満	150日	360日	360日	360日	360日

181　基本手当の日額の決め方

問　基本手当の日額は、どのようにして決めるのか。

答　「失業者の退職手当」として支給される基本手当の日額に相当する金額は、退職の月前における最後の6月（月の末日に退職した場合には、

その月及び前5月）に支払われた給与の総額を180で除して賃金日額を算出し、この賃金日額を雇用保険法の規定を適用して計算し決定する（失業者の退職手当支給規則第1条及び第2条、雇用保険法第16条、第17条及び第18条参照）。

なお、「給与の総額」は、支給された全ての給与（いわゆる期末・勤勉手当等を除く。）が対象となるが、出張旅費、退職手当、共済給付金等は含まれない（失業者の退職手当支給規則第2条参照。計算例については問186を参照）。

【詳解237～245頁】

182　「退職の月前における最後の6月に支払われた給与の総額」

問　賃金日額算定の「退職の月前における最後の6月に支払われた給与の総額」は、次の①、②のいずれとなるのか。
① 退職の月前の最後の6月の期間内に支払われた給与の総額
② 退職の月前の最後の6月の勤務の対価として支払われた給与の総額

答　②となる。雇用保険法において「賃金日額の算定の基礎となる賃金は、被保険者として雇用された期間に対するものとして、同期間中に事業主の支払義務が確定した賃金である」とされている（雇用保険法第17条参照）。

【詳解241頁】

183　まとめて支払われる通勤手当の取扱い

問　賃金日額の計算の際、6月分まとめて支払われる通勤手当についてはどのように取り扱うのか。

答　6月を支給単位期間として支給される通勤手当が賃金日額の算定基礎となる場合には、当該通勤手当を6で除した額を1月分として取り扱うこととなる（端数を生じた場合には、当該端数の金額が最後の月にまとめて支払われたものとして取り扱う。）。

184　寒冷地手当の取扱い

問　寒冷地手当については、賃金日額算定の「退職の月前における最後の6月に支払われた給与」に含まれるのか。

答　貴見のとおり、賃金日額算定の給与に含まれる。
　従来、寒冷地手当については「臨時に支払われる給与」（失業者の退職手当支給規則第2条第1項）に該当し、「退職の月前における最後の6月に支払われた給与」から除外されていたが、一般職の職員の給与に関する法律等の一部を改正する法律（平成16年法律第136号）の施行（平成16年10月28日）に伴い、国家公務員の寒冷地手当に関する法律（昭和24年法律第200号）が改正され、同法が適用される職員に対する寒冷地手当の支給については、冬季期間の一括支給から冬季期間の各月支給に変更されたことに伴い、「退職の月前における最後の6月に支払われた給与」に含むものとして取り扱うこととなった（失業者の退職手当支給規則第2条第1項参照）。

185　給付日数の延長

問　基本手当に相当する退職手当の給付日数の延長には、どのようなものがあるのか。

答　基本手当に相当する退職手当の給付日数については、雇用保険法において次の給付日数の延長制度が設けられていることに対応して、延長措置が講ぜられている（法第10条第9項参照）。
　①　訓練延長給付
　受給資格者が公共職業安定所長の指示により公共職業訓練等を受講する場合には、受講を容易にするために、その訓練等が終了する日までの間に限り、その者の所定給付日数を超えて基本手当が支給される。
　②　個別延長給付
　特定退職者又は就職困難者が、心身の状況が厚生労働省令で定める基準に該当する者や雇用されていた適用事業が激甚災害若しくはその他の災害により離職を余儀なくされた者、かつ、公共職業安定所長が厚生労働省令で定める基準に照らして再就職を促進するために必要な職業指導を行うことが適当であると認めた場合には、延長して基本手当に相当する退職手当

が支給される。

③　広域延長給付

失業者が多数発生した地域で厚生労働大臣が必要と認めて指定した地域において、広域職業紹介活動により職業のあっせんを受けることが適当と認められる受給資格者については、90日分に限り所定給付日数を超えて基本手当が支給される。

④　全国延長給付

失業の状況が全国的に著しく悪化し、一定の基準に該当するに至った場合において、受給資格者の就職状況からみて必要があると認めるときは、厚生労働大臣が期間を指定して、給付日数を延長する。この場合延長される給付日数の限度は90日である。　　　　　　　　　　【詳解252～258頁】

186　基本手当の計算例

問　基本手当に相当する退職手当の計算について具体例を示されたい。

答　参考例の場合において失業者の退職手当の支給対象になるかどうか検討すると、次のとおりである。

【参考例】

◎図表22　給与支給調書

給与支給調書	
退 職 年 月 日	令和4.12.31
	(自己都合退職)
級　　号　　俸	行㈠1－36
退　職　手　当	勤続3年
	(年齢25歳)　　301,169円
(過去6カ月の給与)	
俸　給　月　額	1,199,400円
地　域　手　当	239,880円
超　勤　手　当	93,920円
通　勤　手　当	63,240円
合　　　　計	1,596,440円

① 自己都合退職による退職手当は、301,169円である。
② 給与総額を180で除して得た金額（賃金日額）は、8,869円であり、基本手当日額は5,705円となる。
③ 基本手当日額の5,705円に所定給付日数の90日を乗じて得た額は、513,450円となり、退職手当額を上回る結果となる。したがって、「失業者の退職手当」の支給対象となる。
④ 支給要件は、退職手当額301,169円を基本手当日額5,705円で除して得た日数の52日（待期日数）を超えて失業しているときに、所定の手続を行って、給付日数38日分を限度に公共職業安定所から失業の認定を受けて支給されることとなる。

187 基本手当に相当する退職手当の受給手続

問 基本手当に相当する退職手当に係る「国家公務員退職票」及び「国家公務員在職票」の発行の要件や受給のための手続について説明されたい。

答 失業者の退職手当は、雇用保険法の支給の条件に従って、失業者の退職手当の支給を受ける資格を有している者に対して支給されることとなっている。

所属庁等の長（各省各庁の長等又はその委任を受けた者をいう。以下同じ。）は、退職者が失業者の退職手当の支給を受ける資格を有している場合には、国家公務員退職票（以下「退職票」という。）を交付しなければならない。なお、失業者の退職手当制度の趣旨から、次のような場合には、その者から請求がない限り退職票を交付しなくてもよいが交付しない場合であっても、退職後失業の状態であれば退職票の交付を受けられること及びその後「失業」の状態となった場合には請求に基づき交付を受けられることを伝える必要がある。

① 他への就職が決定している等、「失業」の状態が明らかに予想されない場合
② 妊娠、出産、育児その他家事・家事手伝いのための退職等、明らかに再就職の意思がない者

また、所属庁等の長は、退職者が失業者の退職手当の支給を受ける資格

を有していない場合（原則12月未満の勤続期間の者。期間業務職員等の非常勤職員については職員とみなされるための一定の要件を満たした月が1月以上12月未満の者）には、国家公務員在職票（以下「在職票」という。）を交付しなければならない。在職票の交付を受けた退職者が退職後1年以内に国の職員として再就職した場合には、その在職票を新たな任命権者に提出することとされている。

　失業者の退職手当の支給を受ける場合には、退職者は、速やかに管轄の公共職業安定所に出頭し、退職票を公共職業安定所に提出し、求職の申込みを行い、失業の認定を受けなければならない。退職者が退職票の提出及び求職の申込みをした場合には、公共職業安定所長は失業者退職手当受給資格証を交付する（施行令第10条に規定する行政執行法人の職員については支給官署の特例あり。）。退職者は、当該受給資格証に記載されている「最初の失業認定日」に公共職業安定所に出頭し、失業認定申告書に受給資格証を添えて提出し、失業の認定を受けることとなる。失業者の退職手当は、最初の求職の申込みをした日から、雇用保険法第33条に規定する期間及び待期日数（法第10条第1項参照）を経過した後に支給されることとなっている。

　その後の期間について退職者が失業者の退職手当の支給を受けようとするときは、公共職業安定所長の交付する受給資格証の「失業の認定日及び支給日」欄に記載された失業の認定日に出頭して職業の紹介を求め、失業認定申告書に受給資格証を添えて提出し、失業の認定を受けなければならない。失業の認定は原則として4週間に1回ずつ直前の28日の各日について行われ、失業の認定日の前日までの間における失業の認定を受けた日の分が、毎月16日又は公共職業安定所長の指定する日に支給される（雇用保険法第15条、失業者の退職手当支給規則第3条から第6条まで、第9条から第11条参照）。

【詳解266～272、277～282頁】

第4章　退職手当の支給制限等
（第11条～第19条）

１　概要等（第11条等）

188　退職手当の支給制限処分等

問　退職手当の支給制限処分等について、説明されたい。

答　退職手当の支給制限処分等としては、以下のものが挙げられる。
① 退職者等に対して、退職手当の全部又は一部を支給しないこととする処分（支給制限処分。法第12条及び第14条参照）
② 退職者又は遺族に対して、既に支払われた退職手当の全部又は一部の返納を命ずる処分（返納命令処分。法第15条及び第16条参照）
③ 相続人に対して、既に支払われて相続された退職手当の全部又は一部に相当する額の納付を命ずる処分（納付命令処分。法第17条参照）

また、退職者又は遺族に対して、退職手当の額の支払を差し止める処分（支払差止処分。法第13条参照）がある。

189　懲戒免職等処分の範囲

問　支給制限処分等の対象となる「懲戒免職等処分」には、停職等の懲戒処分も含まれるのか。

答　法第11条第１号では、懲戒免職等処分を「国家公務員法第82条の規定による懲戒免職の処分その他の職員としての身分を当該職員の非違を理由として失わせる処分をいう」と定義しており、例えば、職員としての身分を失わない停職等の懲戒処分は懲戒免職等処分に含まれないと解される。

【詳解292～293頁】

190　支給制限処分等の主体

問　支給制限処分等を行う主体はどこか。

答　法第11条第2号に定める「退職手当管理機関」である。
　支給制限処分等は、懲戒免職等処分と同一の主体が判断することが合理的であることから、原則として懲戒免職等処分を行う権限を有する機関が行うこととしており、それを退職手当管理機関としている。　【詳解293頁】

191　支給制限処分等の対象となる退職手当

問　支給制限処分等の対象となる退職手当の範囲は何か。

答　「一般の退職手当等」である。一般の退職手当等については、法第5条の2第2項に「一般の退職手当及び第9条の規定による退職手当をいう」という定義があり、また、「一般の退職手当」については、法第2条の3第2項に「次条（＝第2条の4）及び第6条の5の規定による退職手当」という定義がある。要するに、法第10条の失業者の退職手当以外の退職手当を指す。　【詳解297頁】

192　支給制限処分等の際に勘案すべき事情

問　支給制限処分等を行う際の勘案すべき事情について、説明されたい。

答　法第12条及び第14条の支給制限処分については、
① 退職をした者が占めていた職の職務及び責任
② 退職をした者の勤務の状況
③ 退職をした者が行った非違の内容及び程度
④ 当該非違に至った経緯
⑤ 当該非違後における当該退職をした者の言動
⑥ 当該非違が公務の遂行に及ぼす支障の程度
⑦ 当該非違が公務に対する国民の信頼に及ぼす影響

がある（施行令第17条参照）。　【詳解297～299、313頁】
　また、法第15条及び第16条の返納命令処分については、①から⑦までの

事情に加えて、
　⑧　生計の状況
がある。　　　　　　　　　　　　　　　　　　【詳解319〜321、326頁】

　さらに、法第17条の納付命令処分については、①から⑦までの事情に加えて、
　⑨　退職手当の受給者の相続財産の額
　⑩　退職手当の受給者の相続財産の額のうち納付命令処分を受けるべき者が相続又は遺贈により取得をした又は取得をする見込みである財産の額
　⑪　退職手当の受給者の相続人の生計の状況
　⑫　一般の退職手当等に係る租税の額
がある（施行令第18条参照）。　　　　　　　　【詳解336〜338頁】

193　支給制限等に係る書面の様式

問　支給制限処分等を行う際、当該処分を受けるべき者に通知するための書面はどのようになっているのか。

答　支給制限処分等の書式については、「国家公務員退職手当法の規定による退職手当の支給制限等に係る書面の様式を定める内閣官房令」（平成21年総務省令第27号）で定められている。

　なお、支給制限処分を行うに当たっては、施行令第17条で定める事情を全て勘案する必要はあるが、「（国家公務員退職手当法施行令第17条で定める事情に関し勘案した内容についての説明）」欄（図表23参照）については、当該書面が処分を受ける者に対する権利保護の観点から設けられたものであることを念頭に記載することが必要である。

【詳解300〜301、311、318、324、327、338頁】

―― ◎図表23　退職手当支給制限処分書 ――

別記様式第一（第1条第1項関係）（表面）

【文書番号：　　　　　　】
　　　　　　　　　年　　月　　日

退職手当支給制限処分書

　　　　殿

　　　　　　　　　　　　　　　　　（退職手当管理機関）

　国家公務員退職手当法　第12条第1項　の規定により、一般の退職手当等の全部又は一
　　　　　　　　　　　　第14条第1項
部を支給しないこととする処分として、下記の金額を支払わないこととする。
　なお、この処分についての審査請求は、行政不服審査法の規定により、この処分書を受けた日の翌日から起算して3か月以内に　(1)　に対してすることができる。
　また、この処分の取消しの訴えは、行政事件訴訟法の規定により、この処分書を受けた日の翌日から起算して6か月以内に　(2)　を被告として（被告を代表する者は　(3)　）提起することができる（なお、この処分書を受けた日の翌日から起算して6か月以内であっても、この処分の日の翌日から起算して1年を経過するとこの処分の取消しの訴えを提起することはできない。）。ただし、この処分書を受けた日の翌日から起算して3か月以内に審査請求をした場合には、この処分の取消しの訴えは、その審査請求に対する裁決の送達を受けた日の翌日から起算して6か月以内に提起することができる（なお、その裁決の送達を受けた日の翌日から起算して6か月以内であっても、その裁決の日の翌日から起算して1年を経過するとこの処分の取消しの訴えを提起することはできない。）。

記

　　　　　　　　　　　金　　　　　　　　　　　円

（処分前の一般の退職手当等の額）　　　　　　　　　　　　　　　　　円
（処分後に支払われる一般の退職手当等の額）　　　　　　　　　　　　円

別記様式第一（裏面）

（退職をした者の氏名）		
（採用年月日）　　年　月　日	（勤続期間）	
（退職年月日）　　年　月　日		年　　月
（退職時の勤務官署又は事務所）		
（退職時の職名）	（退職時の俸給月額）　　　　　円 （　　職　　級　　号俸）	
（支給制限処分の理由）		
（国家公務員退職手当法施行令第17条で定める事情に関し勘案した内容についての説明）		

備考1　(1)には審査請求をすべき行政庁を、(2)には取消しの訴えの被告とすべき者を、(3)には取消しの訴えの被告とすべき者を代表する者を、それぞれ記載すること。
　　2　勤続期間とは、国家公務員退職手当法第7条第1項に規定する勤続期間をいう。
　　3　不要の文字は、抹消すること。

194 支給制限処分等の処分性

問 支給制限処分等は行政処分に当たるか。また、行政不服審査法に基づく審査請求や行政事件訴訟法に基づく提起の対象となるのか。

答 支給制限処分等は行政処分であると解されることから、行政不服審査法に基づく審査請求や行政事件訴訟法に基づく取消しの訴えの対象となる。

【詳解301～308頁】

2 懲戒免職等処分を受けた場合等の退職手当の支給制限（第12条）

195 支給制限処分の対象となる失職

問 法第12条第1項第2号の「失職」について、説明されたい。

答 支給制限処分の対象となる失職とは、国家公務員法第76条の規定による、いわゆる欠格による失職を指す。

また、同法の適用を受けない特別職の国家公務員についても、失職に準ずる退職をした場合には、対象となる。

なお、下記の国家公務員法第38条第1号における「禁錮以上の刑」とは、死刑、懲役、禁錮の刑をいう（刑法第9条及び第10条参照）。

【詳解299～300頁】

【参考】

国家公務員法（昭和22年法律第120号）（抄）

（欠格条項）

第38条　次の各号のいずれかに該当する者は、人事院規則の定める場合を除くほか、官職に就く能力を有しない。

一　禁錮以上の刑に処せられ、その執行を終わるまで又はその執行を受けることがなくなるまでの者

二　懲戒免職の処分を受け、当該処分の日から2年を経過しない者

三　人事院の人事官又は事務総長の職にあつて、第109条から第112条までに規定する罪を犯し、刑に処せられた者

四　日本国憲法施行の日以後において、日本国憲法又はその下に成立した政府を暴力で破壊することを主張する政党その他の団体を結成し、又はこれに加入した者

（欠格による失職）

第76条　職員が第38条各号（第２号を除く。）のいずれかに該当するに至つたときは、人事院規則で定める場合を除くほか、当然失職する。

196　失職と執行猶予

問　職員が刑事事件に関与し、禁錮以上の刑に処せられたが、執行猶予を付せられたので、退職手当を支給してよいか。

答　国家公務員法第38条第１号の規定による失職には、執行猶予となった者も含まれており、たとえ職員が禁錮以上の刑に処せられ、執行猶予を付された場合でも、同法第76条の規定により失職となることから、退職手当の支給制限処分の対象となる。　　　　　　　　　【詳解299～300、314頁】

197　執行猶予の期間経過

問　職員が刑事事件に関与し、禁錮以上の刑に処せられたため失職し、支給制限処分を行ったが、執行猶予を付せられ、かつ、後日、当該執行猶予の期間が経過した場合においては、退職手当を支給して差し支えないか。

答　刑法（明治40年法律第45号）第27条の規定によれば、執行猶予の期間が経過した場合には、刑の言渡しがなかったものと同様の効果を生ぜしめることとなるが、判決自体は有罪が確定し、既に支給制限処分を行っているものであり、執行猶予の期間が経過したことをもって一般の退職手当等を支給することにはならない（問196参照）。

198　処分前の一般の退職手当等の額

問　処分前の一般の退職手当等の額は、どのように計算された額か。

答　いわゆる自己都合退職をした者として、法第３条を適用して算定し

た額となる。たとえ支給制限処分を行わなかったとしても、法第12条第1項各号に規定する退職をした者に対して自己都合退職をした者を上回る一般の退職手当を支給することは適当でないと考えられるため、法第12条第1項各号に掲げる者を「その者の都合により退職した者」に含めている。

【詳解82～85、313頁】

199　所在が知れないときの通知

問　法第12条第3項の規定の内容について説明されたい。

答　支給制限処分を受けるべき者の所在が不明のときは、当該処分の内容を官報に掲載して2週間を経過した日に、通知が到達したものとみなすこととしたものである。これは、国が履行遅滞となることを避け、早期に法律関係を安定させるために、所在不明の者に対しても有効に支給制限処分を行うことができるようにする必要があるために設けられた規定である。

なお、法第13条に規定する支払差止処分、法第14条に規定する支給制限処分には、法第12条第3項の規定が準用されているが、法第15条、第16条に規定する返納命令処分、法第17条に規定する納付命令処分には準用されていないことに注意する必要がある。

【詳解301頁】

3　退職手当の支払の差止め（第13条）

200　支払差止処分

問　支払差止処分について説明されたい。

答　支払差止処分は、一般の退職手当等の支払後に返納しなければならなくなることが予想される場合に、一般の退職手当等の支給を受ける権利を持つ者に対して、退職した日から起算して1月以内に支払わなければならないとされている一般の退職手当等の額の支払を差し止める行政処分である。支払差止処分は、一般の退職手当等の額の支払の履行期を、支払差止処分が取り消されるまで延期する効果を持ち、取り消された場合には速

やかに支払わなければならない。 【詳解303〜304頁】

201 支払差止処分の対象となる刑事事件

問 支払差止処分は、例えば、休暇中の交通事故による自動車運転過失致死など職務に関連しない刑事事件であっても、基礎在職期間中の行為に係る刑事事件である限り、支払差止処分の対象となるのか。

答 貴見のとおり、基礎在職期間中の行為に係る刑事事件である限り、支払差止処分の対象となる。収賄罪のような、いわゆる職務関連の犯罪にとどまらず、私生活上のものであっても、その法定刑の上限が禁錮以上の刑であれば対象となる。 【詳解305〜306頁】

202 「犯罪があると思料するに至つたとき」

問 法第13条第2項第1号の「犯罪があると思料するに至つたとき」とは具体的にどのようなときか。

答 具体的な状況に応じて判断するしかなく、①本人の供述、②関係者の供述、③職場内外で収集し得た物証、④警察等から提供を受けることができた情報などを総合的に勘案し、事実関係について相当程度の確証が得られたことが必要であり、漠然とした風聞に基づき何らかの不当な行為があったかもしれないという程度の心証では足りないものと解すべきである。 【詳解306頁】

203 その者に対し一般の退職手当等の額を支払うことが…支障を生ずると認めるとき

問 法第13条第2項第1号の「その者に対し一般の退職手当等の額を支払うことが公務に対する国民の信頼を確保する上で支障を生ずると認めるとき」とは具体的にどのようなときか。

答 当該退職者の逮捕の理由となった犯罪又はその者が犯したと思料される犯罪に係る法定刑の上限が禁錮以上の刑に当たるものであるときをいう（運用方針第13条関係第2号）。 【詳解306頁】

204　懲戒免職等処分を受けるべき行為

問　法第13条第2項第2号の「懲戒免職等処分を受けるべき行為」について、説明されたい。

答　「懲戒免職等処分を受けるべき行為」とは、「在職期間中の職員の非違に当たる行為であつて、その非違の内容及び程度に照らして懲戒免職等処分に値することが明らかなものをいう」とされている（法第13条第2項第2号参照）。これは、処分の対象となる場合を、制度の趣旨や運用を前提として客観的・合理的な事実判断として懲戒免職等処分に値する場合に限定することが必要だと考えられたために設けられた規定である。

【詳解307頁】

205　出向期間中に行った非違が退職後に発覚した場合

問　公庫等や地方公共団体への出向期間中に行った非違について、その後国に復帰して退職した後に発覚した場合、懲戒免職等処分を受けるべき行為をしたことを疑うに足りる相当な理由があると思料するに至ったときは、退職手当の支払差止処分を行うことができるか。

答　懲戒免職等処分を受けるべき行為をしたと認められる時期については、「当該一般の退職手当等の額の算定の基礎となる職員としての引き続いた在職期間」に限定されており、出向期間は排除されている。これは現行の懲戒制度及び出向制度において、出向先での行為について懲戒処分をすることはできないこととの整合性を図るためである（法第13条第2項第2号）。

【詳解306～307頁】

206　支払差止処分を取り消さなければならない場合

問　支払差止処分を取り消さなければならない場合とは、どのような場合か。

答　以下の場合には、速やかに支払差止処分を取り消さなければならない（法第13条第5項、第6項参照）。
① 無罪の判決が確定した場合

② 判決が確定した場合（禁錮以上の刑に処せられた場合及び無罪の判決が確定した場合を除く。）又は公訴を提起しない処分があった場合であって、支給制限処分を受けることなく、判決が確定した日等から6月を経過した場合
③ 当該支払差止処分を受けた者について、その者の基礎在職期間中の行為に係る刑事事件に関し起訴をされることなく、かつ、支給制限処分を受けることなく、当該支払差止処分を受けた日から1年を経過した場合

ただし、③について、退職者が現に逮捕されている等の場合には、この限りではない。なお、上の①から③までの他に、退職手当管理機関は、支払差止処分後に判明した事実等に基づき、支払を差し止める必要がなくなったとして支払差止処分を取り消すことはできる（法第13条第7項参照）。

【詳解308〜310頁】

207 支払差止処分後に支給制限処分が行われたときの取扱い

問 支払差止処分後に支給制限処分が行われたときの支払差止処分の取扱いはどのようにすべきか。

答 退職手当の全部を支給しないこととする支給制限処分の場合には、支払差止処分の対象であった退職手当を支給される権利が消滅することから、支払差止処分についても、その取消しを待つことなく自動的に消滅する。

また、一部を支給しないこととする支給制限処分の場合には、支払差止処分は取り消されたものとみなす（法第14条第6項参照）。

【詳解303〜304、318〜319頁】

4 退職後禁錮以上の刑に処せられた場合等の退職手当の支給制限（第14条）

208 重ねて支給制限処分を行うことの可否

問 同じ行為について重ねて支給制限処分を行うことはできるか。

答 いったん一部支給制限処分を行った場合、同じ行為について重ねて処分を行うことはできないと考えられる。処分後に新たな非違が明らかになった場合については、前に行った処分を取り消して新たな処分を行うのではなく、既に行った処分を前提に新たな処分を行うことが想定される。

【詳解313～314頁】

209 退職後に起訴された場合

問 退職後に起訴された場合であって、禁錮以上の刑に処せられたことを理由に支給制限処分を行うことができるのは、基礎在職期間中の行為に限られるのか。

答 貴見のとおり。刑事事件に関して、退職後に起訴をされ、禁錮以上の刑に処せられた場合には、当該行為が基礎在職期間中のものであるときに限り、一般の退職手当等の支給制限処分を行うことができるとされている（法第14条第1項第1号参照）。

【詳解314～316頁】

210 意見の聴取の手続

問 法第14条第3項の規定の内容について、説明されたい。

答 懲戒免職等処分を受けるべき行為をしたと退職手当管理機関が認めたことを理由として支給制限処分を行う場合には、処分を受ける者の意見を聴かずに事実認定をすることは不適当であることから、事前に意見を聴取する手続が設けられたものである。この場合の具体的な手続については、行政手続法の規定を準用することとし、国家公務員退職手当法の規定に基づく意見の聴取の手続に関する規則（平成21年総務省令第29号）が定

められている。　　　　　　　　　　　　　　　　　【詳解317頁】

5　退職手当の返納（第15条・第16条）

211　返納命令処分

問　返納命令処分を行う場合について、説明されたい。

答　以下の①から③までのいずれかに該当する場合には、退職者本人に対する返納命令処分を行うことができる。また、死亡による退職又は退職後の死亡で③に該当する場合には、遺族に対する返納命令処分を行うことができる（法第15条第1項、第16条第1項参照）。
① 基礎在職期間中の行為に係る刑事事件に関し禁錮以上の刑に処せられたとき
② 退職手当の算定の基礎となる職員としての引き続いた在職期間中の行為に関し定年前再任用短時間勤務職員等に対する免職処分を受けたとき
③ 退職手当の算定の基礎となる職員としての引き続いた在職期間中に懲戒免職等処分を受けるべき行為をしたと認められたとき

212　返納額の範囲

問　返納命令処分を行う場合、その額の範囲はどのようになっているのか。

答　失業者の退職手当額を返納すべき額から控除する。これは、失業者の退職手当の社会保障的性格に鑑み、退職手当管理機関の裁量によることなく返納額から控除することが適当であるからである（法第15条第1項参照）。

また、失業者の退職手当の支払を受けている場合等においては、支払われた一般の退職手当等の額が雇用保険の失業等給付相当額を下回っていることが明らかであるので、一般の退職手当等の額は返納命令処分の対象とはしない（法第15条第2項参照）。　　　　　　　　【詳解321～324頁】

213 返納の手続

問 一般の退職手当等の返納の手続については、具体的にどのように行えばよいのか。

答 返納の手続については、国の債権の管理等に関する法律（昭和31年法律第114号）の定めるところによる（運用方針第15条関係第1号参照）。

【詳解321～322頁】

214 返納命令処分の対象となる刑事事件

問 職員が退職後、職務に関連しない刑事事件（例えば、休暇中に犯した窃盗、詐欺）で起訴され禁錮以上の刑に処せられた場合でも、基礎在職期間中の行為に係る刑事事件である限り、返納命令処分の対象となるのか。

答 貴見のとおり、職務に関連しない行為であっても、返納命令処分の対象となり得る。

【詳解313～316頁】

215 返納命令処分が可能な期間

問 返納命令処分を行うことができるのはいつまでか。

答 退職者に対する返納命令処分については、法第15条第1項第3号に該当する場合（懲戒免職等処分を受けるべき行為をしたと認められたとき）は、退職日から5年以内に限り、行うことができる（法第5条第3項参照）。なお、法第15条第1項第1号又は第2号に該当する場合は、退職後何年経っていたとしても、処分を行うことができる。

【詳解324頁】

また、遺族に対する返納命令処分については、退職日から1年以内に限り、行うことができる（法第16条第1項参照）。

【詳解325～326頁】

216 「生計の状況」

問 「生計の状況」とは具体的にどのように勘案すべきか。

答 退職手当の生活保障としての性格に鑑み、例えば、①退職者又は生

計を共にする者が現在及び将来どのような支出を要するか、②どのような財産を有しているか、③現在及び将来どのような収入があるか等についての申立てを受け、返納すべき額の全額を返納させることが困難であると認められる場合には、返納額を減免することができるものとされている（運用方針第15条関係第3号参照）。　　　　　　　　　　　【詳解320～321頁】

217　税額の調整

問　退職手当の支払に当たって納められた税額と返納を命ぜられる額との調整はどのように行われるのか。

答　退職者に対する返納命令処分の場合には、所得税及び住民税が源泉徴収されているため、源泉徴収をした各省各庁の債権管理機関が還付請求を行う。このとき、処分を受けた者に送られる納入告知書で納付すべき金額とされる額は、実際に返納を命ぜられた額よりも少なくなる（運用方針第15条関係第4号参照）。

遺族に対する返納命令処分の場合には、退職手当は相続税の課税対象となり、源泉徴収はされないことから、遺族が過誤納金として還付請求を行うことができる。この場合には、納入告知書で納付すべき金額とされる額は、返納を命ぜられた額と同額となる（運用方針第16条関係第4号参照）。

【詳解321～322、326～327頁】

6　退職手当受給者の相続人からの退職手当相当額の納付（第17条）

218　納付命令処分の趣旨

問　納付命令処分の趣旨について説明されたい。

答　法第16条では、退職をした者が、一般の退職手当等を受ける前に死亡し、その権利を継承した者に一般の退職手当等を支払った後に、当該退職をした者の非違が明らかとなった場合には、その権利を承継した者から返納をさせることを定めているが、退職者が一般の退職手当等の支払を受

けた直後に死亡し、その後に非違が明らかとなった場合には、支払った相手が死亡してしまっているので、返納命令処分を行うことができない。そこで、法第16条との均衡をとるべく、相続人に相当額の納付を命ずる処分が設けられたものである。

【詳解331〜332頁】

219　納付命令処分を行う際の考慮要素

問　納付命令処分を行う際の考慮要素は何か。

答　納付命令処分を行うに際しての考慮要素は、法第12条第1項に規定する政令で定める事情及び相続人の生計の状況のほか、退職手当の受給者の相続財産の額等である（法第17条第6項、施行令第18条、運用方針第17条関係参照）。

【詳解336〜338頁】

220　納付命令処分が可能な期間

問　納付命令処分を行うに当たって、いつまでに必要手続を行わなければならないか。また、処分を行うことができる期間はいつまでか。

答　納付命令処分を行うためには、退職手当の受給者の相続人に対し、退職した者が懲戒免職等処分相当を疑うに足りる相当な理由がある旨の通知（法第17条第1項）を、当該退職の日から6月以内に行う必要がある。また、法第17条第1項による通知が相続人に到達した日、又は退職手当の受給者の死亡日から6月以内に限り、処分を行うことができる。

【詳解331〜332頁】

7　退職手当審査会（第18条）

221　退職手当審査会

問　退職手当審査会について簡単に説明されたい。

答　退職手当審査会は、国家公務員退職手当法の規定によりその権限に属させられた事項を処理する。審査会は内閣府に置かれ、組織等について

は退職手当審査会令（平成26年政令第194号）により定められている。

　なお、国会職員に対する処分に係る諮問については、国会職員退職手当審査会に、裁判所及び裁判官に対する処分については、裁判所退職手当審査会に、会計検査院の検査官及び職員に対する処分については、会計検査院退職手当審査会にそれぞれ諮問することとなる。【詳解340～341、344頁】

8　退職手当審査会への諮問（第19条）

222　諮問の対象となる処分

問　退職手当審査会に諮問しなければならない処分とは何か。

答　諮問の対象となる処分は、懲戒免職等処分を受けるべき行為があったと認められたことを理由とする支給制限処分及び全ての返納・納付命令処分である（法第19条第1項参照）。
【詳解343頁】

223　「口頭で意見を述べる機会」

問　法第19条第2項の「口頭で意見を述べる機会」とは何か。

答　遺族に対する支給制限及び返納命令処分並びに相続人に対する納付命令処分を行う場合については、処分を受けるべき者が非違を行った者ではないため、特に手続を手厚くする必要があると考えられる一方、既に退職手当管理機関により意見の聴取が行われていることを踏まえ、必要以上の手続的負担を強いることを避けることも必要であることから、申立てがあったときに限り、当該者に口頭で意見を述べる機会を与えることとしたものである。
【詳解343頁】

第5章 雑　　則

（第20条・第21条）

1　地方公務員となった者の取扱い（第20条）

224　地方公務員となった場合

問　職員が退職し、引き続いて地方公務員となった場合には、退職手当を支給しなくてもよいか。

答　職員が退職し、引き続いて地方公務員となった場合、地方公務員となった当該地方公共団体に通算規定（職員としての在職期間を地方公務員としての在職期間に通算することを定めている規定）があるかどうかによって退職手当が支給されるかどうかが決まる。当該地方公共団体において、職員としての在職期間の全部が通算されることとなっている場合に限り、その者の退職理由の如何にかかわらず退職手当を支給しないこととされている（法第20条第2項参照）。　　　　　　　　　　　【詳解346頁】

225　試験採用と退職手当の請求

問　職員が地方公務員採用試験に合格し、地方公務員となるため退職し、その者から退職手当の請求があった場合には、退職手当を支給して差し支えないか。

答　職員が退職し、退職の日又はその翌日に通算規定のある地方公共団体の地方公務員となる場合には、退職理由の如何にかかわらず退職手当を支給することができない。

なお、職員が退職の日に引き続いて通算規定のない地方公共団体の地方公務員となった場合又は退職の日の翌々日以降（1日以上の空白を置い

て）地方公共団体の地方公務員となった場合には、退職手当を支給することになる（法第20条第2項参照）。　　　　　　　　　　　　【詳解346頁】

226　「その他の事由」

問　法第20条第2項に規定する「その他の事由」とは、具体的にどのようなことをいうのか。

答　法第20条第2項に規定する「その他の事由」とは、法第7条第5項の「その他の事由」（問131参照）と同様、自己の意思に基づく転職、異動等の全ての場合を含むこととされている（運用方針第20条関係参照）。

【詳解346頁】

2　実施規定（第21条）

227　法第21条を委任根拠とする政令の規定

問　法第21条を委任根拠とする政令の規定にはどのようなものがあるのか。

答　退職手当法に基づいて制定されている政令は、国家公務員退職手当法施行令であるが、この施行令中法第21条の授権に基づく規定としては、第1条の3（俸給月額）、第6条の6（現実に職務をとることを要しない期間）、第8条（勤続期間の計算の特例）等がある。　　【詳解347頁】

第6章　附　　則

228　法原始附則第6項から第8項まで及び第11項の概要

問　法原始附則第6項から第8項まで及び第11項の概要について、説明されたい。

答　国家公務員の退職手当については、支給水準の官民均衡を図る観点から、国家公務員退職手当法の本則の規定により算出した退職手当の基本額に、法附則第6項から第8項までに規定する率（いわゆる調整率）を乗じて得た額により計算することとされている。平成29年の退職手当法改正により、現在、調整率は100分の83.7とされている。

調整率が100分の83.7とされたことにより、退職手当の基本額の支給割合（本則に規定する支給率に調整率を乗じたもの）は47.709が事実上の上限となっている。

① 法附則第6項は、退職理由にかかわらず勤続期間が35年以下である退職者（厳密には、昭和47年12月1日に在職していなかった者で同日以降に退職した者）の退職手当の基本額を、当分の間、本則で計算した額の100分の83.7とするものである。

② 法附則第7項は、法第3条第1項の規定に該当する退職をした者で勤続期間が36年以上42年以下であるものの退職手当の基本額を、法第3条第1項又は第5条の2及び附則第15項の規定により計算した額に100分の83.7を乗ずることとするものである。

③ 法附則第8項は、法第5条又は附則第13項の規定に該当する退職をした者で勤続期間が35年を超えるものをその勤続期間を35年として法附則第6項の規定により計算することとするものである。

実務上は、計算の便宜上、法第3条から第5条までに規定する率（本則に規定する支給率）に調整率を乗じた率を「支給率」と称して用いること

が多い。調整率を乗じた後の支給率については、巻末付録の国家公務員退職手当支給率早見表を参照されたい。

　また、特別職幹部職員等は基本額の100分の8を調整額としているが、平成29年の退職手当法改正により退職手当の基本額の引下げが行われたことに伴い調整額の引下げが生じるため、職責の差に応じた均衡が崩れないよう、附則第11項の規定により、当分の間、特別職幹部職員等の調整額は基本額の100分の8.3としている。　　　　　【詳解351～353頁、356～357頁】

229　法原始附則第9項の内容

問　平成17年法律第115号により新設された法原始附則第9項の規定の内容について説明されたい。

答　平成17年法律第115号と同時に成立した一般職の職員の給与に関する法律の一部改正法（平成17年法律第113号）では、給与構造の抜本的改革が行われ、これに伴い俸給の減額改定が行われた（平成18年4月1日より施行）が、その経過措置として、減額改定前の俸給と改定後の俸給との差額相当額を俸給として支給する措置が講じられた。

　平成17年の退職手当法の改正（退職手当制度の構造面の見直し）は、このような差額は含まない俸給月額を前提に制度設計されたものであること、また、適用範囲の広い退職手当法においては、俸給の支給根拠となる制度も数多く存在し、このように差額に相当する額が俸給として支給される場合も常に起こり得ることから、退職手当法の規定による俸給月額にはこのような差額を含まないことを、恒久的な定めとして原始附則において明文化することとしたものである（問54参照）。

　ただし、法第6条の5に規定する整理退職等により退職した者でその勤続期間が短期である者についての特例（最低保障額）については、その趣旨から各種手当等も含んだ「基本給月額」を基礎として計算することとなっていることに鑑み、本項の規定の対象からは除かれている。

【詳解353～354頁】

230　法原始附則第12項から第14項までの内容

問　令和5年4月1日以後、引上げ前の定年年齢以後に退職した者の退職手当の取扱いについて説明されたい。

答　国家公務員の定年は、令和5年4月1日以降段階的に65歳まで引き上げられることとされたが、引上げ前の定年年齢を超えて非違によらず退職した場合が引上げ前の定年年齢で定年退職する場合に比べて不利益とならないよう、当分の間、引上げ前の定年年齢に達した日以後、非違によることなく退職した職員の退職手当の基本額の支給率については、勤続期間を同じくする定年退職の場合と同率とすることとされている（法附則第12項及び第13項並びに運用方針第3条関係第3号ト参照）。

【詳解360～361頁】

231　法原始附則第15項の内容

問　定年の段階的の引上げに伴い、当分の間、60歳超の職員の給与水準は60歳に達した日後における最初の4月1日以後、原則7割とすることとされているが、この俸給月額の減額に、いわゆる「ピーク時特例」は適用されるのか。

答　一般職給与法附則第8項に規定する60歳超の職員の給与減額については、法第5条の2の俸給月額の減額改定には該当せず、いわゆる「ピーク時特例」が適用される（法附則第15項）。

【詳解361頁】

232　法原始附則第16項の内容

問　法原始附則第16項の概要について説明されたい。

答　法附則第16項の規定は、定年前早期退職特例措置に関する当分の間の措置を設けるものである。具体的には、定年引上げに伴い、応募認定等退職者については、当分の間、定年前早期退職特例措置について現行と同じ対象年齢とすることとし、引上げ前の定年から15年を減じた年齢から、引上げ前の定年までの15年間（令和3年法61による改正前と同様）としている。

なお、割増率に関しても基本的には令和5年3月31日前と同様であるが、当分の間、引上げ前の定年年齢に達する日までの退職者に対しても割増措置が適用され、また、指定職未満の一般職員については、引上げ前の定年年齢前1年以内に退職した場合、現行2％の割増率が3％となる。

【詳解361〜362頁】

233　60歳超の職員を対象とした早期退職の募集

問　60歳超の職員を対象とした早期退職の募集は可能か。60歳超の職員が応募認定退職する場合、定年前早期退職特例措置による割増措置は適用されるのか。

答　60歳超の職員を対象とした早期退職募集を実施することは可能である。認定を受けて退職した職員は、応募認定退職を退職事由として退職手当を算定することとなる。

　ただし、問232に記載のとおり、引上げ前の定年年齢超の職員に対して定年前早期退職特例措置による割増措置は適用されない。

【詳解361〜363頁】

234　当分の間の法第5条の3の適用

問　当分の間の、応募認定退職の場合の法第5条の3の規定の適用について具体例を示されたい。

答　具体例は次のとおり。

〈設例〉
○勤続35年・応募認定退職
○退職時の満年齢57歳（引上げ前の定年は60歳）
○退職時俸給月額430,000円
○支給率47.709
○退職手当の調整額（問96参照）第6号区分が48月、第7号区分が12月
〈退職手当の額〉
① 退職手当の基本額
　　$430,000円 \times \{1 + 0.03 \times (60 - 57)\} \times 47.709 = 22,361,208.3円$

② 退職手当の調整額
   54,150円×48＋43,350円×12＝3,119,400円
③ 退職手当額
   ①＋②＝25,480,608.3円　　　　　　　　　　【詳解362～364頁】

235　当分の間の法第5条の2第1項の特例と法第5条の3の特例の同時適用

問　当分の間、応募認定退職、かつ法第5条の2第1項の特例措置の対象者が同時に法第5条の3の定年前早期退職特例措置の対象者である場合、退職手当はどのように計算するのか、具体例により示されたい。

答　法第5条の2第1項の特例措置の対象者が同時に法第5条の3の定年前早期退職特例措置の対象者である場合、割増率は、特定減額前俸給月額と退職時の年齢によって算出し、それを特定減額前俸給月額と退職日俸給月額の両方に乗じて退職手当額を算出する。具体的な計算例は次のとおり。

- 特定減額前俸給月額（A）＝指定職4号俸、退職時58歳＝895,000円×1.02＝912,900円
- 退職日俸給月額（B）＝行㈠9級36号俸、退職時58歳＝523,900円×1.02（特定減額前俸給月額が指定職4号俸であるため割増率は1年につき1％）＝534,378円
- 減額日前日支給率（ロ）＝勤続32年・応募認定退職（1号）＝43.81695
- 退職日支給率（イ）＝勤続35年・応募認定退職（1号）＝47.709
- 調整額は4,420,000円と仮定

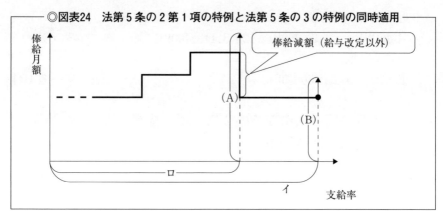

この場合の退職手当額は、(A)×ロ+(B)×(イ－ロ)+調整額＝約4,650万円となる。

【詳解123〜125頁】

第7章 改正法律の附則
（平成17年改正法関係）

236　平成17年法律第115号附則第3条の内容

問　平成17年法律第115号附則第3条の規定の内容について説明されたい。

答　附則第3条の規定は、平成17年法律第115号による改正後の退職手当法の規定に基づく退職手当の額が、同法による改正前の退職手当法の規定に基づく額を下回る場合の保障に係る経過措置を規定したものである。

　平成17年の退職手当法の改正においては、公務員制度改革における指摘や給与構造の改革等の状況を踏まえ、退職手当を基本額と職務・職責に応じた調整額との2本立て構造とするといった構造面の見直しを行うものである一方、これまでの退職手当制度を前提にした職員の期待権を一定の範囲で保護することも必要である。このため、本条において、改正後の退職手当法の規定に基づく退職手当の額が、改正前の退職手当法の規定に基づく額を下回る場合の保障について所要の措置を講じている。

　その内容は、改正後の退職手当法に基づき算定した額（新法等退職手当額）が、新制度切替日の前日に同じ退職理由で退職したと仮定した場合の額（新制度切替日前日額）より低くなる場合には、新制度切替日前日額を保障するものであり、改正前の退職手当法第3条から第6条までの計算規定のほか、改正前の原始附則第21項から第23項まで、附則第8条の規定による改正前の昭和34年法律第164号附則第3項、附則第9条の規定による改正前の昭和48年法律第30号附則第5項から第8項まで、附則第10条の規定による改正前の平成15年法律第62号附則第4項及び附則第11条の規定による改正前の平成16年法律第146号附則第4項の規定により計算した額にそれぞれ100分の83.7（新制度切替日前日までの勤続期間が20年以上の者（42年以下の自己都合退職者及び37年以上42年以下の者で公務によらない

傷病により退職したものを除く。）にあっては、104分の83.7）を乗じた場合と比べ、いずれか多い方の額を支給すべき退職手当の額とするものである。

　新制度切替日とは、職員が初めて新制度の適用職員になった日であり、一般的には施行日（平成18年4月1日）を指す。ただし、施行日と異なる適用日となる国営企業等の職員や、地方公務員、公庫等職員又は特定独立行政法人等役員として出向中の者に関する取扱いをどうするかを決めておく必要がある。このため、施行日を新制度切替日とする原則の下、自律性をもって給与等を決定することとなっている国営企業等については特例として適用日を新制度切替日とすることとし、その他、適用前の国営企業等から国営企業等の職員以外の職員（一般職員）に異動した場合等の人事異動の実態を踏まえ、新制度切替日を第1号から第9号までにより設定している。各号を図示すると次のとおりである。

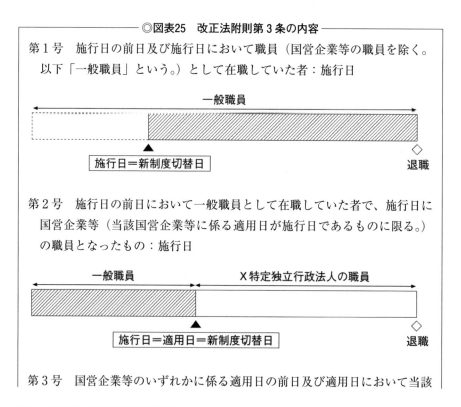

国営企業等の職員として在職していた者（その者の基礎在職期間のうち当該適用日前の期間に、新制度適用職員としての在職期間が含まれない者に限る。）：当該国営企業等に係る適用日

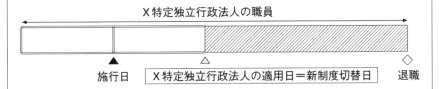

第4号　国営企業等の職員として在職した後、施行日以後に引き続いて一般職員となった者（その者の基礎在職期間のうち当該一般職員となった日前の期間に、新制度適用職員としての在職期間が含まれない者に限る。）：当該一般職員となった日

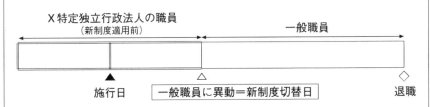

第5号　国営企業等の職員として在職した後、引き続いて他の国営企業等の職員となった者（その者の基礎在職期間のうち当該他の国営企業等の職員となった日前の期間に、新制度適用職員としての在職期間が含まれない者であって、当該他の国営企業等の職員となった日が当該他の国営企業等に係る適用日以後であるものに限る。）：当該他の国営企業等の職員となった日

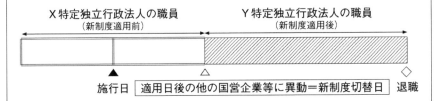

第6号　職員として在職した後、施行日以後に引き続いて地方公務員又は新法第7条の2第1項に規定する公庫等職員（他の法律の規定により同条の規定の適用について公庫等職員とみなされる者を含む。以下同じ。）若し

くは新法第8条第1項に規定する独立行政法人等役員となった者で、地方公務員又は公庫等職員若しくは独立行政法人等役員として在職した後引き続いて一般職員となったもの（その者の基礎在職期間のうち当該地方公務員又は公庫等職員若しくは独立行政法人等役員となった日前の期間に、新制度適用職員としての在職期間が含まれない者に限る。）：当該地方公務員又は公庫等職員若しくは独立行政法人等役員となった日

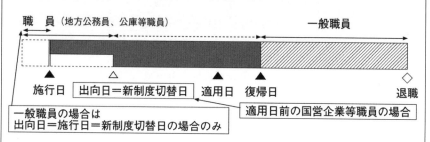

第7号　職員として在職した後、施行日以後に引き続いて地方公務員又は新法第7条の2第1項に規定する公庫等職員若しくは新法第8条第1項に規定する独立行政法人等役員となった者で、地方公務員又は公庫等職員若しくは独立行政法人等役員として在職した後引き続いて国営企業等の職員となったもの（その者の基礎在職期間のうち当該地方公務員又は公庫等職員若しくは独立行政法人等役員となった日前の期間に、新制度適用職員としての在職期間が含まれない者であって、当該国営企業等の職員となった日が当該国営企業等に係る適用日以後であるものに限る。）：当該地方公務員又は公庫等職員若しくは独立行政法人等役員となった日

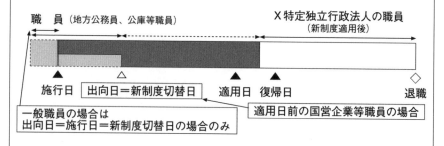

第8号　施行日の前日に地方公務員として在職していた者又は施行日の前日

に新法第7条の2第1項に規定する公庫等職員として在職していた者のうち職員から引き続いて公庫等職員となった者若しくは施行日の前日に新法第8条第1項に規定する独立行政法人等役員として在職していた者のうち職員から引き続いて独立行政法人等役員となった者で、地方公務員又は公庫等職員若しくは独立行政法人等役員として在職した後引き続いて一般職員となったもの：施行日

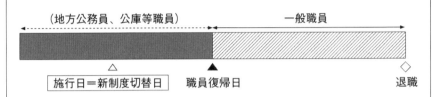

第9号　施行日の前日に地方公務員として在職していた者又は施行日の前日に新法第7条の2第1項に規定する公庫等職員として在職していた者のうち職員から引き続いて公庫等職員となった者若しくは施行日の前日に新法第8条第1項に規定する独立行政法人等役員として在職していた者のうち職員から引き続いて独立行政法人等役員となった者で、地方公務員又は公庫等職員若しくは独立行政法人等役員として在職した後引き続いて国営企業等の職員となったもの（当該国営企業等の職員となった日が当該国営企業等に係る適用日以後である者に限る。）：施行日

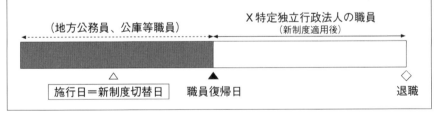

　施行日以降、適用日前の国営企業等職員から地方公務員等に出向したのち引き続いて職員に復帰した場合については、適用日以後の国営企業等に復帰した場合であっても、当該国営企業等の適用日ではなく、当該地方公務員等になった日を新制度切替日としている（第7号）。これは退職手当法の職員概念の外に出て行く日をもって新制度切替日としているものである。また、逆に施行日に退職手当法の職員概念の外にいる職員について

は、そもそも特例の対象とはならず、原則に立ち戻って新制度切替日を施行日とすることが適当であることから、施行日の前日から地方公務員等として在職し、その後これらの者として在職した後、職員として復帰した場合については、一般職員として復帰しても適用日以後の国営企業等の職員として復帰しても、共に「施行日」を新制度切替日としているところである。(ただし、適用日以前の国営企業等の職員として復帰した場合には、当該国営企業等の適用日が新制度切替日となる。)

なお、第10号において、第1号から第9号までに掲げる者に準ずる者として政令で定める者の適用日について規定しているが、同号に基づく政令は定められていない。

施行日の前日に、地方公務員として在職する者又は任命権者の要請により公庫等職員若しくは独立行政法人等役員として在職する者が、その後職員となり退職した場合については、新制度切替日たる施行日の前日においては退職手当法上の職員ではないため、職員とみなして新制度切替日前日額を計算するために、所要の読替規定を定めている。

なお、「俸給月額に相当する額として政令で定める額」は、国家公務員退職手当法の一部を改正する法律の施行に伴う経過措置に関する政令(平成18年政令第30号)第2条及びこれに基づく平成17年改正法施行後取扱決定第四により、給与制度におけるいわゆる給与の再計算のルールに従って計算すべきものと規定されている。 【詳解446〜451頁】

237 退職出向者の新制度切替日前日額等

問 平成17年法律第115号附則第3条に関して、退職出向者の新制度切替日前日額及び旧法等退職手当額の俸給月額はどのように計算するのか。

答 原則として施行日を新制度切替日としてその前日の俸給月額を用いるが、施行日後、新制度が適用されることなく適用日前の国営企業等に復職し、その国営企業等で適用日を迎えた場合は、当該適用日を新制度切替日としてその前日の俸給月額を用いる。 【詳解447〜449頁】

238 定年前早期退職特例措置が適用される場合の新制度切替日前日額の割増率

問 平成17年法律第115号附則第3条に関して、定年前早期退職特例措置が適用される場合、新制度切替日前日額の割増率はどのように計算するのか。

答 割増の有無、割増率及び割増年数については、新制度切替日前日の時点における俸給月額、年齢及び勤続年数により計算する。　【詳解447頁】

239 定年退職者の新制度切替日前日額の退職理由

問 平成17年法律第115号附則第3条に関して、定年退職者の新制度切替日前日額の退職理由はどうなるのか。前日額を算定する時点で定年前であった場合は定年前早期退職特例措置は適用されるのか。

答 新制度切替日前日額の退職理由は実際の退職と同一の理由で退職したと仮定する。したがって、定年退職者の新制度切替日前日額については、新制度切替日前日に定年で退職したと仮定して計算するため、定年前早期退職特例措置の適用はない。なお、公務上死傷病退職者、その者の事情によらないで引き続いて勤続することを困難とする理由による退職者、整理退職者であって、退職日が定年到達日の6月以内であることにより早期退職特例措置が適用されない者について、新制度切替日前日においては6月より前である場合には、新制度切替日前日額には早期退職特例措置が適用される。

平成24年の退職手当法改正により新たな退職理由として設けられた応募認定により退職する者については、平成17年法律第115号附則第3条の適用はない。

【詳解446～447頁】

240 旧法等退職手当額の勤続期間計算における育児休業期間の取扱い

問 平成17年法律第115号附則第3条の規定による新制度切替日前日額及び附則第4条の規定による旧法等退職手当額の勤続期間計算において、子が1歳に達するまでの間取得した育児休業の特例（国家公務員の育児休業等に関する法律第10条第2項の特例）は勘案されるのか。

答 新制度切替日前日額及び旧法等退職手当額の計算に当たっては、平成17年法律第115号による改正前の制度に基づいて計算するため、子が1歳に達するまでの間取得した育児休業の特例は勘案しない。

241 育児休業や病気休職の復職者に係る新制度切替日前日額の俸給月額

問 平成17年法律第115号附則第3条に関して、新制度切替日前日額の俸給月額について、平成18年4月1日施行の給与構造改革の経過措置により、給与については育児休業や病気休職の復職時においては復職調整後の現給保障が行われることとなるが、新制度切替日前日額の俸給月額は、復職時調整前の現に受けていた俸給月額となるのか。

答 新制度切替日前日に現に受けていた俸給月額、すなわち、復職時調整前に受けていた俸給月額となる。

242 平成17年法律第115号附則第5条の内容

問 平成17年法律第115号附則第5条の規定の内容について説明されたい。

答 附則第5条は、平成17年法律第115号により新たに設けられた法第5条の2第1項（俸給月額の減額改定以外の理由により俸給月額が減額されたことのある場合の退職手当の基本額に係る特例）の経過措置である。

第1項は、新制度切替日前から在職する職員に係る減額日（給与の減額改定以外の理由により俸給月額が減額した場合における当該理由が生じた日）は、新制度切替日以後の期間が対象であることを、「基礎在職期間」

を「基礎在職期間（国家公務員退職手当法の一部を改正する法律（平成17年法律第115号）附則第３条第２項に規定する新制度切替日以後の期間に限る。）」と読み替えることにより明記したものである。

　減額日を新制度切替日以降の期間としたのは、そもそも法第５条の２の規定は、今後、在職期間長期化等のために俸給月額を減額するという人事運用も含め、複線化する人事管理に対応できるよう、在職期間中に俸給月額の減額があった場合に当該減額前に早期退職する場合よりも退職手当額が著しく下がることがないようにとの趣旨で設けられたものであり、給与減額改定による減額は法第５条の２第１項の特例の対象とはならない。一方、新制度切替日前の俸給月額は、一般職の職員の給与に関する法律等の一部を改正する法律（平成17年法律第113号）等による給与構造の改革に伴う引下げの前の俸給月額（国営企業等職員についても一般職の職員と同様、引下げ措置が行われる前の俸給月額）であることから、新制度切替日前（したがって、一般職員の場合には平成18年３月31日以前）の俸給月額が「特定減額前俸給月額」となった場合には、平成18年４月１日の給与構造改革に伴う俸給引下げ（給与減額改定として分類される）の効果が反映されていない俸給月額を法第５条の２第１項に規定する特定減額前俸給月額として扱うこととなり、適当ではないからである。

　なお、新制度切替日以後に俸給月額の減額があるということは、同日以後の特定の日の俸給月額と比較して俸給月額が低くなっているということを意味する。したがって、新制度切替日の日付で降格人事が行われ当該人事がないとした場合に給与制度上の俸給の切替え後に受けるべき俸給月額より低い俸給月額を受けたとしても、法第５条の２第１項の適用の余地はなく、実際には、新制度切替日の翌日以降の俸給月額の減額について同条が適用されることとなる。

　附則第５条第２項は、平成17年法律第115号の施行日以降、改正後の退職手当法が適用されていない国営企業等の職員として在職した期間については、当該期間において俸給月額の減額があった場合であってもその減額前の俸給月額は特定減額前俸給月額とはしないこととするものである。これは、前項の場合と同様、改正法が適用されていない国営企業等については、俸給月額の引下げ措置が依然として行われていないままであるので、この俸給月額を特定減額前俸給月額とすることは適当ではないからであ

る。 【詳解452〜453頁】

第8章　非常勤職員

243　退職手当法の適用を受ける非常勤職員の範囲

問　非常勤職員のうち退職手当法の適用を受ける範囲について説明されたい。

答　退職手当法の適用を受ける者は、国家公務員で、①常時勤務に服することを要する者（＝退職手当法上の「職員」）と、②常時勤務に服することを要する者以外の者（＝いわゆる「非常勤職員」）で、その勤務形態が常時勤務に服することを要する者に準ずるものとがある（法第2条参照）。

退職手当法の適用を受ける非常勤職員の範囲については、施行令第1条第1項において定められているとおりであり、次に掲げる者が「職員」とみなされて退職手当が支給されることとなる。

① 国の一般会計又は特別会計の歳出予算の常勤職員給与の目から俸給が支給される者（＝いわゆる「常勤労務者」）（問244参照）

　　この者は、特段の条件なく直ちに「職員」とみなされる。

② 内閣総理大臣の定めるところにより、職員について定められている勤務時間以上勤務した日が引き続いて12月を超えるに至った者で、その超えるに至った日以後引き続き当該勤務時間により勤務することとされている者

　　この者は、一定の要件を満たした場合に初めて「職員」とみなされる（問246、問248参照）。

※　なお、上記の「12月」については、昭和34年改正令附則第5項等により当分の間「6月」と読み替えられる。　　　　　　　　【詳解36〜37頁】

244 国の一般会計又は特別会計の歳出予算の常勤職員給与の目から俸給が支給される者

問 施行令第1条第1項第1号に規定する国の一般会計又は特別会計の歳出予算の常勤職員給与の目から俸給が支給される者（いわゆる常勤労務者）とは、どのような者をいうのか概要を説明されたい。

答 施行令第1条第1項第1号に規定する国の一般会計又は特別会計の歳出予算の常勤職員給与の目から俸給が支給される者（いわゆる常勤労務者）とは、技能労務職員などであって業務上の事情等により例外的に「定員外の常勤職員」とされている職員であり、2月以内の任期で雇用される職員である。任期を満了する場合でも原則として任期が更新され、実質的には同一人が6月を超えて継続雇用される。

　常勤労務者は、昭和36年2月28日以降、原則として新規に任命しないこととされている。

【参考】

定員外職員の常勤化の防止について（昭和36年2月28日閣議決定）

　新しい定員規制制度において、今後なお定員外職員として残るものについては36年度中に検討の上定員規制の対象とするか否かを確定するため、定員外職員の実態を調査するとともに、今後定員規制の対象職員と同種又は類似の職員が定員規制の外に発生することを防止するため、次の措置を行うものとする。

1　昭和36年2月28日以後においては、歳出予算の「常勤職員給与」の目から俸給が支給される職員（以下「常勤労務者」という。）を新規に任命しないものとする。

　上記にかかわらず、業務遂行上常勤労務者を特に新規に任命する必要があるときは、行政管理庁に協議するものとする。

2〜4　略

245 期間業務職員

問 期間業務職員とはどのような者をいうのか。

答 日々雇用の非常勤職員の任用・勤務形態の見直しがなされ、日々雇

用の仕組みを廃止し、非常勤職員として会計年度内に限って、臨時的に置かれる官職に就けるために任用される期間業務職員の制度が平成22年10月1日に新設された。

期間業務職員とは相当の期間任用される職員を就けるべき官職以外の官職である非常勤官職であって、一会計年度内に限って臨時的に置かれるもの（短時間勤務の官職その他人事院が定める官職^(注)を除く。）に就けるために任用される職員である（人事院規則8－12（職員の任免）第4条第13号参照）。

(注)　「人事院が定める官職」とは、その官職を占める職員の1週間当たりの勤務時間が、勤務時間法第5条第1項に規定する勤務時間の4分の3を超えない時間であるものである（人事院規則8－12（職員の任免）の運用について（平成21年3月18日人企532号）第4条関係参照）。

【詳解37頁】

246　非常勤職員の退職手当の概要

問　非常勤職員の退職手当の扱い（常勤職員との違い）について、概要を説明されたい。

答　非常勤職員のうち、いわゆる常勤労務者（問244参照）の退職手当の扱いについては、常勤職員と概ね同様である。以下、期間業務職員の退職手当について、概要を記載する（具体的な内容は関係する各問を参照されたい。）。

① 期間業務職員が退職手当法上の職員とみなされるためには、雇用関係が事実上継続していると認められる場合において、職員について定められている勤務時間以上勤務した日が職員みなし日数以上ある月が引き続いて6月を超え、かつ、その超えるに至った月以後引き続き各月において職員について定められている勤務時間以上勤務した日が職員みなし日数以上ある必要がある（問248参照）。

② 上記により退職手当法上の職員とみなされるに至った後、職員について定められている勤務時間以上勤務した日が1月において職員みなし日数に満たないことが客観的に明らかとなった場合（問252参照）には、退職手当法上、退職として取り扱われる（任用上の退職ではない。）（問

251参照)。
③ 賃金又は手当が日額で定められている場合、俸給に相当する部分の日額の21倍に相当する額が退職手当法上の俸給月額となる（問53、問255参照）。
④ 法第4条及び第5条は、死亡・傷病による退職の場合を除き、適用されない（問247参照）。
⑤ 職員について定められている勤務時間以上勤務した日が職員みなし日数以上ある月が（引き続いて）6月を超え12月を超えていない場合、一般の退職手当の額は法第2条の4から法第6条の5までの規定により計算した額の半分となる（昭和34年改正令附則第5項参照）。
⑥ 非常勤職員としての在職期間は、調整額の算定に用いる職員の区分について第11号区分に該当するため、調整額は零となる（問256参照）。

【詳解38〜39頁】

247 非常勤職員の適用条項の制限

問 非常勤職員が退職した場合には、退職手当の適用条項が制限されているが、具体的にはどのようになっているのか。

答 非常勤職員のうち期間業務職員については、一定の要件を満たした者が退職手当法の適用を受けるが、任用形態の特殊性等によりその適用が図表26のとおり制限されている（施行令第1条第2項参照）。

なお、常勤労務者（国の一般会計又は特別会計の歳出予算の常勤職員給与の目から俸給が支給される者）については、短期の雇用期間の定めがあること等から従来適用条項が一部制限されていたが、昭和60年3月31日からの定年制度の施行に伴い、常勤労務者についても同制度が適用されること等を機会に、昭和60年法改正により、定員内職員と同様の適用条項とすることに改められた。

【詳解50〜52頁】

◎図表26　退職手当法適用区分表

退職手当法条文	退職手当理由	定員内職員 [法第2条第1項]	常勤労務者 [令第1条第1項第1号]	期間業務職員※ [令第1条第1項第2号]
第3条	自己都合・公務外傷病（通勤傷病を除く）	○	○	○
	（11年未満勤続）定年・応募認定退職（1号）・任期終了・事務都合退職	○	○	（任期終了のみ○）
	（11年未満勤続）公務外死亡・通勤傷病	○	○	○
第4条	（11年以上25年未満勤続）定年・応募認定退職（1号）・任期終了・事務都合退職	○	○	×
	（11年以上25年未満勤続）公務外死亡・通勤傷病	○	○	○
第5条	（25年以上勤続）定年・応募認定退職（1号）・任期終了・事務都合退職	○	○	×
	（25年以上勤続）公務外死亡・通勤傷病	○	○	○
	整理・応募認定退職（2号）	○	○	×
	公務上死傷病	○	○	○

※　「期間業務職員」は、引き続いて6月を超えて勤務したこと等を要する（問248参照）

248　期間業務職員の退職手当法適用要件

問　期間業務職員が、退職手当法の適用を受けるための要件を簡単に説明されたい。

答　期間業務職員が、法第2条第2項及び施行令第1条第1項第2号により退職手当法の適用を受けるためには、次に掲げる要件を全て満たす必要がある（施行令第1条第1項第2号、昭和34年改正施行令附則第5項、国家公務員退職手当法の適用を受ける非常勤職員について（昭和60年4月30日総人第260号）第1項及び第3項、運用方針第2条関係第2号参照）。

① 　「職員」と同様の勤務時間により勤務することとされていること
② 　雇用関係が事実上継続していると認められる場合において、①の勤務時間により勤務した日が職員みなし日数以上ある月が引き続いて6

月を超えること
③ 引き続いて6月を超えるに至った日以後、引き続いて各月において①の勤務時間により勤務した日が職員みなし日数以上であること
※ 期間業務職員が退職した場合において、当該者が退職の日又はその翌日に同一任命権者に再び期間業務職員として採用されたときは、雇用関係が事実上継続していると認められ、その在職期間の計算は、引き続いて在職したものとして取り扱う。
※ 職員みなし日数については、問249参照

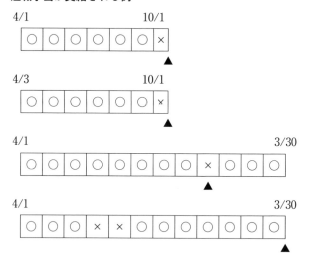

```
      4/16                    10/31
       ×  ○  ○  ○  ○  ○  ○

  4/1                                              3/30
   ○  ○  ○  ○  ○  ×  ○  ○  ○  ○  ○  ○
```

【詳解38〜39頁】

249　期間業務職員の勤務日（その1）

問　期間業務職員については、「職員」と同様の勤務時間により勤務した日が職員みなし日数以上ある月が引き続いていることが必要とされるが、職員みなし日数とは何か。また、勤務日数の計算の際には休暇等は含まれるのか。

答　職員みなし日数とは原則として「18日」であるが、営業日数（土日祝日など行政機関の休日に関する法律第1条第1項各号に掲げる日の日数を除いた1月間の日数）が20日に満たない月にあっては、当該月の営業日数から2を減じた日数である（国家公務員退職手当法の適用を受ける非常勤職員について（昭和60年4月30日総人第260号）第1項参照）。

勤務日数の算定に当たっては、土曜日や日曜日等であっても、各省各庁の長が週休日の振替等により当該日を勤務日として指定したことをもって勤務した場合には、勤務した日に含まれる。一方、いわゆる時間外勤務による勤務時間は「職員について定められている勤務時間」に該当しないため、勤務日数に含まれない。

勤務日数の計算等について、具体的な例を示せば、次のとおり。

	A　含まれる	B　含まれない
職員みなし日数の閾値の特例	・1月間の日数（Bを除く。）	①土曜日 ②日曜日 ③祝日（休日） ④12月29日から1月3日まで（休日）

第8章　非常勤職員

勤務日数のカウント	【通知で明記】①通常勤務日②休職期間③停職期間④育児休業期間⑤育児時間勤務日⑥休暇【職員に定められている勤務時間の解釈】⑦各省各庁の長が、週休日の振替により勤務日として指定したことをもって出勤し、通常勤務日の勤務時間と同じ時間働いた当該日	【通知で明記】①土曜日（週休日）②日曜日（週休日）③祝日（休日）④12月29日から1月3日まで（休日）【職員に定められている勤務時間の解釈】⑤各省各庁の長による週休日の振替により、特定の平日が週休日に変更された当該日⑥始業時刻に3時間遅れて欠勤が生じた（年次休暇等の取得なし）が、各省各庁の長が同日に3時間のいわゆる時間外勤務（残業）を命じた当該日⑦各省各庁の長が、いわゆる時間外勤務を命じたことをもって出勤し、通常勤務日の勤務時間と同じ時間働いた当該日

── 250　期間業務職員の勤務日（その2）──────

問　採用又は退職をした月については、雇用関係が丸々1月間ある月において職員みなし日数以上勤務することが必要か。

答　月の途中で採用され、又は退職した場合であっても、その月において職員みなし日数以上勤務していれば、その月は1月の在職期間として取り扱われる。

【詳解39頁】

251　期間業務職員の勤務日（その3）

問　期間業務職員が、職員みなし日数以上勤務した日がある月が引き続いて6月を超えた後、欠勤により職員みなし日数以上勤務しないことが客観的に明らかとなった場合には、退職手当法上はその日をもって退職したものとし、その際に退職手当を支給しなければならないか。

また、職員みなし日数以上勤務した日が引き続いて1月超12月以下であるうちに、欠勤により職員みなし日数以上勤務しないことが客観的に明らかとなった場合には、職員みなし日数以上勤務した日が引き続いて6月を超えておらず退職手当法上の職員としてみなされない者であっても、在職票（法第10条、問187参照）を交付するのか。

答　貴見のとおりと解する（運用方針第2条関係第1号参照）。

252　期間業務職員の勤務日（その4）

問　期間業務職員が、1月において職員みなし日数以上勤務しないことが客観的に明らかとなった場合、その日をもって退職したものとされるが、具体的には「土日祝日を含めて月末までの全日を勤務したとしても職員みなし日数以上勤務しない」ことが明らかになったときと解するのか。

答　「土日祝日を含めて月末までの全日を勤務したとしても職員みなし日数以上勤務しない」ことが明らかになったときと解する。「土日祝日を除いて月末までの全日を勤務したとしても職員みなし日数以上勤務しない」ことが明らかになったときではない。

退職手当法上の職員とみなされることとなった期間業務職員が、1月において職員みなし日数以上勤務しないことが客観的に明らかとなった場合、退職手当法上その日をもって退職したものとされる（運用方針第2条関係第1号）。この点、日曜日、土曜日、祝日法に規定する休日及び年末年始の休日は、原則として勤務日数に含まれないが、週休日の振替により勤務日として指定され勤務した日であれば勤務日数に含まれる（問249参照）。

このため、期間業務職員について退職手当法上の退職と扱うことは、当

該期間業務職員の退職手当に影響を及ぼすものであることを踏まえ、（期間業務職員が土日祝日に勤務することは実務上稀であるとしても）「土日祝日を含めて月末までの全日を勤務したとしても職員みなし日数以上勤務しない」ことが明らかになったときであるとしている。

253 期間業務職員の退職理由

問 期間業務職員の任期終了に伴う退職の場合、退職手当法上の退職理由は「任期終了」となるのか。また、期間業務職員が1月において職員みなし日数以上勤務しないことが客観的に明らかとなり退職したとみなされる場合、退職手当法上の退職理由はどうなるのか。

答 任期満了により当該期間業務職員が退職したときの退職手当の計算については、いわゆる「任期終了」として、法第3条第1項が適用される。

また、期間業務職員が1月において職員みなし日数以上勤務しないことが客観的に明らかとなり退職したとみなされる場合については、原則として自己都合退職として扱われ法第3条第1項及び第2項が適用されるが、職員みなし日数以上勤務しないことに至った理由が施行令第2条に規定する傷病による場合は、退職理由は公務上傷病、私事傷病又は通勤傷病となり、法第3条第1項又は第5条が適用される。　【詳解50頁】

254 期間業務職員の6月以下の公務上死傷病

問 「職員」については、法第7条第6項ただし書の規定により、6月未満の短期在職であっても公務上の死亡又は傷病により退職した場合には退職手当が支給されることとの均衡上、期間業務職員についても、6月以下であっても公務上の死亡又は傷病による退職である場合には、退職手当が支給されるものと解して差し支えないか。

答 期間業務職員については、一定の要件を満たした場合に初めて「職員」とみなされ、退職手当が支給されることとなる（問248参照）。

したがって、照会の事例の場合にはその要件を満たさないため、退職手当を支給することができない。

255　期間業務職員の俸給月額

問　期間業務職員の退職手当の算定の基礎となる俸給月額はどのようなものか。

答　一般職給与法第5条第1項に規定する「俸給」に相当する給与である。具体的には、その名称の如何を問わず、月、週、日等一定の期間を単位とし、勤務に対する報酬として支給される給与であって、いわゆる本俸と同様のものである（運用方針第3条関係第1号参照）。なお、問53も参照されたい。

【詳解71頁】

256　期間業務職員の調整額

問　期間業務職員に退職手当の調整額は支給されるか。

答　施行令第6条の3に規定される別表第1ロにおいて、期間業務職員の基礎在職期間は第1号区分から第10号区分までに該当せず第11号区分「第1号区分から第10号区分までのいずれの職員の区分にも属さないこととなる者」に該当することから、退職手当の調整額は支給されない（在職期間、退職理由等の如何を問わず、退職手当の調整額は支給されない）。

257　期間業務職員の退職手当の計算例

問　期間業務職員について、次に掲げるような設例の場合、退職手当（一般の退職手当）の額の計算方法はどうなるのか。

【設例】
- 4月1日に採用され同年12月15日退職（12月以外各月とも職員について定められている勤務時間以上勤務した日が職員みなし日数以上ある。）
- 退職理由…自己都合退職
- 退職時の給与のうち俸給分（月額）…180,000円

答　設例の期間業務職員については、職員について定められている勤務時間以上勤務した日が職員みなし日数以上ある月が引き続いて6月を超えているため、退職手当法上の職員とみなされ退職手当が支給される（問

第8章　非常勤職員

248参照)。

法第7条第6項ただし書により勤続期間は1年となるため、自己都合退職の場合の支給率は0.5022となる(問136参照)。

退職手当の調整額は零となる(問256参照)。

職員について定められている勤務時間以上勤務した日が職員みなし日数以上ある月が引き続いて12月を超えていないため、昭和34年改正令附則第5項の規定により、退職手当の額は法第2条の4から法第6条の5までの規定により計算した額の半分となる(問246参照)。

よって、計算は以下のとおり。

$$(180,000円 \times 0.5022 + 0円) \times \frac{50}{100} = 45,198円$$

258　期間業務職員の週休日をはさんでの採用

問　期間業務職員が3月31日までの雇用期間を終了し、再び4月2日に任用され、4月1日が週休日の場合には、在職期間は引き続くものとして取り扱って差し支えないか。

答　一般的に期間業務職員の任用については、昭和36年2月28日閣議決定「定員外職員の常勤化の防止について」により、会計年度内の雇用を行うこととされている。

照会の事例においては、雇用は3月31日で終了し、新たに4月2日に任用されているので、身分は切れており勤続期間は継続しないものとして取り扱うこととなる。また、会計年度内に週休日をはさんだ採用を行った場合においても、職員としての身分を保有している期間に1日以上の空白が生じるため、勤続期間は継続しない。

なお、退職手当法の適用を避けるために、期間業務職員の任期と任期の間を1日空けるような運用は適当ではない。　　　　　　　　【詳解38頁】

【参考】

期間業務職員の退職手当に係る取扱いについて(平成22年9月30日総人恩総第836号)(抄)

(略)　人事院規則8-12-8(人事院規則8-12(職員の任免)の一部を改正する人事院規則)による改正後の人事院規則8-12(職員の任免)

第46条の2第3項において「任命権者は、期間業務職員の採用又は任期の更新に当たっては、業務の遂行に必要かつ十分な任期を定めるもの」と規定されている趣旨を踏まえると、退職手当法の適用を避けるために、任期と任期の間を1日空けるような運用は適当ではないと考える。

259 国の期間業務職員→国の「職員」

問 国の期間業務職員が引き続いて「職員」となった場合には、期間業務職員としての在職期間を通算することとして差し支えないか。

答 (1) 期間業務職員として職員みなし日数以上勤務した月が引き続いて6月を超えるに至り、さらに引き続いて「職員」となった場合には、全期間が「職員」としての在職期間として取り扱われる（法第7条第3項、施行令第8条第1号及び昭和34年改正令附則第6項参照）。

【参考】

(2) また、期間業務職員として職員みなし日数以上勤務した月が引き続いて6月を超えない間に引き続いて「職員」となった場合には、両者の在職期間を通算して6月を超えるに至ったときに限り、全期間が「職員」としての在職期間として取り扱われる（施行令第8条第2号及び昭和34年改正令附則第6項参照）。

【参考】

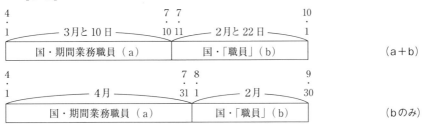

【詳解167～168頁】

260 職員を退職して翌日に期間業務職員となった場合

問 職員を退職し、翌日付けで期間業務職員となった場合、国家公務員として1日の空白もなく在職していることから法第7条第3項の規定が適用されるのか。

答 期間業務職員については、法第2条第1項に規定する「職員」について定められている勤務時間以上勤務した日が職員みなし日数以上ある月が引き続いて12月（昭和34年改正令附則第5項により6月）を超え、その超えるに至った日以後引き続き同様の勤務時間により勤務することとされている場合に「職員」とみなされ、法の規定が適用されることとなる。

　照会の事例の場合、職員を退職し、その翌日に期間業務職員（退職手当法上の職員とみなされている期間業務職員が雇用関係が事実上継続していると認められる場合に期間業務職員となった場合を除く。）に採用されたときは、その時点においては上記の要件を満たしていないことから「職員」とみなされない。したがって、法第7条第3項及び第20条第1項の規定が適用されず、職員を退職した際退職手当を支給することとなる。

【詳解346頁】

261 国の期間業務職員に再採用された場合

問 国の期間業務職員が、退職手当法上の「職員」とみなされるためには、所定の期間が引き続いて6月を超えるに至る必要があることから、次のいずれのケースとも通算されないものとして取り扱って差し支えないか。

① 国・「職員」➡国・期間業務職員
② 地方・期間業務職員➡国・「職員」➡国・期間業務職員
③ 地方・期間業務職員➡地方・「職員」➡国・「職員」➡国・期間業務職員
④ 地方・期間業務職員➡国・期間業務職員
⑤ 地方・「職員」➡国・期間業務職員

答 貴見のとおりと解する。国の期間業務職員となった時点では、「職員」とみなされる要件を満たしていないことから前の国の職員等としての

在職期間を通算することはできない（前問参照）。

262 地方の期間業務職員→国の「職員」

問 地方公共団体の期間業務職員が引き続いて国の「職員」となった場合には、地方の期間業務職員としての在職期間を通算することとして差し支えないか。

答 地方公共団体の退職手当条例において、その期間業務職員について国の期間業務職員と同様の取扱いを定めている場合に限り、地方の期間業務職員として所定の日数以上勤務した月が引き続き6月を超えるに至り、当該条例上定員内の地方公務員とみなされ、かつ、地方公共団体から退職手当を支給されないで引き続いて国の「職員」となった場合に、全期間が国の「職員」としての在職期間として取り扱われる（法第7条第5項及び施行令第9条参照）。

【参考】

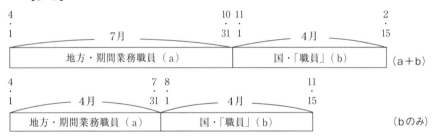

【詳解168〜169頁】

263 地方の期間業務職員→地方の「職員」→国の「職員」

問 退職手当法と同様の内容を定めた退職手当条例を有する地方公共団体において、地方の期間業務職員として所定の日数以上勤務した月が6月を超えるに至った後引き続いて地方の「職員」となり、さらにその後引き続いて国の「職員」となった場合には、全期間が国の「職員」としての在職期間として取り扱って差し支えないか。

答 貴見のとおりと解する（法第7条第5項及び施行令第9条参照）。

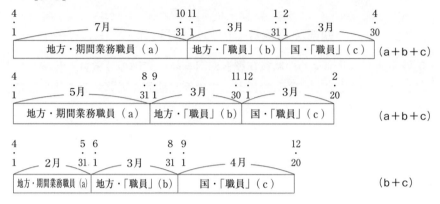

【詳解168～169頁】

264 非常勤職員の「予告を受けない退職者の退職手当」に係る資格要件

問 非常勤職員に対して、法第9条の「予告を受けない退職者の退職手当」を支給することはできるか。

答 予告を受けない退職者の退職手当は、一般の退職手当（法第2章）と同様、退職手当法上の「職員」に対するものである。このため、非常勤職員に対する予告を受けない退職者の退職手当については、当該非常勤職員が退職手当法上の「職員」とみなされる場合（法第2条第2項参照）に、法第9条に規定する要件に該当すれば支給することとなる（問174参照）。退職手当法上の「職員」とみなされる非常勤職員については、問243、問248を参照されたい。

【詳解222～223頁】

265 非常勤職員の「失業者の退職手当」に係る資格要件

問 非常勤職員が退職した場合に「失業者の退職手当」を支給することができるのか。

失業者の退職手当は、一般の退職手当（法第2章）と同様、退職手当法上の「職員」に対するものである。このため、非常勤職員に対する失業者

の退職手当については、当該非常勤職員が退職手当法上の「職員」とみなされる場合（法第2条第2項参照）に、法第10条に規定する要件に該当すれば支給することとなる（問177参照）。退職手当法上の「職員」とみなされる非常勤職員については、問243、問248を参照されたい。

なお、法第10条において、特定退職者に該当しない者については、勤続期間「12月」以上が失業者の退職手当の支給要件の一つとされていることに留意されたい（特定退職者に該当しない期間業務職員については、職員について定められている勤務時間以上勤務した日が職員みなし日数以上ある月が引き続いて「6月」を超えているのみでは足りない。）。

【詳解232～233頁】

第3編 特別法令

第三部

1 派遣法等（総論）

266 派遣法等の概要

問 いわゆる派遣法等における派遣期間に係る退職手当法上の取扱いについて、概要を説明されたい。

答 特別法令に基づく国家公務員の派遣については、

- 国際機関等に派遣される一般職の国家公務員の処遇等に関する法律又は国際機関等に派遣される防衛省の職員の処遇等に関する法律に基づく国際機関派遣（詳解497、499頁）
- 国と民間企業との間の人事交流に関する法律に基づく民間企業への交流派遣（詳解500頁）
- 法科大学院への裁判官及び検察官その他の一般職の国家公務員の派遣に関する法律に基づく法科大学院への派遣（詳解502頁）
- 判事補及び検事の弁護士職務経験に関する法律に基づく弁護士職務経験（詳解504頁）
- 災害対策基本法に基づく地方公共団体への派遣（詳解532頁）
- 大規模災害からの復興に関する法律に基づく地方公共団体への派遣（詳解534頁）

等があり、これらは、それぞれの法律において、退職手当法の適用に当たって、派遣期間を「現実に職務をとることを要しない期間」には該当しないものとみなすとともに、派遣先の業務を公務とみなす旨が規定されている（問58、問99、問126参照）。　　　　　【詳解497〜503、532〜535頁】

【参考】

国際機関等に派遣される一般職の国家公務員の処遇等に関する法律（昭和45年法律第117号）（抄）

（派遣職員に関する国家公務員退職手当法の特例）

第9条　派遣職員に関する国家公務員退職手当法（昭和28年法律第182号）第5条第1項の規定の適用については、派遣先の機関の業務を公務とみなす。

2　派遣職員に関する国家公務員退職手当法第6条の4第1項及び第7条

第3編　特別法令　231

第4項の規定の適用については、派遣の期間は、同法第6条の4第1項に規定する現実に職務をとることを要しない期間には該当しないものとみなす。

国際機関等に派遣される防衛省の職員の処遇等に関する法律（平成7年法律第122号）（抄）
　　（派遣職員に関する国家公務員退職手当法等の特例）
第10条　派遣職員に関する国家公務員退職手当法（昭和28年法律第182号）第5条第1項の規定の適用については、派遣先の機関の業務を公務とみなす。
2　派遣職員に関する国家公務員退職手当法第6条の4第1項及び第7条第4項（給与法第28条の2第5項において準用する場合を含む。）の規定の適用については、派遣の期間は、国家公務員退職手当法第6条の4第1項に規定する現実に職務をとることを要しない期間には該当しないものとみなす。

国と民間企業との間の人事交流に関する法律（平成11年法律第224号）（抄）
　　（職務に復帰した職員等に関する国家公務員退職手当法の特例）
第17条　交流派遣後職務に復帰した職員が退職した場合（交流派遣職員がその交流派遣の期間中に退職した場合を含む。）における国家公務員退職手当法（昭和28年法律第182号）の規定の適用については、派遣先企業の業務に係る業務上の傷病又は死亡は同法第4条第2項、第5条第1項及び第6条の4第1項に規定する公務上の傷病又は死亡と、当該業務に係る労働者災害補償保険法第7条第2項に規定する通勤による傷病は国家公務員退職手当法第4条第2項、第5条第2項及び第6条の4第1項に規定する通勤による傷病とみなす。
2　交流派遣職員に関する国家公務員退職手当法第6条の4第1項及び第7条第4項の規定の適用については、交流派遣の期間は、同法第6条の4第1項に規定する現実に職務をとることを要しない期間には該当しないものとみなす。
3・4　略

法科大学院への裁判官及び検察官その他の一般職の国家公務員の派遣に関する法律（平成15年法律第40号）（抄）

（国家公務員退職手当法の特例）

第10条　第4条第3項の規定による派遣の期間中又はその期間の満了後に当該検察官等が退職した場合における国家公務員退職手当法（昭和28年法律第182号）の規定の適用については、当該法科大学院における教授等の業務に係る業務上の傷病又は死亡は同法第4条第2項、第5条第1項及び第6条の4第1項に規定する公務上の傷病又は死亡と、当該教授等の業務に係る労働者災害補償保険法第7条第2項に規定する通勤による傷病は国家公務員退職手当法第4条第2項、第5条第2項及び第6条の4第1項に規定する通勤による傷病とみなす。

（国家公務員退職手当法の特例）

第19条　第10条の規定は、第11条第1項の規定により派遣された検察官等について準用する。この場合において、当該検察官等が法科大学院を置く公立大学に派遣されたものであるときは、第10条中「労働者災害補償保険法第7条第2項」とあるのは、「地方公務員災害補償法第2条第2項」とする。

2　第11条第1項の規定により派遣された検察官等に関する国家公務員退職手当法第6条の4第1項及び第7条第4項の規定の適用については、第11条第1項の規定による派遣の期間は、同法第6条の4第1項に規定する現実に職務をとることを要しない期間には該当しないものとみなす。

3・4　略

判事補及び検事の弁護士職務経験に関する法律（平成16年法律第121号）（抄）

（国家公務員退職手当法の特例）

第11条　弁護士職務従事職員又は弁護士職務従事職員であった者が退職した場合における国家公務員退職手当法（昭和28年法律第182号）の規定の適用については、第4条第1項に規定する弁護士の業務に係る業務上の傷病又は死亡は同法第4条第2項、第5条第1項及び第6条の4第1項に規定する公務上の傷病又は死亡と、当該弁護士の業務に係る労働者

災害補償保険法第7条第2項に規定する通勤による傷病は国家公務員退職手当法第4条第2項、第5条第2項及び第6条の4第1項に規定する通勤による傷病とみなす。
2 　弁護士職務従事職員又は弁護士職務従事職員であった者に関する国家公務員退職手当法第6条の4第1項及び第7条第4項の規定の適用については、弁護士職務従事期間は、同法第6条の4第1項に規定する現実に職務をとることを要しない期間には該当しないものとみなす。
3～5 　略

災害対策基本法施行令（昭和37年政令第288号）（抄）
　　（派遣職員の給与等）
第18条 　略
2 　略
3 　派遣職員に対する次に掲げる規定（指定公共機関からの派遣職員にあつては、第6号及び第7号に掲げる規定）の適用については、派遣を受けた都道府県又は市町村の職員としての勤務を国又は指定公共機関の職員としての勤務とみなす。
　一～五 　略
　六 　国家公務員退職手当法（昭和28年法律第182号）第2条第1項、第6条の4第1項及び第7条第4項
　七 　略
4 　派遣職員に対する次に掲げる規定（指定公共機関からの派遣職員にあつては、第1号、第3号及び第5号に掲げる規定）の適用については、派遣を受けた都道府県又は市町村の公務を国又は指定公共機関の公務とみなす。
　一・二 　略
　三 　国家公務員退職手当法第5条第1項第4号
　四・五 　略
5～8 　略

大規模災害からの復興に関する法律施行令（平成25年政令第237号）（抄）
　（派遣職員の給与等）
第42条　略
２　略
３　派遣職員に対する次に掲げる規定の適用については、派遣を受けた都道府県又は市町村の職員としての勤務を国の職員としての勤務とみなす。
　一～五　略
　六　国家公務員退職手当法（昭和28年法律第182号）第２条第１項、第６条の４第１項及び第７条第４項
　七　略
４　派遣職員に対する次に掲げる規定の適用については、派遣を受けた都道府県又は市町村の公務を国の公務とみなす。
　一・二　略
　三　国家公務員退職手当法第５条第１項第４号
　四・五　略
５～８　略

令和３年東京オリンピック競技大会・東京パラリンピック競技大会特別措置法（平成27年法律第33号）（抄）
　（国の職員の派遣）
第17条　任命権者は、前条第１項の規定による要請があった場合において、スポーツの振興、公共の安全と秩序の維持、交通の機能の確保及び向上、外交政策の推進その他の国の責務を踏まえ、その要請に係る派遣の必要性、派遣に伴う事務の支障その他の事情を勘案して、国の事務又は事業との密接な連携を確保するために相当と認めるときは、これに応じ、国の職員の同意を得て、組織委員会との間の取決めに基づき、期間を定めて、専ら組織委員会における特定業務を行うものとして当該国の職員を組織委員会に派遣することができる。
２～８　略
　（国家公務員退職手当法の特例）
第24条　第17条第１項の規定による派遣の期間中又はその期間の満了後に

当該国の職員が退職した場合における国家公務員退職手当法（昭和28年法律第182号）の規定の適用については、組織委員会における特定業務に係る業務上の傷病又は死亡は同法第4条第2項、第5条第1項及び第6条の4第1項に規定する公務上の傷病又は死亡と、当該特定業務に係る労働者災害補償保険法第7条第2項に規定する通勤による傷病は国家公務員退職手当法第4条第2項、第5条第2項及び第6条の4第1項に規定する通勤による傷病とみなす。
2 　派遣職員に関する国家公務員退職手当法第6条の4第1項及び第7条第4項の規定の適用については、第17条第1項の規定による派遣の期間は、同法第6条の4第1項に規定する現実に職務をとることを要しない期間には該当しないものとみなす。
3 　前項の規定は、派遣職員が組織委員会から所得税法（昭和40年法律第33号）第30条第1項に規定する退職手当等（同法第31条の規定により退職手当等とみなされるものを含む。）の支払を受けた場合には、適用しない。
4 　派遣職員がその派遣の期間中に退職した場合に支給する国家公務員退職手当法の規定による退職手当の算定の基礎となる俸給月額については、部内の他の職員との権衡上必要があると認められるときは、次条第1項の規定の例により、その額を調整することができる。

平成31年ラグビーワールドカップ大会特別措置法（平成27年法律第34号）
（抄）
（国の職員の派遣）
第4条　任命権者は、前条第1項の規定による要請があった場合において、スポーツの振興、公共の安全と秩序の維持、交通の機能の確保及び向上、外交政策の推進その他の国の責務を踏まえ、その要請に係る派遣の必要性、派遣に伴う事務の支障その他の事情を勘案して、国の事務又は事業との密接な連携を確保するために相当と認めるときは、これに応じ、国の職員の同意を得て、組織委員会との間の取決めに基づき、期間を定めて、専ら組織委員会における特定業務を行うものとして当該国の職員を組織委員会に派遣することができる。
2〜8　略

（国家公務員退職手当法の特例）

第11条　第4条第1項の規定による派遣の期間中又はその期間の満了後に当該国の職員が退職した場合における国家公務員退職手当法（昭和28年法律第182号）の規定の適用については、組織委員会における特定業務に係る業務上の傷病又は死亡は同法第4条第2項、第5条第1項及び第6条の4第1項に規定する公務上の傷病又は死亡と、当該特定業務に係る労働者災害補償保険法第7条第2項に規定する通勤による傷病は国家公務員退職手当法第4条第2項、第5条第2項及び第6条の4第1項に規定する通勤による傷病とみなす。

2　派遣職員に関する国家公務員退職手当法第6条の4第1項及び第7条第4項の規定の適用については、第4条第1項の規定による派遣の期間は、同法第6条の4第1項に規定する現実に職務をとることを要しない期間には該当しないものとみなす。

3　前項の規定は、派遣職員が組織委員会から所得税法（昭和40年法律第33号）第30条第1項に規定する退職手当等（同法第31条の規定により退職手当等とみなされるものを含む。）の支払を受けた場合には、適用しない。

4　派遣職員がその派遣の期間中に退職した場合に支給する国家公務員退職手当法の規定による退職手当の算定の基礎となる俸給月額については、部内の他の職員との権衡上必要があると認められるときは、次条第1項の規定の例により、その額を調整することができる。

福島復興再生特別措置法（平成24年法律第25号）（抄）

（公益社団法人福島相双復興推進機構による派遣の要請）

第48条の2　避難指示・解除区域市町村の復興及び再生を推進することを目的とする公益社団法人福島相双復興推進機構（平成27年8月12日に一般社団法人福島相双復興準備機構という名称で設立された法人をいう。以下この節において「機構」という。）は、避難指示・解除区域市町村の復興及び再生の推進に関する業務のうち、特定事業者（避難指示・解除区域市町村の区域内に平成23年3月11日においてその事業所が所在していた個人事業者又は法人をいう。以下この項において同じ。）の経営に関する診断及び助言、特定事業者の事業の再生を図るための方策の企

画及び立案、国の行政機関その他の関係機関との連絡調整その他国の事務又は事業との密接な連携の下で実施する必要があるもの（以下この節において「特定業務」という。）を円滑かつ効果的に行うため、国の職員（国家公務員法（昭和22年法律第120号）第２条に規定する一般職に属する職員（法律により任期を定めて任用される職員、常時勤務を要しない官職を占める職員、独立行政法人通則法（平成11年法律第103号）第２条第４項に規定する行政執行法人の職員その他人事院規則で定める職員を除く。）をいう。以下同じ。）を機構の職員として必要とするときは、その必要とする事由を明らかにして、任命権者（国家公務員法第55条第１項に規定する任命権者及び法律で別に定められた任命権者並びにその委任を受けた者をいう。以下同じ。）に対し、その派遣を要請することができる。

2　略

（国の職員の派遣）

第48条の３　任命権者は、前条第１項の規定による要請があった場合において、原子力災害からの福島の復興及び再生の推進その他の国の責務を踏まえ、その要請に係る派遣の必要性、派遣に伴う事務の支障その他の事情を勘案して、国の事務又は事業との密接な連携を確保するために相当と認めるときは、これに応じ、国の職員の同意を得て、機構との間の取決めに基づき、期間を定めて、専ら機構における特定業務を行うものとして当該国の職員を機構に派遣することができる。

2～8　略

（国家公務員退職手当法の特例）

第48条の10　第48条の３第１項の規定による派遣の期間中又はその期間の満了後に当該国の職員が退職した場合における国家公務員退職手当法（昭和28年法律第182号）の規定の適用については、機構における特定業務に係る業務上の傷病又は死亡は同法第４条第２項、第５条第１項及び第６条の４第１項に規定する公務上の傷病又は死亡と、当該特定業務に係る労働者災害補償保険法第７条第２項に規定する通勤による傷病は国家公務員退職手当法第４条第２項、第５条第２項及び第６条の４第１項に規定する通勤による傷病とみなす。

2　派遣職員に関する国家公務員退職手当法第６条の４第１項及び第７条

第4項の規定の適用については、第48条の3第1項の規定による派遣の期間は、同法第6条の4第1項に規定する現実に職務をとることを要しない期間には該当しないものとみなす。

3　前項の規定は、派遣職員が機構から所得税法（昭和40年法律第33号）第30条第1項に規定する退職手当等（同法第31条の規定により退職手当等とみなされるものを含む。第89条の10第3項において同じ。）の支払を受けた場合には、適用しない。

4　派遣職員がその派遣の期間中に退職した場合に支給する国家公務員退職手当法の規定による退職手当の算定の基礎となる俸給月額については、部内の他の職員との権衡上必要があると認められるときは、次条第1項の規定の例により、その額を調整することができる。

（公益財団法人福島イノベーション・コースト構想推進機構による派遣の要請）

第89条の2　福島国際研究産業都市区域における新たな産業の創出及び産業の国際競争力の強化に寄与する取組を重点的に推進することを目的とする公益財団法人福島イノベーション・コースト構想推進機構（平成29年7月25日に一般財団法人福島イノベーション・コースト構想推進機構という名称で設立された法人をいう。以下この節において「機構」という。）は、当該取組の推進に関する業務のうち、産業集積の形成及び活性化に資する事業の創出の促進、国、地方公共団体、研究機関、事業者、金融機関その他の関係者相互間の連絡調整及び連携の促進、産業集積の形成及び活性化を図るための方策の企画及び立案その他国の事務又は事業との密接な連携の下で実施する必要があるもの（以下この節において「特定業務」という。）を円滑かつ効果的に行うため、国の職員を機構の職員として必要とするときは、その必要とする事由を明らかにして、任命権者に対し、その派遣を要請することができる。

2　略

（国の職員の派遣）

第89条の3　任命権者は、前条第1項の規定による要請があった場合において、原子力災害からの福島の復興及び再生の推進その他の国の責務を踏まえ、その要請に係る派遣の必要性、派遣に伴う事務の支障その他の事情を勘案して、国の事務又は事業との密接な連携を確保するために相

当と認めるときは、これに応じ、国の職員の同意を得て、機構との間の取決めに基づき、期間を定めて、専ら機構における特定業務を行うものとして当該国の職員を機構に派遣することができる。

2～8　略

（国家公務員退職手当法の特例）

第89条の10　第89条の３第１項の規定による派遣の期間中又はその期間の満了後に当該国の職員が退職した場合における国家公務員退職手当法の規定の適用については、機構における特定業務に係る業務上の傷病又は死亡は同法第４条第２項、第５条第１項及び第６条の４第１項に規定する公務上の傷病又は死亡と、当該特定業務に係る労働者災害補償保険法第７条第２項に規定する通勤による傷病は国家公務員退職手当法第４条第２項、第５条第２項及び第６条の４第１項に規定する通勤による傷病とみなす。

2　派遣職員に関する国家公務員退職手当法第６条の４第１項及び第７条第４項の規定の適用については、第89条の３第１項の規定による派遣の期間は、同法第６条の４第１項に規定する現実に職務をとることを要しない期間には該当しないものとみなす。

3　前項の規定は、派遣職員が機構から所得税法第30条第１項に規定する退職手当等の支払を受けた場合には、適用しない。

4　派遣職員がその派遣の期間中に退職した場合に支給する国家公務員退職手当法の規定による退職手当の算定の基礎となる俸給月額については、部内の他の職員との権衡上必要があると認められるときは、次条第１項の規定の例により、その額を調整することができる。

令和７年に開催される国際博覧会の準備及び運営のために必要な特別措置に関する法律（平成31年法律第18号）（抄）

（国の職員の派遣）

第25条　任命権者は、前条第１項の規定による要請があった場合において、経済及び産業の発展、公共の安全と秩序の維持、交通の機能の確保及び向上、外交政策の推進その他の国の責務を踏まえ、その要請に係る派遣の必要性、派遣に伴う事務の支障その他の事情を勘案して、国の事務又は事業との密接な連携を確保するために相当と認めるときは、これ

に応じ、国の職員の同意を得て、博覧会協会との間の取決めに基づき、期間を定めて、専ら博覧会協会における特定業務を行うものとして当該国の職員を博覧会協会に派遣することができる。

2～8　略

（国家公務員退職手当法の特例）

第32条　第25条第1項の規定による派遣の期間中又はその期間の満了後に当該国の職員が退職した場合における国家公務員退職手当法（昭和28年法律第182号）の規定の適用については、博覧会協会における特定業務に係る業務上の傷病又は死亡は同法第4条第2項、第5条第1項及び第6条の4第1項に規定する公務上の傷病又は死亡と、当該特定業務に係る労働者災害補償保険法第7条第2項に規定する通勤による傷病は国家公務員退職手当法第4条第2項、第5条第2項及び第6条の4第1項に規定する通勤による傷病とみなす。

2　派遣職員に関する国家公務員退職手当法第6条の4第1項及び第7条第4項の規定の適用については、第25条第1項の規定による派遣の期間は、同法第6条の4第1項に規定する現実に職務をとることを要しない期間には該当しないものとみなす。

3　前項の規定は、派遣職員が博覧会協会から所得税法（昭和40年法律第33号）第30条第1項に規定する退職手当等（同法第31条の規定により退職手当等とみなされるものを含む。）の支払を受けた場合には、適用しない。

4　派遣職員がその派遣の期間中に退職した場合に支給する国家公務員退職手当法の規定による退職手当の算定の基礎となる俸給月額については、部内の他の職員との権衡上必要があると認められるときは、次条第1項の規定の例により、その額を調整することができる。

令和9年に開催される国際園芸博覧会の準備及び運営のために必要な特別措置に関する法律（令和4年法律第15号）（抄）

（国の職員の派遣）

第15条　任命権者は、前条第1項の規定による要請があった場合において、都市における自然的環境の整備、公共の安全と秩序の維持、交通の機能の確保及び向上、外交政策の推進その他の国の責務を踏まえ、その

要請に係る派遣の必要性、派遣に伴う事務の支障その他の事情を勘案して、国の事務又は事業との密接な連携を確保するために相当と認めるときは、これに応じ、国の職員の同意を得て、博覧会協会との間の取決めに基づき、期間を定めて、専ら博覧会協会における特定業務を行うものとして当該国の職員を博覧会協会に派遣することができる。

2〜8 略

（国家公務員退職手当法の特例）

第22条　第15条第１項の規定による派遣の期間中又はその期間の満了後に当該国の職員が退職した場合における国家公務員退職手当法（昭和28年法律第182号）の規定の適用については、博覧会協会における特定業務に係る業務上の傷病又は死亡は同法第４条第２項、第５条第１項第４号及び第６条の４第１項に規定する公務上の傷病又は死亡と、当該特定業務に係る労働者災害補償保険法第７条第２項に規定する通勤による傷病は国家公務員退職手当法第４条第２項、第５条第２項及び第６条の４第１項に規定する通勤による傷病とみなす。

2　派遣職員に関する国家公務員退職手当法第６条の４第１項及び第７条第４項の規定の適用については、第15条第１項の規定による派遣の期間は、同法第６条の４第１項に規定する現実に職務をとることを要しない期間には該当しないものとみなす。

3　前項の規定は、派遣職員が博覧会協会から所得税法（昭和40年法律第33号）第30条第１項に規定する退職手当等（同法第31条の規定により退職手当等とみなされるものを含む。）の支払を受けた場合には、適用しない。

4　派遣職員がその派遣の期間中に退職した場合に支給する国家公務員退職手当法の規定による退職手当の算定の基礎となる俸給月額については、部内の他の職員との権衡上必要があると認められるときは、次条第１項の規定の例により、その額を調整することができる。

― 267　特別法令に基づく国家公務員の休業等の概要 ―

問　特別法令に基づく国家公務員の休業等期間に係る退職手当法上の取扱いについて、概要を説明されたい。

🅐　特別法令に基づく国家公務員の休業等については、
- 国家公務員の育児休業等に関する法律に基づく育児休業及び育児短時間勤務（詳解522頁）
- 国家公務員の自己啓発等休業に関する法律に基づく自己啓発等休業（問115参照）（詳解526頁）
- 国家公務員の配偶者同行休業に関する法律に基づく配偶者同行休業（詳解529頁）
- 科学技術・イノベーション創出の活性化に関する法律又は教育公務員特例法に基づく共同研究休職（詳解516、519頁）

があり、それぞれの休業等の性質に応じ、退職手当法の適用に当たって、「現実に職務をとることを要しない期間」に該当するか否か等が定められている（問99、問126参照）。　　　　　　　　　　【詳解516〜531頁】

【参考】
　国家公務員の育児休業等に関する法律（平成3年法律第109号）（抄）
　　（育児休業をした職員についての国家公務員退職手当法の特例）
　第10条　国家公務員退職手当法（昭和28年法律第182号）第6条の4第1項及び第7条第4項の規定の適用については、育児休業をした期間は、同法第6条の4第1項に規定する現実に職務をとることを要しない期間に該当するものとする。
　2　育児休業をした期間（当該育児休業に係る子が1歳に達した日の属する月までの期間に限る。）についての国家公務員退職手当法第7条第4項の規定の適用については、同項中「その月数の2分の1に相当する月数」とあるのは、「その月数の3分の1に相当する月数」とする。
　　（育児短時間勤務職員についての国家公務員退職手当法の特例）
　第20条　国家公務員退職手当法第6条の4第1項及び第7条第4項の規定の適用については、育児短時間勤務をした期間は、同法第6条の4第1項に規定する現実に職務をとることを要しない期間に該当するものとみなす。
　2　育児短時間勤務をした期間についての国家公務員退職手当法第7条第4項の規定の適用については、同項中「その月数の2分の1に相当する月数」とあるのは、「その月数の3分の1に相当する月数」とする。
　3　略

国家公務員の自己啓発等休業に関する法律（平成19年法律第45号）（抄）
　（自己啓発等休業をした職員についての国家公務員退職手当法の特例）
第8条　国家公務員退職手当法（昭和28年法律第182号）第6条の4第1項及び第7条第4項の規定の適用については、自己啓発等休業をした期間は、同法第6条の4第1項に規定する現実に職務をとることを要しない期間に該当するものとする。
2　自己啓発等休業をした期間についての国家公務員退職手当法第7条第4項の規定の適用については、同項中「その月数の2分の1に相当する月数（国家公務員法第108条の6第1項ただし書若しくは行政執行法人の労働関係に関する法律（昭和23年法律第257号）第7条第1項ただし書に規定する事由又はこれらに準ずる事由により現実に職務をとることを要しなかつた期間については、その月数）」とあるのは、「その月数（国家公務員の自己啓発等休業に関する法律（平成19年法律第45号）第2条第5項に規定する自己啓発等休業の期間中の同条第3項又は第4項に規定する大学等における修学又は国際貢献活動の内容が公務の能率的な運営に特に資するものと認められることその他の内閣総理大臣が定める要件に該当する場合については、その月数の2分の1に相当する月数）」とする。

国家公務員の配偶者同行休業に関する法律（平成25年法律第78号）（抄）
　（配偶者同行休業をした職員についての国家公務員退職手当法の特例）
第9条　国家公務員退職手当法（昭和28年法律第182号）第6条の4第1項及び第7条第4項の規定の適用については、配偶者同行休業をした期間は、同法第6条の4第1項に規定する現実に職務をとることを要しない期間に該当するものとする。
2　配偶者同行休業をした期間についての国家公務員退職手当法第7条第4項の規定の適用については、同項中「その月数の2分の1に相当する月数（国家公務員法第108条の6第1項ただし書若しくは行政執行法人の労働関係に関する法律（昭和23年法律第257号）第7条第1項ただし書に規定する事由又はこれらに準ずる事由により現実に職務をとることを要しなかつた期間については、その月数）」とあるのは、「その月数」とする。

科学技術・イノベーション創出の活性化に関する法律（平成20年法律第63号）（抄）

（研究公務員に関する国家公務員退職手当法の特例）

第17条 研究公務員が、国及び行政執行法人以外の者が国（当該研究公務員が行政執行法人の職員である場合にあっては、当該行政執行法人。以下この条において同じ。）と共同して行う研究又は国の委託を受けて行う研究（以下この項において「共同研究等」という。）に従事するため国家公務員法第79条又は自衛隊法（昭和29年法律第165号）第43条の規定により休職にされた場合において、当該共同研究等への従事が当該共同研究等の効率的実施に特に資するものとして政令で定める要件に該当するときは、研究公務員に関する国家公務員退職手当法（昭和28年法律第182号）第6条の4第1項及び第7条第4項の規定の適用については、当該休職に係る期間は、同法第6条の4第1項に規定する現実に職務をとることを要しない期間には該当しないものとみなす。

2・3　略

教育公務員特例法（昭和24年法律第1号）（抄）

第34条 研究施設研究教育職員（政令で定める者に限る。以下この条において同じ。）が、国及び行政執行法人（独立行政法人通則法（平成11年法律第103号）第2条第4項に規定する行政執行法人をいう。以下同じ。）以外の者が国若しくは指定行政執行法人（行政執行法人のうち、その業務の内容その他の事情を勘案して国の行う研究と同等の公益性を有する研究を行うものとして文部科学大臣が指定するものをいう。以下この項において同じ。）と共同して行う研究又は国若しくは指定行政執行法人の委託を受けて行う研究（以下この項において「共同研究等」という。）に従事するため国家公務員法第79条の規定により休職にされた場合において、当該共同研究等への従事が当該共同研究等の効率的実施に特に資するものとして政令で定める要件に該当するときは、研究施設研究教育職員に関する国家公務員退職手当法（昭和28年法律第182号）第6条の4第1項及び第7条第4項の規定の適用については、当該休職に係る期間は、同法第6条の4第1項に規定する現実に職務をとることを要しない期間には該当しないものとみなす。

2・3 略

2 防衛省の職員の給与等に関する法律（昭和27年法律第266号）

268 任期制自衛官の退職手当

問 任期制自衛官の退職手当の概要について説明されたい。

答 防衛省職員の退職手当については、退職手当法が適用されるが、そのうち任期制自衛官等については、任用形態の特殊性等に基づき、防衛省の職員の給与等に関する法律において退職手当の特例が定められている。

任期制自衛官（任用期間を定めて任用されている士長以下の自衛官）の任用期間は、自衛隊法（昭和29年法律第165号）第36条第1項の規定により2年又は3年であるとされている（更新時は2年）。任期制自衛官として必要な知識及び技能を習得するための教育訓練を受ける自衛官候補生（任用期間は原則3月）から引き続いて任期制自衛官となる場合、自衛隊法第36条第3項の規定により、任期制自衛官としての任用期間（1任期目）は2年又は3年から自衛官候補生としての任用期間を減じた期間となる。この任期制自衛官の退職手当については、防衛省の職員の給与等に関する法律第28条第1項の規定により、任期満了による退職時の俸給日額（俸給月額の30分の1相当額）に、次の日数を乗じて得た額を支給することとされている。

(1) 自衛官候補生から引き続いて任用された者（1任期目）
　　自衛隊法第36条第3項の規定により減じられる前の任用期間が2年である者：原則87日
　　自衛隊法第36条第3項の規定により減じられる前の任用期間が3年である者：原則137日
(2) 自衛官候補生から引き続いて任用された者以外（1任期目）
　　任用期間が2年である者：100日
　　任用期間が3年である者：150日
(3) 任期が1回更新された者（2任期目）：200日

(4) 任期が2回更新された者（3任期目）：150日
(5) 任期が3回更新された者（4任期目以降）：75日

　任期更新の場合には、任期の終了の際に退職したものとみなされ更新前の期間に係る退職手当をその都度支給することが原則であるが、任期更新に際し、その者が前後の任用期間を通算することを希望する旨申し出た場合には、退職手当を支給せず、更新後の任期終了時に前後の任用期間に係る給付日数の合計を算定の基礎とした退職手当が支給される。

【詳解536〜539頁】

【参考】
防衛省の職員の給与等に関する法律（昭和27年法律第266号）（抄）
（退職手当の特例）
第28条　自衛隊法第36条の規定により任用期間を定めて任用されている自衛官（以下「任用期間の定めのある隊員」という。）がその任用期間を満了した日に退職し、又は死亡した場合には、退職手当として、その者の退職又は死亡当時の俸給日額（俸給月額の30分の1に相当する額をいう。以下この条において同じ。）に、次の各号に掲げる区分に従い、当該各号に定める日数を乗じて得た額を支給する。
　一　自衛官候補生から引き続いて自衛隊法第36条第1項の規定により任用された者　同項に規定する期間が2年である者にあつては87日（自衛官候補生としての任用期間が3月でない者にあつては、当該任用期間を勘案して防衛省令で定めるところにより算定した日数）、同項に規定する期間が3年である者にあつては137日（自衛官候補生としての任用期間が3月でない者にあつては、当該任用期間を勘案して防衛省令で定めるところにより算定した日数）
　二　自衛隊法第36条第1項の規定により任用された者（前号の規定の適用を受けるものを除く。）　任用期間が2年である者にあつては100日、任用期間が3年である者にあつては150日
　三　自衛隊法第36条第7項の規定により1回任用された者　200日
　四　自衛隊法第36条第7項の規定により2回任用された者　150日
　五　自衛隊法第36条第7項の規定により3回以上任用された者　75日
2〜4　略
5　任用期間の定めのある隊員が自衛隊法第36条第7項の規定により任用

された場合又は同条第8項の規定によりその任用期間を延長された場合には、当該任用前又は当該延長前の任用期間が経過した日をもって退職したものとみなし、当該隊員に第1項及び第2項の規定による退職手当を支給する。
6・7　略
8　第5項（第10項において読み替えて適用する場合を含む。次項において同じ。）の規定は、任用期間の定めのある隊員が自衛隊法第36条第7項の規定による任用又は同条第8項の規定による任用期間の延長に際し、当該任用又は延長前の任用期間と当該任用又は延長に係る期間との引き続いた在職期間をもって退職手当の計算の基礎となる期間とすることを希望する旨を申し出たときは、その者については、適用しない。

自衛隊法（昭和29年法律第165号）（抄）
（陸士長等、海士長等及び空士長等の任用期間等）
第36条　陸士長、一等陸士及び二等陸士（以下「陸士長等」という。）は2年を、海士長、一等海士及び二等海士（以下「海士長等」という。）並びに空士長、一等空士及び二等空士（以下「空士長等」という。）は3年を任用期間として任用されるものとする。ただし、防衛大臣の定める特殊の技術を必要とする職務を担当する陸士長等は、その志願に基づき、3年を任用期間として任用されることができる。
2　自衛官候補生は、その修了後引き続いて前項の規定に基づき任用される自衛官として必要な知識及び技能を修得させるための教育訓練を受けるものとする。
3　自衛官候補生の任用期間は、3月を基準として前項に規定する教育訓練に要する期間を勘案して防衛省令で定めるものとし、自衛官候補生から引き続いて第1項の自衛官に任用された者の当該自衛官としての任用期間は、同項の規定にかかわらず、同項に規定する期間からその者の自衛官候補生としての任用期間に相当する期間を減じた期間とする。
4～6　略
7　防衛大臣は、陸士長等、海士長等又は空士長等の任用期間が満了した場合において、当該陸士長等、海士長等又は空士長等が志願をしたときは、引き続き2年を任用期間としてこれを任用することができる。この

場合における任用期間の起算日は、引き続いて任用された日とする。
8　略

269　防衛大学校卒業生の退職手当

問　防衛大学校の学生であった期間の取扱いについて説明されたい。

答　防衛大学校の学生としての在職期間は原則として除算されるが、学生が卒業後引き続き自衛官となった後退職した場合、次の①又は②に該当する者については、学生としての在職期間の2分の1を自衛官としての在職期間に通算することとされている。

① 　自衛官としての在職期間が6月以上である場合
② 　自衛官としての在職期間が6月未満で、傷病、死亡、整理又は勤務官署の移転により退職した場合

【参考】
防衛省の職員の給与等に関する法律（昭和27年法律第266号）（抄）
　（退職手当の特例）
第28条の2　略
2・3　略
4　学生及び生徒に対する国家公務員退職手当法の規定の適用については、学生又は生徒としての在職期間は、同法第7条の勤続期間から除算する。ただし、その者が学生又は生徒としての正規の課程を終了し、引き続いて自衛官に任用され、当該任用に引き続いた自衛官としての在職期間が6月以上となつた場合又は当該在職期間が6月を経過する前に次の各号に掲げる場合のいずれかに該当するに至つた場合に限り、学生又は生徒としての在職期間の2分の1に相当する期間は、自衛官としての在職期間に通算する。
　一　傷病又は死亡により退職した場合
　二　定員の減少若しくは組織の改廃のため過員若しくは廃職を生ずることにより、又は勤務官署の移転により退職した場合
5　略

防衛省の職員の給与等に関する法律施行令（昭和27年政令第368号）（抄）

（昇任の場合等における退職手当の特例）

第25条　略

2～11　略

12　法第28条第３項第２号又はこの条の第３項第３号に規定する傷病は、厚生年金保険法（昭和29年法律第115号）第47条第２項に規定する障害等級に該当する程度の障害の状態にある傷病とする。

（学生又は生徒としての在職期間に係る退職手当の特例に係る傷病）

第25条の２　前条第12項の規定は、法第28条の２第４項第１号に規定する傷病について準用する。

270　予備自衛官等の退職手当

問　予備自衛官等の退職手当の概要について説明されたい。

答　防衛省には、一般の自衛官のほか予備自衛官、即応予備自衛官及び予備自衛官補制度がある。これらはいずれも常時勤務に服する者ではなく、予備自衛官は、防衛招集命令により招集された場合に自衛官となって勤務し、又は訓練招集により招集された場合に訓練に従事するもの、即応予備自衛官は、防衛招集命令、国民保護等招集命令、治安招集命令又は災害等招集命令により招集された場合に自衛官となって勤務し、若しくは訓練招集命令により招集された場合に訓練に従事するもの、予備自衛官補は、教育訓練招集命令により招集された場合に教育訓練を受けるものとされている。

　これらの者については、防衛省の職員の給与等に関する法律第28条の３に特例が定められており、①予備自衛官又は即応予備自衛官が訓練招集に応じている期間中の職務に起因する傷病によりその職に堪えないで退職したとき、又は訓練招集に応じている期間中の職務に起因して死亡したときは、本人又は遺族に対して、その者が属するとされている階級に対応する最低の俸給月額に相当する金額を退職手当として支給すること、②予備自衛官補が教育訓練招集に応じている期間中の職務に起因する傷病によりその職に堪えないで退職したとき、又は教育訓練招集に応じている期間中の職務に起因して死亡したときは、本人又は遺族に対して、二等陸士、二等海士及び二等空士の俸給の幅の最低号俸による俸給月額に相当する額を退

職手当として支給することとされている。　　　　　【詳解541〜542頁】

【参考】
防衛省の職員の給与等に関する法律（昭和27年法律第266号）（抄）
第28条の3　予備自衛官及び即応予備自衛官が訓練招集に応じている期間中の職務に起因する傷病によりその職に堪えないで退職したとき、又は訓練招集に応じている期間中の職務に起因して死亡したときは、その者に対して、又は国家公務員退職手当法第2条の2の規定の例によりその遺族に対して、退職手当として、その者が自衛隊法第67条第3項（同法第75条の8において準用する場合を含む。）の規定により指定されている自衛官の階級について別表第2に定める最低の俸給月額（当該職員の指定されている階級が陸将、海将又は空将である場合に限る。）又は俸給の幅の最低の号俸（当該職員の指定されている階級が一等陸佐、一等海佐又は一等空佐である場合にあつては、同表の一等陸佐、一等海佐及び一等空佐の㈢欄における最低の号俸をいう。）による俸給月額（その者が自衛官であつた者である場合において、当該俸給月額が当該自衛官として受けていた最終の俸給月額に満たないときは、その最終の俸給月額）に相当する額を支給する。ただし、その者が国家公務員退職手当法の規定による退職手当の支給を受ける者である場合においては、この限りでない。

2　予備自衛官補が教育訓練招集に応じている期間中の職務に起因する傷病によりその職に堪えないで退職したとき、又は教育訓練招集に応じている期間中の職務に起因して死亡したときは、その者に対して、又は国家公務員退職手当法第2条の2の規定の例によりその遺族に対して、退職手当として、別表第2の二等陸士、二等海士及び二等空士の俸給の幅の最低の号俸による俸給月額に相当する額を支給する。ただし、その者が国家公務員退職手当法の規定による退職手当の支給を受ける者である場合においては、この限りでない。

271　自衛隊員の懲戒処分としての降格による給与の減額

【問】　自衛隊員に係る懲戒処分としての降格による給与の減額は退職手当法第5条の2第1項の特例対象となるのか。

答 自衛隊員に係る懲戒処分としての降格による給与の減額については、退職手当法第5条の2第1項に規定する俸給月額の減額改定以外の理由により俸給月額が減額されたことがある場合の退職手当の基本額に係る特例は適用されないこととされている。

これは、分限処分としての降任とは異なり、その者の非違による降任であることが明らかであるため、当該特例を適用することは不適当であることによるものである。

【詳解542〜543頁】

【参考】
防衛省の職員の給与等に関する法律（昭和27年法律第266号）（抄）
第28条の4　職員に対する国家公務員退職手当法第5条の2の規定（第28条第3項ただし書、第9項第2号及び第3号並びに第12項第1号の規定によりその例による場合を含む。）の適用については、同法第5条の2第1項中「以下同じ。）」とあるのは、「以下同じ。）及び自衛隊法（昭和29年法律第165号）第46条第1項に規定する降任」とする。

3　最高裁判所裁判官退職手当特例法（昭和41年法律第52号）

272　最高裁判所裁判官に係る退職手当

問　最高裁判所裁判官に係る退職手当法の適用はどうなっているのか。

答　最高裁判所の裁判官は、地方裁判所や高等裁判所の裁判官と異なり、各界から選ばれ、しかも比較的短期間でその職を去るケースが多いため、勤続報償という基本的性格を有する国家公務員退職手当法の特例として最高裁判所裁判官退職手当特例法が定められている。同法に規定する特例の内容は以下のとおりである。

1　支給率の特例

最高裁判所の裁判官が退職した場合に支給する退職手当の率は、退職手当法第2条の4及び第6条の5の規定によらず、その勤続期間1年につき100分の240とされている（最高裁判所裁判官退職手当特例法第2条第1項参照）。

2 在職期間の計算の特例

　最高裁判所の裁判官に対する退職手当の算定の基礎となる勤続期間の計算は、最高裁判所の裁判官としての引き続いた在職期間によることとされており、地方裁判所あるいは高等裁判所の裁判官の勤続期間とは通算することができず、勿論、一般の国家公務員の勤続期間とも通算することができないこととされている。したがって、最高裁判所の裁判官が退職し、その退職の日又はその翌日にそれ以外の一般職等となった場合、あるいは、一般職等から最高裁判所の裁判官となった場合には、前者の場合は最高裁判所の裁判官を退職した日に、後者の場合は一般職等を退職した日に、それぞれ、退職手当が支給されることとされている（最高裁判所裁判官退職手当特例法第5条及び第6条参照）。

【詳解544～547頁】

【参考】
最高裁判所裁判官退職手当特例法（昭和41年法律第52号）（抄）
　（最高裁判所の裁判官が退職した場合の退職手当の特例）
第2条　最高裁判所の裁判官が退職した場合に支給する退職手当の額は、退職手当法第2条の4及び第6条の5の規定にかかわらず、退職の日におけるその者の報酬月額に、その者の勤続期間1年につき100分の240を乗じて得た額とする。
　2　前項の規定により計算した退職手当の額が、最高裁判所の裁判官の退職の日における報酬月額に60を乗じて得た額をこえるときは、同項の規定にかかわらず、その乗じて得た額をその者の退職手当の額とする。
第3条　前条の退職手当の算定の基礎となる勤続期間の計算は、退職手当法第7条第1項の規定にかかわらず、最高裁判所の裁判官としての引き続いた在職期間による。
　2　退職手当法第7条第2項から第4項まで及び第6項から第8項までの規定は、前項の規定による在職期間の計算について準用する。この場合において、同条第6項ただし書中「6月以上1年未満（第3条第1項（傷病又は死亡による退職に係る部分に限る。）、第4条第1項又は第5条第1項の規定により退職手当の基本額を計算する場合にあつては、1年未満）」とあるのは、「1年未満」と読み替えるものとする。
第4条　第2条の退職手当は、退職手当法第10条第1項、第2項、第4項

及び第5項、第12条第1項、第13条第1項から第4項まで及び第7項から第9項まで、第14条第1項（第2号を除く。）、第2項及び第6項、第15条第1項（第2号を除く。）及び第2項（退職手当法第16条第2項及び第17条第7項において準用する場合を含む。）、第16条第1項並びに第17条第1項から第4項まで及び第6項の規定の適用については、退職手当法第2条の3第2項に規定する一般の退職手当とみなす。

　（最高裁判所の裁判官が一般職員等となつた場合の取扱い）

第5条　最高裁判所の裁判官が退職した場合において、その者が退職の日又はその翌日に一般職員（退職手当法の適用を受ける者のうち、最高裁判所の裁判官以外の者をいう。以下同じ。）となつたときは、その退職については、退職手当法第7条第3項及び第20条第1項の規定は、適用しない。

2　最高裁判所の裁判官が引き続いて一般職員又は地方公務員となつた場合には、退職手当に関する法令の規定の適用については、一般職員又は地方公務員となつた日の前日に最高裁判所の裁判官を退職したものとみなす。

　（一般職員等が最高裁判所の裁判官となつた場合の取扱い）

第6条　一般職員が退職した場合において、その者が退職の日又はその翌日に最高裁判所の裁判官となつたときは、その退職については、退職手当法第7条第3項及び第20条第1項の規定は、適用しない。

2　一般職員又は地方公務員が引き続いて最高裁判所の裁判官となつた場合には、退職手当に関する法令の規定の適用については、最高裁判所の裁判官となつた日の前日に一般職員又は地方公務員を退職したものとみなす。

4 競争の導入による公共サービスの改革に関する法律（平成18年法律第51号）

273 公共サービス従事者となるため退職し再び職員となった場合の退職手当

問 対象公共サービス従事者となるため退職し、当該対象公共サービス従事者として在職した後再び職員となった者が退職した場合、退職手当法上、どのように取り扱うのか。

答 職員が任命権者等の要請に応じ公共サービス従事者となるため退職（退職手当法施行令第3条第5号及び第4条に規定する退職に限る。）し、当該対象公共サービス従事者として在職した後再び職員となった者が退職した場合は、先の職員としての在職期間と後の職員（再任用職員）としての在職期間とを通算した勤続期間により計算した退職手当の額から、公共サービス従事者となるための退職に係る退職手当とその支給日の翌日から最終退職までの期間に応じた利息とを合計した額を控除した額をその者の退職手当として支給することとしている。

なお、退職者によっては、この特例が適用されない方が退職手当の計算上有利となる場合もあり得る（先の職員としての期間が長期である者、最終退職が自己都合であるために退職手当額があまり多くない者など）ことから、特例を設ける理由（再任用する予定の者の在職期間が引き続かないことによる退職手当の計算上の不利益を緩和する）に鑑み、そのような場合には、この特例を適用せず、後の職員（再任用職員）としての在職期間に係る退職手当を本来どおり支給することとしている。【詳解550～556頁】

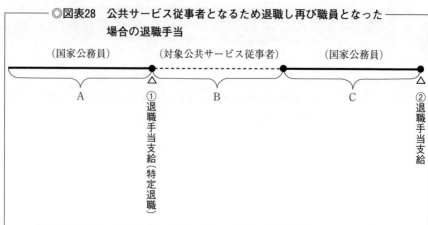

◎図表28　公共サービス従事者となるため退職し再び職員となった場合の退職手当

- ①の時点では、任命権者の要請に応じて退職（特定退職）し、Aの期間の退職手当を支給。
- 落札企業で公共サービスに従事（当該企業から給与等）、当該企業から退職金を支給されたか否かは問わない。
- 公務に復帰。
- ②の退職時にはAとCの期間を通算した額から先に支給された額（及びBCの期間の利息）を差し引いた退職手当を支給。

【参考】

競争の導入による公共サービスの改革に関する法律（平成18年法律第51号）（抄）

（国家公務員退職手当法の特例）

第31条　国家公務員退職手当法（昭和28年法律第182号）第2条第1項に規定する職員（以下この項において「職員」という。）のうち、国の行政機関等の長等が第20条第1項の契約を締結した日の翌日から当該契約に係る対象公共サービスの第9条第2項第2号に規定する実施期間又は第14条第2項第2号に規定する実施期間（以下この項において「実施期間」という。）の初日以後1年を経過する日までの期間内に、任命権者又はその委任を受けた者の要請に応じ、引き続き当該対象公共サービスを実施する公共サービス実施民間事業者に使用される者（当該対象公共サービスに係る業務に従事するものに限る。以下この項において「対象公共サービス従事者」という。）となるための退職（同法第4条第1

項又は第5条第1項の規定に該当する退職に限る。次項において「特定退職」という。）をし、かつ、引き続き対象公共サービス従事者として在職した後引き続いて実施期間の末日の翌日までに再び職員となった者（以下この条において「再任用職員」という。）が退職した場合におけるその者に対する同法第2条の4の規定による退職手当に係る同法第7条第1項の規定による在職期間の計算については、先の職員としての在職期間は、後の職員としての在職期間に引き続いたものとみなす。
2 　再任用職員が退職した場合におけるその者に対する国家公務員退職手当法第2条の4の規定による退職手当の額の計算の基礎となる同法第5条の2第2項に規定する基礎在職期間（以下この項において「基礎在職期間」という。）には、同条第2項の規定にかかわらず、特定退職に係る退職手当（以下この条において「先の退職手当」という。）の額の計算の基礎となった基礎在職期間を含むものとする。
3 　再任用職員が退職した場合におけるその者に対する国家公務員退職手当法第2条の4の規定による退職手当の額は、第1号に規定する法律の規定にかかわらず、政令で定めるところにより、同号に掲げる額から第2号に掲げる額を控除して得た額とする。ただし、その額が第3号に掲げる額より少ないときは、同号に掲げる額とする。
　一　国家公務員退職手当法第2条の4から第6条の4まで並びに附則第6項から第8項まで及び第11項、国家公務員等退職手当法の一部を改正する法律（昭和48年法律第30号）附則第5項から第7項まで、国家公務員退職手当法等の一部を改正する法律（平成15年法律第62号）附則第4項並びに国家公務員退職手当法の一部を改正する法律（平成17年法律第115号）附則第3条、第5条及び第6条の規定により計算した額
　二　再任用職員が支給を受けた先の退職手当の額と当該先の退職手当の支給を受けた日の翌日から退職した日の前日までの期間に係る利息に相当する額を合計した額
　三　前二項の規定を適用しないで第1号に規定する法律の規定により計算した額
4～8 　略

第4編
関係事項

274 退職手当の請求

問 退職手当については、退職者の請求を待って支給するのか。

答 退職手当は、法に基づき支給するものであり、職員が退職した場合には、各省庁等において退職者の請求を待つまでもなく速やかに支給する。

【詳解6頁】

275 退職手当の端数処理

問 退職手当の額に端数を生じた場合には、その端数はどう取り扱うのか。

答 退職手当の確定金額に1円未満の端数があるときは、国等の債権債務等の金額の端数計算に関する法律に基づき、1円未満の端数金額を切り捨てることとなる。

【参考】

国等の債権債務等の金額の端数計算に関する法律（昭和25年法律第61号）

（抄）

（通則）

第1条　国、沖縄振興開発金融公庫、地方公共団体及び政令で指定する公共組合（以下「国及び公庫等」という。）の債権若しくは債務の金額又は国の組織相互間の受払金等についての端数計算は、この法律の定めるところによる。

2　他の法令中の端数計算に関する規定がこの法律の規定に矛盾し、又はてい触する場合には、この法律の規定が優先する。

（国等の債権又は債務の金額の端数計算）

第2条　国及び公庫等の債権で金銭の給付を目的とするもの（以下「債権」という。）又は国及び公庫等の債務で金銭の給付を目的とするもの（以下「債務」という。）の確定金額に1円未満の端数があるときは、その端数金額を切り捨てるものとする。

2　国及び公庫等の債権の確定金額の全額が1円未満であるときは、その全額を切り捨てるものとし、国及び公庫等の債務の確定金額の全額が1円未満であるときは、その全額を1円として計算する。

3　国及び公庫等の相互の間における債権又は債務の確定金額の全額が1円未満であるときは、前項の規定にかかわらず、その全額を切り捨てるものとする。
【詳解563頁】

276　遺族に等分支給する場合の端数処理

問　職員が死亡により退職した場合において退職手当の支給を受けるべき同順位の遺族が2人以上ある場合には、その人数によって等分して支給することになるが、端数処理は等分後の額について行うものと解して差し支えないか。

答　貴見のとおりと解する。

277　退職手当の追給に係る端数処理

問　退職手当の支給後、追給が必要になった場合、追給額の計算において、先の支払の際に切り捨てた端数は、既に支払ったものとして扱うのか、まだ支払っていないものとして扱うのか。

答　まだ支払っていないものとして扱う。例えば、退職手当の額を100万0.5円であると計算し、1円未満の端数を切り捨てて100万円を支払った場合、その後に（俸給月額の引上げの遡及適用などにより）本来の退職手当が150万1円であるとされたときは、既に支払った額は100万0.5円ではなく100万円であるから、追給額は50万1円となる。

278　消滅時効

問　退職手当は、何年で消滅時効になるか。また起算点はいつで、中断はあるか。

答　退職手当は、国に対する請求権であり、金銭の給付を目的とするものである。したがって、国家公務員の場合には、退職後5年間、請求権を行使しないときは会計法第30条の規定により時効により消滅する。この場合、退職金債権は公法上のものであるから一般私法上の民事債権とは異なり、債権の消滅時効についても同法第31条の規定が適用され、絶対的消滅

時効として、時効の援用を必要とせず、また、時効の利益を放棄することもできず、5年間の期間の経過により自動的に権利は消滅する。

消滅時効の起算点については、会計法にも退職手当法にも規定がないため、民法の一般原則が適用され（会計法第31条第2項後段）、権利を行使することができるときから消滅時効が進行することになる（民法第166条第1項）。

具体的には、職員は退職した時点から「退職手当請求権」を行使することができるため、同日が起算点となる。　　　　　　　　　　【詳解564頁】

【参考】

会計法（昭和22年法律第35号）（抄）

第30条　金銭の給付を目的とする国の権利で、時効に関し他の法律に規定がないものは、これを行使することができる時から5年間行使しないときは、時効によつて消滅する。国に対する権利で、金銭の給付を目的とするものについても、また同様とする。

第31条　金銭の給付を目的とする国の権利の時効による消滅については、別段の規定がないときは、時効の援用を要せず、また、その利益を放棄することができないものとする。国に対する権利で、金銭の給付を目的とするものについても、また同様とする。

②　金銭の給付を目的とする国の権利について、消滅時効の完成猶予、更新その他の事項（前項に規定する事項を除く。）に関し、適用すべき他の法律の規定がないときは、民法の規定を準用する。国に対する権利で、金銭の給付を目的とするものについても、また同様とする。

279　退職手当額の通知

問　一般職の職員が退職した場合には、退職手当額を通知しなければならないか。

答　一般職の職員が退職した場合には、人事院事務総長通達の人事異動通知書の様式及び記載事項等について（昭和27年6月1日13−799）第7項に基づいて退職手当の支給に関する事項を人事異動通知書により通知することとされている。

人事異動通知書の「異動内容」欄には、「退職手当として金○○○円を

支給する（根拠法令の条項）」と記入し、退職手当を支給しない場合においては、「退職手当は支給しない（根拠法令の条項）」と記入することとされている。

なお、職員が死亡し、遺族に退職手当を支給する場合には、人事異動通知書に代わる文書その他適当な方法をもって退職手当の支給に関する事項を通知することができるものとしている（人事院規則8－12（職員の任免）第55条第4号）。

【参考】
人事異動通知書の様式及び記載事項等について（昭和27年6月1日13－799）（抄）

（通知書の記載事項及び記入要領）

2　通知書の記載事項及び記入要領については、次の各号に定めるところによる。ただし、これによっては特に支障のある場合には、これによらないことができる。

一～四　略

（退職手当についての通知）

7　職員が退職した場合における国家公務員退職手当法（昭和28年法律第182号）による退職手当の支給に関する事項の通知は、通知書により行うものとする。この場合の記載事項及び記入要領については第2項に準ずるものとするが、「異動内容」欄には、「退職手当として金　円を支給する（根拠法令の条項）」と記入し、退職手当を支給しない場合においては「退職手当は支給しない（根拠法令の条項）」と記入するものとする。

人事院規則8－12（職員の任免）（抄）

（通知書の交付）

第53条　任命権者は、次の各号のいずれかに該当する場合には、職員に人事異動通知書（以下「通知書」という。）を交付しなければならない。

一～十　略

十一　職員が退職した場合（免職又は辞職の場合を除く。）

（通知書の交付を要しない場合）

第55条　次の各号のいずれかに該当する場合においては、前二条の規定に

かかわらず、通知書に代わる文書の交付その他適当な方法をもって通知書の交付に代えることができる。
一～三　略
四　第53条第 2 号、第 6 号及び第11号に掲げる場合で通知書の交付によらないことを適当と認めるとき。
五　略

巻末付録

≪目　次≫

国家公務員退職手当支給率早見表……………………………………………………269
法令・通知
　国家公務員退職手当法（昭和28年法律第182号）（抄）……………………………270
　国家公務員退職手当法施行令（昭和28年政令第215号）（抄）……………………292
　国家公務員退職手当法の一部を改正する法律の施行に伴う経過措置に関する政令
　　（平成18年政令第30号）（抄）……………………………………………………343
　国家公務員退職手当法の規定による早期退職希望者の募集及び認定の制度に係る書
　　面の様式等を定める内閣官房令（平成25年総務省令第58号）（抄）……………347
　失業者の退職手当支給規則（昭和50年総理府令第14号）（抄）……………………349
　国家公務員退職手当法施行令第四条の二の規定による退職の理由の記録に関する内
　　閣官房令（平成25年総務省令第57号）（抄）……………………………………356
　国家公務員退職手当法の運用方針（昭和60年4月30日総人第261号）（抄）………357
　国家公務員退職手当法の一部を改正する法律（平成17年法律第115号）の施行後の退
　　職手当の取扱いについて（平成18年3月14日総人恩総第204号）（抄）…………364
　国家公務員の自己啓発等休業に関する法律第8条第2項の規定により読み替えて適
　　用される国家公務員退職手当法第7条第4項に規定する内閣総理大臣が定める要
　　件について（平成19年7月20日総人恩総第812号）……………………………386
　国家公務員退職手当法の適用を受ける非常勤職員について（昭和60年4月30日総人
　　第260号）……………………………………………………………………………387
　期間業務職員の退職手当に係る取扱いについて（平成22年9月30日総人恩総第836号）……388
　早期退職募集制度の運用について（平成25年5月24日総人恩総第403号）……………389
問一覧（目次詳細）………………………………………………………………………394

国家公務員退職手当支給率早見表　※調整率を乗じた後のもの

（平成30年1月1日以降の退職）

勤続年数	法第3条 自己都合	法第3条 （十一年未満勤続）定年・応募認定退職（一号）・事務都合退職・公務外死亡・通勤傷病等	法第3条 公務外傷病（通勤傷病を除く）	法第4条 （十一年以上二十五年未満勤続）定年・応募認定退職（一号）・事務都合退職・公務外死亡・通勤傷病等	法第5条 整理死亡・公務上傷病	法第5条 （二十五年以上勤続）定年・応募認定退職（一号）・事務都合退職・公務外死亡・通勤傷病等
1年	0.5022	0.837	0.837		1.2555(3.6a)	
2	1.0044	1.674	1.674		2.511 (4.5a)	
3	1.5066	2.511	2.511		3.7665(5.4a)	
4	2.0088	3.348	3.348		5.022 (5.4a)	
5	2.511	4.185	4.185		6.2775	
6	3.0132	5.022	5.022		7.533	
7	3.5154	5.859	5.859		8.7885	
8	4.0176	6.696	6.696		10.044	
9	4.5198	7.533	7.533		11.2995	
10	5.022	8.37	8.37		12.555	
11	7.43256		9.2907	11.613375	13.93605	
12	8.16912		10.2114	12.76425	15.3171	
13	8.90568		11.1321	13.915125	16.69815	
14	9.64224		12.0528	15.066	18.0792	
15	10.3788		12.9735	16.216875	19.46025	
16	12.88143		14.3127	17.890875	20.8413	
17	14.08671		15.6519	19.564875	22.22235	
18	15.29199		16.9911	21.238875	23.6034	
19	16.49727		18.3303	22.912875	24.98445	
20	19.6695		19.6695	24.586875	26.3655	
21	21.3435		21.3435	26.260875	27.74655	
22	23.0175		23.0175	27.934875	29.1276	
23	24.6915		24.6915	29.608875	30.50865	
24	26.3655		26.3655	31.282875	31.8897	
25	28.0395		28.0395		33.27075	33.27075
26	29.3787		29.3787		34.77735	34.77735
27	30.7179		30.7179		36.28395	36.28395
28	32.0571		32.0571		37.79055	37.79055
29	33.3963		33.3963		39.29715	39.29715
30	34.7355		34.7355		40.80375	40.80375
31	35.7399		35.7399		42.31035	42.31035
32	36.7443		36.7443		43.81695	43.81695
33	37.7487		37.7487		45.32355	45.32355
34	38.7531		38.7531		46.83015	46.83015
35	39.7575		39.7575		47.709	47.709
36	40.7619		40.7619		47.709	47.709
37	41.7663		41.7663		47.709	47.709
38	42.7707		42.7707		47.709	47.709
39	43.7751		43.7751		47.709	47.709
40	44.7795		44.7795		47.709	47.709
41	45.7839		45.7839		47.709	47.709
42	46.7883		46.7883		47.709	47.709
43	47.709		47.709		47.709	47.709
44	47.709		47.709		47.709	47.709
45	47.709		47.709		47.709	47.709

(注1)　（　）内は、法第6条の5の最低保障である。
(注2)　aは、基本給月額であり、俸給及び扶養手当の月額並びにこれらに対する地域手当等（又はこれらに相当する手当）の月額合計額をいう。
(注3)　法附則第6項から第8項まで及び昭和48年法律第30号附則第5項から第7項による退職手当の基本額の調整（83.7/100）を含めた計数である。
(注4)　令和5年4月1日以降、国家公務員の定年引上げに伴い、当分の間、引上げ前の定年年齢以降非違なく退職した職員については、勤続期間を同じくする定年退職者と同様の支給率となる。

国家公務員退職手当法（抄）

(昭和28年8月8日法律第182号)
最終改正：令和4年6月17日法律第68号

目次
第一章　総則（第一条～第二条の三）
第二章　一般の退職手当（第二条の四～第八条の二）
第三章　特別の退職手当（第九条・第十条）
第四章　退職手当の支給制限等（第十一条～第十九条）
第五章　雑則（第二十条・第二十一条）
附則

第一章　総則

（趣旨）
第一条　この法律は、国家公務員が退職した場合に支給する退職手当の基準を定めるものとする。

（適用範囲）
第二条　この法律の規定による退職手当は、常時勤務に服することを要する国家公務員（自衛隊法（昭和二十九年法律第百六十五号）第四十五条の二第一項の規定により採用された者及び独立行政法人通則法（平成十一年法律第百三号）第二条第四項に規定する行政執行法人（以下「行政執行法人」という。）の役員を除く。以下「職員」という。）が退職した場合に、その者（死亡による退職の場合には、その遺族）に支給する。

2　職員以外の者で、その勤務形態が職員に準ずるものは、政令で定めるところにより、職員とみなして、この法律の規定を適用する。

（遺族の範囲及び順位）
第二条の二　この法律において、「遺族」とは、次に掲げる者をいう。
一　配偶者（届出をしないが、職員の死亡当時事実上婚姻関係と同様の事情にあつた者を含む。）
二　子、父母、孫、祖父母及び兄弟姉妹で職員の死亡当時主としてその収入によつて生計を維持していたもの
三　前号に掲げる者のほか、職員の死亡当時主としてその収入によつて生計を維持していた親族
四　子、父母、孫、祖父母及び兄弟姉妹で第二号に該当しないもの

2　この法律の規定による退職手当を受けるべき遺族の順位は、前項各号の順位により、同項第二号及び第四号に掲げる者のうちにあつては、当該各号に掲げる順位による。この場合において、父母については、養父母を先にし実父母を後にし、祖父母については、養父母の父母を先にし実父母の父母を後にし、父母の養父母を先にし父母の実父母を後にする。

3　この法律の規定による退職手当の支給を受けるべき遺族に同順位の者が二人以上ある場合には、その人数によつて当該退職手当を等分して当該各遺族に支給する。

4　次に掲げる者は、この法律の規定による退職手当の支給を受けることができる遺族としない。
一　職員を故意に死亡させた者
二　職員の死亡前に、当該職員の死亡によつてこの法律の規定による退職手当の支給を受けることができる先順位又は同順位の遺族となるべき者を故意に死亡させた者

（退職手当の支払）
第二条の三　この法律の規定による退職手当は、他の法令に別段の定めがある場合を除き、その全額を、現金で、直接この法律の規定によりその支給を受けるべき者に支払わなければならない。ただし、政令で定める確実な方法により支払う場合は、この限りでない。

2　次条及び第六条の五の規定による退職手当（以下「一般の退職手当」という。）並びに第九条の規定による退職手当は、職員の退職の日から起算して一月以内に支払わなければならない。ただし、死亡により退職した者に対する退職手当の支給を受けるべき者を確知することができない場合その他特別の事情がある場合は、この限りでない。

第二章　一般の退職手当

（一般の退職手当）
第二条の四　退職した者に対する退職手当の額は、次条から第六条の三までの規定により計算した退職手当の基本額に、第六条の四の規定により計算した退職手当の調整額を加えて得た額とする。

（自己の都合による退職等の場合の退職手当の基本額）
第三条　次条又は第五条の規定に該当する場合を除くほか、退職した者に対する退職手当の基本額は、退職の日におけるその者の俸給月額（俸給が日額で定められている者については、退職の日におけるその者の俸給の日額の二十一日分に相当する額。次条から第六条の四までにおいて「退職日俸給月額」という。）に、その者の勤続期間を次の各号に区分して、当該各号に掲

げる割合を乗じて得た額の合計額とする。
一　一年以上十年以下の期間については、一年につき百分の百
二　十一年以上十五年以下の期間については、一年につき百分の百十
三　十六年以上二十年以下の期間については、一年につき百分の百六十
四　二十一年以上二十五年以下の期間については、一年につき百分の二百
五　二十六年以上三十年以下の期間については、一年につき百分の百六十
六　三十一年以上の期間については、一年につき百分の百二十
2　前項に規定する者のうち、負傷若しくは病気（以下「傷病」という。）又は死亡によらず、かつ、第八条の二第五項に規定する認定を受けないで、その者の都合により退職した者（第十二条第一項各号に掲げる者及び傷病によらず、国家公務員法（昭和二十二年法律第百二十号）第七十八条第一号から第三号まで（裁判所職員臨時措置法（昭和二十六年法律第二百九十九号）において準用する場合を含む。）、自衛隊法第四十二条第一号から第三号まで又は国会職員法（昭和二十二年法律第八十五号）第十一条第一項第一号から第三号までの規定による免職の処分を受けて退職した者を含む。以下この項及び第六条の四第四項において「自己都合等退職者」という。）に対する退職手当の基本額は、自己都合等退職者が次の各号に掲げる者に該当するときは、前項の規定にかかわらず、同項の規定により計算した額に当該各号に定める割合を乗じて得た額とする。
一　勤続期間一年以上十年以下の者　百分の六十
二　勤続期間十一年以上十五年以下の者　百分の八十
三　勤続期間十六年以上十九年以下の者　百分の九十
（十一年以上二十五年未満勤続後の定年退職等の場合の退職手当の基本額）
第四条　十一年以上二十五年未満の期間勤続した者であつて、次に掲げるものに対する退職手当の基本額は、退職日俸給月額に、その者の勤続期間の区分ごとに当該区分に応じた割合を乗じて得た額の合計額とする。
一　国家公務員法第八十一条の六第一項の規定により退職した者（同法第八十一条の七第一項の期限又は同条第二項の規定により延長された期限の到来により退職した者を含む。）又はこれに準ずる他の法令の規定により退職した者

二　その者の事情によらないで引き続いて勤続することを困難とする理由により退職した者で政令で定めるもの
三　第八条の二第五項に規定する認定（同条第一項第一号に係るものに限る。）を受けて同条第八項第三号に規定する退職すべき期日に退職した者
2　前項の規定は、十一年以上二十五年未満の期間勤続した者で、通勤（国家公務員災害補償法（昭和二十六年法律第百九十一号）第一条の二（他の法令において、引用し、準用し、又はその例による場合を含む。）に規定する通勤をいう。次条第二項及び第六条の四第一項において同じ。）による傷病により退職し、死亡（公務上の死亡を除く。）により退職し、又は定年に達した日以後その者の非違によることなく退職した者（前項の規定に該当する者を除く。）に対する退職手当の基本額について準用する。
3　第一項に規定する勤続期間の区分及び当該区分に応じた割合は、次のとおりとする。
一　一年以上十年以下の期間については、一年につき百分の百二十五
二　十一年以上十五年以下の期間については、一年につき百分の百三十七・五
三　十六年以上二十四年以下の期間については、一年につき百分の二百
（二十五年以上勤続後の定年退職等の場合の退職手当の基本額）
第五条　次に掲げる者に対する退職手当の基本額は、退職日俸給月額に、その者の勤続期間の区分ごとに当該区分に応じた割合を乗じて得た額の合計額とする。
一　二十五年以上勤続し、国家公務員法第八十一条の六第一項の規定により退職した者（同法第八十一条の七第一項の期間又は同条第二項の規定により延長された期限の到来により退職した者を含む。）又はこれに準ずる他の法令の規定により退職した者
二　国家公務員法第七十八条第四号（裁判所職員臨時措置法において準用する場合を含む。）、自衛隊法第四十二条第四号又は国会職員法第十一条第一項第四号の規定による免職の処分を受けて退職した者
三　第八条の二第五項に規定する認定（同条第一項第二号に係るものに限る。）を受けて同条第八項第三号に規定する退職すべき期日に退職した者
四　公務上の傷病又は死亡により退職した者
五　二十五年以上勤続し、その者の事情によらないで引き続いて勤続することを困難とする理由により退職した者で政令で定めるもの

六 二十五年以上勤続し、第八条の二第五項に規定する認定（同条第一項第一号に係るものに限る。）を受けて同条第八項第三号に規定する退職すべき期日に退職した者
2 前項の規定は、二十五年以上勤続した者で、通勤による傷病により退職し、死亡により退職し、又は定年に達した日以後その者の非違によることなく退職した者（同項の規定に該当する者を除く。）に対する退職手当の基本額について準用する。
3 第一項に規定する勤続期間の区分及び当該区分に応じた割合は、次のとおりとする。
一 一年以上十年以下の期間については、一年につき百分の百五十
二 十一年以上二十五年以下の期間については、一年につき百分の百六十五
三 二十六年以上三十四年以下の期間については、一年につき百分の百八十
四 三十五年以上の期間については、一年につき百分の百五

（俸給月額の減額改定以外の理由により俸給月額が減額されたことがある場合の退職手当の基本額に係る特例）
第五条の二 退職した者の基礎在職期間中に、俸給月額の減額改定（俸給月額の改定をする法令が制定され、又はこれに準ずる給与の支給の基準が定められた場合において、当該法令又は給与の支給の基準による改定により当該改定前に受けていた俸給月額が減額されることをいう。以下同じ。）以外の理由によりその者の俸給月額が減額されたことがある場合において、当該理由が生じた日（以下「減額日」という。）における当該理由により減額されなかつたものとした場合のその者の俸給月額のうち最も多いもの（以下「特定減額前俸給月額」という。）が、退職日俸給月額よりも多いときは、その者に対する退職手当の基本額は、前三条の規定にかかわらず、次の各号に掲げる額の合計額とする。
一 その者が特定減額前俸給月額に係る減額日のうち最も遅い日の前日に現に退職した理由と同一の理由により退職したものとし、かつ、その者の同日までの勤続期間及び特定減額前俸給月額を基礎として、前三条の規定により計算した場合の退職手当の基本額に相当する額
二 退職日俸給月額に、イに掲げる割合からロに掲げる割合を控除した割合を乗じて得た額
イ その者に対する退職手当の基本額が前三条の規定により計算した額であるものとした場合における当該退職手当の基本額の退職日俸給月額に対する割合

ロ 前号に掲げる額の特定減額前俸給月額に対する割合
2 前項の「基礎在職期間」とは、その者に係る退職（この法律その他の法律の規定により、この法律の規定による退職手当を支給しないこととしている退職を除く。）の日以前の期間のうち、次の各号に掲げる在職期間に該当するもの（当該期間中にこの法律の規定による退職手当の支給を受けたこと又は地方公務員、第七条の二第一項に規定する公庫等職員（他の法律の規定により、同条の規定の適用について、同項に規定する公庫等職員とみなされるものを含む。以下この項において同じ。）若しくは第八条第一項に規定する独立行政法人等役員として退職したことにより退職手当（これに相当する給付を含む。）の支給を受けたことがある場合におけるこれらの退職手当に係る退職の日以前の期間及び第七条第六項の規定により職員としての引き続いた在職期間の全期間が切り捨てられたこと又は第十二条第一項若しくは第十四条第一項の規定により一般の退職手当等（一般の退職手当及び第九条の規定による退職手当をいう。以下同じ。）の全部を支給しないこととする処分を受けたことにより一般の退職手当等の支給を受けなかつたことがある場合における当該一般の退職手当等に係る退職の日以前の期間（これらの退職の日に職員、地方公務員、第七条の二第一項に規定する公庫等職員又は第八条第一項に規定する独立行政法人等役員となつたときは、当該退職の日前の期間）を除く。）をいう。
一 職員としての引き続いた在職期間
二 第七条第五項の規定により職員としての引き続いた在職期間に含むものとされた地方公務員としての引き続いた在職期間
三 第七条の二第一項に規定する再び職員となつた者の同項に規定する公庫等職員としての引き続いた在職期間
四 第七条の二第二項に規定する場合における公庫等職員としての引き続いた在職期間
五 第八条第一項に規定する再び職員となつた者の同項に規定する独立行政法人等役員としての引き続いた在職期間
六 第八条第二項に規定する場合における独立行政法人等役員としての引き続いた在職期間
七 前各号に掲げる期間に準ずるものとして政令で定める在職期間

（定年前早期退職者に対する退職手当の基本額に係る特例）
第五条の三 第四条第一項第三号及び第五条第一項（第一号を除く。）に規定する者（退職日俸給月額が一般職の職員の給与に関する法律（昭

和二十五年法律第九十五号）の指定職俸給表六号俸の額に相当する額以上である者その他政令で定める者を除く。）のうち、定年に達する日から政令で定める一定の期間前までに退職した者であつて、その勤続期間が二十年以上であり、かつ、その年齢が政令で定める年齢以上であるものに対する第四条第一項、第五条第一項及び前条第一項の規定の適用については、次の表の上欄に掲げる規定中同表の中欄に掲げる字句は、それぞれ同表の下欄に掲げる字句に読み替えるものとする。

読み替える規定	読み替えられる字句	読み替える字句
第四条第一項及び第五条第一項	退職日俸給月額	退職日俸給月額及び退職日俸給月額に退職の日において定められているその者に係る定年と退職の日におけるその者の年齢との差に相当する年数一年につき当該年数及び退職日俸給月額に応じて百分の三を超えない範囲内で政令で定める割合を乗じて得た額の合計額
第五条の二第一項第一号	及び特定減額前俸給月額	並びに特定減額前俸給月額及び特定減額前俸給月額に退職の日において定められているその者に係る定年と退職の日におけるその者の年齢との差に相当する年数一年につき当該年数及び特定減額前俸給月額に応じて百分の三を超えない範囲内で政令で定める割合を乗じて得た額の合計額
第五条の二第一項第二号	退職日俸給月額に、	退職日俸給月額及び退職日俸給月額に退職の日において定められているその者に係る定年と退職の日におけるその者の年齢との差に相当する年数一年につき当該年数及び特定減額前俸給月額に応じて百分の三を超えない範囲内で政令で定める割合を乗じて得た額の合計額に、
第五条の二第一項	前号に掲げる額	その者が特定減額前俸給月額に係る減額日のうち最も遅い日の前日に現に退職し

| 二号ロ | | た理由と同一の理由により退職したものとし、かつ、その者の同日までの勤続期間及び特定減額前俸給月額を基礎として、前三条の規定により計算した場合の退職手当の基本額に相当する額 |

（退職手当の基本額の最高限度額）
第六条 第三条から第五条までの規定により計算した退職手当の基本額が退職日俸給月額に六十を乗じて得た額を超えるときは、これらの規定にかかわらず、その乗じて得た額をその者の退職手当の基本額とする。
第六条の二 第五条の二第一項の規定により計算した退職手当の基本額が次の各号に掲げる同項第二号ロに掲げる割合の区分に応じ当該各号に定める額を超えるときは、同項の規定にかかわらず、当該各号に定める額をその者の退職手当の基本額とする。
　一　六十以上　特定減額前俸給月額に六十を乗じて得た額
　二　六十未満　特定減額前俸給月額に第五条の二第一項第二号ロに掲げる割合を乗じて得た額及び退職日俸給月額に六十から当該割合を控除した割合を乗じて得た額の合計額
第六条の三 第五条の三に規定する者に対する前二条の規定の適用については、次の表の上欄に掲げる規定中同表の中欄に掲げる字句は、それぞれ同表の下欄に掲げる字句に読み替えるものとする。

読み替える規定	読み替えられる字句	読み替える字句
第六条	第三条から第五条まで	前条の規定により読み替えて適用する第五条
	退職日俸給月額	退職日俸給月額及び退職日俸給月額に退職の日において定められているその者に係る定年と退職の日におけるその者の年齢との差に相当する年数一年につき当該年数及び退職日俸給月額に応じて百分の三を超えない範囲内で政令で定める割合を乗じて得た額の合計額

第六条の二	これらの	前条の規定により読み替えて適用する第五条の
	第五条の二第一項の	第五条の三の規定により読み替えて適用する第五条の二第一項の
	同項第二号ロ	第五条の三の規定により読み替えて適用する同項第二号ロ
	同項の	同条の規定により読み替えて適用する同項の
第六条の二第一号	特定減額前俸給月額	特定減額前俸給月額及び特定減額前俸給月額に退職の日において定められているその者に係る定年と退職の日におけるその者の年齢との差に相当する年数一年につき当該年数及び特定減額前俸給月額に応じて百分の三を超えない範囲内で政令で定める割合を乗じて得た額の合計額
第六条の二第二号	特定減額前俸給月額	特定減額前俸給月額及び特定減額前俸給月額に退職の日において定められているその者に係る定年と退職の日におけるその者の年齢との差に相当する年数一年につき当該年数及び特定減額前俸給月額に応じて百分の三を超えない範囲内で政令で定める割合を乗じて得た額の合計額
	第五条の二第一項第二号ロ	第五条の三の規定により読み替えて適用する第五条の二第一項第二号ロ
	及び退職日俸給月額	並びに退職日俸給月額及び退職日俸給月額に退職の日において定められているその者に係る定年と退職の日におけるその者の年齢との差に相当する年数一年につき当該年数及び特定減額前俸給月額に応じて百分の三を超えない範囲内で政令で定める割合を乗じて得た額の合計額
	当該割合	当該第五条の三の規定により読み替えて適用する同号ロに掲げる割合

 (退職手当の調整額)
第六条の四　退職した者に対する退職手当の調整額は、その者の基礎在職期間(第五条の二第二項に規定する基礎在職期間をいう。以下同じ。)の初日の属する月からその者の基礎在職期間の末日の属する月までの各月(国家公務員法第七十九条の規定による休職(公務上の傷病による休職、通勤による傷病による休職、職員を政令で定める法人その他の団体の業務に従事させるための休職及び当該休職以外の休職であつて職員を当該職員の職務に密接な関連があると認められる学術研究その他の業務に従事させるためのもので当該業務への従事が公務の能率的な運営に特に資するものとして政令で定める要件を満たすものを除く。)、同法第八十二条の規定による停職その他これらに準ずる事由により現実に職務をとることを要しない期間のある月(現実に職務をとることを要する日のあつた月を除く。第七条第四項において「休職月等」という。)のうち政令で定めるものを除く。)ごとに当該各月にその者が属していた次の各号に掲げる職員の区分に応じて当該各号に定める額(以下この項及び第五項において「調整月額」という。)のうちその額が最も多いものから順次その順位を付し、その第一順位から第六十順位までの調整月額(当該各月の月数が六十月に満たない場合には、当該各月の調整月額)を合計した額とする。
一　第一号区分　九万五千四百円
二　第二号区分　七万八千七百五十円
三　第三号区分　七万四百円
四　第四号区分　六万五千円
五　第五号区分　五万九千五百五十円
六　第六号区分　五万四千四百五十円
七　第七号区分　四万三千三百五十円
八　第八号区分　三万二千五百円
九　第九号区分　二万七千百円
十　第十号区分　二千二千七百円
十一　第十一号区分　零
2　退職した者の基礎在職期間に第五条の二第二項第二号から第七号までに掲げる期間が含まれる場合における前項の規定の適用については、その者は、政令で定めるところにより、当該期間において職員として在職していたものとみなす。
3　第一項各号に掲げる職員の区分は、官職の職制上の段階、職務の級、階級その他職員の職務

の複雑、困難及び責任の度に関する事項を考慮して、政令で定める。
4　次の各号に掲げる者に対する退職手当の調整額は、第一項の規定にかかわらず、当該各号に定める額とする。
　一　退職した者（第五号に掲げる者を除く。次号において同じ。）のうち自己都合等退職者以外のものでその勤続期間が一年以上四年以下のもの　第一項の規定により計算した額の二分の一に相当する額
　二　退職した者のうち自己都合等退職者以外のものでその勤続期間が零のもの　零
　三　自己都合等退職者でその勤続期間が十年以上二十四年以下のもの　第一項の規定により計算した額の二分の一に相当する額
　四　自己都合等退職者でその勤続期間が九年以下のもの　零
　五　次のいずれかに該当する者　第三条から前条までの規定により計算した退職手当の基本額の百分の八に相当する額
　　イ　退職日俸給月額が一般職の職員の給与に関する法律の指定職俸給表八号俸の額に相当する額を超える者その他これに類する者として政令で定める者
　　ロ　その者の基礎在職期間が全て特別職の職員の給与に関する法律（昭和二十四年法律第二百五十二号）第一条各号（第七十三号及び第七十四号を除く。）に掲げる特別職の職員としての在職期間である者その他これに類する者として政令で定める者
5　前各項に定めるもののほか、調整月額のうちにその額が等しいものがある場合において、調整月額に順位を付す方法その他の本条の規定による退職手当の調整額の計算に関し必要な事項は、政令で定める。

（一般の退職手当の額に係る特例）
第六条の五　第五条第一項に規定する者で次の各号に掲げる者に該当するものに対する退職手当の額が退職の日におけるその者の基本給月額に当該各号に定める割合を乗じて得た額に満たないときは、第二条の四、第五条、第五条の二及び前条の規定にかかわらず、その乗じて得た額をその者の退職手当の額とする。
　一　勤続期間一年未満の者　百分の二百七十
　二　勤続期間一年以上二年未満の者　百分の三百六十
　三　勤続期間二年以上三年未満の者　百分の四百五十
　四　勤続期間三年以上の者　百分の五百四十
2　前項の「基本給月額」とは、一般職の職員の給与に関する法律の適用を受ける職員（以下「一般職の職員」という。）については同法に規定する俸給及び扶養手当の月額並びにこれらに対する地域手当、広域異動手当及び研究員調整手当の月額の合計額をいい、その他の職員については一般職の職員の基本給月額に準じて政令で定める額をいう。

（勤続期間の計算）
第七条　退職手当の算定の基礎となる勤続期間の計算は、職員としての引き続いた在職期間による。
2　前項の規定による在職期間の計算は、職員となつた日の属する月から退職した日の属する月までの月数による。
3　職員が退職した場合（第十二条第一項各号のいずれかに該当する場合を除く。）において、その者が退職の日又はその翌日に再び職員となつたときは、前二項の規定による在職期間の計算については、引き続いて在職したものとみなす。
4　前三項の規定による在職期間のうちに休職月等が一以上あつたときは、その月数の二分の一に相当する月数（国家公務員法第百八条の六第一項ただし書若しくは行政執行法人の労働関係に関する法律（昭和二十三年法律第二百五十七号）第七条第一項ただし書に規定する事由又はこれらに準ずる事由により現実に職務をとることを要しなかつた期間については、その月数）を前三項の規定により計算した在職期間から除算する。
5　第一項に規定する職員としての引き続いた在職期間には、地方公務員が機構の改廃、施設の移譲その他の事由によつて引き続いて職員となつたときにおけるその者の地方公務員としての引き続いた在職期間を含むものとする。この場合において、その者の地方公務員としての引き続いた在職期間の計算については、前各項の規定を準用するほか、政令でこれを定める。
6　前各項の規定により計算した在職期間に一年未満の端数がある場合には、その端数は、切り捨てる。ただし、その在職期間が六月以上一年未満（第三条第一項（傷病又は死亡による退職に係る部分に限る。）、第四条第一項又は第五条第一項の規定により退職手当の基本額を計算する場合にあつては、一年未満）の場合には、これを一年とする。
7　前項の規定は、前条又は第十条の規定により退職手当の額を計算する場合における勤続期間の計算については、適用しない。
8　第十条の規定により退職手当の額を計算する場合における勤続期間の計算については、前各項の規定により計算した在職期間に一月未満の

端数がある場合には、その端数は、切り捨てる。
(公庫等職員として在職した後引き続いて職員となつた者の在職期間の計算)
第七条の二　職員のうち、任命権者又はその委任を受けた者の要請に応じ、引き続いて沖縄振興開発金融公庫その他特別の法律により設立された法人(行政執行法人を除く。)でその業務が国の事務又は事業と密接な関連を有するもののうち政令で定めるもの(退職手当(これに相当する給付を含む。)に関する規程において、職員が任命権者又はその委任を受けた者の要請に応じ、引き続いて当該法人に使用される者となつた場合に、職員としての勤続期間を当該法人に使用される者としての勤続期間に通算することと定めている法人に限る。以下「公庫等」という。)に使用される者(役員及び常時勤務に服することを要しない者を除く。以下「公庫等職員」という。)となるため退職をし、かつ、引き続き公庫等職員として在職した後引き続いて再び職員となつた者の前条第一項の規定による在職期間の計算については、先の職員としての在職期間の始期から後の職員としての在職期間の終期までの期間は、職員としての引き続いた在職期間とみなす。
2　公庫等職員が、公庫等の要請に応じ、引き続いて職員となるため退職し、かつ、引き続いて職員となつた場合におけるその者の前条第一項に規定する職員としての引き続いた在職期間には、その者の公庫等職員としての引き続いた在職期間を含むものとする。
3　前二項の場合における公庫等職員としての在職期間の計算については、前条(第五項を除く。)の規定を準用するほか、政令で定める。
4　第六条の四第一項の政令で定める法人その他の団体に使用される者がその身分を保有したまま引き続いて職員となつた場合におけるその者の前条第一項の規定による在職期間の計算については、職員としての在職期間は、なかつたものとみなす。ただし、政令で定める場合においては、この限りでない。
(独立行政法人等役員として在職した後引き続いて職員となつた者の在職期間の計算)
第八条　職員のうち、任命権者又はその委任を受けた者の要請に応じ、引き続いて独立行政法人通則法第二条第一項に規定する独立行政法人その他特別の法律により設立された法人でその業務が国の事務又は事業と密接な関連を有するもののうち政令で定めるもの(退職手当(これに相当する給付を含む。)に関する規程において、職員が任命権者又はその委任を受けた者の要請に応じ、引き続いて当該法人の役員となつた場合に、職員としての勤続期間を当該法人の役員としての勤続期間に通算することと定めている法人に限る。以下「独立行政法人等」という。)の役員(常時勤務に服することを要しない者を除く。以下「独立行政法人等役員」という。)となるため退職をし、かつ、引き続き独立行政法人等役員として在職した後引き続いて再び職員となつた者の第七条第一項の規定による在職期間の計算については、先の職員としての在職期間の始期から後の職員としての在職期間の終期までの期間は、職員としての引き続いた在職期間とみなす。
2　独立行政法人等役員が、独立行政法人等の要請に応じ、引き続いて職員となるため退職し、かつ、引き続いて職員となつた場合におけるその者の第七条第一項に規定する職員としての引き続いた在職期間には、その者の独立行政法人等役員としての引き続いた在職期間を含むものとする。
3　前二項の場合における独立行政法人等役員としての在職期間の計算については、第七条(第五項を除く。)の規定を準用するほか、政令で定める。
(定年前に退職する意思を有する職員の募集等)
第八条の二　各省各庁の長等(財政法(昭和二十二年法律第三十四号)第二十条第二項に規定する各省各庁の長及び行政執行法人の長並びにこれらの委任を受けた者をいう。以下この条において同じ。)は、定年前に退職する意思を有する職員の募集であつて、次に掲げるものを行うことができる。
一　職員の年齢別構成の適正化を図ることを目的とし、第五条の三の政令で定める年齢以上の年齢である職員を対象として行う募集
二　組織の改廃又は官署若しくは事務所の移転を円滑に実施することを目的とし、当該組織又は官署若しくは事務所に属する職員を対象として行う募集
2　各省各庁の長等は、前項の規定による募集(以下この条において単に「募集」という。)を行うに当たつては、同項各号の別、第五項の規定により認定を受けた場合に退職すべき期日又は期間、募集をする人数及び募集の期間その他当該募集に関し必要な事項であつて政令で定めるものを記載した要項(以下この条において「募集実施要項」という。)を当該募集の対象となるべき職員に周知しなければならない。
3　次に掲げる者以外の職員は、内閣官房令で定めるところにより、募集の期間中いつでも応募

し、第八項第三号に規定する退職すべき期日が到来するまでの間いつでも応募の取下げを行うことができる。
一　第二条第二項の規定により職員とみなされる者
二　臨時的に任用される職員その他の法律により任期を定めて任用される者
三　前項に規定する退職すべき期日又は同項に規定する退職すべき期間の末日が到来するまでに定年に達する者
四　国家公務員法第八十二条の規定による懲戒処分（管理又は監督に係る職務を怠つた場合における処分で政令で定めるものを除く。）又はこれに準ずる処分を募集の開始の日において受けている者又は募集の期間中に受けた者
4　前項の規定による応募（以下この条において単に「応募」という。）又は応募の取下げは職員の自発的な意思に委ねられるものであつて、各省各庁の長等は職員に対しこれらを強制してはならない。
5　各省各庁の長等は、応募をした職員（以下この条において「応募者」という。）について、次の各号のいずれかに該当する場合を除き、応募による退職が予定されている職員である旨の認定（以下この条において単に「認定」という。）をするものとする。ただし、次の各号のいずれにも該当しない応募者の数が第二項に規定する募集をする人数を超える場合には、あらかじめ、当該場合において認定をする者の数を当該募集をする人数の範囲内に制限するために必要な方法を定め、募集実施要項と併せて周知していたときは、各省各庁の長等は、当該方法に従い、当該募集をする人数を超える分の応募者について認定をしないことができる。
一　応募が募集実施要項又は第三項の規定に適合しない場合
二　応募者が応募をした後国家公務員法第八十二条の規定による懲戒処分（第三項第四号の政令で定める処分を除く。）又はこれに準ずる処分を受けた場合
三　応募者が前号に規定する処分を受けるべき行為（在職期間中の応募者の非違に当たる行為であつて、その非違の内容及び程度に照らして当該処分に値することが明らかなものをいう。）をしたことを疑うに足りる相当な理由がある場合その他応募者に対し認定を行うことが公務に対する国民の信頼を確保する上で支障を生ずると認める場合
四　応募者を引き続き職務に従事させることが公務の能率的運営を確保し、又は長期的な人事管理を計画的に推進するために特に必要であると認める場合
6　各省各庁の長等は、認定をし、又はしない旨の決定をしたときは、遅滞なく、内閣官房令で定めるところにより、その旨（認定をしない旨の決定をした場合においてはその理由を含む。）を応募者に書面により通知するものとする。
7　各省各庁の長等が募集実施要項において退職すべき期間を記載した場合には、認定を行つた後遅滞なく、当該期間内のいずれかの日から退職すべき期日を定め、内閣官房令で定めるところにより、前項の規定により認定をした旨を通知した応募者に当該期日を書面により通知するものとする。
8　認定を受けた応募者が次の各号のいずれかに該当するときは、認定は、その効力を失う。
一　第十二条第一項各号のいずれかに該当するに至つたとき。
二　第二十条第一項又は第二項の規定により退職手当を支給しない場合に該当するに至つたとき。
三　募集実施要項に記載された退職すべき期日若しくは前項の規定により応募者に通知された退職すべき期日が到来するまでに退職し、又はこれらの期日に退職しなかつたとき（前二号に掲げるときを除く。）。
四　国家公務員法第八十二条の規定による懲戒処分（懲戒免職の処分及び第三項第四号の政令で定める処分を除く。）又はこれに準ずる処分を受けたとき。
五　第三項の規定により応募を取り下げたとき。
9　各省各庁の長等は、この条の規定による募集及び認定について、内閣官房令で定めるところにより、内閣総理大臣に対し、募集実施要項（第五項に規定する方法を周知した場合にあつては当該方法を含む。次項において同じ。）を送付するとともに、認定を受けた応募者の数を報告しなければならない。
10　内閣総理大臣は、毎年度、前項の規定により送付を受けた募集実施要項及び同項の規定により報告を受けた認定を受けた応募者の数を取りまとめ、公表するものとする。

第三章　特別の退職手当

（予告を受けない退職者の退職手当）

第九条　職員の退職が労働基準法（昭和二十二年法律第四十九号）第二十条及び第二十一条又は船員法（昭和二十二年法律第百号）第四十六条の規定に該当する場合におけるこれらの規定による給与又はこれらに相当する給与は、一般の

退職手当に含まれるものとする。但し、一般の退職手当の額がこれらの規定による給与の額に満たないときは、一般の退職手当の外、その差額に相当する金額を退職手当として支給する。
　（失業者の退職手当）
第十条　勤続期間十二月以上（特定退職者（雇用保険法（昭和四十九年法律第百十六号）第二十三条第二項に規定する特定受給資格者に相当するものとして内閣官房令で定めるものをいう。以下この条において同じ。）にあつては、六月以上）で退職した職員（第四項又は第六項の規定に該当する者を除く。）であつて、第一号に掲げる額が第二号に掲げる額に満たないものが、当該退職した職員を同法第十五条第一項に規定する受給資格者と、当該退職した職員の勤続期間（当該勤続期間に係る職員となつた日前に職員又は政令で定める職員に準ずる者（以下この条において「職員等」という。）であつたことがあるものについては、当該職員等であつた期間を含むものとし、当該勤続期間又は当該職員等であつた期間に第二号イ又はロに掲げる期間が含まれているときは、当該同号イ又はロに掲げる期間に該当する全ての期間を除く。以下この条において「基準勤続期間」という。）の年月数を同法第二十二条第三項に規定する算定基礎期間の年月数と、当該退職の日を同法第二十条第一項第一号に規定する離職の日と、特定退職者を同法第二十三条第二項に規定する特定受給資格者とみなして同法第二十条第一項を適用した場合における同項各号に掲げる受給資格者の区分に応じ、当該各号に定める期間（当該期間内に妊娠、出産、育児その他内閣官房令で定める理由により引き続き三十日以上職業に就くことができない者が、内閣官房令で定めるところにより公共職業安定所長にその旨を申し出た場合には、当該理由により職業に就くことができない日数を加算するものとし、その加算された期間が四年を超えるときは、四年とする。次項及び第三項において「支給期間」という。）内に失業している場合において、第一号に規定する一般の退職手当等の額を第二号に規定する基本手当の日額で除して得た数（一未満の端数があるときは、これを切り捨てる。）に等しい日数（以下この項において「待期日数」という。）を超えて失業しているときは、第一号に規定する一般の退職手当等のほか、その超える部分の失業の日につき第二号に規定する基本手当の日額に相当する金額を、退職手当として、同法の規定による基本手当の支給の条件に従い、公共職業安定所（政令で定める職員については、その者が退職の際所属していた官署又は事務所その他政令で定める官署又は事務所とする。以下同じ。）を通じて支給する。ただし、同号に規定する所定給付日数から待期日数を減じた日数分を超えては支給しない。
　一　その者が既に支給を受けた当該退職に係る一般の退職手当等の額
　二　その者を雇用保険法第十五条第一項に規定する受給資格者と、その者の基準勤続期間を同法第十七条第一項に規定する被保険者期間と、当該退職の日を同法第二十条第一項第一号に規定する離職の日と、その者の基準勤続期間の年月数を同法第二十二条第三項に規定する算定基礎期間の年月数とみなして同法の規定を適用した場合に、同法第十六条の規定によりその者が支給を受けることができる基本手当の日額にその者に係る同法第二十二条第一項に規定する所定給付日数（次項において「所定給付日数」という。）を乗じて得た額
　　イ　当該勤続期間又は当該職員等であつた期間に係る職員等となつた日の直前の職員等でなくなつた日が当該職員等となつた日前一年の期間内にないときは、当該直前の職員等でなくなつた日前の職員等であつた期間
　　ロ　当該勤続期間に係る職員等となつた日前に退職手当の支給を受けたことのある職員については、当該退職手当の支給に係る退職の日以前の職員等であつた期間
2　勤続期間十二月以上（特定退職者にあつては、六月以上）で退職した職員（第五項又は第七項の規定に該当する者を除く。）が支給期間内に失業している場合において、退職した者が一般の退職手当等の支給を受けないときは、その失業の日につき前項第二号の規定の例によりその者につき雇用保険法の規定を適用した場合にその者が支給を受けることができる基本手当の日額に相当する金額を、退職手当として、同法の規定による基本手当の支給の条件に従い、公共職業安定所を通じて支給する。ただし、前項第二号の規定の例によりその者につき雇用保険法の規定を適用した場合におけるその者に係る所定給付日数に相当する日数分を超えては支給しない。
3　前二項の規定による退職手当の支給に係る退職が定年に達したことその他の内閣官房令で定める理由によるものである職員が雇用保険法第二十条第二項に規定するときに相当するものとして内閣官房令で定めるときに該当する場合又は当該退職の日後に事業（その実施期間が三十日未満のものその他内閣官房令で定めるものを

除く。）を開始した職員その他これに準ずるものとして内閣官房令で定める職員が同法第二十条の二に規定する場合に相当するものとして内閣官房令で定める場合に該当する場合に関しては、内閣官房令で、これらの規定に準じて、支給期間についての特例を定めることができる。
4 勤続期間六月以上で退職した職員（第六項の規定に該当する者を除く。）であつて、その者を雇用保険法第四条第一項に規定する被保険者とみなしたならば同法第三十七条の二第一項に規定する高年齢被保険者に該当するもののうち、第一号に掲げる額が第二号に掲げる額に満たないものが退職の日後失業している場合には、一般の退職手当等のほか、第二号に掲げる額から第一号に掲げる額を減じた額に相当する金額を、退職手当として、同法の規定による高年齢求職者給付金の支給の条件に従い、公共職業安定所を通じて支給する。
 一 その者が既に支給を受けた当該退職に係る一般の退職手当等の額
 二 その者を雇用保険法第三十七条の三第二項に規定する高年齢受給資格者と、その者の基準勤続期間を同法第十七条第一項に規定する被保険者期間と、当該退職の日を同法第二十条第一項第一号に規定する離職の日と、その者の基準勤続期間の年月数を同法第三十七条の四第三項の規定による期間の年月数とみなして同法の規定を適用した場合に、その者が支給を受けることができる高年齢求職者給付金の額に相当する額
5 勤続期間六月以上で退職した職員（第七項の規定に該当する者を除く。）であつて、その者を雇用保険法第四条第一項に規定する被保険者とみなしたならば同法第三十七条の二第一項に規定する高年齢被保険者に該当するものが退職の日後失業している場合において、退職した者が一般の退職手当等の支給を受けないときは、前項第二号の規定の例によりその者につき同法の規定を適用した場合にその者が支給を受けることができる高年齢求職者給付金の額に相当する金額を、退職手当として、同法の規定による高年齢求職者給付金の支給の条件に従い、公共職業安定所を通じて支給する。
6 勤続期間六月以上で退職した職員であつて、雇用保険法第四条第一項に規定する被保険者とみなしたならば同法第三十八条第一項に規定する短期雇用特例被保険者に該当するもののうち、第一号に掲げる額が第二号に掲げる額に満たないものが退職の日後失業している場合には、一般の退職手当等のほか、第二号に掲げる額から第一号に掲げる額を減じた額に相当する金額を、退職手当として、同法の規定による特例一時金の支給の条件に従い、公共職業安定所を通じて支給する。
 一 その者が既に支給を受けた当該退職に係る一般の退職手当等の額
 二 その者を雇用保険法第三十九条第二項に規定する特例受給資格者と、その者の基準勤続期間を同法第十七条第一項に規定する被保険者期間とみなして同法の規定を適用した場合に、その者が支給を受けることができる特例一時金の額に相当する額
7 勤続期間六月以上で退職した職員であつて、雇用保険法第四条第一項に規定する被保険者とみなしたならば同法第三十八条第一項に規定する短期雇用特例被保険者に該当するものが退職の日後失業している場合において、退職した者が一般の退職手当等の支給を受けないときは、前項第二号の規定の例によりその者につき同法の規定を適用した場合にその者が支給を受けることができる特例一時金の額に相当する金額を、退職手当として、同法の規定による特例一時金の支給の条件に従い、公共職業安定所を通じて支給する。
8 前二項の規定に該当する者が、これらの規定による退職手当の支給を受ける前に公共職業安定所長の指示した雇用保険法第四十一条第一項に規定する公共職業訓練等を受ける場合には、その者に対しては、前二項の規定による退職手当を支給せず、同条の規定による基本手当の支給の条件に従い、当該公共職業訓練等を受け終わる日までの間に限り、第一項又は第二項の規定による退職手当を支給する。
9 第一項、第二項又は前項に規定する場合のほか、これらの規定による退職手当の支給を受ける者に対しては、次に掲げる場合には、雇用保険法第二十四条から第二十八条までの規定による基本手当の支給の例により、当該基本手当の支給の条件に従い、第一項又は第二項の退職手当を支給することができる。
 一 その者が公共職業安定所長の指示した雇用保険法第二十四条第一項に規定する公共職業訓練等を受ける場合
 二 その者が次のいずれかに該当する場合
  イ 特定退職者であつて、雇用保険法第二十四条の二第一項各号に掲げる者に相当する者として内閣官房令で定める者のいずれかに該当し、かつ、公共職業安定所長が同項に規定する指導基準に照らして再就職を促進するために必要な職業安定法（昭和二十二年法律第百四十一号）第四条第四項に規定する職業指導を行うことが適当であると

認めたもの
　ロ　雇用保険法第二十二条第二項に規定する厚生労働省令で定める理由により就職が困難な者であつて、同法第二十四条の二第一項第二号に掲げる者に相当する者として内閣官房令で定める者に該当し、かつ、公共職業安定所長が同項に規定する指導基準に照らして再就職を促進するために必要な職業安定法第四条第四項に規定する職業指導を行うことが適当であると認めたもの
　三　厚生労働大臣が雇用保険法第二十五条第一項の規定による措置を決定した場合
　四　厚生労働大臣が雇用保険法第二十七条第一項の規定による措置を決定した場合
10　第一項、第二項及び第四項から前項までに定めるもののほか、第一項又は第二項の規定による退職手当の支給を受けることができる者で次の各号の規定に該当するものに対しては、雇用保険法第三十六条、第三十七条及び第五十六条の三から第五十九条までの規定に準じて政令で定めるところにより、それぞれ当該各号に掲げる給付を、退職手当として支給する。
　一　公共職業安定所長の指示した雇用保険法第三十六条に規定する公共職業訓練等を受けている者については、技能習得手当
　二　前号に規定する公共職業訓練等を受けるため、その者により生計を維持されている同居の親族（届出をしていないが、事実上その者と婚姻関係と同様の事情にある者を含む。）と別居して寄宿する者については、寄宿手当
　三　退職後公共職業安定所に出頭し求職の申込みをした後において、疾病又は負傷のために職業に就くことができない者については、傷病手当
　四　職業に就いたものについては、就業促進手当
　五　公共職業安定所、職業安定法第四条第九項に規定する特定地方公共団体若しくは同法第十八条の二に規定する職業紹介事業者の紹介した職業に就くため、又は公共職業安定所長の指示した雇用保険法第十八条第一項に規定する公共職業訓練等を受けるため、その住所又は居所を変更する者については、移転費
　六　求職活動に伴い雇用保険法第五十九条第一項各号のいずれかに該当する行為をする者については、求職活動支援費
11　前項の規定は、第四項又は第五項の規定による退職手当の支給を受けることができる者（第四項又は第五項の規定により退職手当の支給を受けた者であつて、当該退職手当の支給に係る退職の日の翌日から起算して一年を経過していないものを含む。）及び第六項又は第七項の規定による退職手当の支給を受けることができる者（第六項又は第七項の規定により退職手当の支給を受けた者であつて、当該退職手当の支給に係る退職の日の翌日から起算して六箇月を経過していないものを含む。）について準用する。この場合において、前項中「次の各号」とあるのは「第四号から第六号まで」と、「雇用保険法第三十六条、第三十七条及び」とあるのは「雇用保険法」と読み替えるものとする。
12　第十項第三号に掲げる退職手当の支給があつたときは、第一項、第二項又は第十項の規定の適用については、当該支給があつた金額に相当する日数分の第一項又は第二項の規定による退職手当の支給があつたものとみなす。
13　第十項第四号に掲げる退職手当の支給があつたときは、第一項、第二項又は第十項の規定の適用については、政令で定める日数分の第一項又は第二項の規定による退職手当の支給があつたものとみなす。
14　雇用保険法第十条の四の規定は、偽りその他不正の行為によつて第一項、第二項又は第四項から第十一項までの規定による退職手当の支給を受けた者がある場合について準用する。
15　本条の規定による退職手当は、雇用保険法の規定によるこれに相当する給付の支給を受ける者に対して支給してはならない。

第四章　退職手当の支給制限等

（定義）
第十一条　この章において、次の各号に掲げる用語の意義は、当該各号に定めるところによる。
　一　懲戒免職等処分　国家公務員法第八十二条の規定による懲戒免職の処分その他の職員としての身分を当該職員の非違を理由として失わせる処分をいう。
　二　退職手当管理機関　退職（この法律その他の法律の規定により、この法律の規定による退職手当を支給しないこととしている退職を除く。以下この章において同じ。）の日におけるイからホまでに掲げる職員の区分に応じ、それぞれイからホまでに定める機関をいう。ただし、ホに定める機関が当該職員の退職後に廃止された場合における当該職員については、当該職員の占めていた職（当該職が廃止された場合にあつては、当該職に相当する職）を占める職員に対し懲戒免職等処分を行う権限を有する機関（当該機関がない場合にあつては、懲戒免職等処分及びこの章の規定に基づく処分の性質を考慮して政令で定める機関）をいう。

イ　国会職員法第一条第一号に規定する各議院事務局の事務総長　両議院の議長が両議院の議院運営委員会の合同審査会に諮つて定める機関
　　ロ　裁判官　最高裁判所
　　ハ　検査官　会計検査院
　　ニ　人事官　人事院
　　ホ　イからニまでに掲げる者以外の職員　国家公務員法その他の法令の規定（国家公務員法第八十四条第二項（裁判所職員臨時措置法において準用する場合を含む。）を除く。）により当該職員の退職の日において当該職員に対し懲戒免職等処分を行う権限を有していた機関（当該機関がない場合にあつては、懲戒免職等処分及びこの章の規定に基づく処分の性質を考慮して政令で定める機関）

　　　（懲戒免職等処分を受けた場合等の退職手当の支給制限）
第十二条　退職をした者が次の各号のいずれかに該当するときは、当該退職に係る退職手当管理機関は、当該退職をした者（当該退職をした者が死亡したときは、当該退職に係る一般の退職手当等の額の支払を受ける権利を承継した者）に対し、当該退職をした者が占めていた職の職務及び責任、当該退職をした者が行つた非違の内容及び程度、当該非違が公務に対する国民の信頼に及ぼす影響その他の政令で定める事情を勘案して、当該一般の退職手当等の全部又は一部を支給しないこととする処分を行うことができる。
　一　懲戒免職等処分を受けて退職をした者
　二　国家公務員法第七十六条の規定による失職又はこれに準ずる退職をした者
２　退職手当管理機関は、前項の規定による処分を行うときは、その理由を付記した書面により、その旨を当該処分を受けるべき者に通知しなければならない。
３　退職手当管理機関は、前項の規定による通知をする場合において、当該処分を受けるべき者の所在が知れないときは、当該処分の内容を官報に掲載することをもつて通知に代えることができる。この場合においては、その掲載した日から起算して二週間を経過した日に、通知が当該処分を受けるべき者に到達したものとみなす。

　　　（退職手当の支払の差止め）
第十三条　退職をした者が次の各号のいずれかに該当するときは、当該退職に係る退職手当管理機関は、当該退職をした者に対し、当該退職に係る一般の退職手当等の額の支払を差し止める処分を行うものとする。
　一　職員が刑事事件に関し起訴（当該起訴に係る犯罪について禁錮以上の刑が定められているものに限り、刑事訴訟法（昭和二十三年法律第百三十一号）第六編に規定する略式手続によるものを除く。以下同じ。）をされた場合において、その判決の確定前に退職をしたとき。
　二　退職をした者に対しまだ当該一般の退職手当等の額が支払われていない場合において、当該退職をした者が基礎在職期間中の行為に係る刑事事件に関し起訴をされたとき。
２　退職をした者に対しまだ当該退職に係る一般の退職手当等の額が支払われていない場合において、次の各号のいずれかに該当するときは、当該退職に係る退職手当管理機関は、当該退職をした者に対し、当該一般の退職手当等の額の支払を差し止める処分を行うことができる。
　一　当該退職をした者の基礎在職期間中の行為に係る刑事事件に関して、その者が逮捕されたとき又は当該退職手当管理機関がその者から聴取した事項若しくは調査により判明した事実に基づきその者に犯罪があると思料するに至つたときであつて、その者に対し一般の退職手当等の額を支払うことが公務に対する国民の信頼を確保する上で支障を生ずると認めるとき。
　二　当該退職手当管理機関が、当該退職をした者について、当該一般の退職手当等の額の算定の基礎となる職員としての引き続いた在職期間中に懲戒免職等処分を受けるべき行為（在職期間中の職員の非違に当たる行為であつて、その非違の内容及び程度に照らして懲戒免職等処分に値することが明らかなものをいう。以下同じ。）をしたことを疑うに足りる相当な理由があると思料するに至つたとき。
３　死亡による退職をした者の遺族（退職をした者（死亡による退職の場合には、その遺族）が当該退職に係る一般の退職手当等の額の支払を受ける前に死亡したことにより当該一般の退職手当等の額の支払を受ける権利を承継した者を含む。以下この項において同じ。）に対しまだ当該一般の退職手当等の額が支払われていない場合において、前項第二号に該当するときは、当該退職に係る退職手当管理機関は、当該遺族に対し、当該一般の退職手当等の額の支払を差し止める処分を行うことができる。
４　前三項の規定による一般の退職手当等の額の支払を差し止める処分（以下「支払差止処分」という。）を受けた者は、行政不服審査法（平

成二十六年法律第六十八号）第十八条第一項本文に規定する期間が経過した後においては、当該支払差止処分後の事情の変化を理由に、当該支払差止処分を行つた退職手当管理機関に対し、その取消しを申し立てることができる。

5　第一項又は第二項の規定による支払差止処分を行つた退職手当管理機関は、次の各号のいずれかに該当するに至つた場合には、速やかに当該支払差止処分を取り消さなければならない。ただし、第三号に該当する場合において、当該支払差止処分を受けた者がその者の基礎在職期間中の行為に係る刑事事件に関し現に逮捕されているときその他これを取り消すことが支払差止処分の目的に明らかに反すると認めるときは、この限りでない。

　一　当該支払差止処分を受けた者について、当該支払差止処分の理由となつた起訴又は行為に係る刑事事件につき無罪の判決が確定した場合

　二　当該支払差止処分を受けた者について、当該支払差止処分の理由となつた起訴又は行為に係る刑事事件につき、判決が確定した場合（禁錮以上の刑に処せられた場合及び無罪の判決が確定した場合を除く。）又は公訴を提起しない処分があつた場合であつて、次条第一項の規定による支払を受けることなく、当該判決が確定した日又は当該公訴を提起しない処分があつた日から六月を経過した場合

　三　当該支払差止処分を受けた者について、その者の基礎在職期間中の行為に係る刑事事件に関し起訴をされることなく、かつ、次条第一項の規定による処分を受けることなく、当該支払差止処分を受けた日から一年を経過した場合

6　第三項の規定による支払差止処分を行つた退職手当管理機関は、当該支払差止処分を受けた者が次条第二項の規定による処分を受けることなく当該支払差止処分を受けた日から一年を経過した場合には、速やかに当該支払差止処分を取り消さなければならない。

7　前二項の規定は、当該支払差止処分を行つた退職手当管理機関が、当該支払差止処分後に判明した事実又は生じた事情に基づき、当該一般の退職手当等の額の支払を差し止める必要がなくなつたとして当該支払差止処分を取り消すことを妨げるものではない。

8　第一項又は第二項の規定による支払差止処分を受けた者に対する第十条の規定の適用については、当該支払差止処分が取り消されるまでの間、その者は、一般の退職手当等の支給を受けない者とみなす。

9　第一項又は第二項の規定による支払差止処分を受けた者が当該支払差止処分が取り消されたことにより当該一般の退職手当等の額の支払を受ける場合（これらの規定による支払差止処分を受けた者が死亡した場合において、当該一般の退職手当等の額の支払を受ける権利を承継した者が第三項の規定による支払差止処分を受けることなく当該一般の退職手当等の額の支払を受けるに至つたときを含む。）において、当該退職をした者が既に第十条の規定による退職手当の額の支払を受けているときは、当該一般の退職手当等の額から既に支払を受けた同条の規定による退職手当の額を控除するものとする。この場合において、当該一般の退職手当等の額が既に支払を受けた同条の規定による退職手当の額以下であるときは、当該一般の退職手当等は、支払わない。

10　前条第二項及び第三項の規定は、支払差止処分について準用する。

　（退職後禁錮以上の刑に処せられた場合等の退職手当の支給制限）

第十四条　退職をした者に対しまだ当該退職に係る一般の退職手当等の額が支払われていない場合において、次の各号のいずれかに該当するときは、当該退職に係る退職手当管理機関は、当該退職をした者（第一号又は第二号に該当する場合において、当該退職をした者が死亡したときは、当該一般の退職手当等の額の支払を受ける権利を承継した者）に対し、第十二条第一項に規定する政令で定める事情及び同項各号に規定する退職をした場合の一般の退職手当等の額との権衡を勘案して、当該一般の退職手当等の全部又は一部を支給しないこととする処分を行うことができる。

　一　当該退職をした者が刑事事件（当該退職後に起訴をされた場合にあつては、基礎在職期間中の行為に係る刑事事件に限る。）に関し当該退職後に禁錮以上の刑に処せられたとき。

　二　当該退職をした者が当該一般の退職手当等の額の算定の基礎となる職員としての引き続いた在職期間中の行為に関し国家公務員法第八十二条第二項（裁判所職員臨時措置法において準用する場合を含む。）、自衛隊法第四十六条第二項又は国会職員法第二十八条第二項の規定による懲戒免職等処分（以下「定年前再任用短時間勤務職員等に対する免職処分」という。）を受けたとき。

　三　当該退職手当管理機関が、当該退職をした者（定年前再任用短時間勤務職員等に対する免職処分の対象となる者を除く。）について、

当該退職後に当該一般の退職手当等の額の算定の基礎となる職員としての引き続いた在職期間中に懲戒免職等処分を受けるべき行為をしたと認めたとき。
2　死亡による退職をした者の遺族（退職をした者（死亡による退職の場合には、その遺族）が当該退職に係る一般の退職手当等の額の支払を受ける前に死亡したことにより当該一般の退職手当等の額の支払を受ける権利を承継した者を含む。以下この項において同じ。）に対しまだ当該一般の退職手当等の額が支払われていない場合において、前項第三号に該当するときは、当該退職に係る退職手当管理機関は、当該遺族に対し、第十二条第一項に規定する政令で定める事情を勘案して、当該一般の退職手当等の全部又は一部を支給しないこととする処分を行うことができる。
3　退職手当管理機関は、第一項第三号又は前項の規定による処分を行おうとするときは、当該処分を受けるべき者の意見を聴取しなければならない。
4　行政手続法（平成五年法律第八十八号）第三章第二節（第二十八条を除く。）の規定は、前項の規定による意見の聴取について準用する。
5　第十二条第二項及び第三項の規定は、第一項及び第二項の規定による処分について準用する。
6　支払差止処分に係る一般の退職手当等に関し第一項又は第二項の規定により当該一般の退職手当等の一部を支給しないこととする処分が行われたときは、当該支払差止処分は、取り消されたものとみなす。

（退職をした者の退職手当の返納）
第十五条　退職をした者に対し当該退職に係る一般の退職手当等の額が支払われた後において、次の各号のいずれかに該当するときは、当該退職に係る退職手当管理機関は、当該退職をした者に対し、第十二条第一項に規定する政令で定める事情のほか、当該一般の退職手当等の額の支給を受けていなければ第十条第二項、第五項又は第七項の規定による退職手当の支給を受けることができた者（次条及び第十七条において「失業手当受給可能者」という。）であつた場合には、これらの規定により算出される金額（次条及び第十七条において「失業者退職手当額」という。）を除く。）の全部又は一部の返納を命ずる処分を行うことができる。
一　当該退職をした者が基礎在職期間中の行為に係る刑事事件に関し禁錮以上の刑に処せら

れたとき。
二　当該退職をした者が当該一般の退職手当等の額の算定の基礎となる職員としての引き続いた在職期間中の行為に関し定年前再任用短時間勤務職員等に対する免職処分を受けたとき。
三　当該退職手当管理機関が、当該退職をした者（定年前再任用短時間勤務職員等に対する免職処分の対象となる職員を除く。）について、当該一般の退職手当等の額の算定の基礎となる職員としての引き続いた在職期間中に懲戒免職等処分を受けるべき行為をしたと認めたとき。
2　前項の規定にかかわらず、当該退職をした者が第十条第一項、第四項又は第六項の規定による退職手当の額の支払を受けている場合（受けることができる場合を含む。）における当該退職に係る一般の退職手当等については、当該退職に係る退職手当管理機関は、前項の規定による処分を行うことができない。
3　第一項第三号に該当するときにおける同項の規定による処分は、当該退職の日から五年以内に限り、行うことができる。
4　退職手当管理機関は、第一項の規定による処分を行おうとするときは、当該処分を受けるべき者の意見を聴取しなければならない。
5　行政手続法第三章第二節（第二十八条を除く。）の規定は、前項の規定による意見の聴取について準用する。
6　第十二条第二項の規定は、第一項の規定による処分について準用する。

（遺族の退職手当の返納）
第十六条　死亡による退職をした者の遺族（退職をした者（死亡による退職の場合には、その遺族）が当該退職に係る一般の退職手当等の額の支払を受ける前に死亡したことにより当該一般の退職手当等の額の支払を受ける権利を承継した者を含む。以下この項において同じ。）に対し当該一般の退職手当等の額が支払われた後において、前条第一項第三号に該当するときは、当該退職に係る退職手当管理機関は、当該遺族に対し、当該退職の日から一年以内に限り、第十二条第一項に規定する政令で定める事情のほか、当該遺族の生計の状況を勘案して、当該一般の退職手当等の額（当該退職をした者が失業手当受給可能者であつた場合にあつては、失業者退職手当額を除く。）の全部又は一部の返納を命ずる処分を行うことができる。
2　第十二条第二項並びに前条第二項及び第四項の規定は、前項の規定による処分について準用する。

3　行政手続法第三章第二節（第二十八条を除く。）の規定は、前項において準用する前条第四項の規定による意見の聴取について準用する。

（退職手当受給者の相続人からの退職手当相当額の納付）

第十七条　退職をした者（死亡による退職の場合には、その遺族）に対し当該退職に係る一般の退職手当等の額が支払われた後において、当該一般の退職手当等の額の支払を受けた者（以下この条において「退職手当の受給者」という。）が当該退職の日から六月以内に第十五条第一項又は前条第一項の規定による処分を受けることなく死亡した場合（次項から第五項までに規定する場合を除く。）において、当該退職に係る退職手当管理機関が、当該退職手当の受給者の相続人（包括受遺者を含む。以下この項から第六項までにおいて同じ。）に対し、当該退職の日から六月以内に、当該退職をした者が当該一般の退職手当等の額の算定の基礎となる職員としての引き続いた在職期間中に懲戒免職等処分を受けるべき行為をしたことを疑うに足りる相当な理由がある旨の通知をしたときは、当該退職手当管理機関は、当該通知が当該相続人に到達した日から六月以内に限り、当該相続人に対し、当該退職をした者が当該一般の退職手当等の額の算定の基礎となる職員としての引き続いた在職期間中に懲戒免職等処分を受けるべき行為をしたと認められることを理由として、当該一般の退職手当等の額（当該退職をした者が失業手当受給可能者であつた場合には、失業者退職手当額を除く。）の全部又は一部に相当する額の納付を命ずる処分を行うことができる。

2　退職手当の受給者が、当該退職の日から六月以内に第十五条第五項又は前条第三項において準用する行政手続法第十五条第一項の規定による通知を受けた場合において、第十五条第一項又は前条第一項の規定による処分を受けることなく死亡したとき（次項から第五項までに規定する場合を除く。）は、当該退職に係る退職手当管理機関は、当該退職手当の受給者の死亡の日から六月以内に限り、当該退職手当の受給者の相続人に対し、当該退職をした者が当該退職に係る一般の退職手当等の額の算定の基礎となる職員としての引き続いた在職期間中に懲戒免職等処分を受けるべき行為をしたと認められることを理由として、当該一般の退職手当等の額（当該退職をした者が失業手当受給可能者であつた場合には、失業者退職手当額を除く。）の全部又は一部に相当する額の納付を命ずる処分を行うことができる。

3　退職手当の受給者（遺族を除く。以下この項から第五項までにおいて同じ。）が、当該退職の日から六月以内に基礎在職期間中の行為に係る刑事事件に関し起訴をされた場合（第十三条第一項第一号に該当する場合を含む。次項において同じ。）において、当該刑事事件につき判決が確定することなく、かつ、第十五条第一項の規定による処分を受けることなく死亡したときは、当該退職に係る退職手当管理機関は、当該退職手当の受給者の死亡の日から六月以内に限り、当該退職手当の受給者の相続人に対し、当該退職をした者が当該退職に係る一般の退職手当等の額の算定の基礎となる職員としての引き続いた在職期間中に懲戒免職等処分を受けるべき行為をしたと認められることを理由として、当該一般の退職手当等の額（当該退職をした者が失業手当受給可能者であつた場合には、失業者退職手当額を除く。）の全部又は一部に相当する額の納付を命ずる処分を行うことができる。

4　退職手当の受給者が、当該退職の日から六月以内に基礎在職期間中の行為に係る刑事事件に関し起訴をされた場合において、当該刑事事件に関し禁錮以上の刑に処せられた後において第十五条第一項の規定による処分を受けることなく死亡したときは、当該退職に係る退職手当管理機関は、当該退職手当の受給者の死亡の日から六月以内に限り、当該退職手当の受給者の相続人に対し、当該退職をした者が当該刑事事件に関し禁錮以上の刑に処せられたことを理由として、当該一般の退職手当等の額（当該退職をした者が失業手当受給可能者であつた場合には、失業者退職手当額を除く。）の全部又は一部に相当する額の納付を命ずる処分を行うことができる。

5　退職手当の受給者が、当該退職の日から六月以内に当該退職に係る一般の退職手当等の額の算定の基礎となる職員としての引き続いた在職期間中の行為に関し定年前再任用短時間勤務職員等に対する免職処分を受けた場合において、第十五条第一項の規定による処分を受けることなく死亡したときは、当該退職に係る退職手当管理機関は、当該退職手当の受給者の死亡の日から六月以内に限り、当該退職手当の受給者の相続人に対し、当該退職をした者が当該行為に関し定年前再任用短時間勤務職員等に対する免職処分を受けたことを理由として、当該一般の退職手当等の額（当該退職をした者が失業手当受給可能者であつた場合には、失業者退職手当額を除く。）の全部又は一部に相当する額の納付を命ずる処分を行うことができる。

6　前各項の規定による処分に基づき納付する金額は、第十二条第一項に規定する政令で定める事情のほか、当該退職手当の受給者の相続財産の額、当該退職手当の受給者の相続人の生計の状況その他の政令で定める事情を勘案して、定めるものとする。この場合において、当該相続人が二人以上あるときは、各相続人が納付する金額の合計額は、当該一般の退職手当等の額を超えることとなつてはならない。

7　第十二条第二項並びに第十五条第二項及び第四項の規定は、第一項から第五項までの規定による処分について準用する。

8　行政手続法第三章第二節（第二十八条を除く。）の規定は、前項において準用する第十五条第四項の規定による意見の聴取について準用する。

（退職手当審査会）

第十八条　内閣府に、退職手当審査会を置く。

2　退職手当審査会は、この法律の規定によりその権限に属させられた事項を処理する。

3　前項に定めるもののほか、退職手当審査会の組織及び委員その他の職員その他退職手当審査会に関し必要な事項については、政令で定める。

（退職手当審査会等への諮問）

第十九条　退職手当管理機関（第五項から第七項までに規定する退職手当管理機関を除く。）は、第十四条第一項第三号若しくは第二項、第十五条第一項、第十六条第一項又は第十七条第一項から第五項までの規定による処分（以下この条において「退職手当の支給制限等の処分」という。）を行おうとするときは、退職手当審査会に諮問しなければならない。

2　退職手当審査会は、第十四条第二項、第十六条第一項又は第十七条第一項から第五項までの規定による処分を受けるべき者から申立てがあつた場合には、当該処分を受けるべき者に口頭で意見を述べる機会を与えなければならない。

3　退職手当審査会は、必要があると認める場合には、退職手当の支給制限等の処分に係る事件に関し、当該処分を受けるべき者又は退職手当管理機関にその主張を記載した書面又は資料の提出を求めること、適当と認める者にその知つている事実の陳述又は鑑定を求めることその他必要な調査をすることができる。

4　退職手当審査会は、必要があると認める場合には、退職手当の支給制限等の処分に係る事件に関し、関係機関に対し、資料の提出、意見の開陳その他必要な協力を求めることができる。

5　前各項の規定は、国会職員法第一条に規定する国会職員に係る退職手当管理機関が退職手当の支給制限等の処分を行おうとするときについて準用する。この場合において、これらの規定中「退職手当審査会」とあるのは、「両議院の議長が両議院の議院運営委員会の合同審査会に諮つて定める機関」と読み替えるものとする。

6　第一項から第四項までの規定は、裁判官又は裁判所の職員に係る退職手当管理機関が退職手当の支給制限等の処分を行おうとするときについて準用する。この場合において、これらの規定中「退職手当審査会」とあるのは、「最高裁判所規則で定める機関」と読み替えるものとする。

7　第一項から第四項までの規定は、会計検査院の検査官又は職員に係る退職手当管理機関が退職手当の支給制限等の処分を行おうとするときについて準用する。この場合において、これらの規定中「退職手当審査会」とあるのは、「会計検査院規則で定める機関」と読み替えるものとする。

第五章　雑則

（職員が退職した後に引き続き職員となつた場合等における退職手当の不支給）

第二十条　職員が退職した場合（第十二条第一項各号のいずれかに該当する場合を除く。）において、その者が退職の日又はその翌日に再び職員となつたときは、この法律の規定による退職手当は、支給しない。

2　職員が、機構の改革、施設の移譲その他の事由によつて、引き続いて地方公務員となり、地方公共団体又は地方独立行政法人法（平成十五年法律第百十八号）第二条第二項に規定する特定地方独立行政法人（以下この項において「特定地方独立行政法人」という。）に就職した場合において、その者の職員としての勤続期間が、当該地方公共団体の退職手当に関する規定又は当該特定地方独立行政法人の退職手当の支給の基準（同法第四十八条第二項又は第五十一条第二項に規定する基準をいう。）によりその者の当該地方公共団体又は特定地方独立行政法人における地方公務員としての勤続期間に通算されることに定められているときは、この法律の規定による退職手当は、支給しない。

3　職員が第七条の二第一項の規定に該当する退職をし、かつ、引き続いて公庫等職員となつた場合又は同条第二項の規定に該当する職員が退職し、かつ、引き続いて公庫等職員となつた場合においては、政令で定める場合を除き、この法律の規定による退職手当は、支給しない。

4　職員が第八条第一項の規定に該当する退職をし、かつ、引き続いて独立行政法人等役員とな

つた場合又は同条第二項の規定に該当する職員が退職し、かつ、引き続いて独立行政法人等役員となつた場合においては、政令で定める場合を除き、この法律の規定による退職手当は、支給しない。

(実施規定)

第二十一条　この法律の実施のための手続その他その執行について必要な事項は、政令で定める。

　　　附　則

1　この法律は、公布の日から施行し、昭和二十八年八月一日以後の退職による退職手当について適用する。

2　職員のうち、国家公務員等退職手当法等の一部を改正する法律(昭和五十六年法律第九十一号)第一条の規定の施行の日(次項において「昭和五十六年改正法第一条施行日」という。)前に任命権者又はその委任を受けた者の要請に応じ、引き続いて旧プラント類輸出促進臨時措置法(昭和三十四年法律第五十八号)第十六条第二項に規定する指定機関(当該指定機関であつた期間の前後の内閣総理大臣が定める期間における当該指定機関とされた法人を含む。)に使用される者(役員及び常時勤務に服することを要しない者を除く。以下この項において「指定機関職員」という。)となるため退職をし、かつ、引き続き指定機関職員として在職した後引き続いて再び職員となつた者(引き続き指定機関職員として在職した後引き続いて公庫等職員として在職し、その後引き続いて再び職員となつた者を含む。)の第七条第一項の規定による在職期間の計算については、指定機関職員となる前の職員としての在職期間の始期から後の職員としての在職期間の終期までの期間は、職員としての引き続いた在職期間とみなす。

3　職員のうち、昭和五十六年改正法第一条施行日前に任命権者又はその委任を受けた者の要請に応じ、引き続いて地方公共団体(昭和五十六年改正法第一条施行日前における地方公共団体の退職手当に関する規定に、職員としての勤続期間を当該地方公共団体における職員としての勤続期間に通算する旨の規定(以下この項において「通算規定」という。)がない地方公共団体に限る。)の地方公務員となるため退職をし、かつ、引き続き当該地方公共団体の地方公務員として在職した後引き続いて再び職員となつた者の第七条第一項の規定による在職期間の計算については、昭和五十六年改正法第一条施行日における当該地方公共団体の退職手当に関する規定に通算規定がある場合に限り、第七条第五項の規定にかかわらず、当該地方公共団体の地方公務員となる前の職員としての在職期間の始期から後の職員としての在職期間の終期までの期間は、職員としての引き続いた在職期間とみなす。

4　前二項に規定する者が退職した場合におけるその者に対する第二条の四及び第六条の五の規定による退職手当の額は、国家公務員等退職手当法の一部を改正する法律(昭和四十八年法律第三十号。次項から附則第八項までにおいて「昭和四十八年改正法」という。)附則第十二項の規定の例により計算した額とする。

5　附則第三項に規定する者のうち、昭和四十七年十二月一日に地方公務員であつた者は、昭和四十八年改正法附則第五項に規定する適用日に在職する職員とみなす。

6　当分の間、三十五年以下の期間勤続して退職した者(昭和四十八年改正法附則第五項の規定に該当する者を除く。)に対する退職手当の基本額は、第三条から第五条の三まで及び附則第十二項から第十六項までの規定により計算した額にそれぞれ百分の八十三・七を乗じて得た額とする。この場合において、第六条の五第一項中「前条」とあるのは、「前条並びに附則第六項」とする。

7　当分の間、三十六年以上四十二年以下の期間勤続して退職した者(昭和四十八年改正法附則第六項の規定に該当する者を除く。)で第三条第一項の規定に該当する退職をしたものに対する退職手当の基本額は、同項又は第五条の二及び附則第十五項の規定により計算した額に前項に定める割合を乗じて得た額とする。

8　当分の間、三十五年を超える期間勤続して退職した者(昭和四十八年改正法附則第七項の規定に該当する者を除く。)で第五条又は附則第十三項の規定に該当する退職をしたものに対する退職手当の基本額は、その者の勤続期間を三十五年として附則第六項の規定の例により計算して得られる額とする。

9　退職した者の基礎在職期間中に俸給月額の減額改定(平成十八年三月三十一日以前に行われた俸給月額の減額改定で内閣総理大臣が定めるものを除く。)によりその者の俸給月額が減額されたことがある場合において、その者の減額後の俸給月額が減額前の俸給月額に達しない場合にその差額に相当する額を支給することとする法令又はこれに準ずる給与の支給の基準の適用を受けたことがあるときは、この法律の規定による俸給月額には、当該差額を含まないものとする。ただし、第六条の五第二項に規定する一般職の職員に係る基本給月額に含まれる俸給の月額及び同項に規定するその他の職員に係る

基本給月額に含まれる俸給月額に相当するものとして政令で定めるものについては、この限りでない。

10　令和七年三月三十一日以前に退職した職員に対する第十条第九項の規定の適用については、同項中「第二十八条まで」とあるのは「第二十八条まで及び附則第五条」と、同項第二号中「ロ　雇用保険法第二十二条第二項に規定する厚生労働省令で定める理由により就職が困難な者であつて、同法第二十四条の二第一項第二号に掲げる者に相当する者として内閣官房令で定める者に該当し、かつ、公共職業安定所長が同項に規定する指導基準に照らして再就職を促進するために必要な職業安定法第四条第四項に規定する職業指導を行うことが適当であると認めたもの」とあるのは「ロ　雇用保険法第二十二条第二項に規定する厚生労働省令で定める理由により就職が困難な者であつて、同法第二十四条の二第一項第二号に掲げる者に相当する者として内閣官房令で定める者に該当し、かつ、公共職業安定所長が同項に規定する指導基準に照らして再就職を促進するために必要な職業安定法第四条第四項に規定する職業指導を行うことが適当であると認めたもの／ハ　特定退職者であつて、雇用保険法附則第五条第一項に規定する地域内に居住し、かつ、公共職業安定所長が同法第二十四条の二第一項に規定する指導基準に照らして再就職を促進するために必要な職業安定法第四条第四項に規定する職業指導を行うことが適当であると認めたもの（イに掲げる者を除く。）」とする。

11　当分の間、第六条の四第四項第五号に掲げる者に対する同項（同号に係る部分に限る。）及び附則第六項の規定の適用については、同号中「百分の八」とあるのは「百分の八・三」と、同項中「附則第六項」とあるのは「附則第六項及び第十一項」とする。

12　当分の間、第四条第一項の規定は、十一年以上二十五年未満の期間勤続した者であつて、六十歳（次の各号に掲げる者にあつては、当該各号に定める年齢）に達した日以後その者の非違によることなく退職した者（定年の定めのない職を退職した者及び同項又は同条第二項の規定に該当する者を除く。）に対する退職手当の基本額について準用する。この場合における第三条の規定の適用については、同条第一項中「又は第五条」とあるのは、「、第五条又は附則第十二項」とする。
　一　次に掲げる者　六十三歳
　　イ　国家公務員法等の一部を改正する法律（令和三年法律第六十一号。ニにおいて「令和三年国家公務員法等改正法」という。）第一条の規定による改正前の国家公務員法（次号イ及び附則第十四項第一号において「令和五年旧国家公務員法」という。）第八十一条の二第二項第二号（裁判所職員臨時措置法において準用する場合を含む。）に掲げる職員に相当する職員として内閣官房令で定める職員
　　ロ　検事総長以外の検察官
　　ハ　国会職員法及び国家公務員退職手当法の一部を改正する法律（令和三年法律第六十二号。附則第十五項において「令和三年国会職員法等改正法」という。）第一条の規定による改正前の国会職員法（次号ロ及び附則第十四項第七号において「令和五年旧国会職員法」という。）第十五条の二第二項第二号に掲げる国会職員（国会職員法第一条に規定する国会職員をいう。以下この項及び附則第十四項において同じ。）に相当する国会職員として内閣官房令で定める国会職員
　　ニ　令和三年国家公務員法等改正法第八条の規定による改正前の自衛隊法（次号ハ及び附則第十四項第九号において「令和五年旧自衛隊法」という。）第四十四条の二第二項第二号に掲げる隊員（自衛隊法第二条第五項に規定する隊員をいう。以下この項及び附則第十四項において同じ。）に相当する隊員として内閣官房令で定める隊員
　二　次に掲げる者　六十歳を超え六十四歳を超えない範囲内で内閣官房令で定める年齢
　　イ　令和五年旧国家公務員法第八十一条の二第二項第三号（裁判所職員臨時措置法において準用する場合を含む。）に掲げる職員に相当する職員のうち、内閣官房令で定める職員
　　ロ　令和五年旧国会職員法第十五条の二第二項第三号に掲げる国会職員に相当する国会職員のうち、内閣官房令で定める国会職員
　　ハ　令和五年旧自衛隊法第四十四条の二第二項第三号に掲げる隊員に相当する隊員のうち、内閣官房令で定める隊員

13　当分の間、第五条第一項の規定は、二十五年以上の期間勤続した者であつて、六十歳（前項各号に掲げる者にあつては、当該各号に定める年齢）に達した日以後その者の非違によることなく退職した者（定年の定めのない職を退職した者及び同条第一項又は第二項の規定に該当する者を除く。）に対する退職手当の基本額について準用する。この場合における第三条の規定の適用については、同条第一項中「又は第五

条」とあるのは、「、第五条又は附則第十三項」とする。
14 前二項の規定は、次に掲げる者が退職した場合に支給する退職手当の基本額については適用しない。
　一　令和五年旧国家公務員法第八十一条の二第二項第一号（裁判所職員臨時措置法において準用する場合を含む。）に掲げる職員に相当する職員として内閣官房令で定める職員及び同項第三号（裁判所職員臨時措置法において準用する場合を含む。）に掲げる職員に相当する職員のうち内閣官房令で定める職員
　二　国家公務員法第八十一条の六第二項ただし書（裁判所職員臨時措置法において準用する場合を含む。）に規定する職員
　三　公正取引委員会の委員長及び委員
　四　裁判官
　五　検事総長
　六　検査官
　七　令和五年旧国会職員法第十五条の二第二項第一号に掲げる国会職員に相当する国会職員として内閣官房令で定める国会職員及び同項第三号（裁判所職員臨時措置法において準用する場合を含む。）に掲げる国会職員に相当する国会職員のうち内閣官房令で定める国会職員
　八　国会職員法第十五条の六第二項ただし書に規定する国会職員
　九　令和五年旧自衛隊法第四十四条の二第二項第一号に掲げる隊員に相当する隊員として内閣官房令で定める隊員及び同項第三号に掲げる隊員に相当する隊員のうち内閣官房令で定める隊員
　十　自衛隊法第四十四条の六第二項ただし書に規定する隊員
　十一　自衛隊法第四十五条第一項に規定する自衛官
　十二　給与その他の処遇の状況が前各号に掲げる職員に類する職員として内閣官房令で定める職員
15　一般職の職員の給与に関する法律附則第八項（裁判所職員臨時措置法において準用する場合を含む。）、検察官の俸給等に関する法律（昭和二十三年法律第七十六号）附則第五条第一項若しくは防衛省の職員の給与等に関する法律（昭和二十七年法律第二百六十六号）附則第五条の規定、令和三年国会職員法等改正法による定年の引上げに伴う給与に関する特例措置又はこれらに準ずる給与の支給の基準による職員の俸給月額の改定は、俸給月額の減額改定に該当しないものとする。
16　当分の間、第四条第一項第三号並びに第五条第一項第三号、第五号及び第六号に掲げる者に対する第五条の三及び第六条の三の規定の適用については、第五条の三並びに第六条の三の表第六条の項、第六条の二第一号の項及び第六条の二第二号の項中「定年」とあるのは、「定年（附則第十二項各号及び第十四項各号に掲げる者以外の者（国家公務員法等の一部を改正する法律（令和三年法律第六十一号）第一条の規定による改正前の国家公務員法第八十一条の二第二項本文（裁判所職員臨時措置法において準用する場合を含む。）の適用を受けていた者であつて附則第十四項第二号に掲げる職員に該当する職員、国会職員法及び国家公務員退職手当法の一部を改正する法律（令和三年法律第六十二号）第一条の規定による改正前の国会職員法第十五条の二第二項本文の適用を受けていた者であつて附則第十四項第八号に掲げる国会職員に該当する国会職員及び国家公務員法等の一部を改正する法律第八条の規定による改正前の自衛隊法第四十四条の二第二項本文の適用を受けていた者であつて附則第十四項第十号に掲げる隊員に該当する隊員を含む。）にあつては六十歳とし、附則第十二項各号に掲げる者にあつては当該各号に定める年齢とし、附則第十四項第一号に掲げる職員、同項第七号に掲げる国会職員及び同項第九号に掲げる隊員にあつては六十五歳とし、同項第十二号に掲げる職員にあつては内閣官房令で定める年齢とする。）」とする。

　　　附　則（平成一五年六月四日法律第六二号）（抄）
4　当分の間、四十二年を超える期間勤続して退職した者で国家公務員退職手当法第三条第一項の規定に該当する退職をしたものに対する退職手当の額は、同項の規定にかかわらず、その者が同法第五条の規定に該当する退職をしたものとし、かつ、その者の勤続期間を三十五年として同法附則第六項の規定の例により計算して得られる額とする。

　　　附　則（平成一七年一一月七日法律第一一五号）（抄）
（施行期日）
第一条　この法律は、平成十八年四月一日から施行する。
（経過措置）
第二条　国有林野の有する公益的機能の維持増進を図るための国有林野の管理経営に関する法律等の一部を改正する等の法律（平成二十四年法律第四十二号）第五条第一号の規定による廃止前の国有林野事業を行う国の経営する企業に勤務する職員の給与等に関する特例法（昭和二十九年法律第百四十一号）第二条第一項に規定する国有林野事業を行う国の経営する企業、独立

行政法人通則法の一部を改正する法律（平成二十六年法律第六十六号）による改正前の独立行政法人通則法（平成十一年法律第百三号）第二条第二項に規定する特定独立行政法人（この法律の施行の日（以下「施行日」という。）以後に同項に規定する特定独立行政法人以外の独立行政法人（同条第一項に規定する独立行政法人をいう。）となったものその他の法人で政令で定めるものを含む。）及び郵政民営化法（平成十七年法律第九十七号）第百六十六条第一項の規定による解散前の日本郵政公社（以下「国営企業等」と総称する。）の職員の退職による退職手当については、この法律による改正後の国家公務員退職手当法の規定は、国営企業等ごとに、施行日から起算して一年を超えない範囲内において政令で定める日（以下「適用日」という。）から適用し、適用日前の当該退職による退職手当については、なお従前の例による。

第三条　職員が新制度適用職員（職員であって、その者が新制度切替日以後に退職することにより国家公務員退職手当法の規定による退職手当の支給を受けることとなる者をいう。以下同じ。）として退職した場合において、その者が新制度切替日の前日に現に退職した理由と同一の理由により退職したものとし、かつ、その者の同日までの勤続期間及び同日における俸給月額を基礎として、この法律による改正後の国家公務員退職手当法（以下この項において「旧法」という。）第三条から第六条まで及び附則第二十一項から第二十三項までの規定、附則第九条の規定による改正前の国家公務員等退職手当法の一部を改正する法律（昭和四十八年法律第三十号）附則第五項から第七項までの規定並びに附則第十条の規定による改正前の国家公務員退職手当法等の一部を改正する法律（平成十五年法律第六十二号）附則第四項の規定により計算した額（当該勤続期間が四十三年又は四十四年の者であって、傷病若しくは死亡によらずにその者の都合により又は通勤による傷病以外の公務によらない傷病により退職したものにあっては、その者が旧法第五条の規定に該当する退職をしたものとみなし、かつ、その者の当該勤続期間を三十五年として旧法附則第二十一項の規定の例により計算して得られる額）にそれぞれ百分の八十三・七（当該勤続期間が二十年以上の者（四十二年以下の者で傷病又は死亡によらずにその者の都合により退職したもの及び三十七年以上四十二年以下の者で通勤による傷病以外の公務によらない傷病により退職したものを除く。）にあっては、百四分の八十三・七）を乗じて得た額が、国家公務員退職手当法第二条の四から第六条の五まで並びに附則第六項から第八項まで及び第十一項の規定、国家公務員等退職手当法の一部を改正する法律（昭和四十八年法律第三十号）附則第五項から第七項までの規定、国家公務員退職手当法等の一部を改正する法律（平成十五年法律第六十二号）附則第四項の規定並びに附則第五条及び第六条の規定により計算した退職手当の額よりも多いときは、これらの規定にかかわらず、その多い額をもってその者に支給すべきこれらの規定による退職手当の額とする。

2　前項の「新制度切替日」とは、次の各号に掲げる職員の区分に応じ、当該各号に定める日をいう。

一　施行日の前日及び施行日において職員（国営企業等の職員を除く。以下「一般職員」という。）として在職していた者　施行日

二　施行日の前日において一般職員として在職していた者で、施行日に国営企業等（当該国営企業等に係る適用日が施行日であるものに限る。）の職員となったもの　施行日

三　国営企業等のいずれかに係る適用日の前日及び適用日において当該国営企業等の職員として在職していた者（その者の基礎在職期間（国家公務員退職手当法第五条の二第二項に規定する基礎在職期間をいう。以下同じ。）のうち当該適用日前の期間に、新制度適用職員としての在職期間が含まれない者に限る。）　当該国営企業等に係る適用日

四　国営企業等の職員として在職した後、施行日以後に引き続いて一般職員となった者（その者の基礎在職期間のうち当該一般職員となった日前の期間に、新制度適用職員としての在職期間が含まれない者に限る。）　当該一般職員となった日

五　国営企業等の職員として在職した後、引き続いて他の国営企業等の職員となった者（その者の基礎在職期間のうち当該他の国営企業等の職員となった日前の期間に、新制度適用職員としての在職期間が含まれない者であって、当該他の国営企業等の職員となった日が当該他の国営企業等に係る適用日以後であるものに限る。）　当該他の国営企業等の職員となった日

六　職員として在職した後、施行日以後に引き続いて地方公務員又は国家公務員退職手当法第七条の二第一項に規定する公庫等職員（他の法律の規定により同条の規定の適用について同項に規定する公庫等職員とみなされる者を含む。以下この項において「公庫等職員」という。）若しくは国家公務員退職手当法第

八条第一項に規定する独立行政法人等役員（以下この項において「独立行政法人等役員」という。）となった者で、地方公務員又は公庫等職員若しくは独立行政法人等役員として在職した後引き続いて一般職員となったもの（その者の基礎在職期間のうち当該地方公務員又は公庫等職員若しくは独立行政法人等役員となった日前の期間に、新制度適用職員としての在職期間が含まれない者に限る。）当該地方公務員又は公庫等職員若しくは独立行政法人等役員となった日

七　職員として在職した後、施行日以後に引き続いて地方公務員又は公庫等職員若しくは独立行政法人等役員となった者で、地方公務員又は公庫等職員若しくは独立行政法人等役員として在職した後引き続いて国営企業等の職員となったもの（その者の基礎在職期間のうち当該地方公務員又は公庫等職員若しくは独立行政法人等役員となった日前の期間に、新制度適用職員としての在職期間が含まれない者であって、当該国営企業等の職員となった日が当該国営企業等に係る適用日以後であるものに限る。）当該地方公務員又は公庫等職員若しくは独立行政法人等役員となった日

八　施行日の前日に地方公務員として在職していた者又は施行日の前日に公庫等職員として在職していた者のうち職員から引き続いて公庫等職員となった者若しくは施行日の前日に独立行政法人等役員として在職していた者のうち職員から引き続いて独立行政法人等役員となった者で、地方公務員又は公庫等職員若しくは独立行政法人等役員として在職した後引き続いて一般職員となったもの　施行日

九　施行日の前日に地方公務員として在職していた者又は施行日の前日に公庫等職員として在職していた者のうち職員から引き続いて公庫等職員となった者若しくは施行日の前日に独立行政法人等役員として在職していた者のうち職員から引き続いて独立行政法人等役員となった者で、地方公務員又は公庫等職員若しくは独立行政法人等役員として在職した後引き続いて国営企業等の職員となったもの（当該国営企業等の職員となった日が当該国営企業等に係る適用日以後である者に限る。）　施行日

十　前各号に掲げる者に準ずる者であって政令で定めるもの　施行日から起算して一年を超えない範囲内において政令で定める日

3　前項第八号及び第九号に掲げる者が新制度適用職員として退職した場合における当該退職による退職手当についての第一項の規定の適用については、同項中「退職したものとし」とあるのは「職員として退職したものとし」と、「勤続期間」とあるのは「勤続期間として取り扱われるべき期間」と、「俸給月額」とあるのは「俸給月額に相当する額として政令で定める額」とする。

第五条　基礎在職期間の初日が新制度切替日（附則第三条第二項に規定する新制度切替日をいう。次項において同じ。）前である者に対する国家公務員退職手当法第五条の二の規定の適用については、同条第一項中「基礎在職期間」とあるのは、「基礎在職期間（国家公務員退職手当法の一部を改正する法律（平成十七年法律第百六十五号）附則第三条第二項に規定する新制度切替日以後の期間に限る。）」とする。

2　新制度適用職員として退職した者で、その者の基礎在職期間のうち新制度切替日以後の期間に、新制度適用職員以外の職員としての在職期間が含まれるものに対する国家公務員退職手当法第五条の二の規定の適用については、その者が当該新制度適用職員以外の職員として受けた俸給月額は、同条第一項に規定する俸給月額には該当しないものとみなす。

第六条　国家公務員退職手当法第六条の四及び附則第十一項の規定により退職手当の調整額を計算する場合において、基礎在職期間の初日が平成八年四月一日前である者に対する同条の規定の適用については、次の表の上欄に掲げる同条の規定中同表の中欄に掲げる字句は、それぞれ同表の下欄に掲げる字句に読み替えるものとする。

読み替える規定	読み替えられる字句	読み替える字句
第一項	その者の基礎在職期間（	平成八年四月一日以後のその者の基礎在職期間（
第二項	基礎在職期間	平成八年四月一日以後の基礎在職期間

2　次に掲げる職員であった者に対する国家公務員退職手当法第六条の四の規定の適用については、当該職員としての在職期間は、同条第四項第五号ロに規定する特別職の職員としての在職期間とみなす。

一　労働者災害補償保険法等の一部を改正する法律（平成八年法律第四十二号）による改正前の特別職の職員の給与に関する法律（昭和二十四年法律第二百五十二号。以下「特別職給与法」という。）第一条第十二号の二に掲

げる労働保険審査会委員
二　行政機関の保有する情報の公開に関する法律の施行に伴う関係法律の整備等に関する法律（平成十一年法律第四十三号）による改正前の特別職給与法第一条第十三号の五の二に掲げる行政改革委員会の常勤の委員
三　中央省庁等改革のための国の行政組織関係法律の整備等に関する法律（平成十一年法律第百二号）による改正前の特別職給与法第一条第八号に掲げる政務次官
四　中央省庁等改革関係法施行法（平成十一年法律第百六十号）による改正前の特別職給与法第一条第十三号の二に掲げる原子力委員会の常勤の委員、同条第十三号の四に掲げる科学技術会議の常勤の議員及び同条第十三号の四の二に掲げる宇宙開発委員会の常勤の委員
五　航空事故調査委員会設置法等の一部を改正する法律（平成十三年法律第三十四号）による改正前の特別職給与法第一条第十三号の六に掲げる航空事故調査委員会の委員長及び常勤の委員並びに同条第十四号に掲げる運輸審議会委員
六　行政機関の保有する個人情報の保護に関する法律等の施行に伴う関係法律の整備等に関する法律（平成十五年法律第六十一号）による改正前の特別職給与法第一条第十三号の五の二に掲げる情報公開審査会の常勤の委員
七　特別職の職員の給与に関する法律等の一部を改正する法律（平成十六年法律第百四十六号）による改正前の特別職給与法第一条第十三号に掲げる地方財政審議会の会長
八　前各号に掲げる職員に類するものとして政令で定める職員
第七条　この附則に定めるもののほか、この法律の施行に関し必要な経過措置は、政令で定める。

　　　附　則（令和三年六月一一日法律第六一号）（抄）

　（施行期日）
第一条　この法律は、令和五年四月一日から施行する。ただし、第三条中国家公務員退職手当法附則第二十五項の改正規定及び第八条中自衛隊法附則第六項の改正規定並びに次条並びに附則第十五条及び第十六条の規定は、公布の日から施行する。
　（その他の経過措置の政令等への委任）
第十五条　附則第三条から前条までに定めるもののほか、この法律の施行に関し必要な経過措置は、政令（人事院の所掌する事項については、人事院規則）で定める。

　　　附　則（令和三年六月一一日法律第六二号）（抄）

　（施行期日）
第一条　この法律は、令和五年四月一日から施行する。ただし、次条及び附則第八条の規定は、公布の日から施行する。
　（経過措置）
第七条　暫定再任用職員に対する第二条の規定による改正後の国家公務員退職手当法第二条第一項の規定の適用については、同項中「第四十五条の二第一項」とあるのは、「第四十五条の二第一項又は国会職員法及び国家公務員退職手当法の一部を改正する法律（令和三年法律第六十二号）附則第四条第一項若しくは第二項若しくは第五条第一項若しくは第二項」とする。
2　短時間勤務の職を占める暫定再任用職員は、定年前再任用短時間勤務職員とみなして、附則第九条の規定による改正後の国会職員の育児休業等に関する法律（平成三年法律第百八号）第二十条第一項の規定を適用する。
3　前三条及び前二項に定めるもののほか、暫定再任用職員の任用その他暫定再任用職員に関し必要な事項は、両議院の議長が協議して定める。
　（その他の経過措置の両院議長協議決定への委任）
第八条　附則第三条から前条までに定めるもののほか、この法律の施行に関し必要な経過措置は、両議院の議長が協議して定める。

　　　附　則（令和四年三月三一日法律第一二号）（抄）

　（施行期日）
第一条　この法律は、令和四年四月一日から施行する。ただし、次の各号に掲げる規定は、当該各号に定める日から施行する。
　一　第二条中職業安定法第三十二条及び第三十二条の十一第一項の改正規定並びに附則第二十八条の規定　公布の日
　二　第一条中雇用保険法第十五条第三項ただし書の改正規定、同法第二十条の次に一条を加える改正規定並びに同法第六十四条、第七十二条第一項及び第七十九条の二の改正規定並びに附則第三条の規定、附則第十一条中国家公務員退職手当法（昭和二十八年法律第百八十二号）第十条第三項の改正規定並びに附則第十二条及び第二十三条の規定　令和四年七月一日
　三　第一条中雇用保険法第十条の四第二項及び第五十八条第一項の改正規定、第二条の規定（第一号に掲げる改正規定並びに職業安定法の目次の改正規定（「第四十八条」を「第四十七条の三」に改める部分に限る。）、同法第

五条の二第一項の改正規定及び同法第四章中第四十条の前に一条を加える改正規定を除く。）並びに第三条の規定（職業能力開発促進法第十条の三第一号の改正規定、同条に一項を加える改正規定、同法十五条の二第一項の改正規定及び同法第十八条に一項を加える改正規定を除く。）並びに次条並びに附則第五条、第六条及び十条の規定、附則第十一条中国家公務員退職手当法第十条第十項の改正規定、附則第十四条中青少年の雇用の促進等に関する法律（昭和四十五年法律第九十八号）第四条第二項及び第十八条の改正規定並びに同法第三十三条の改正規定（「、第十一条中「公共職業安定所」とあるのは「地方運輸局」と、「厚生労働省令」とあるのは「国土交通省令」と、「職業安定法第五条の五第一項」とあるのは「船員職業安定法第十五条第一項」と」を削る部分を除く。）並びに附則第十五条から第二十二条まで、第二十四条、第二十五条及び第二十七条の規定　令和四年十月一日

（国家公務員退職手当法の一部改正に伴う経過措置）
第十二条　前条の規定（附則第一条第二号に掲げる改正規定に限る。）による改正後の国家公務員退職手当法第十条第三項の規定は、第二号施行日以後に同項の事業を開始した職員その他これに準ずるものとして同項の内閣官房令で定める職員に該当するに至った者について適用する。

（政令への委任）
第二十八条　この附則に定めるもののほか、この法律の施行に伴い必要な経過措置は、政令で定める。

　　　　附　則（令和四年六月一七日法律第六八号）
　　　　　　　（抄）

（施行期日）
1　この法律は、刑法等一部改正法施行日から施行する。ただし、次の各号に掲げる規定は、当該各号に定める日から施行する。
　一　第五百九条の規定　公布の日

国家公務員退職手当法施行令（抄）

（昭和28年8月25日政令第215号）
最終改正：令和4年11月11日政令第348号

第一章　総則

（非常勤職員に対する退職手当）
第一条　常時勤務に服することを要する国家公務員（以下「職員」という。）以外の者で、国家公務員退職手当法（以下「法」という。）第二条第二項の規定により職員とみなされるものは、次に掲げる者とする。
一　国の一般会計又は特別会計の歳出予算の常勤職員給与の目から俸給が支給される者
二　前号に掲げる者以外の常時勤務に服することを要しない者のうち、内閣総理大臣の定めるところにより、職員について定められている勤務時間以上勤務した日（法令の規定により、勤務を要しないこととされ、又は休暇を与えられた日を含む。）が引き続いて十二月を超えるに至つたもので、その超えるに至つた日以後引き続き当該勤務時間により勤務することとされているもの
2　前項第二号に掲げる者については、法第四条中十一年以上二十五年未満の期間勤続した者の通勤による傷病又は死亡による退職に係る部分以外の部分の規定並びに法第五条中公務上の傷病又は死亡による退職に係る部分並びに二十五年以上勤続した者の通勤による傷病による退職及び死亡による退職に係る部分以外の部分の規定は、適用しないものとする。

（退職手当の支払方法の特例）
第一条の二　法第二条の三第一項ただし書に規定する政令で定める確実な方法は、日本銀行を支払人とする小切手の振出しとする。

第二章　一般の退職手当

（俸給月額）
第一条の三　法の規定による退職手当の計算の基礎となる俸給月額は、職員が休職、停職、減給その他の理由によりその俸給（これに相当する給与を含む。以下同じ。）の一部又は全部を支給されない場合においては、これらの理由がないと仮定した場合においてその者が受けるべき俸給月額とする。

（傷病の程度）
第二条　法第三条第二項、第四条第二項又は第五条第一項第四号若しくは第二項に規定する傷病は、厚生年金保険法（昭和二十九年法律第百十

五号）第四十七条第二項に規定する障害等級に該当する程度の障害の状態にある傷病とする。

（法第四条第一項第二号に掲げるその者の事情によらないで引き続いて勤続することを困難とする理由により退職した者）

第三条　法第四条第一項第二号に掲げるその者の事情によらないで引き続いて勤続することを困難とする理由により退職した者で政令で定めるものは、次に掲げる者とする。

一　裁判官で日本国憲法第八十条に定める任期を終えて退職し、又は任期の終了に伴う裁判官の配置等の事務の都合により任期の終了前一年内に退職したもの

二　法律の規定に基づく任期を終えて退職した者

三　定年の定めのない職を職員の配置等の事務の都合により退職した者

四　次に掲げる職を職員の配置等の事務の都合により定年に達する日前に退職した者

　イ　各議院事務局の事務総長又は各議院法制局の法制局長がその任命を行うに際し各議院の議長の同意（国会法（昭和二十二年法律第七十九号）第二十七条第二項及び第百三十一条第五項の規定によるものを除く。）を得た職

　ロ　国立国会図書館の館長がその任命を行うに際し両議院の議長の承認を得た職

　ハ　裁判官訴追委員会の委員長又は裁判官弾劾裁判所の裁判長がその任命を行うに際し両議院の議長の同意及び両議院の議院運営委員会の承認を得た職（裁判官訴追委員会事務局にあつては事務局長及び事務局次長の職に限り、裁判官弾劾裁判所事務局にあつては事務局長の職に限る。）

　ニ　参議院事務局の事務総長がその任命を行うに際し参議院の調査会長の同意を得た職

　ホ　参議院事務局の事務総長がその任命を行うに際し参議院の憲法審査会の会長の同意を得た職

　ヘ　任命権者又はその委任を受けた者がその任命を行うに際し内閣の承認を得た職

　ト　内閣がその任免を行う検察庁法（昭和二十二年法律第六十一号）第十五条第一項に規定する職

　チ　会計検査院長が会計検査院法（昭和二十二年法律第七十三号）第十四条第一項の規定により検査官の合議で決するところによりその任免及び進退を行う職（事務総長に置かれる事務総長、事務総長次長及び局長並びに事務局に置かれる官房に置かれる総括審議官の職に限る。）

五　競争の導入による公共サービスの改革に関する法律（平成十八年法律第五十一号）第三十一条第一項に規定する実施期間の初日以後一年を経過する日までの期間内に、任命権者又はその委任を受けた者の要請に応じ、引き続いて同項に規定する対象公共サービス従事者となるために退職した者

（法第五条第一項第五号に掲げる二十五年以上勤続し、その者の事情によらないで引き続いて勤続することを困難とする理由により退職した者）

第四条　法第五条第一項第五号に掲げる二十五年以上勤続し、その者の事情によらないで引き続いて勤続することを困難とする理由により退職した者で政令で定めるものは、二十五年以上勤続した者であつて、前条各号に掲げるものとする。

（退職の理由の記録）

第四条の二　法第八条の二第一項に規定する各省各庁の長等（以下「各省各庁の長等」という。）は、第三条各号（第一号中任期を終えて退職した者に係る部分及び第二号を除く。）に掲げる者の退職の理由について、内閣官房令で定めるところにより、記録を作成しなければならない。

（公務又は通勤によることの認定の基準）

第五条　各省各庁の長等は、退職の理由となつた傷病又は死亡が公務上のもの又は通勤によるものであるかどうかを認定するに当たつては、国家公務員災害補償法（昭和二十六年法律第百九十一号）その他の法律の規定により公務上の災害又は通勤による災害に対する補償を実施する場合における認定の基準に準拠しなければならない。

（基礎在職期間）

第五条の二　法第五条の二第二項第七号に規定する政令で定める在職期間は、次に掲げる在職期間とする。

一　第七条第三項（同条第四項の規定により任命権者の要請に応じ退職したこととみなされる場合を含む。）の規定を適用して職員としての在職期間を計算する場合における先の地方公務員としての引き続いた在職期間及び同条第三項に規定する通算制度を有する一般地方独立行政法人等に使用される者としての引き続いた在職期間

二　第七条第五項又は第六項の規定を適用して職員としての在職期間を計算する場合における同条第五項に規定する特定公庫等職員としての引き続いた在職期間

三　第九条の三第一項又は第二項の規定を適用

して職員としての在職期間を計算する場合における先の第七条第五項に規定する特定公庫等職員としての引き続いた在職期間及び同条第三項に規定する特定地方公務員又は第九条の三第一項に規定する特定地方公社職員としての引き続いた在職期間

四　たばこ事業法等の施行に伴う関係法律の整備等に関する法律（昭和五十九年法律第七十一号）附則第四条第二項の規定により退職手当の算定の基礎となる勤続期間の計算について職員としての引き続いた在職期間とみなされる日本たばこ産業株式会社の職員としての在職期間

五　日本電信電話株式会社法及び電気通信事業法の施行に伴う関係法律の整備等に関する法律（昭和五十九年法律第八十七号）附則第四条第二項の規定により退職手当の算定の基礎となる勤続期間の計算について職員としての引き続いた在職期間とみなされる日本電信電話株式会社の職員としての在職期間

六　日本国有鉄道改革法等施行法（昭和六十一年法律第九十三号）附則第五条第一項又は第二項の規定により退職手当の算定の基礎となる勤続期間の計算について職員としての引き続いた在職期間とみなされる日本国有鉄道改革法（昭和六十一年法律第八十七号）第十五条の規定により日本国有鉄道清算事業団となつた旧日本国有鉄道（以下「旧日本国有鉄道」という。）及び同項に規定する承継法人等の職員としての在職期間

七　独立行政法人鉄道建設・運輸施設整備支援機構法施行令（平成十五年政令第二百九十三号）附則第十三条の規定によりなおその効力を有することとされる独立行政法人鉄道建設・運輸施設整備支援機構法（平成十四年法律第百八十号）附則第十六条の規定による改正前の日本国有鉄道清算事業団の債務等の処理に関する法律（平成十年法律第百三十六号）附則第三条第三項の規定により退職手当の算定の基礎となる勤続期間の計算について職員としての引き続いた在職期間とみなされる旧日本国有鉄道、同法附則第二条の規定により解散した旧日本国有鉄道清算事業団（以下「旧日本国有鉄道清算事業団」という。）及び独立行政法人鉄道建設・運輸施設整備支援機構法附則第二条第一項の規定により解散した旧日本鉄道建設公団（以下「旧日本鉄道建設公団」という。）の職員としての在職期間

八　独立行政法人に係る改革を推進するための文部科学省関係法律の整備に関する法律（平成十八年法律第二十四号。以下「平成十八年独法改革文部科学省関係法整備法」という。）附則第四条第三項の規定によりなおその効力を有することとされる平成十八年独法改革文部科学省関係法整備法附則第十二条の規定による廃止前の独立行政法人国立青年の家法（平成十一年法律第百六十九号）附則第四条第三項の規定により退職手当の算定の基礎となる勤続期間の計算について職員としての引き続いた在職期間とみなされる平成十八年独法改革文部科学省関係法整備法附則第九条第一項の規定により解散した旧独立行政法人国立青年の家（以下「旧青年の家」という。）の職員としての在職期間

九　平成十八年独法改革文部科学省関係法整備法附則第四条第三項の規定によりなおその効力を有することとされる平成十八年独法改革文部科学省関係法整備法附則第十二条の規定による廃止前の独立行政法人国立少年自然の家法（平成十一年法律第百七十号）附則第四条第三項の規定により退職手当の算定の基礎となる勤続期間の計算について職員としての引き続いた在職期間とみなされる平成十八年独法改革文部科学省関係法整備法附則第九条第一項の規定により解散した旧独立行政法人国立少年自然の家（以下「旧少年自然の家」という。）の職員としての在職期間

十　独立行政法人経済産業研究所法（平成十一年法律第二百号）附則第四条第三項の規定により退職手当の算定の基礎となる勤続期間の計算について職員としての引き続いた在職期間とみなされる独立行政法人経済産業研究所の職員としての在職期間

十一　貿易保険法の一部を改正する法律（平成十一年法律第二百二号）附則第四条第三項の規定により退職手当の算定の基礎となる勤続期間の計算について職員としての引き続いた在職期間とみなされる貿易保険法及び特別会計に関する法律の一部を改正する法律（平成二十七年法律第五十九号）附則第十三条第一項の規定により解散した旧独立行政法人日本貿易保険（以下「旧独立行政法人日本貿易保険」という。）の職員としての在職期間

十二　削除

十三　独立行政法人通則法の一部を改正する法律及び独立行政法人通則法の一部を改正する法律の施行に伴う関係法律の整備に関する法律の施行に伴う関係政令の整備等及び経過措置に関する政令（平成二十七年政令第七十四号。以下「平成二十七年独法整備政令」という。）第百四十二条の規定により読み替えて

適用する国立研究開発法人宇宙航空研究開発機構法（平成十四年法律第百六十一号）附則第四条第三項の規定により退職手当の算定の基礎となる勤続期間の計算について職員としての引き続いた在職期間とみなされる独立行政法人通則法の一部を改正する法律の施行に伴う関係法律の整備に関する法律（平成二十六年法律第六十七号。以下「平成二十六年独法整備法」という。）第八十八条の規定による改正前の独立行政法人宇宙航空研究開発機構法（平成十四年法律第百六十一号。以下「旧独立行政法人宇宙航空研究開発機構法」という。）第三条の独立行政法人宇宙航空研究開発機構（国立研究開発法人宇宙航空研究開発機構を含む。）の職員としての在職期間

十四　独立行政法人労働政策研究・研修機構法（平成十四年法律第六十九号）附則第四条第三項の規定により退職手当の算定の基礎となる勤続期間の計算について職員としての引き続いた在職期間とみなされる独立行政法人労働政策研究・研修機構の職員としての在職期間

十五　独立行政法人原子力安全基盤機構の解散に関する法律（平成二十五年法律第八十二号。以下「原子力安全基盤機構解散法」という。）附則第十条の規定によりなおその効力を有することとされる原子力安全基盤機構解散法附則第二条の規定による廃止前の独立行政法人原子力安全基盤機構法（平成十四年法律第百七十九号）附則第四条第三項の規定により退職手当の算定の基礎となる勤続期間の計算について職員としての引き続いた在職期間とみなされる原子力安全基盤機構解散法第一条の規定により解散した旧独立行政法人原子力安全基盤機構（以下「旧独立行政法人原子力安全基盤機構」という。）の職員としての在職期間

十六　独立行政法人医薬品医療機器総合機構法（平成十四年法律第百九十二号）附則第八条第三項の規定により退職手当の算定の基礎となる勤続期間の計算について職員としての引き続いた在職期間とみなされる独立行政法人医薬品医療機器総合機構の職員としての在職期間

十七　独立行政法人日本学生支援機構法（平成十五年法律第九十四号）附則第四条第三項の規定により退職手当の算定の基礎となる勤続期間の計算について職員としての引き続いた在職期間とみなされる独立行政法人日本学生支援機構の職員としての在職期間

十八　平成二十七年独法整備政令第百四十二条の規定により読み替えて適用する国立研究開発法人海洋研究開発機構法（平成十五年法律第九十五号）附則第四条第三項の規定により退職手当の算定の基礎となる勤続期間の計算について職員としての引き続いた在職期間とみなされる平成二十六年独法整備法第九十二条の規定による改正前の独立行政法人海洋研究開発機構法（平成十五年法律第九十五号。以下「旧独立行政法人海洋研究開発機構法」という。）第三条の独立行政法人海洋研究開発機構（国立研究開発法人海洋研究開発機構を含む。）の職員としての在職期間

十九　国立大学法人法（平成十五年法律第百十二号）附則第六条第三項の規定により退職手当の算定の基礎となる勤続期間の計算について職員としての引き続いた在職期間とみなされる同法第二条第五項に規定する国立大学法人等の職員としての在職期間

二十　独立行政法人国立高等専門学校機構法（平成十五年法律第百十三号）附則第五条第三項の規定により退職手当の算定の基礎となる勤続期間の計算について職員としての引き続いた在職期間とみなされる独立行政法人国立高等専門学校機構の職員としての在職期間

二十一　独立行政法人大学改革支援・学位授与機構法（平成十五年法律第百十四号）附則第五条第三項の規定により退職手当の算定の基礎となる勤続期間の計算について職員としての引き続いた在職期間とみなされる独立行政法人大学評価・学位授与機構法の一部を改正する法律（平成二十七年法律第二十七号。次号において「大学評価・学位授与機構法改正法」という。）による改正前の独立行政法人大学評価・学位授与機構法（平成十五年法律第百十四号。以下「旧独立行政法人大学評価・学位授与機構法」という。）第二条の独立行政法人大学評価・学位授与機構（独立行政法人大学改革支援・学位授与機構を含む。）の職員としての在職期間

二十二　大学評価・学位授与機構法改正法附則第七条の規定によりなおその効力を有することとされる大学評価・学位授与機構法改正法附則第十条の規定による廃止前の独立行政法人国立大学財務・経営センター法（平成十五年法律第百十五号）附則第五条第三項の規定により退職手当の算定の基礎となる勤続期間の計算について職員としての引き続いた在職期間とみなされる大学評価・学位授与機構法改正法附則第二条第一項の規定により解散した旧独立行政法人国立大学財務・経営センター（以下「旧国立大学財務・経営セン

ター」という。）の職員としての在職期間
二十三　独立行政法人に係る改革を推進するための文部科学省関係法律の整備等に関する法律（平成二十一年法律第十八号。以下「平成二十一年独法改革文部科学省関係法整備法」という。）附則第六条第三項の規定によりなおその効力を有することとされる平成二十一年独法改革文部科学省関係法整備法第二条の規定による廃止前の独立行政法人メディア教育開発センター法（平成十五年法律第百十六号）附則第五条第三項の規定により退職手当の算定の基礎となる勤続期間の計算について職員としての引き続いた在職期間とみなされる平成二十一年独法改革文部科学省関係法整備法附則第二条第一項の規定により解散した旧独立行政法人メディア教育開発センター（以下「旧メディア教育開発センター」という。）の職員としての在職期間
二十四　平成二十七年独法整備政令第百四十二条の規定により読み替えて適用する独立行政法人産業技術総合研究所法の一部を改正する法律（平成十六年法律第八十三号）附則第四条第三項の規定により退職手当の算定の基礎となる勤続期間の計算について職員としての引き続いた在職期間とみなされる平成二十六年独法整備法第百七十条の規定による改正前の独立行政法人産業技術総合研究所法（平成十一年法律第二百三号。以下「旧独立行政法人産業技術総合研究所法」という。）第二条の独立行政法人産業技術総合研究所（国立研究開発法人産業技術総合研究所を含む。）の職員としての在職期間
二十五　独立行政法人医薬基盤研究所法の一部を改正する法律の施行に伴う関係政令の整備及び経過措置に関する政令（平成二十七年政令第三十五号）第二十三条の規定により読み替えて適用する国立研究開発法人医薬基盤・健康・栄養研究所法（平成十六年法律第百三十五号）附則第四条第三項の規定により退職手当の算定の基礎となる勤続期間の計算について職員としての引き続いた在職期間とみなされる独立行政法人医薬基盤研究所法の一部を改正する法律（平成二十六年法律第三十八号）による改正前の独立行政法人医薬基盤研究所法（平成十六年法律第百三十五号。以下「旧独立行政法人医薬基盤研究所法」という。）第二条の独立行政法人医薬基盤研究所（国立研究開発法人医薬基盤・健康・栄養研究所を含む。）の職員としての在職期間
二十六　平成二十七年独法整備政令第百四十二条の規定により読み替えて適用する独立行政法人情報通信研究機構法の一部を改正する法律（平成十八年法律第二十一号）附則第四条第三項の規定により退職手当の算定の基礎となる勤続期間の計算について職員としての引き続いた在職期間とみなされる平成二十六年独法整備法第四十七条の規定による改正前の独立行政法人情報通信研究機構法（平成十一年法律第百六十二号。以下「旧独立行政法人情報通信研究機構法」という。）第三条の独立行政法人情報通信研究機構（国立研究開発法人情報通信研究機構を含む。）の職員としての在職期間
二十七　独立行政法人酒類総合研究所法の一部を改正する法律（平成十八年法律第二十三号）附則第四条第三項の規定により退職手当の算定の基礎となる勤続期間の計算について職員としての引き続いた在職期間とみなされる独立行政法人酒類総合研究所の職員としての在職期間
二十八　平成十八年独法改革文部科学省関係法整備法附則第四条第二項又は第六項の規定により退職手当の算定の基礎となる勤続期間の計算について職員としての引き続いた在職期間とみなされる旧青年の家又は旧少年自然の家の職員としての在職期間及び平成十八年独法改革文部科学省関係法整備法附則第三条第二項に規定する施行日後の研究所等（独立行政法人国立特別支援教育総合研究所、国立研究開発法人物質・材料研究機構、国立研究開発法人防災科学技術研究所、国立研究開発法人放射線医学総合研究所法の一部を改正する法律（平成二十七年法律第五十一号）による改正前の国立研究開発法人放射線医学総合研究所（平成十一年法律第百七十六号。以下「旧国立研究開発法人放射線医学総合研究所法」という。）第二条の国立研究開発法人放射線医学総合研究所及び国立研究開発法人量子科学技術研究開発機構並びに独立行政法人国立文化財機構を含む。）の職員としての在職期間
二十九　独立行政法人に係る改革を推進するための厚生労働省関係法律の整備に関する法律（平成十八年法律第二十五号。以下「平成十八年独法改革厚生労働省関係法整備法」という。）附則第四条第三項の規定により退職手当の算定の基礎となる勤続期間の計算について職員としての引き続いた在職期間とみなされる同法附則第三条に規定する施行日後の労働安全衛生総合研究所等の職員としての在職期間
三十　独立行政法人に係る改革を推進するため

の農林水産省関係法律の整備に関する法律（平成十八年法律第二十六号。以下「平成十八年独法改革農林水産省関係法整備法」という。）附則第四条第三項の規定により退職手当の算定の基礎となる勤続期間の計算について職員としての引き続いた在職期間とみなされる平成十八年独法改革農林水産省関係法整備法附則第三条に規定する施行日後の研究機構等（国立研究開発法人農業・食品産業技術総合研究機構、独立行政法人に係る改革を推進するための農林水産省関係法律の整備に関する法律（平成二十七年法律第七十号。以下「平成二十七年独法改革農林水産省関係法整備法」という。）第二条の規定による改正前の国立研究開発法人水産総合研究センター法（平成十一年法律第百九十九号。以下「旧国立研究開発法人水産総合研究センター法」という。）第二条の国立研究開発法人水産総合研究センター及び国立研究開発法人水産研究・教育機構、平成二十七年独法改革農林水産省関係法整備法附則第二条第一項の規定により解散した旧国立研究開発法人農業生物資源研究所（以下「旧国立研究開発法人農業生物資源研究所」という。）、同項の規定により解散した旧国立研究開発法人農業環境技術研究所（以下「旧国立研究開発法人農業環境技術研究所」という。）、国立研究開発法人国際農林水産業研究センター並びに森林法等の一部を改正する法律（平成二十八年法律第四十四号）第五条の規定による改正前の国立研究開発法人森林総合研究所法（平成十一年法律第百九十八号。以下「旧国立研究開発法人森林総合研究所法」という。）第二条の国立研究開発法人森林総合研究所及び国立研究開発法人森林研究・整備機構を含む。）の職員としての在職期間

三十一　独立行政法人工業所有権情報・研修館法の一部を改正する法律（平成十八年法律第二十七号）附則第四条第三項の規定により退職手当の算定の基礎となる勤続期間の計算について職員としての引き続いた在職期間とみなされる独立行政法人工業所有権情報・研修館の職員としての在職期間

三十二　独立行政法人に係る改革を推進するための国土交通省関係法律の整備に関する法律（平成十八年法律第二十八号。以下「平成十八年独法改革国土交通省関係法整備法」という。）附則第四条第三項の規定により退職手当の算定の基礎となる勤続期間の計算について職員としての引き続いた在職期間とみなされる平成十八年独法改革国土交通省関係法整備法附則第三条に規定する施行日後の土木研究所等（国立研究開発法人土木研究所、国立研究開発法人建築研究所、独立行政法人に係る改革を推進するための国土交通省関係法律の整備に関する法律（平成二十七年法律第四十八号。以下「平成二十七年独法改革国土交通省関係法整備法」という。）第三条の規定による改正前の国立研究開発法人海上技術安全研究所法（平成十一年法律第二百八号。以下「旧国立研究開発法人海上技術安全研究所法」という。）第二条の国立研究開発法人海上技術安全研究所及び国立研究開発法人海上・港湾・航空技術研究所、平成二十七年独法改革国土交通省関係法整備法附則第二条第一項の規定により解散した旧国立研究開発法人港湾空港技術研究所（以下「旧国立研究開発法人港湾空港技術研究所」という。）並びに同項の規定により解散した旧国立研究開発法人電子航法研究所（以下「旧国立研究開発法人電子航法研究所」という。）を含む。）の職員としての在職期間

三十三　平成二十七年独法整備政令第百四十二条の規定により読み替えて適用する独立行政法人国立環境研究所法の一部を改正する法律（平成十八年法律第二十九号）附則第四条第三項の規定により退職手当の算定の基礎となる勤続期間の計算について職員としての引き続いた在職期間とみなされる平成二十六年独法整備法第二百四条の規定による改正前の独立行政法人国立環境研究所法（平成十一年法律第二百十六号。以下「旧独立行政法人国立環境研究所法」という。）第二条の独立行政法人国立環境研究所（国立研究開発法人国立環境研究所を含む。）の職員としての在職期間

三十四　独立行政法人国立博物館法の一部を改正する法律（平成十九年法律第七号）附則第四条第二項の規定により退職手当の算定の基礎となる勤続期間の計算について職員としての引き続いた在職期間とみなされる同法附則第二条第一項の規定により解散した旧独立行政法人文化財研究所（以下「旧文化財研究所」という。）の職員としての在職期間及び独立行政法人国立文化財機構の職員としての在職期間

三十五　独立行政法人に係る改革を推進するための独立行政法人農林水産消費技術センター法及び独立行政法人森林総合研究所法の一部を改正する法律（平成十九年法律第八号。以下「農林水産消費技術センター法等改正法」という。）附則第八条第二項の規定により退

職手当の算定の基礎となる勤続期間の計算について職員としての引き続いた在職期間とみなされる農林水産消費技術センター法等改正法附則第六条第一項の規定により解散した旧独立行政法人林木育種センター（以下「旧林木育種センター」という。）の職員としての在職期間及び平成二十六年独法整備法第百五十二条の規定による改正前の独立行政法人森林総合研究所法（平成十一年法律第百九十八号。以下「旧独立行政法人森林総合研究所法」という。）第二条の独立行政法人森林総合研究所（旧国立研究開発法人森林総合研究所法第二条の国立研究開発法人森林総合研究所及び国立研究開発法人森林研究・整備機構を含む。）の職員としての在職期間

三十六　自動車検査独立行政法人法及び道路運送車両法の一部を改正する法律（平成十九年法律第九号。以下「自動車検査独立行政法人法等改正法」という。）附則第四条第三項の規定により退職手当の算定の基礎となる勤続期間の計算について職員としての引き続いた在職期間とみなされる道路運送車両法及び自動車検査独立行政法人法の一部を改正する法律（平成二十七年法律第四十四号。第四十六号）において「道路運送車両法等改正法」という。）第二条の規定による改正前の自動車検査独立行政法人法（平成十一年法律第二百十八号。以下「旧自動車検査独立行政法人法」という。）第二条の自動車検査独立行政法人（独立行政法人自動車技術総合機構を含む。）の職員としての在職期間

三十七　郵政民営化法（平成十七年法律第九十七号）第百六十九条第三項の規定により退職手当の算定の基礎となる勤続期間の計算について職員としての引き続いた在職期間とみなされる日本郵政株式会社、同法第百七十六条の三の規定による合併により解散した郵便事業株式会社（以下「旧郵便事業株式会社」という。）又は郵政民営化法等の一部を改正する等の法律（平成二十四年法律第三十号）第三条の規定による改正前の郵便局株式会社法（平成十七年法律第百号）第一条の郵便局株式会社（以下「旧郵便局株式会社」という。）の職員としての在職期間

三十八　平成二十一年独法改革文部科学省関係法整備法附則第六条第二項の規定により退職手当の算定の基礎となる勤続期間の計算について職員としての引き続いた在職期間とみなされる旧メディア教育開発センターの職員としての在職期間及び放送大学学園（放送大学学園法（平成十四年法律第百五十六号）第三条に規定する放送大学学園をいう。以下同じ。）の職員としての在職期間

三十九　平成二十一年独法改革文部科学省関係法整備法附則第六条第二項の規定により退職手当の算定の基礎となる勤続期間の計算について職員としての引き続いた在職期間とみなされる平成二十一年独法改革文部科学省関係法整備法附則第二条第一項の規定により解散した旧独立行政法人国立国語研究所（以下「旧国立国語研究所」という。）の職員としての在職期間及び大学共同利用機関法人人間文化研究機構の職員としての在職期間

四十　平成二十七年独法整備政令第百四十二条の規定により読み替えて適用する高度専門医療に関する研究等を行う国立研究開発法人に関する法律（平成二十年法律第九十三号）附則第五条第三項の規定により退職手当の算定の基礎となる勤続期間の計算について職員としての引き続いた在職期間とみなされる平成二十六年独法整備法第百三十条の規定による改正前の高度専門医療に関する研究等を行う独立行政法人に関する法律（平成二十年法律第九十三号。以下「旧高度専門医療独立行政法人法」という。）第四条第一項に規定する国立高度専門医療研究センター（高度専門医療に関する研究等を行う国立研究開発法人に関する法律第三条の二に規定する国立高度専門医療研究センターを含む。）の職員としての在職期間

四十一　郵政民営化法第百七十六条の五第二項の規定により退職手当の算定の基礎となる勤続期間の計算について職員としての引き続いた在職期間とみなされる旧郵便事業株式会社又は旧郵便局株式会社の職員としての在職期間及び日本郵便株式会社の職員としての在職期間

四十二　原子力安全基盤機構解散法附則第六条の規定により退職手当の算定の基礎となる勤続期間の計算について職員としての引き続いた在職期間とみなされる旧独立行政法人原子力安全基盤機構の職員としての在職期間

四十三　独立行政法人医薬基盤研究所法の一部を改正する法律附則第三条第二項の規定により退職手当の算定の基礎となる勤続期間の計算について職員としての引き続いた在職期間とみなされる同法附則第二条第一項の規定により解散した旧独立行政法人国立健康・栄養研究所（以下「旧国立健康・栄養研究所」という。）の職員としての在職期間及び国立研究開発法人医薬基盤・健康・栄養研究所の職員としての在職期間

四十四　森林国営保険法等の一部を改正する法律（平成二十六年法律第二十一号）附則第五条第三項の規定により退職手当の算定の基礎となる勤続期間の計算について職員としての引き続いた在職期間とみなされる旧独立行政法人森林総合研究所法第二条の独立行政法人森林総合研究所（旧国立研究開発法人森林総合研究所法第二条の国立研究開発法人森林総合研究所及び国立研究開発法人森林研究・整備機構を含む。）の職員としての在職期間

四十五　平成二十六年独法整備法附則第二十五条第三項の規定により退職手当の算定の基礎となる勤続期間の計算について職員としての引き続いた在職期間とみなされる独立行政法人国立病院機構の職員としての在職期間

四十六　道路運送車両法等改正法附則第六条第三項又は第十四条第二項の規定により退職手当の算定の基礎となる勤続期間の計算について職員としての引き続いた在職期間とみなされる独立行政法人自動車技術総合機構の職員としての在職期間及び道路運送車両法等改正法附則第十一条第一項の規定により解散した旧独立行政法人交通安全環境研究所（以下「旧交通安全環境研究所」という。）の職員としての在職期間

四十七　平成二十七年独法改革国土交通省関係法整備法附則第六条第二項の規定により退職手当の算定の基礎となる勤続期間の計算について職員としての引き続いた在職期間とみなされる平成二十六年独法整備法第百八十八条の規定による改正前の独立行政法人港湾空港技術研究所法（平成十一年法律第二百九号。以下「旧独立行政法人港湾空港技術研究所法」という。）第二条の独立行政法人港湾空港技術研究所（旧国立研究開発法人港湾空港技術研究所を含む。）若しくは平成二十六年独法整備法第百八十九条の規定による改正前の独立行政法人電子航法研究所法（平成十一年法律第二百十号。以下「旧独立行政法人電子航法研究所法」という。）第二条の独立行政法人電子航法研究所（旧国立研究開発法人電子航法研究所を含む。）の職員としての在職期間及び国立研究開発法人海上・港湾・航空技術研究所の職員としての在職期間又は平成二十七年独法改革国土交通省関係法整備法附則第二条第一項の規定により解散した旧独立行政法人航海訓練所（以下「旧航海訓練所」という。）の職員としての在職期間及び独立行政法人海技教育機構の職員としての在職期間

四十八　独立行政法人に係る改革を推進するための厚生労働省関係法律の整備等に関する法律（平成二十七年法律第十七号。以下「平成二十七年独法改革厚生労働省関係法整備法」という。）附則第十一条第二項の規定により退職手当の算定の基礎となる勤続期間の計算について職員としての引き続いた在職期間とみなされる平成二十七年独法改革厚生労働省関係法整備法附則第八条第一項の規定により解散した旧独立行政法人労働安全衛生総合研究所（以下「旧労働安全衛生総合研究所」という。）の職員としての在職期間及び独立行政法人労働者健康安全機構の職員としての在職期間

四十九　平成二十七年独法改革農林水産省関係法整備法附則第七条第二項又は第十二条第二項の規定により退職手当の算定の基礎となる勤続期間の計算について職員としての引き続いた在職期間とみなされる平成二十七年独法改革農林水産省関係法整備法附則第七条第二項に規定する旧種苗管理センター等の職員としての在職期間及び国立研究開発法人農業・食品産業技術総合研究機構の職員としての在職期間又は平成二十七年独法改革農林水産省関係法整備法附則第九条第一項の規定により解散した旧独立行政法人水産大学校（以下「旧水産大学校」という。）の職員としての在職期間及び国立研究開発法人水産研究・教育機構の職員としての在職期間

五十　教育公務員特例法等の一部を改正する法律（平成二十八年法律第八十七号）附則第九条第三項の規定により退職手当の算定の基礎となる勤続期間の計算について職員としての引き続いた在職期間とみなされる独立行政法人教職員支援機構の職員としての在職期間

（定年前早期退職者の範囲等）

第五条の三　法第五条の三に規定する政令で定める者は、次に掲げる者とする。

一　第三条第一号及び第二号に掲げる者

二　特定減額前俸給月額が一般職の職員の給与に関する法律（昭和二十五年法律第九十五号。以下「一般職給与法」という。）の指定職俸給表六号俸の額に相当する額以上である者

2　法第五条の三に規定する政令で定める一定の期間は、六月とする。

3　法第五条の三に規定する政令で定める年齢は、退職の日において定められているその者に係る定年から二十年を減じた年齢とする。

4　法第五条の三の規定により読み替えて適用する法第四条第一項及び第五条第一項に規定する政令で定める割合は、次の各号に掲げる職員の

区分に応じて当該各号に定める割合とする。
一　退職日俸給月額が一般職給与法の指定職俸給表四号俸の額に相当する額以上である職員　百分の一
二　退職日俸給月額が一般職給与法の指定職俸給表一号俸の額に相当する額以上同表四号俸の額に相当する額未満である職員　百分の二
三　前二号に掲げる職員以外の職員　百分の三（退職の日において定められているその者に係る定年と退職の日におけるその者の年齢との差に相当する年数が一年である職員にあつては、百分の二）

5　法第五条の三の規定により読み替えて適用する法第五条の二第一項各号に規定する政令で定める割合は、次の各号に掲げる職員の区分に応じて当該各号に定める割合とする。
一　特定減額前俸給月額が一般職給与法の指定職俸給表四号俸の額に相当する額以上である職員　百分の一
二　特定減額前俸給月額が一般職給与法の指定職俸給表一号俸の額に相当する額以上同表四号俸の額に相当する額未満である職員　百分の二
三　前二号に掲げる職員以外の職員　百分の三（退職の日において定められているその者に係る定年と退職の日におけるその者の年齢との差に相当する年数が一年である職員にあつては、百分の二）

（定年前早期退職者に対する退職手当の基本額の最高限度額を計算する場合に退職日俸給月額に乗じる割合等）
第五条の四　法第六条の三の規定により読み替えて適用する法第六条に規定する政令で定める割合は、前条第四項各号に掲げる職員の区分に応じて当該各号に定める割合とする。
2　法第六条の三の規定により読み替えて適用する法第六条の二各号に規定する政令で定める割合は、前条第五項各号に掲げる職員の区分に応じて当該各号に定める割合とする。

（職員を休職させてその業務に従事させる法人その他の団体等）
第六条　法第六条の四第一項に規定する政令で定める法人その他の団体は、次に掲げる法人で、退職手当（これに相当する給付を含む。）に関する規程において、職員が国家公務員法（昭和二十二年法律第百二十号）第七十九条の規定により休職され、引き続いてその法人に使用される者となつた場合におけるその者の在職期間の計算については、その法人に使用される者としての在職期間はなかつたものとすることと定めているもの及びこれらに準ずる法人その他の団

体で内閣総理大臣の指定するものとする。
一　平成二十六年独法整備法第九十七条の規定による改正前の独立行政法人日本原子力研究開発機構法（平成十六年法律第百五十五号。以下「旧独立行政法人日本原子力研究開発機構法」という。）附則第二条第一項の規定により解散した旧日本原子力研究所
二　日本貿易振興会法及び通商産業省設置法の一部を改正する法律（平成十年法律第四十四号）附則第三条第一項の規定により解散した旧アジア経済研究所
三　地方職員共済組合
四　公立学校共済組合
五　警察共済組合
六　都市職員共済組合連合会
七　地方公務員災害補償基金
八　独立行政法人国民生活センター法（平成十四年法律第百二十三号）附則第二条第一項の規定により解散した旧国民生活センター
九　独立行政法人国立重度知的障害者総合施設のぞみの園法（平成十四年法律第百六十七号）附則第二条第一項の規定により解散した旧心身障害者福祉協会
十　沖縄振興開発金融公庫
十一　軽自動車検査協会
十二　日本下水道事業団（下水道事業センター法の一部を改正する法律（昭和五十年法律第四十一号）附則第二条の規定により日本下水道事業団となつた旧下水道事業センターを含む。）
十三　総合研究開発機構法を廃止する法律（平成十九年法律第百号。以下この号において「廃止法」という。）による廃止前の総合研究開発機構法（昭和四十八年法律第五十一号）により設立された総合研究開発機構（廃止法附則第二条に規定する旧法適用期間が経過する時までの間におけるものに限る。以下「旧総合研究開発機構」という。）
十四　自動車安全運転センター
十五　危険物保安技術協会
十六　国立研究開発法人科学技術振興機構（新技術開発事業団法の一部を改正する法律（平成元年法律第五十二号）附則第二条の規定により新技術事業団となつた旧新技術開発事業団、平成二十六年独法整備法第八十五条の規定による改正前の独立行政法人科学技術振興機構法（平成十四年法律第百五十八号。以下「旧独立行政法人科学技術振興機構法」という。）附則第六条の規定による廃止前の科学技術振興事業団法（平成八年法律第二十七号）附則第八条第一項の規定により解散した

旧新技術事業団及び旧独立行政法人科学技術振興機構法附則第二条第一項の規定により解散した旧科学技術振興事業団並びに旧独立行政法人科学技術振興機構法第三条の独立行政法人科学技術振興機構を含む。）
2　法第六条の四第一項に規定する政令で定める要件は、次の各号のいずれにも該当することとする。
一　退職した者が、その休職の期間中、次に掲げる法人に使用される者（常時勤務に服することを要しない者を除く。）として学術の調査、研究又は指導に従事していたこと。
イ　国立大学法人（国立大学法人法第二条第一項に規定する国立大学法人をいう。以下同じ。）、大学共同利用機関法人（同条第三項に規定する大学共同利用機関法人をいう。以下同じ。）、公立大学法人（地方独立行政法人法（平成十五年法律第百十八号）第六十八条第一項に規定する公立大学法人をいう。）及び放送大学学園、沖縄科学技術大学院大学学園（沖縄科学技術大学院大学学園法（平成二十一年法律第七十六号）第二条に規定する沖縄科学技術大学院大学学園をいう。以下同じ。）その他の学校教育法（昭和二十二年法律第二十六号）第一条に規定する大学を設置する学校法人（私立学校法（昭和二十四年法律第二百七十号）第三条に規定する学校法人をいう。）
ロ　行政執行法人以外の独立行政法人及び特殊法人（法律により直接に設立された法人又は特別の法律により特別の設立行為をもつて設立された法人で総務省設置法（平成十一年法律第九十一号）第四条第一項第八号の規定の適用を受けるものをいい、放送大学学園及び沖縄科学技術大学院大学学園を除く。ハにおいて同じ。）
ハ　退職した者の休職の期間中、イに該当していたもの、行政執行法人若しくは旧特定独立行政法人（独立行政法人通則法の一部を改正する法律（平成二十六年法律第六十六号）による改正前の独立行政法人通則法（平成十一年法律第百三号）第二条第二項に規定する特定独立行政法人をいう。）以外の独立行政法人に該当していたもの又は特殊法人に該当していたもの（イ及びロに掲げるものを除く。）
二　前号に掲げるもののほか、同号の学術の調査、研究又は指導への従事が公務の能率的な運営に特に資するものとして内閣総理大臣の定める要件に該当すること。
3　法第六条の四第一項に規定する政令で定める休職月等は、次の各号に掲げる休職月等の区分に応じ、当該各号に定める休職月等とする。
一　国家公務員法第百八条の六第一項ただし書若しくは行政執行法人の労働関係に関する法律（昭和二十三年法律第二百五十七号）第七条第一項ただし書に規定する事由若しくはこれらに準ずる事由により現実に職務をとることを要しない期間又は国家公務員の自己啓発等休業に関する法律（平成十九年法律第四十五号）第二条第五項（同法第十条及び裁判所職員臨時措置法（昭和二十六年法律第二百九十九号）において準用する場合を含む。）に規定する自己啓発等休業（国家公務員の自己啓発等休業に関する法律第八条第二項（同法第十条及び裁判所職員臨時措置法において準用する場合を含む。）の規定により読み替えて適用する法第七条第四項に規定する場合に該当するものを除く。）若しくは国家公務員の配偶者同行休業に関する法律（平成二十五年法律第七十八号）第二条第四項（同法第十一条及び裁判所職員臨時措置法において準用する場合を含む。）に規定する配偶者同行休業、国会職員の配偶者同行休業に関する法律（平成二十五年法律第八十号）第二条第三項に規定する配偶者同行休業若しくは裁判官の配偶者同行休業に関する法律（平成二十五年法律第九十一号）第二条第二項に規定する配偶者同行休業により現実に職務をとることを要しない期間のあつた休職月等（次号及び第三号に規定する現実に職務をとることを要しない期間のあつた休職月等を除く。）　当該休職月等
二　育児休業（国会職員の育児休業等に関する法律（平成三年法律第百八号）第三条第一項の規定による育児休業、国家公務員の育児休業等に関する法律（平成三年法律第百九号）第三条第一項（同法第二十七条第一項及び裁判所職員臨時措置法において準用する場合を含む。）の規定による育児休業及び裁判官の育児休業に関する法律（平成三年法律第百十一号）第二条第一項の規定による育児休業をいう。以下同じ。）により現実に職務をとることを要しない期間（当該育児休業に係る子が一歳に達した日の属する月までの期間に限る。）又は育児短時間勤務（国会職員の育児休業等に関する法律第十二条第一項に規定する育児短時間勤務（同法第十八条の規定による勤務を含む。）及び国家公務員の育児休業等に関する法律第十二条第一項（同法第二十七条第一項及び裁判所職員臨時措置法において準用する場合を含む。）に規定する育児短

時間勤務（国家公務員の育児休業等に関する法律第二十二条（同法第二十七条第一項及び裁判所職員臨時措置法において準用する場合を含む。）の規定による勤務を含む。）をいう。）により現実に職務をとることを要しない期間のあつた休職月等　退職した者が属していた法第六条の四第一項各号に掲げる職員の区分（以下「職員の区分」という。）が同一の休職月等がある休職月等にあつては職員の区分が同一の休職月等ごとにそれぞれその最初の休職月等から順次に数えてその月数の三分の一に相当する数（当該相当する数に一未満の端数があるときは、これを切り上げた数）になるまでにある休職月等、退職した者が属していた職員の区分が同一の休職月等がない休職月等にあつては当該休職月等

三　第一号に規定する事由以外の事由により現実に職務をとることを要しない期間のあつた休職月等（前号に規定する現実に職務をとることを要しない期間のあつた休職月等を除く。）　退職した者が属していた職員の区分が同一の休職月等がある休職月等にあつては職員の区分が同一の休職月等ごとにそれぞれその最初の休職月等から順次に数えてその月数の二分の一に相当する数（当該相当する数に一未満の端数があるときは、これを切り上げた数）になるまでにある休職月等、退職した者が属していた職員の区分が同一の休職月等がない休職月等にあつては当該休職月等

（基礎在職期間に特定基礎在職期間が含まれる者の取扱い）

第六条の二　退職した者の基礎在職期間に法第五条の二第二項第二号から第七号までに掲げる期間（以下「特定基礎在職期間」という。）が含まれる場合における法第六条の四第一項並びに前条及び次条の規定の適用については、その者は、内閣総理大臣の定めるところにより、次の各号に掲げる特定基礎在職期間において当該各号に定める職員として在職していたものとみなす。

一　職員としての引き続いた在職期間（その者の基礎在職期間に含まれる期間に限る。）に連続する特定基礎在職期間　当該職員としての引き続いた在職期間の末日にその者が従事していた職務と同種の職務に従事する職員又は当該特定基礎在職期間に連続する職員としての引き続いた在職期間の初日にその者が従事していた職務と同種の職務に従事する職員

二　前号に掲げる特定基礎在職期間以外の特定基礎在職期間　当該特定基礎在職期間に連続する職員としての引き続いた在職期間の初日にその者が従事していた職務と同種の職務に従事する職員（当該従事していた職務が内閣総理大臣の定めるものであつたときは、内閣総理大臣の定める職務に従事する職員）

（職員の区分）

第六条の三　退職した者は、その者の基礎在職期間の初日の属する月からその者の基礎在職期間の末日の属する月までの各月ごとにその者の基礎在職期間に含まれる時期の別により定める別表第一イ又はロの表の下欄に掲げるその者の当該各月における区分に対応するこれらの表の上欄に掲げる職員の区分に属していたものとする。この場合において、その者が同一の月においてこれらの表の下欄に掲げる二以上の区分に該当していたときは、その者は、当該月において、これらの区分のそれぞれに対応するこれらの表の上欄に掲げる職員の区分に属していたものとする。

（退職日俸給月額が一般職給与法の指定職俸給表八号俸の額に相当する額を超える者に類する者）

第六条の四　法第六条の四第四項第五号イに規定する政令で定める者は、別表第二の上欄に掲げるいずれかの期間（その者の基礎在職期間に含まれる期間に限る。）において同表の下欄に掲げる額を超える俸給月額を受けていた者とする。

（調整月額に順位を付す方法等）

第六条の五　第六条の三（第六条の二の規定により同条各号に定める職員として在職していたものとみなされる場合を含む。）後段の規定により退職した者が同一の月において二以上の職員の区分に属していたこととなる場合には、その者は、当該月において、当該職員の区分のうち、調整月額が最も高い額となる職員の区分のみに属していたものとする。

2　調整月額のうちにその額が等しいものがある場合には、その者の基礎在職期間の末日の属する月に近い月に係るものを先順位とする。

（現実に職務をとることを要しない期間）

第六条の六　法第六条の四第一項に規定する現実に職務をとることを要しない期間には、裁判官弾劾法（昭和二十二年法律第百三十七号）第三十九条の規定による職務の停止の期間及び検察庁法第二十四条の規定により欠位を待つ期間を含むものとする。

（一般職の職員の基本給月額に準ずる額）

第六条の七　法第六条の五第二項に規定する一般職の職員の基本給月額に準ずる額は、次の各号に掲げる職員の区分に応じ、当該各号に定める額とする。

一　自衛官　俸給、扶養手当及び営外手当の月額、これらに対する地域手当及び広域異動手当の月額並びに航空手当、乗組手当、落下傘隊員手当、特別警備隊員手当及び特殊作戦隊員手当の月額の合計額
二　前号に掲げる職員以外の職員で一般職の職員以外のもの　俸給及び扶養手当の月額並びにこれらに対する地域手当及び広域異動手当の月額又はこれらの給与に相当する給与の月額の合計額

（地方公務員としての引き続いた在職期間の計算）

第七条　法第七条第五項の場合において、地方公務員が退職により法の規定による退職手当に相当する給付の支給を受けているときは、当該給付の計算の基礎となつた在職期間（当該給付の計算の基礎となるべき在職期間がその者が在職した地方公共団体の退職手当に関する規定又は特定地方独立行政法人の退職手当の支給の基準において明確に定められていない場合においては、当該給付の額を退職の日におけるその者の俸給月額で除して得た数に十二を乗じて得た数（一未満の端数を生じたときは、その端数を切り捨てる。）に相当する月数）は、その者の地方公務員としての引き続いた在職期間には、含まないものとする。

2　職員が法第二十条第二項の規定により退職手当を支給されないで地方公務員となり、引き続き地方公務員として在職した後法第七条第五項に規定する事由によつて引き続いて職員となつた場合においては、先の職員としての引き続いた在職期間の始期から地方公務員としての引き続いた在職期間の終期までの期間をその者の地方公務員としての引き続いた在職期間として計算する。

3　地方公共団体又は特定地方独立行政法人（以下「地方公共団体等」という。）で、退職手当に関する規定又は退職手当の支給の基準において、他の地方公共団体等の公務員又は一般地方独立行政法人（地方独立行政法人法第八条第一項第五号に規定する一般地方独立行政法人をいう。）、地方公社（地方住宅供給公社、地方道路公社及び土地開発公社をいう。以下同じ。）若しくは公庫等（法第七条の二第一項に規定する公庫等をいう。以下同じ。）（以下「一般地方独立行政法人等」という。）に使用される者（役員及び常時勤務に服することを要しない者を除く。以下同じ。）が、任命権者若しくはその委任を受けた者又は一般地方独立行政法人等の要請に応じ、退職手当を支給されないで、引き続いて当該地方公共団体等の公務員となつた場合に、他の地方公共団体等の公務員又は一般地方独立行政法人等に使用される者としての勤続期間を当該地方公共団体等の公務員としての勤続期間に通算することと定めているものの公務員（以下「特定地方公務員」という。）が、任命権者又はその委任を受けた者の要請に応じ、引き続いて一般地方独立行政法人等で、退職手当（これに相当する給付を含む。以下この項において同じ。）に関する規程において、地方公務員又は他の一般地方独立行政法人等に使用される者が、任命権者若しくはその委任を受けた者又は一般地方独立行政法人等の要請に応じ、退職手当を支給されないで、引き続いて当該一般地方独立行政法人等に使用される者となつた場合に、地方公務員又は他の一般地方独立行政法人等に使用される者としての勤続期間（法第二十条第二項の規定により退職手当を支給されないで地方公務員となつた者の職員としての勤続期間を含む。）を当該一般地方独立行政法人等に使用される者としての勤続期間に通算することと定めているもの（以下「通算制度を有する一般地方独立行政法人等」という。）に使用される者（役員及び常時勤務に服することを要しない者を除く。以下同じ。）となるため退職し、かつ、引き続き通算制度を有する一般地方独立行政法人等に使用される者として在職した後引き続いて再び特定地方公務員となるため退職し、かつ、引き続き地方公務員として在職した後更に法第七条第五項に規定する事由によつて引き続いて職員となつた場合においては、先の地方公務員としての引き続いた在職期間（法第二十条第二項の規定により退職手当を支給されないで地方公務員となつた者にあつては、先の職員としての引き続いた在職期間）の始期から後の地方公務員としての引き続いた在職期間の終期までの期間をその者の地方公務員としての引き続いた在職期間として計算する。

4　通算制度を有する一般地方独立行政法人等である移行型一般地方独立行政法人（地方独立行政法人法第五十九条第二項に規定する移行型一般地方独立行政法人をいう。以下同じ。）の成立の日の前日に特定地方公務員として在職し、同項の規定により引き続いて当該移行型一般地方独立行政法人に使用される者（役員及び常時勤務に服することを要しない者を除く。）となつた者に対する前項の規定の適用については、同条第二項の規定により地方公務員としての身分を失つたことを任命権者の要請に応じ通算制度を有する一般地方独立行政法人等に使用される者となるため退職したこととみなす。

5　通算制度を有する一般地方独立行政法人等で

ある公庫等に使用される者（役員及び常時勤務に服することを要しない者を除く。以下「特定公庫等職員」という。）が、公庫等の要請に応じ、引き続いて特定地方公務員となるため退職し、かつ、引き続き地方公務員として在職した後法第七条第五項に規定する事由によつて引き続いて職員となつた場合においては、特定公庫等職員としての引き続いた在職期間の始期から地方公務員としての引き続いた在職期間の終期までの期間をその者の地方公務員としての引き続いた在職期間として計算する。

6　職員が、任命権者又はその委任を受けた者の要請に応じ、特定公庫等職員となるため退職し、かつ、引き続き特定公庫等職員として在職した後引き続いて特定地方公務員となるため退職し、かつ、引き続き地方公務員として在職した後法第七条第五項に規定する事由によつて引き続いて職員となつた場合においては、先の職員としての引き続いた在職期間の始期から地方公務員としての引き続いた在職期間の終期までの期間をその者の地方公務員としての引き続いた在職期間として計算する。

　　（勤続期間の計算の特例）
第八条　次の各号に掲げる者に対する退職手当の算定の基礎となる勤続期間の計算については、当該各号に掲げる期間は、法第七条第一項に規定する職員としての引き続いた在職期間とみなす。
　一　第一条第一項第二号に掲げる者　その者の同号に規定する勤務した日が引き続いて十二月をこえるに至るまでのその引き続いて勤務した期間
　二　第一条第一項各号に掲げる者以外の常時勤務に服することを要しない者のうち、同項第二号に規定する勤務した日が引き続いて十二月をこえるに至るまでの間に引き続いて職員となり、通算して十二月をこえる期間勤務したもの　その職員となる前の引き続いて勤務した期間
第九条　法第七条第五項に規定する地方公務員としての引き続いた在職期間には、第一条第一項各号に掲げる者に相当する地方公務員としての引き続いた在職期間を含むものとする。
2　前条の規定は、地方公務員であつた者に対する退職手当の算定の基礎となる勤続期間の計算について準用する。

　　（法第七条の二第一項に規定する政令で定める法人）
第九条の二　法第七条の二第一項に規定する政令で定める法人は、沖縄振興開発金融公庫のほか、次に掲げる法人とする。

一　独立行政法人都市再生機構法（平成十五年法律第百号）附則第四条第一項の規定により解散した旧都市基盤整備公団（同法附則第十八条の規定による廃止前の都市基盤整備公団法（平成十一年法律第七十六号。以下この号において「旧都市基盤整備公団法」という。）附則第十七条の規定による廃止前の住宅・都市整備公団法（昭和五十六年法律第四十八号）附則第六条第一項の規定により解散した旧日本住宅公団及び同法附則第七条第一項の規定により解散した旧宅地開発公団並びに旧都市基盤整備公団法附則第六条第一項の規定により解散した旧住宅・都市整備公団を含む。）

二　日本道路公団等民営化関係法施行法（平成十六年法律第百二号）第十五条第一項の規定により解散した旧日本道路公団

三　独立行政法人緑資源機構法を廃止する法律（平成二十年法律第八号）附則第二条第一項の規定により解散した旧独立行政法人緑資源機構（以下「旧緑資源機構」という。）（森林開発公団法の一部を改正する法律（平成十一年法律第七十号）附則第八条の規定による廃止前の農用地整備公団法（昭和四十九年法律第四十三号）附則第六条第一項の規定により解散した旧農地開発機械公団、農用地開発公団法の一部を改正する法律（昭和五十二年法律第七十号）附則第二条第一項の規定により解散した旧八郎潟新農村建設事業団、農用地開発公団法の一部を改正する法律（昭和六十三年法律第四十四号）附則第二条の規定により農用地整備公団となつた旧農用地開発公団、森林開発公団法の一部を改正する法律附則第二条の規定により緑資源公団となつた旧森林開発公団及び同法附則第三条第一項の規定により解散した旧農用地整備公団並びに独立行政法人緑資源機構法を廃止する法律による廃止前の独立行政法人緑資源機構法（平成十四年法律第百三十号）附則第四条第一項の規定により解散した旧緑資源公団を含む。）

四　旧日本鉄道建設公団（旧日本国有鉄道清算事業団を含む。）及び独立行政法人鉄道建設・運輸施設整備支援機構法附則第三条第一項の規定により解散した旧運輸施設整備事業団（国内旅客船公団法の一部を改正する法律（昭和三十六年法律第七十三号）附則第二条の規定により特定船舶整備公団となつた旧国内旅客船公団、特定船舶整備公団法の一部を改正する法律（昭和四十一年法律第百四十九号）附則第二項の規定により船舶整備公団となつた旧特定船舶整備公団、独立行政法人鉄

道建設・運輸施設整備支援機構法附則第十四条の規定による廃止前の運輸施設整備事業団法（平成九年法律第八十三号）附則第六条第一項の規定により解散した旧船舶整備公団及び同法附則第七条第一項の規定により解散した旧鉄道整備基金、特定船舶製造業安定事業協会法の一部を改正する法律（平成元年法律第五十七号）による改正前の特定船舶製造業安定事業協会法（昭和五十三年法律第百三号）第一条の特定船舶製造業安定事業協会並びに運輸施設整備事業団法の一部を改正する法律（平成十二年法律第四十七号）附則第三条第一項の規定により解散した旧造船業基盤整備事業協会を含む。）

五　首都高速道路株式会社（日本道路公団等民営化関係法施行法第十五条第一項の規定により解散した旧首都高速道路公団を含む。）

六　旧独立行政法人日本原子力研究開発機構法第三条の独立行政法人日本原子力研究開発機構（原子力基本法及び動力炉・核燃料開発事業団法の一部を改正する法律（平成十年法律第六十二号）第二条の規定による改正前の動力炉・核燃料開発事業団（昭和四十二年法律第七十三号）附則第三条第一項の規定により解散した旧原子燃料公社、日本原子力船開発事業団法の一部を改正する法律（昭和五十五年法律第九十二号）附則第二条第一項の規定により解散した旧日本原子力船研究開発事業団、日本原子力研究所法の一部を改正する法律（昭和五十九年法律第五十七号）附則第二条第一項の規定により解散した旧日本原子力船研究開発事業団及び原子力基本法及び動力炉・核燃料開発事業団法の一部を改正する法律附則第二条の規定により核燃料サイクル開発機構となつた旧動力炉・核燃料開発事業団並びに旧独立行政法人日本原子力研究開発機構法附則第二条第一項の規定により解散した旧日本原子力研究所及び同法附則第三条第一項の規定により解散した旧核燃料サイクル開発機構を含む。）

七　平成二十七年独法改革厚生労働省関係法律整備法第四条の規定による改正前の独立行政法人労働者健康福祉機構法（平成十四年法律第百七十一号。以下「旧独立行政法人労働者健康福祉機構法」という。）第二条の独立行政法人労働者健康福祉機構（旧独立行政法人労働者健康福祉機構法附則第二条第一項の規定により解散した旧労働福祉事業団を含む。）及び旧労働安全衛生総合研究所

八　独立行政法人日本貿易振興機構法（平成十四年法律第七十二号）附則第二条第一項の規定により解散した旧日本貿易振興会（日本貿易振興会法及び通商産業省設置法の一部を改正する法律附則第三条第一項の規定により解散した旧アジア経済研究所を含む。）

九　平成二十六年独法整備法第百七十三条の規定による改正前の独立行政法人新エネルギー・産業技術総合開発機構法（平成十四年法律第百四十五号。以下「旧独立行政法人新エネルギー・産業技術総合開発機構法」という。）第三条の独立行政法人新エネルギー・産業技術総合開発機構（石油代替エネルギーの開発及び導入の促進に関する法律等の一部を改正する法律（平成二十一年法律第七十号）第一条の規定による改正前の石油代替エネルギーの開発及び導入の促進に関する法律（昭和五十五年法律第七十一号）附則第七条第一項の規定により解散した旧石炭鉱業合理化事業団、産業技術に関する研究開発体制の整備に関する法律の一部を改正する法律（平成三年法律第六十四号）による改正前の産業技術に関する研究開発体制の整備に関する法律（昭和六十三年法律第三十三号）附則第四条の規定により新エネルギー・産業技術総合開発機構となつた旧新エネルギー総合開発機構、石炭鉱害賠償担保等臨時措置法の一部を改正する法律（昭和四十三年法律第五十一号）附則第二条の規定により石炭鉱害事業団となつた旧鉱害基金及び石炭鉱害賠償等臨時措置法の一部を改正する法律（平成八年法律第二十三号）附則第二条第一項の規定により解散した旧石炭鉱害事業団並びに旧独立行政法人新エネルギー・産業技術総合開発機構法附則第二条第一項の規定により解散した旧新エネルギー・産業技術総合開発機構を含む。）

十　株式会社日本政策金融公庫（株式会社日本政策金融公庫法（平成十九年法律第五十七号）附則第四十二条第四号の規定による廃止前の国際協力銀行法（平成十一年法律第三十五号）附則第六条第一項の規定により解散した旧日本輸出入銀行、同法附則第七条第一項の規定により解散した旧海外経済協力基金、国民金融公庫法の一部を改正する法律（平成十一年法律第五十六号）附則第二条の規定により国民生活金融公庫となつた旧国民金融公庫及び同法附則第三条第一項の規定により解散した旧環境衛生金融公庫並びに株式会社日本政策金融公庫法附則第十五条第一項の規定により解散した旧国民生活金融公庫（以下「旧国民生活金融公庫」という。）、同法附則第十六条第一項の規定により解散した旧農林漁業金融公庫（以下「旧農林漁業金融公庫」

という。）、同法附則第十七条第一項の規定により解散した旧中小企業金融公庫（以下「旧中小企業金融公庫」という。）及び同法附則第十八条第一項の規定により解散した旧国際協力銀行（以下「旧国際協力銀行」という。）を含む。）

十一　株式会社日本政策投資銀行（株式会社日本政策投資銀行法（平成十九年法律第八十五号）附則第二十六条の規定による廃止前の日本政策投資銀行法（平成十一年法律第七十三号）附則第六条第一項の規定により解散した旧日本開発銀行及び同法附則第七条第一項の規定により解散した旧北海道東北開発公庫並びに株式会社日本政策投資銀行法附則第十五条第一項の規定により解散した旧日本政策投資銀行を含む。）

十二　平成二十六年独法整備法第八十七条の規定による改正前の独立行政法人理化学研究所法（平成十四年法律第百六十号。以下「旧独立行政法人理化学研究所法」という。）第二条の独立行政法人理化学研究所（旧独立行政法人理化学研究所法附則第二条第一項の規定により解散した旧理化学研究所を含む。）

十三　旧独立行政法人科学技術振興機構法第三条の独立行政法人科学技術振興機構（新技術開発事業団法の一部を改正する法律附則第二条の規定により新技術事業団となつた旧新技術開発事業団、旧独立行政法人科学技術振興機構法附則第六条の規定による廃止前の科学技術振興事業団法附則第六条第一項の規定により解散した旧日本科学技術情報センター及び同法附則第八条第一項の規定により解散した旧新技術事業団並びに旧独立行政法人科学技術振興機構法附則第二条第一項の規定により解散した旧科学技術振興事業団を含む。）

十四　独立行政法人農畜産業振興機構法（平成十四年法律第百二十六号）附則第三条第一項の規定により解散した旧農畜産業振興事業団（同法附則第九条の規定による廃止前の農畜産業振興事業団法（平成八年法律第五十三号。以下この号において「旧農畜産業振興事業団法」という。）附則第十五条の規定による廃止前の蚕糸砂糖類価格安定事業団法（昭和五十六年法律第四十四号）附則第六条第一項の規定により解散した旧日本蚕糸事業団及び同法附則第八条第一項の規定により解散した旧糖価安定事業団並びに旧農畜産業振興事業団法附則第六条第一項の規定により解散した旧畜産振興事業団及び旧農畜産業振興事業団法附則第七条第一項の規定により解散した旧蚕糸砂糖類価格安定事業団を含む。）及び独立行政法人農畜産業振興機構法附則第四条第一項の規定により解散した旧野菜供給安定基金

十五　中小企業退職金共済法の一部を改正する法律（平成十四年法律第百六十四号）附則第二条第一項の規定により解散した旧勤労者退職金共済機構（中小企業退職金共済法の一部を改正する法律（昭和五十六年法律第三十八号）附則第五条第一項の規定により解散した旧特定業種退職金共済組合並びに中小企業退職金共済法の一部を改正する法律（平成九年法律第六十八号）附則第五条第一項の規定により解散した旧中小企業退職金共済事業団及び同法附則第六条第一項の規定により解散した旧特定業種退職金共済組合を含む。）

十六　独立行政法人国際観光振興機構法（平成十四年法律第八十一号）附則第二条第一項の規定により解散した旧国際観光振興会（日本観光協会法の一部を改正する法律（昭和三十九年法律第十五号）附則第二条第一項の規定により国際観光振興会となつた旧日本観光協会を含む。）

十七　旧日本てん菜振興会の解散に関する法律（昭和四十八年法律第三十三号）第一項の規定により解散した旧日本てん菜振興会

十八　独立行政法人雇用・能力開発機構法を廃止する法律（平成二十三年法律第二十六号。以下この号において「廃止法」という。）附則第二条第一項の規定により解散した旧独立行政法人雇用・能力開発機構（以下「旧独立行政法人雇用・能力開発機構」という。）（廃止法による廃止前の独立行政法人雇用・能力開発機構法（平成十四年法律第百七十号）附則第三条第一項の規定により解散した旧雇用・能力開発機構、同法附則第六条の規定による廃止前の雇用・能力開発機構法（平成十一年法律第二十号。以下この号において「旧雇用・能力開発機構法」という。）附則第十二条の規定による廃止前の雇用促進事業団法（昭和三十六年法律第百十六号）附則第十条第一項の規定により解散した旧炭鉱離職者援護会及び旧雇用・能力開発機構法附則第六条第一項の規定により解散した旧雇用促進事業団を含む。）

十九　年金積立金管理運用独立行政法人法（平成十六年法律第百五号）附則第三条第一項の規定により解散した旧年金資金運用基金（同法附則第十四条の規定による廃止前の年金福祉事業団の解散及び業務の承継等に関する法律（平成十二年法律第二十号）第一条第一項の規定により解散した旧年金福祉事業団を含

む。）

二十　郵政民営化法等の施行に伴う関係法律の整備等に関する法律（平成十七年法律第百二号）第二条第十二号の規定による廃止前の日本郵政公社法施行法（平成十四年法律第九十八号。第八十九号において「旧日本郵政公社法施行法」という。）第六条第一項の規定により解散した旧簡易保険福祉事業団（簡易生命保険法の一部を改正する法律（平成二年法律第五十号）附則第二十八条第一項の規定により簡易保険福祉事業団となつた旧簡易保険郵便年金福祉事業団を含む。）

二十一　阪神高速道路株式会社（日本道路公団等民営化関係法施行法第十五条第一項の規定により解散した旧阪神高速道路公団を含む。）

二十二　独立行政法人水資源機構法（平成十四年法律第百八十二号）附則第二条第一項の規定により解散した旧水資源開発公団（水資源開発公団法の一部を改正する法律（昭和四十三年法律第七十三号）附則第二条第一項の規定により解散した旧愛知用水公団を含む。）

二十三　独立行政法人国際協力機構法（平成十四年法律第百三十六号）附則第二条第一項の規定により解散した旧国際協力事業団（同法附則第五条の規定による廃止前の国際協力事業団法（昭和四十九年法律第六十二号）附則第六条第一項の規定により解散した旧海外技術協力事業団及び同法附則第七条第一項の規定により解散した旧海外移住事業団を含む。）

二十四　中小企業総合事業団法及び機械類信用保険法の廃止等に関する法律（平成十四年法律第百四十六号。以下この号において「廃止法」という。）附則第二条第一項の規定により解散した旧中小企業総合事業団（廃止法第一条の規定による廃止前の中小企業総合事業団法（平成十一年法律第十九号。以下この号において「旧中小企業総合事業団法」という。）附則第二十四条の規定による廃止前の中小企業事業団法（昭和五十五年法律第五十三号。以下この号において「旧中小企業事業団法」という。）附則第十六条の規定による廃止前の中小企業振興事業団法（昭和四十二年法律第五十六号）附則第八条第一項の規定により解散した旧日本中小企業指導センター、中小企業倒産防止共済法（昭和五十二年法律第八十四号）附則第四条第一項の規定により中小企業共済事業団となつた旧小規模企業共済事業団、旧中小企業事業団法附則第六条第一項の規定により解散した旧中小企業共済事業団及び旧中小企業事業団法附則第七条第一項の規定により解散した旧中小企業振興事業団、繊維工業構造改善臨時措置法の一部を改正する法律（平成六年法律第二十七号）による改正前の繊維工業構造改善臨時措置法（昭和四十二年法律第八十二号）第二十一条の繊維工業構造改善事業協会並びに旧中小企業総合事業団法附則第五条第一項の規定により解散した旧中小企業信用保険公庫、旧中小企業総合事業団法附則第六条第一項の規定により解散した旧繊維産業構造改善事業協会及び旧中小企業総合事業団法附則第七条第一項の規定により解散した旧中小企業事業団を含む。）及び廃止法附則第四条第一項の規定により解散した旧産業基盤整備基金（特定不況産業安定臨時措置法の一部を改正する法律（昭和五十八年法律第五十三号）による改正前の特定不況産業安定臨時措置法（昭和五十三年法律第四十四号）第十三条の特定不況産業信用基金、民間事業者の能力の活用による特定施設の整備の促進に関する臨時措置法（昭和六十一年法律第七十七号）附則第七条第五項の規定により解散した旧特定産業信用基金及び産業構造転換円滑化臨時措置法を廃止する法律（平成八年法律第四十九号）による廃止前の産業構造転換円滑化臨時措置法（昭和六十二年法律第二十四号）附則第四条の規定による改正前の民間事業者の能力の活用による特定施設の整備の促進に関する臨時措置法第十四条の産業基盤信用基金を含む。）並びに中小企業金融公庫法及び独立行政法人中小企業基盤整備機構法の一部を改正する法律（平成十六年法律第三十五号）附則第三条第一項の規定により解散した旧地域振興整備公団（産炭地域振興事業団法の一部を改正する法律（昭和四十七年法律第七十四号）附則第二条第一項の規定により工業再配置・産炭地域振興公団となつた旧産炭地域振興事業団及び工業再配置・産炭地域振興公団法の一部を改正する法律（昭和四十九年法律第六十九号）附則第二条の規定により地域振興整備公団となつた旧工業再配置・産炭地域振興公団を含む。）

二十五　平成二十六年独法整備法第百四十八条の規定による改正前の独立行政法人農業・食品産業技術総合研究機構法（平成十一年法律第百九十二号。以下「旧独立行政法人農業・食品産業技術総合研究機構法」という。）第三条の独立行政法人農業・食品産業技術総合研究機構（独立行政法人農業技術研究機構法の一部を改正する法律（平成十四年法律第百二十九号）附則第八条の規定による廃止前の生物系特定産業技術研究推進機構法（昭和六

十一年法律第八十二号）附則第二条第一項の規定により解散した旧農業機械化研究所及び独立行政法人農業技術研究機構法の一部を改正する法律附則第四条第一項の規定により解散した旧生物系特定産業技術研究推進機構を含む。）並びに平成二十七年独法改革農林水産省関係法整備法附則第二条第一項の規定により解散した旧独立行政法人種苗管理センター（以下「旧種苗管理センター」という。）（平成十八年独法改革農林水産省関係法整備法の施行の日の前日までの間におけるものを除く。）、旧国立研究開発法人農業生物資源研究所（平成二十六年独法整備法第百四十九条の規定による改正前の独立行政法人農業生物資源研究所法（平成十一年法律第百九十三号。以下「旧独立行政法人農業生物資源研究所法」という。）第二条の独立行政法人農業生物資源研究所（同日までの間におけるものを除く。）を含む。）及び旧国立研究開発法人農業環境技術研究所（平成二十六年独法整備法第百五十条の規定による改正前の独立行政法人農業環境技術研究所法（平成十一年法律第百九十四号。以下「旧独立行政法人農業環境技術研究所法」という。）第二条の独立行政法人農業環境技術研究所（同日までの間におけるものを除く。）を含む。）

二十六　安定的なエネルギー需給構造の確立を図るためのエネルギーの使用の合理化等に関する法律等の一部を改正する法律（令和四年法律第四十六号）第三条の規定による改正前の独立行政法人石油天然ガス・金属鉱物資源機構法（平成十四年法律第九十四号。以下「旧独立行政法人石油天然ガス・金属鉱物資源機構法」という。）第二条の独立行政法人石油天然ガス・金属鉱物資源機構（金属鉱物探鉱促進事業団法の一部を改正する法律（昭和四十八年法律第二十五号）附則第二条の規定により金属鉱業事業団となつた旧金属鉱物探鉱促進事業団及び石油開発公団法及び石炭及び石油対策特別会計法の一部を改正する法律（昭和五十三年法律第八十三号）附則第二条の規定により石油公団となつた旧石油開発公団並びに石油公団法及び金属鉱業事業団法の廃止等に関する法律（平成十四年法律第九十三号）附則第五条第一項の規定により解散した旧金属鉱業事業団及び同法附則第二条第一項の規定により解散した旧石油公団を含む。）

二十七　独立行政法人農林漁業信用基金法（平成十四年法律第百二十八号）附則第三条第一項の規定により解散した旧農林漁業信用基金（同法附則第五条の規定による廃止前の農林漁業信用基金法（昭和六十二年法律第七十九号）附則第三条第一項の規定により解散した旧林業信用基金及び同法附則第七条第三項の規定により解散した旧中央漁業信用基金並びに農業災害補償法及び農林漁業信用基金法の一部を改正する法律（平成十一年法律第六十九号）附則第三条第四項の規定により解散した旧農業共済基金を含む。）

二十八　日本消防検定協会

二十九　国立教育会館の解散に関する法律（平成十一年法律第六十二号）第一項の規定により解散した旧国立教育会館

三十　社会保障研究所の解散に関する法律（平成八年法律第四十号）第一項の規定により解散した旧社会保障研究所

三十一　中央省庁等改革関係法施行法（平成十一年法律第百六十号）第七十七条第三十六号の規定による廃止前のオリンピック記念青少年総合センターの解散に関する法律（昭和五十五年法律第五十四号）第一項の規定により解散した旧オリンピック記念青少年総合センター

三十二　独立行政法人環境再生保全機構法（平成十五年法律第四十三号）附則第三条第一項の規定により解散した旧公害健康被害補償予防協会（公害健康被害補償法の一部を改正する法律（昭和六十二年法律第九十七号）による改正前の公害健康被害補償法（昭和四十八年法律第百十一号）第十三条第二項の公害健康被害補償協会を含む。）及び独立行政法人環境再生保全機構法附則第四条第一項の規定により解散した旧環境事業団（公害防止事業団法の一部を改正する法律（平成四年法律第三十九号）附則第二条の規定により環境事業団となつた旧公害防止事業団を含む。）

三十三　独立行政法人日本芸術文化振興会法（平成十四年法律第百六十三号）附則第二条第一項の規定により解散した旧日本芸術文化振興会（国立劇場法の一部を改正する法律（平成二年法律第六号）附則第二条の規定により日本芸術文化振興会となつた旧国立劇場を含む。）

三十四　成田国際空港株式会社（成田国際空港株式会社法（平成十五年法律第百二十四号）附則第十二条第一項の規定により解散した旧新東京国際空港公団を含む。）

三十五　独立行政法人日本スポーツ振興センター法（平成十四年法律第百六十二号）附則第四条第一項の規定により解散した旧日本体育・学校健康センター（同法附則第九条の規

定による廃止前の日本体育・学校健康センター法（昭和六十年法律第九十二号）附則第六条第一項の規定により解散した旧日本国立競技場及び旧日本学校健康会並びに同法附則第十三条の規定による廃止前の日本学校健康会法（昭和五十七年法律第六十三号）附則第六条第一項の規定により解散した旧日本学校給食会及び旧日本学校安全会を含む。）
三十六　独立行政法人労働政策研究・研修機構法附則第十条第一項の規定により解散した旧日本労働研究機構（日本労働協会法の一部を改正する法律（平成元年法律第三十九号）附則第二条の規定により日本労働研究機構となつた旧日本労働協会を含む。）
三十七　独立行政法人日本学術振興会法（平成十四年法律第百五十九号）附則第二条第一項の規定により解散した旧日本学術振興会
三十八　独立行政法人福祉医療機構法（平成十四年法律第百六十六号）附則第二条第一項の規定により解散した旧社会福祉・医療事業団（同法附則第六条の規定による廃止前の社会福祉・医療事業団法（昭和五十九年法律第七十五号）附則第二条の規定により社会福祉・医療事業団となつた旧社会福祉事業振興会及び同法附則第三条第一項の規定により解散した旧医療金融公庫を含む。）
三十九　削除
四十　海上物流の基盤強化のための港湾法等の一部を改正する法律（平成十八年法律第三十八号）第二条の規定による改正前の外貿埠頭公団の解散及び業務の承継に関する法律（昭和五十六年法律第二十八号）第一条の規定により解散した旧京浜外貿埠頭公団
四十一　海上物流の基盤強化のための港湾法等の一部を改正する法律第二条の規定による改正前の外貿埠頭公団の解散及び業務の承継に関する法律第一条の規定により解散した旧阪神外貿埠頭公団
四十二　旧独立行政法人宇宙航空研究開発機構法第三条の独立行政法人宇宙航空研究開発機構（旧独立行政法人宇宙航空研究開発機構法附則第十条第一項の規定により解散した旧宇宙開発事業団を含む。）
四十三　国家公務員共済組合連合会（厚生年金保険法等の一部を改正する法律（平成八年法律第八十二号）附則第二十三条第一項の規定により国家公務員共済組合連合会となつた旧国家公務員等共済組合連合会を含む。）
四十四　本州四国連絡高速道路株式会社（日本道路公団等民営化関係法施行法第十五条第一項の規定により解散した旧本州四国連絡公団（以下この号において「旧本州四国連絡橋公団」という。）の成立の際に同項の規定により解散した旧日本道路公団の職員として在職する者が同法第三十七条の規定による廃止前の本州四国連絡橋公団法（昭和四十五年法律第八十一号）附則第十二条に規定する場合に該当することとなつた場合の同公団及び旧本州四国連絡橋公団を含む。）
四十五　日本私立学校振興・共済事業団（日本私立学校振興・共済事業団法（平成九年法律第四十八号）附則第六条第一項の規定により解散した旧日本私学振興財団を含む。）
四十六　情報処理の促進に関する法律の一部を改正する法律（平成十四年法律第百四十四号）附則第二条第一項の規定により解散した旧情報処理振興事業協会
四十七　独立行政法人農業者年金基金法（平成十四年法律第百二十七号）附則第四条第一項の規定により解散した旧農業者年金基金
四十八　独立行政法人国民生活センター法附則第二条第一項の規定により解散した旧国民生活センター
四十九　独立行政法人国立重度知的障害者総合施設のぞみの園法附則第二条第一項の規定により解散した旧心身障害者福祉協会
五十　旧国立研究開発法人水産総合研究センター法第二条の国立研究開発法人水産総合研究センター（独立行政法人水産総合研究センター法の一部を改正する法律（平成十四年法律第百三十一号）附則第五条第一項の規定により解散した旧海洋水産資源開発センター及び平成二十六年独法整備法第百五十三条の規定による改正前の独立行政法人水産総合研究センター法（平成十一年法律第百九十九号。以下「旧独立行政法人水産総合研究センター法」という。）第二条の独立行政法人水産総合研究センター（平成十八年独法改革農林水産省関係法整備法の施行の日の前日までの間におけるものを除く。）を含む。）及び旧水産大学校（同日までの間におけるものを除く。）
五十一　独立行政法人日本万国博覧会記念機構法を廃止する法律（平成二十五年法律第十九号。以下この号において「廃止法」という。）附則第二条第一項の規定により解散した旧独立行政法人日本万国博覧会記念機構（以下「旧独立行政法人日本万国博覧会記念機構」という。）（廃止法による廃止前の独立行政法人日本万国博覧会記念機構法（平成十四年法律第百二十五号）附則第二条第一項の規定により解散した旧日本万国博覧会記念協会を含む。）

五十二　旧独立行政法人海洋研究開発機構法第三条の独立行政法人海洋研究開発機構（旧独立行政法人海洋研究開発機構法附則第十条第一項の規定により解散した旧海洋科学技術センターを含む。）
五十三　軽自動車検査協会
五十四　日本下水道事業団（下水道事業センター法の一部を改正する法律附則第二条の規定により日本下水道事業団となつた旧下水道事業センターを含む。）
五十五　独立行政法人国際交流基金法（平成十四年法律第百三十七号）附則第三条第一項の規定により解散した旧国際交流基金
五十六　独立行政法人日本学生支援機構法附則第十条第一項の規定により解散した旧日本育英会
五十七　中央省庁等改革関係法施行法第千三百二十五条第一項の規定により解散した旧建設省共済組合
五十八　日本航空株式会社法を廃止する等の法律（昭和六十二年法律第九十二号。以下この号において「廃止法」という。）第一条の規定による廃止前の日本航空株式会社法（昭和二十八年法律第百五十四号）により設立された日本航空株式会社（廃止法の施行の日の前日までの間におけるものに限る。）
五十九　消防団員等公務災害補償等共済基金
六十　中小企業投資育成株式会社（消費生活用製品安全法の一部を改正する法律（昭和六十一年法律第五十四号）第九条の施行の日の前日までの間におけるものに限る。）
六十一　日本自動車ターミナル株式会社法を廃止する法律（昭和六十年法律第二十六号。以下この号において「廃止法」という。）による廃止前の日本自動車ターミナル株式会社法（昭和四十年法律第七十五号）により設立された日本自動車ターミナル株式会社（廃止法の施行の日の前日までの間におけるものに限る。）
六十二　こどもの国協会の解散及び事業の承継に関する法律（昭和五十五年法律第九十一号）第一条第一項の規定により解散した旧こどもの国協会
六十三　確定給付企業年金法（平成十三年法律第五十号）に規定する企業年金連合会（国民年金法等の一部を改正する法律（平成十六年法律第百四号）附則第三十九条の規定により企業年金連合会（公的年金制度の健全性及び信頼性の確保のための厚生年金保険法等の一部を改正する法律（平成二十五年法律第六十三号）第一条の規定による改正前の厚生年金保険法により設立されたものをいう。以下この号において「旧企業年金連合会」という。）となつた旧厚生年金基金連合会及び旧企業年金連合会を含む。
六十四　石炭鉱業年金基金
六十五　通商産業省関係の基準・認証制度等の整理及び合理化に関する法律（平成十一年法律第百二十一号。以下この号において「整理合理化法」という。）第一条の規定による改正前の消費生活用製品安全法（昭和四十八年法律第三十一号）により設立された製品安全協会（整理合理化法附則第十条に規定する時までの間におけるものに限る。）
六十六　独立行政法人自動車事故対策機構法（平成十四年法律第百八十三号）附則第二条第一項の規定により解散した旧自動車事故対策センター
六十七　小型船舶検査機構
六十八　公共用飛行場周辺における航空機騒音による障害の防止等に関する法律の一部を改正する法律（平成十四年法律第八十四号）附則第二条第一項の規定により解散した旧空港周辺整備機構（公共用飛行場周辺における航空機騒音による障害の防止等に関する法律の一部を改正する法律（昭和六十年法律第四十七号）附則第四条第一項の規定により解散した旧空港周辺整備機構を含む。）
六十九　高圧ガス保安協会
七十　独立行政法人北方領土問題対策協会法（平成十四年法律第百三十二号）附則第二条第一項の規定により解散した旧北方領土問題対策協会
七十一　自動車安全運転センター
七十二　海洋汚染等及び海上災害の防止に関する法律等の一部を改正する法律（平成二十四年法律第八十九号）附則第十条第一項の規定により解散した旧独立行政法人海上災害防止センター（以下「旧独立行政法人海上災害防止センター」という。）（海洋汚染及び海上災害の防止に関する法律の一部を改正する法律（平成十四年法律第百八十五号）附則第二条第一項の規定により解散した旧海上災害防止センターを含む。）
七十三　輸出入・港湾関連情報処理センター株式会社（航空運送貨物の税関手続の特例等に関する法律の一部を改正する法律（平成三年法律第十八号）による改正前の航空運送貨物の税関手続の特例等に関する法律（昭和五十二年法律第五十四号）第六条の航空貨物通関情報処理センター、電子情報処理組織による税関手続の特例等に関する法律の一部を改正

する法律（平成十四年法律第百二十四号）附則第二条第一項の規定により解散した旧通関情報処理センター及び電子情報処理組織による税関手続の特例等に関する法律の一部を改正する法律（平成二十年法律第四十六号）附則第十二条第一項の規定により解散した旧独立行政法人通関情報処理センター（以下「旧独立行政法人通関情報処理センター」という。）を含む。）

七十四　旧独立行政法人情報通信研究機構法第三条の独立行政法人情報通信研究機構（独立行政法人情報通信研究機構法の一部を改正する法律の施行の日の前日までの間におけるものを除き、通信・放送衛星機構法の一部を改正する法律（平成四年法律第三十四号）による改正前の通信・放送衛星機構法（昭和五十四年法律第四十六号）第一条の通信・放送衛星機構及び独立行政法人通信総合研究所法の一部を改正する法律（平成十四年法律第百三十四号）附則第三条第一項の規定により解散した旧通信・放送機構を含む。）

七十五　独立行政法人医薬品医療機器総合機構法附則第十三条第一項の規定により解散した旧医薬品副作用被害救済・研究振興調査機構（医薬品副作用被害救済基金法の一部を改正する法律（昭和六十二年法律第三十二号）による改正前の医薬品副作用被害救済基金法（昭和五十四年法律第五十五号）第一条の医薬品副作用被害救済基金及び薬事法及び医薬品副作用被害救済・研究振興基金法の一部を改正する法律（平成五年法律第二十七号）による改正前の医薬品副作用被害救済・研究振興基金法第一条の医薬品副作用被害救済・研究振興基金を含む。）

七十六　放送大学学園（放送大学学園法附則第三条第一項の規定により解散した旧放送大学学園及び旧メディア教育開発センターを含む。）

七十七　電気事業法及びガス事業法の一部を改正する等の法律（平成十五年法律第九十二号。以下この号において「改正法」という。）第三条の規定による廃止前の電源開発促進法（昭和二十七年法律第二百八十三号）により設立された電源開発株式会社（改正法第三条の規定の施行の日の前日までの間におけるものに限る。）

七十八　電気通信分野における規制の合理化のための関係法律の整備等に関する法律（平成十年法律第五十八号）第一条の規定による廃止前の国際電信電話株式会社法（昭和二十七年法律第三百一号）により設立された国際電信電話株式会社（同条の規定の施行の日の前日までの間におけるものに限る。）

七十九　日本商工会議所

八十　地方職員共済組合

八十一　警察共済組合

八十二　中央労働災害防止協会

八十三　地方公務員災害補償基金

八十四　貿易研修センター法を廃止する等の法律（昭和六十年法律第六十六号。以下この号において「廃止法」という。）による廃止前の貿易研修センター法（昭和四十二年法律第百三十四号）により設立された貿易研修センター（廃止法第二条に規定する時までの間におけるものに限る。）

八十五　預金保険機構

八十六　旧総合研究開発機構

八十七　危険物保安技術協会

八十八　独立行政法人雇用・能力開発機構法を廃止する法律附則第十三条の規定による改正前の独立行政法人高齢・障害者雇用支援機構法（平成十四年法律第百六十五号。以下「旧独立行政法人高齢・障害者雇用支援機構法」という。）第二条の独立行政法人高齢・障害者雇用支援機構（以下「旧高齢・障害者雇用支援機構」という。）（身体障害者雇用促進法の一部を改正する法律（昭和六十二年法律第四十一号）による改正前の身体障害者雇用促進法（昭和三十五年法律第百二十三号）第四十条の身体障害者雇用促進協会及び旧独立行政法人高齢・障害者雇用支援機構法附則第三条第一項の規定により解散した旧日本障害者雇用促進協会を含む。）

八十九　旧日本郵政公社法施行法第四十条の規定による改正前の郵便貯金法（昭和二十二年法律第百四十四号）により設立された郵便貯金振興会（旧日本郵政公社法施行法附則第六条第一項に規定する時までの間におけるものに限る。）

九十　中央職業能力開発協会

九十一　地方公務員共済組合連合会

九十二　全国市町村職員共済組合連合会

九十三　関西国際空港及び大阪国際空港の一体的かつ効率的な設置及び管理に関する法律（平成二十三年法律第五十四号。以下この号において「設置管理法」という。）附則第十九条の規定による廃止前の関西国際空港株式会社法（昭和五十九年法律第五十三号）により設立された関西国際空港株式会社（設置管理法の施行の日の前日までの間におけるものに限る。）

九十四　日本たばこ産業株式会社

九十五　日本電信電話株式会社
九十六　基盤技術研究円滑化法の一部を改正する法律（平成十三年法律第六十号）附則第二条第一項の規定により解散した旧基盤技術研究促進センター
九十七　北海道旅客鉄道株式会社
九十八　旅客鉄道株式会社及び日本貨物鉄道株式会社に関する法律の一部を改正する法律（平成十三年法律第六十一号。以下この号から第百号までにおいて「旅客会社法改正法」という。）による改正前の旅客鉄道株式会社及び日本貨物鉄道株式会社に関する法律（昭和六十一年法律第八十八号。次号及び第百号において「改正前旅客会社法」という。）により設立された東日本旅客鉄道株式会社（旅客会社法改正法の施行の日の前日までの間におけるものに限る。）
九十九　改正前旅客会社法により設立された東海旅客鉄道株式会社（旅客会社法改正法の施行の日の前日までの間におけるものに限る。）
百　改正前旅客会社法により設立された西日本旅客鉄道株式会社（旅客会社法改正法の施行の日の前日までの間におけるものに限る。）
百一　四国旅客鉄道株式会社
百二　旅客鉄道株式会社及び日本貨物鉄道株式会社に関する法律の一部を改正する法律（平成二十七年法律第三十六号。以下この号において「改正法」という。）による改正前の旅客鉄道株式会社及び日本貨物鉄道株式会社に関する法律により設立された九州旅客鉄道株式会社（改正法の施行の日の前日までの間におけるものに限る。）
百三　日本貨物鉄道株式会社
百四　新幹線鉄道に係る鉄道施設の譲渡等に関する法律（平成三年法律第四十五号）第五条第一項の規定により解散した旧新幹線鉄道保有機構
百五　独立行政法人平和祈念事業特別基金等に関する法律の廃止等に関する法律（平成十八年法律第百十九号）附則第二条第一項の規定により解散した旧独立行政法人平和祈念事業特別基金（以下「旧独立行政法人平和祈念事業特別基金」という。）（平和祈念事業特別基金等に関する法律の一部を改正する法律（平成十四年法律第百三十三号）附則第二条第一項の規定により解散した旧平和祈念事業特別基金を含む。）
百六　社会保険診療報酬支払基金
百七　国民年金基金連合会
百八　公立学校共済組合
百九　日本中央競馬会

百十　東日本電信電話株式会社
百十一　西日本電信電話株式会社
百十二　原子力発電環境整備機構
百十三　行政執行法人以外の独立行政法人
百十四　株式会社産業再生機構
百十五　国立大学法人
百十六　大学共同利用機関法人
百十七　中間貯蔵・環境安全事業株式会社（日本環境安全事業株式会社法の一部を改正する法律（平成二十六年法律第百二十号）による改正前の日本環境安全事業株式会社法（平成十五年法律第四十四号）第一条第一項の日本環境安全事業株式会社を含む。）
百十八　東日本高速道路株式会社
百十九　中日本高速道路株式会社
百二十　西日本高速道路株式会社
百二十一　国立大学法人法の一部を改正する法律（平成十七年法律第四十九号。以下「平成十七年国立大学法人法改正法」という。）附則第五条第一項の規定により解散した旧国立大学法人富山大学、旧国立大学法人富山医科薬科大学及び旧国立大学法人高岡短期大学
百二十二　平成十七年国立大学法人法改正法附則第五条第一項の規定により解散した旧国立大学法人筑波技術短期大学
百二十三　日本郵政株式会社
百二十四　日本司法支援センター
百二十五　旧青年の家及び旧少年自然の家
百二十六　独立行政法人住宅金融支援機構法（平成十七年法律第八十二号）附則第三条第一項の規定により解散した旧住宅金融公庫
百二十七　学校教育法等の一部を改正する法律（平成十八年法律第八十号）第四条の規定による改正前の独立行政法人国立特殊教育総合研究所法（平成十一年法律第百六十五号）第二条の独立行政法人国立特殊教育総合研究所（平成十八年独法改革文部科学省関係法整備法の施行の日の前日までの間におけるものを除く。）
百二十八　独立行政法人国立博物館法の一部を改正する法律による改正前の独立行政法人国立博物館法（平成十一年法律第百七十八号）第二条の独立行政法人国立博物館（平成十八年独法改革文部科学省関係法整備法の施行の日の前日までの間におけるものを除く。）及び旧文化財研究所（同日までの間におけるものを除く。）
百二十九　旧国立研究開発法人森林総合研究所法第二条の国立研究開発法人森林総合研究所（旧林木育種センター（平成十八年独法改革農林水産省関係法整備法の施行の日の前日ま

での間におけるものを除く。）及び旧独立行政法人森林総合研究所法第二条の独立行政法人森林総合研究所（同日までの間におけるものを除く。）を含む。）
百三十　削除
百三十一　日本郵便株式会社（旧郵便事業株式会社及び旧郵便局株式会社を含む。）
百三十二　国立大学法人法の一部を改正する法律（平成十九年法律第八十九号）附則第二条第一項の規定により解散した旧国立大学法人大阪外国語大学（以下「旧大阪外国語大学」という。）
百三十三　地方公共団体金融機構（地方交付税法等の一部を改正する法律（平成二十一年法律第十号）第五条の規定による改正前の地方公営企業等金融機構法（平成十九年法律第六十四号。以下「旧地方公営企業等金融機構法」という。）附則第九条第一項の規定により解散した旧公営企業金融公庫及び旧地方公営企業等金融機構法第一条の地方公営企業等金融機構を含む。）
百三十四　地方競馬全国協会
百三十五　株式会社商工組合中央金庫
百三十六　全国健康保険協会
百三十七　農水産業協同組合貯金保険機構
百三十八　株式会社産業革新投資機構（産業競争力強化法等の一部を改正する法律（平成三十年法律第二十六号）第二条の規定による改正前の産業競争力強化法（平成二十五年法律第九十八号。以下「旧産業競争力強化法」という。）第七十六条の株式会社産業革新機構を含む。）
百三十九　株式会社地域経済活性化支援機構（株式会社企業再生支援機構法の一部を改正する法律（平成二十五年法律第二号）による改正前の株式会社企業再生支援機構法（平成二十一年法律第六十三号）第一条の株式会社企業再生支援機構を含む。）
百四十　旧国立国語研究所（平成十八年独法改革文部科学省関係法整備法の施行の日の前日までの間におけるものを除く。）
百四十一　日本年金機構
百四十二　削除
百四十三　全国土地改良事業団体連合会
百四十四　全国中小企業団体中央会
百四十五　全国商工会連合会
百四十六　漁業共済組合連合会
百四十七　日本銀行
百四十八　日本弁理士会
百四十九　東京地下鉄株式会社
百五十　日本アルコール産業株式会社

百五十一　原子力損害賠償・廃炉等支援機構（原子力損害賠償支援機構法の一部を改正する法律（平成二十六年法律第四十号）による改正前の原子力損害賠償支援機構法（平成二十三年法律第九十四号）第一条の原子力損害賠償支援機構を含む。）
百五十二　沖縄科学技術大学院大学学園（沖縄科学技術大学院大学学園法附則第三条第一項の規定により解散した旧独立行政法人沖縄科学技術研究基盤整備機構（以下「旧沖縄科学技術研究基盤整備機構」という。）を含む。）
百五十三　株式会社東日本大震災事業者再生支援機構
百五十四　株式会社国際協力銀行
百五十五　新関西国際空港株式会社
百五十六　株式会社農林漁業成長産業化支援機構
百五十七　株式会社民間資金等活用事業推進機構
百五十八　株式会社海外需要開拓支援機構
百五十九　旧独立行政法人原子力安全基盤機構
百六十　地方公共団体情報システム機構
百六十一　株式会社海外交通・都市開発事業支援機構
百六十二　広域的運営推進機関
百六十三　旧独立行政法人医薬基盤研究所法第二条の独立行政法人医薬基盤研究所及び旧国立健康・栄養研究所（平成十八年独法改革厚生労働省関係法整備法の施行の日の前日までの間におけるものを除く。）
百六十四　平成二十六年独法整備法第七十九条の規定による改正前の独立行政法人物質・材料研究機構法（平成十一年法律第百七十三号。以下「旧独立行政法人物質・材料研究機構法」という。）第三条の独立行政法人物質・材料研究機構（平成十八年独法改革文部科学省関係法整備法の施行の日の前日までの間におけるものを除く。）
百六十五　平成二十六年独法整備法第八十条の規定による改正前の独立行政法人防災科学技術研究所法（平成十一年法律第百七十四号。以下「旧独立行政法人防災科学技術研究所法」という。）第三条の独立行政法人防災科学技術研究所（平成十八年独法改革文部科学省関係法整備法の施行の日の前日までの間におけるものを除く。）
百六十六　旧国立研究開発法人放射線医学総合研究所法第二条の国立研究開発法人放射線医学総合研究所（平成二十六年独法整備法第八十一条の規定による改正前の独立行政法人放射線医学総合研究所法（平成十一年法律第百

七十六号。以下「旧独立行政法人放射線医学総合研究所法」という。）第二条の独立行政法人放射線医学総合研究所（平成十八年独法改革文部科学省関係法整備法の施行の日の前日までの間におけるものを除く。）を含む。）

百六十七　旧高度専門医療独立行政法人法第四条第一項に規定する国立高度専門医療研究センター

百六十八及び百六十九　削除

百七十　平成二十六年独法整備法第百五十一条の規定による改正前の独立行政法人国際農林水産業研究センター法（平成十一年法律第百九十七号。以下「旧独立行政法人国際農林水産業研究センター法」という。）第二条の独立行政法人国際農林水産業研究センター（平成十八年独法改革農林水産省関係法整備法の施行の日の前日までの間におけるものを除く。）

百七十一　旧独立行政法人産業技術総合研究所法第二条の独立行政法人産業技術総合研究所（独立行政法人産業技術総合研究所法の一部を改正する法律の施行の日の前日までの間におけるものを除く。）

百七十二　平成二十六年独法整備法第百八十四条の規定による改正前の独立行政法人土木研究所法（平成十一年法律第二百五号。以下「旧独立行政法人土木研究所法」という。）第二条の独立行政法人土木研究所（平成十八年独法改革国土交通省関係法整備法の施行の日の前日までの間におけるものを除く。）

百七十三　平成二十六年独法整備法第百八十五条の規定による改正前の独立行政法人建築研究所法（平成十一年法律第二百六号。以下「旧独立行政法人建築研究所法」という。）第二条の独立行政法人建築研究所（平成十八年独法改革国土交通省関係法整備法の施行の日の前日までの間におけるものを除く。）

百七十四　旧国立研究開発法人海上技術安全研究所法第二条の国立研究開発法人海上技術安全研究所（平成二十六年独法整備法第百八十七条の規定による改正前の独立行政法人海上技術安全研究所法（平成十一年法律第二百八号。以下「旧独立行政法人海上技術安全研究所法」という。）第二条の独立行政法人海上技術安全研究所（平成十八年独法改革国土交通省関係法整備法の施行の日の前日までの間におけるものを除く。）を含む。）、旧国立研究開発法人港湾空港技術研究所（旧独立行政法人港湾空港技術研究所法第二条の独立行政法人港湾空港技術研究所（同日までの間におけるものを除く。）を含む。）及び旧国立研究開発法人電子航法研究所（旧独立行政法人電子航法研究所法第二条の独立行政法人電子航法研究所（同日までの間におけるものを除く。）を含む。）

百七十五及び百七十六　削除

百七十七　旧独立行政法人国立環境研究所法第二条の独立行政法人国立環境研究所（独立行政法人国立環境研究所法の一部を改正する法律の施行の日の前日までの間におけるものを除く。）

百七十八　株式会社海外通信・放送・郵便事業支援機構

百七十九　旧独立行政法人大学評価・学位授与機構法第二条の独立行政法人大学評価・学位授与機構及び旧国立大学財務・経営センター

百八十　旧自動車検査独立行政法人法第二条の自動車検査独立行政法人（自動車検査独立行政法人法等改正法の施行の日の前日までの間におけるものを除く。）及び旧交通安全環境研究所（平成十八年独法改革国土交通省関係法整備法の施行の日の前日までの間におけるものを除く。）

百八十一　旧航海訓練所（平成十八年独法改革国土交通省関係法整備法の施行の日の前日までの間におけるものを除く。）

百八十二　使用済燃料再処理機構

百八十三　外国人技能実習機構

百八十四　株式会社日本貿易保険（旧独立行政法人日本貿易保険を含む。）

百八十五　教育公務員特例法等の一部を改正する法律第三条の規定による改正前の独立行政法人教員研修センター法（平成十二年法律第八十八号。以下「旧独立行政法人教員研修センター法」という。）第二条の独立行政法人教員研修センター

百八十六　農業共済組合連合会（農業保険法（昭和二十二年法律第百八十五号）第十条第一項に規定する全国連合会に限る。）

百八十七　地方税共同機構

百八十八　独立行政法人郵便貯金・簡易生命保険管理機構法の一部を改正する法律（平成三十年法律第四十一号）による改正前の独立行政法人郵便貯金・簡易生命保険管理機構法（平成十七年法律第百一号。以下「旧独立行政法人郵便貯金・簡易生命保険管理機構法」という。）第二条の独立行政法人郵便貯金・簡易生命保険管理機構

百八十九　学校教育法等の一部を改正する法律（令和元年法律第十一号）附則第三条第一項の規定により解散した旧国立大学法人岐阜大学（以下「旧岐阜大学」という。）及び同法

附則第六条の規定により国立大学法人東海国立大学機構となつた旧国立大学法人名古屋大学（以下「旧名古屋大学」という。）
百九十　国立大学法人法の一部を改正する法律（令和三年法律第四十一号。以下「令和三年国立大学法人法改正法」という。）附則第五条第一項の規定により解散した旧国立大学法人小樽商科大学（以下「旧小樽商科大学」という。）及び旧国立大学法人北見工業大学（以下「旧北見工業大学」という。）並びに令和三年国立大学法人法改正法附則第八条第一項の規定により国立大学法人北海道国立大学機構となつた旧国立大学法人帯広畜産大学（以下「旧帯広畜産大学」という。）
百九十一　令和三年国立大学法人法改正法附則第五条第一項の規定により解散した旧国立大学法人奈良教育大学（以下「旧奈良教育大学」という。）及び令和三年国立大学法人法改正法附則第八条第二項の規定により国立大学法人奈良国立大学機構となつた旧国立大学法人奈良女子大学（以下「旧奈良女子大学」という。）
百九十二　福島国際研究教育機構
百九十三　株式会社脱炭素化支援機構

（公庫等職員としての引き続いた在職期間の計算）

第九条の三　職員が、任命権者又はその委任を受けた者の要請に応じ、引き続いて特定公庫等職員となるため退職し、かつ、引き続き特定公庫等職員として在職した後引き続いて特定地方公務又は通常制度を有する一般地方独立行政法人等である地方公社に使用される者（役員及び常時勤務に服することを要しない者を除く。以下「特定地方公社職員」という。）となるため退職し、かつ、引き続き特定地方公務又は特定地方公社職員として在職した後引き続いて再び特定公庫等職員となるため退職し、かつ、引き続き特定公庫等職員として在職した後引き続いて再び職員となるため退職し、かつ、引き続いて職員となつた場合においては、先の引き続いた在職期間の始期から後の特定公庫等職員としての引き続いた在職期間の終期までの期間をその者の公庫等職員（法第七条の二第一項に規定する公庫等職員をいう。以下同じ。）としての引き続いた在職期間として計算する。

2　特定公庫等職員が、公庫等の要請に応じ、引き続いて特定地方公務又は特定地方公社職員となるため退職し、かつ、引き続き特定地方公務又は特定地方公社職員として在職した後引き続いて再び特定公庫等職員となるため退職し、かつ、引き続き特定公庫等職員として在職した後更に引き続いて職員となるため退職し、かつ、引き続いて職員となつた場合においては、先の特定公庫等職員としての引き続いた在職期間の始期から後の特定公庫等職員としての引き続いた在職期間の終期までの期間をその者の公庫等職員としての引き続いた在職期間として計算する。

（法第八条第一項に規定する政令で定める法人）

第九条の四　法第八条第一項に規定する政令で定める法人は、独立行政法人のほか、次に掲げる法人とする。
一　独立行政法人住宅金融支援機構法附則第三条第一項の規定により解散した旧住宅金融公庫
二　旧農林漁業金融公庫
三　旧中小企業金融公庫
四　日本道路公団等民営化関係法施行法第十五条第一項の規定により解散した旧日本道路公団
五　旧独立行政法人日本原子力研究開発機構法第三条の独立行政法人日本原子力研究開発機構（旧独立行政法人日本原子力研究開発機構法附則第二条第一項の規定により解散した旧日本原子力研究所を含む。）
六　自転車競技法及び小型自動車競走法の一部を改正する法律（平成十九年法律第八十二号）附則第三条第一項の規定により解散した旧日本自転車振興会
七　旧独立行政法人理化学研究所法第二条の独立行政法人理化学研究所（旧独立行政法人理化学研究所法附則第二条第一項の規定により解散した旧理化学研究所を含む。）
八　日本道路公団等民営化関係法施行法第十五条第一項の規定により解散した旧首都高速道路公団
九　日本道路公団等民営化関係法施行法第十五条第一項の規定により解散した旧阪神高速道路公団
十　地方競馬全国協会
十一　自転車競技法及び小型自動車競走法の一部を改正する法律附則第十条第一項の規定により解散した旧日本小型自動車振興会
十二　地方職員共済組合
十三　公立学校共済組合
十四　警察共済組合
十五　地方公務員災害補償基金
十六　日本道路公団等民営化関係法施行法第十五条第一項の規定により解散した旧本州四国連絡橋公団

十七　預金保険機構
十八　沖縄振興開発金融公庫
十九　旧総合研究開発機構
二十　農水産業協同組合貯金保険機構
二十一　中小企業総合事業団法及び機械類信用保険法の廃止等に関する法律附則第二条第一項の規定により解散した旧中小企業総合事業団及び中小企業金融公庫法及び独立行政法人中小企業基盤整備機構法の一部を改正する法律附則第三条第一項の規定により解散した旧地域振興整備公団
二十二　日本下水道事業団
二十三　全国市町村職員共済組合連合会
二十四　地方公務員共済組合連合会
二十五　国家公務員共済組合連合会
二十六　旧独立行政法人新エネルギー・産業技術総合開発機構法第三条の独立行政法人新エネルギー・産業技術総合開発機構（旧独立行政法人新エネルギー・産業技術総合開発機構法附則第二条第一項の規定により解散した旧新エネルギー・産業技術総合開発機構を含む。）
二十七　旧独立行政法人情報通信研究機構法第三条の独立行政法人情報通信研究機構（独立行政法人通信総合研究所法の一部を改正する法律附則第二条の規定により独立行政法人情報通信研究機構となつた旧独立行政法人通信総合研究所及び同法附則第三条第一項の規定により解散した旧通信・放送機構を含む。）
二十八　日本私立学校振興・共済事業団
二十九　旧国際協力銀行
三十　旧国民生活金融公庫
三十一　年金積立金管理運用独立行政法人法附則第三条第一項の規定により解散した旧年金資金運用基金
三十二　銀行等保有株式取得機構
三十三　削除
三十四　国立大学法人
三十五　大学共同利用機関法人
三十六　平成十七年国立大学法人法改正法附則第五条第一項の規定により解散した旧国立大学法人富山医科薬科大学及び旧国立大学法人高岡短期大学
三十七　平成十七年国立大学法人法改正法附則第五条第一項の規定により解散した旧国立大学法人筑波技術短期大学
三十八　平成十八年独法改革文部科学省関係法整備法第三条の規定による改正前の独立行政法人国立オリンピック記念青少年総合センター法（平成十一年法律第百六十七号）第二条の独立行政法人国立オリンピック記念青少年総合センター
三十九　旧独立行政法人農業・食品産業技術総合研究機構法第三条の独立行政法人農業・食品産業技術総合研究機構（平成十八年独法改革農林水産省関係法整備法第一条の規定による改正前の独立行政法人農業・生物系特定産業技術研究機構法（平成十一年法律第百九十二号）第三条の独立行政法人農業・生物系特定産業技術研究機構、平成十八年独法改革農林水産省関係法整備法附則第八条第一項の規定により解散した旧独立行政法人農業者大学校、旧独立行政法人農業工学研究所及び旧独立行政法人食品総合研究所を含む。）並びに旧種苗管理センター、旧国立研究開発法人農業生物資源研究所（旧独立行政法人農業生物資源研究所法第二条の独立行政法人農業生物資源研究所を含む。）及び旧国立研究開発法人農業環境技術研究所（旧独立行政法人農業環境技術研究所法第二条の独立行政法人農業環境技術研究所を含む。）
四十　旧国立研究開発法人水産総合研究センター法第二条の国立研究開発法人水産総合研究センター（平成十八年独法改革農林水産省関係法整備法附則第十六条第一項の規定により解散した旧独立行政法人さけ・ます資源管理センター及び旧独立行政法人水産総合研究センター法第二条の独立行政法人水産総合研究センターを含む。）及び旧水産大学校
四十一　旧独立行政法人土木研究所法第二条の独立行政法人土木研究所（平成十八年独法改革国土交通省関係法整備法附則第八条第一項の規定により解散した旧独立行政法人北海道開発土木研究所を含む。）
四十二　放送大学学園（旧メディア教育開発センターを含む。）
四十三　農林水産消費技術センター法等改正法第一条の規定による改正前の独立行政法人農林水産消費技術センター法（平成十一年法律第百八十三号）第二条の独立行政法人農林水産消費技術センター及び農林水産消費技術センター法等改正法附則第三条第一項の規定により解散した旧独立行政法人肥飼料検査所
四十四　旧国立研究開発法人森林総合研究所法第二条の国立研究開発法人森林総合研究所
四十五　旧大阪外国語大学
四十六　地方公共団体金融機構（旧地方公営企業等金融機構法附則第九条第一項の規定により解散した旧公営企業金融公庫及び旧地方公営企業等金融機構法第一条の地方公営企業等金融機構を含む。）
四十七　旧緑資源機構

四十八　旧独立行政法人通関情報処理センター
四十九　全国健康保険協会
五十　旧国立国語研究所
五十一　日本年金機構
五十二　削除
五十三　日本商工会議所
五十四　全国土地改良事業団体連合会
五十五　全国中小企業団体中央会
五十六　全国商工会連合会
五十七　高圧ガス保安協会
五十八　消防団員等公務災害補償等共済基金
五十九　漁業共済組合連合会
六十　軽自動車検査協会
六十一　小型船舶検査機構
六十二　自動車安全運転センター
六十三　危険物保安技術協会
六十四　関西国際空港及び大阪国際空港の一体的かつ効率的な設置及び管理に関する法律（以下この号において「設置管理法」という。）附則第十九条の規定による廃止前の関西国際空港株式会社法により設立された関西国際空港株式会社（設置管理法の施行の日の前日までの間におけるものに限る。）
六十五　日本電信電話株式会社
六十六　北海道旅客鉄道株式会社
六十七　四国旅客鉄道株式会社
六十八　削除
六十九　日本貨物鉄道株式会社
七十　東日本電信電話株式会社
七十一　西日本電信電話株式会社
七十二　原子力発電環境整備機構
七十三　東京地下鉄株式会社
七十四　中間貯蔵・環境安全事業株式会社（日本環境安全事業株式会社法の一部を改正する法律による改正前の日本環境安全事業株式会社法第一条第一項の日本環境安全事業株式会社を含む。）
七十五　成田国際空港株式会社
七十六　東日本高速道路株式会社
七十七　首都高速道路株式会社
七十八　中日本高速道路株式会社
七十九　西日本高速道路株式会社
八十　阪神高速道路株式会社
八十一　本州四国連絡高速道路株式会社
八十二　日本アルコール産業株式会社
八十三　日本郵政株式会社
八十四　削除
八十五　日本郵便株式会社（旧郵便事業株式会社及び旧郵便局株式会社を含む。）
八十六　株式会社日本政策金融公庫
八十七　株式会社商工組合中央金庫
八十八　株式会社日本政策投資銀行
八十九　輸出入・港湾関連情報処理センター株式会社
九十　原子力損害賠償・廃炉等支援機構（原子力損害賠償支援機構法の一部を改正する法律による改正前の原子力損害賠償支援機構法第一条の原子力損害賠償支援機構を含む。）
九十一　旧独立行政法人雇用・能力開発機構
九十二　旧高齢・障害者雇用支援機構
九十三　沖縄科学技術大学院大学学園（旧沖縄科学技術研究基盤整備機構を含む。）
九十四　株式会社国際協力銀行
九十五　新関西国際空港株式会社
九十六　旧独立行政法人平和祈念事業特別基金
九十七　旧独立行政法人海上災害防止センター
九十八　株式会社産業革新投資機構（旧産業競争力強化法第七十六条の株式会社産業革新機構を含む。）
九十九　株式会社農林漁業成長産業化支援機構
百　株式会社地域経済活性化支援機構
百一　株式会社民間資金等活用事業推進機構
百二　株式会社海外需要開拓支援機構
百三　旧独立行政法人原子力安全基盤機構
百四　地方公共団体情報システム機構
百五　旧独立行政法人日本万国博覧会記念機構
百六　株式会社海外交通・都市開発事業支援機構
百七　広域的運営推進機関
百八　旧国立健康・栄養研究所
百九　旧独立行政法人物質・材料研究機構法第三条の独立行政法人物質・材料研究機構
百十　旧独立行政法人防災科学技術研究所法第三条の独立行政法人防災科学技術研究所
百十一　旧国立研究開発法人放射線医学総合研究所法第二条の国立研究開発法人放射線医学総合研究所（旧独立行政法人放射線医学総合研究所法第二条の独立行政法人放射線医学総合研究所を含む。）
百十二　旧独立行政法人科学技術振興機構法第三条の独立行政法人科学技術振興機構
百十三　旧独立行政法人宇宙航空研究開発機構法第三条の独立行政法人宇宙航空研究開発機構
百十四　旧独立行政法人海洋研究開発機構法第三条の独立行政法人海洋研究開発機構
百十五及び百十六　削除
百十七　旧独立行政法人国際農林水産業研究センター法第二条の独立行政法人国際農林水産業研究センター
百十八　旧独立行政法人産業技術総合研究所法第二条の独立行政法人産業技術総合研究所

百十九　旧独立行政法人建築研究所法第二条の独立行政法人建築研究所
百二十　旧国立研究開発法人海上技術安全研究所法第二条の国立研究開発法人海上技術安全研究所（旧独立行政法人海上技術安全研究所法第二条の独立行政法人海上技術安全研究所を含む。）、旧国立研究開発法人港湾空港技術研究所（旧独立行政法人港湾空港技術研究所法第二条の独立行政法人港湾空港技術研究所を含む。）及び旧国立研究開発法人電子航法研究所（旧独立行政法人電子航法研究所法第二条の独立行政法人電子航法研究所を含む。）
百二十一及び百二十二　削除
百二十三　旧独立行政法人国立環境研究所法第二条の独立行政法人国立環境研究所
百二十四　株式会社海外通信・放送・郵便事業支援機構
百二十五　旧独立行政法人大学評価・学位授与機構法第二条の独立行政法人大学評価・学位授与機構及び旧国立大学財務・経営センター
百二十六　旧自動車検査独立行政法人法第二条の自動車検査独立行政法人
百二十七　旧航海訓練所
百二十八　旧独立行政法人労働者健康福祉機構法第二条の独立行政法人労働者健康福祉機構及び旧労働安全衛生総合研究所
百二十九　使用済燃料再処理機構
百三十　外国人技能実習機構
百三十一　株式会社日本貿易保険（旧独立行政法人日本貿易保険を含む。）
百三十二　旧独立行政法人教員研修センター法第二条の独立行政法人教員研修センター
百三十三　地方税共同機構
百三十四　旧独立行政法人郵便貯金・簡易生命保険管理機構法第二条の独立行政法人郵便貯金・簡易生命保険管理機構
百三十五　旧岐阜大学及び旧名古屋大学
百三十六　旧小樽商科大学、旧北見工業大学及び旧帯広畜産大学
百三十七　旧奈良教育大学及び旧奈良女子大学
百三十八　福島国際研究教育機構
百三十九　株式会社脱炭素化支援機構
百四十　旧独立行政法人石油天然ガス・金属鉱物資源機構法第二条の独立行政法人石油天然ガス・金属鉱物資源機構

（募集実施要項の記載事項）

第九条の五　法第八条の二第二項に規定する政令で定めるものは、次に掲げる事項とする。
一　法第八条の二第一項の規定による募集（以下この条及び第九条の七において「募集」という。）の対象となるべき職員の範囲
二　法第八条の二第二項に規定する募集実施要項（以下この条及び第九条の七第三項において「募集実施要項」という。）の内容を周知させるための説明会を開催する予定があるときは、その旨
三　法第八条の二第三項の規定による応募（以下この条及び第九条の七第三項において「応募」という。）又は応募の取下げに係る手続
四　法第八条の二第六項の規定による通知の予定時期
五　第九条の七第三項に規定する時点で募集の期間が満了するものとするときは、その旨及び同項に規定する応募上限数
六　募集に関する問合せを受けるための連絡先
七　その他内閣官房令で定める事項
2　各省各庁の長等は、募集実施要項に前項第一号に掲げる職員の範囲を記載するときは、当該職員の範囲に含まれる職員の数が募集をする人数に一を加えた人数以上となるようにしなければならない。ただし、法第八条の二第一項第二号に掲げる募集を行う場合は、この限りでない。
3　各省各庁の長等は、募集実施要項に募集の期間を記載するときは、その開始及び終了の年月日時を明らかにしてしなければならない。

（法第八条の二第三項第四号に規定する懲戒処分から除かれる処分）

第九条の六　法第八条の二第三項第四号に規定する政令で定めるものは、故意又は重大な過失によらないで管理又は監督に係る職務を怠つた場合における懲戒処分とする。

（募集の期間の延長等に係る手続）

第九条の七　各省各庁の長等は、募集の目的を達成するため必要があると認めるときは、募集の期間を延長することができる。
2　各省各庁の長等は、前項の規定により募集の期間を延長した場合には、直ちにその旨及び延長後の募集の期間の終了の年月日時を当該募集の対象となるべき職員に周知しなければならない。
3　各省各庁の長等が募集実施要項に募集の期間の終了の年月日時が到来するまでに応募をした職員の数が募集をする人数以上の一定数（以下この項において「応募上限数」という。）に達した時点で募集の期間は満了するものとする旨及び応募上限数を記載している場合には、応募をした職員の数が応募上限数に達した時点で募集の期間は満了するものとする。
4　各省各庁の長等は、前項の規定により募集の期間が満了した場合には、直ちにその旨を当該募集の対象となるべき職員に周知しなければな

らない。
（退職すべき期日の変更に係る手続）
第九条の八　各省各庁の長等は、法第八条の二第五項に規定する認定（以下この項において「認定」という。）を行つた後に生じた事情に鑑み、認定を受けた職員（以下この条において「認定応募者」という。）が同条第八項第三号に規定する退職すべき期日（以下この条において「退職すべき期日」という。）に退職することにより公務の能率的運営の確保に著しい支障を及ぼすこととなると認める場合において、当該認定応募者にその旨及びその理由を明示し、内閣官房令で定めるところにより、退職すべき期日の繰上げ又は繰下げについて当該認定応募者の書面による同意を得たときは、公務の能率的運営を確保するために必要な限度で、退職すべき期日を繰り上げ、又は繰り下げることができる。

2　各省各庁の長等は、前項の規定により退職すべき期日を繰り上げ、又は繰り下げた場合には、直ちに、内閣官房令で定めるところにより、新たに定めた退職すべき期日を当該認定応募者に書面により通知しなければならない。

第三章　特別の退職手当

（法第十条第一項に規定する政令で定める職員に準ずる者）
第九条の九　法第十条第一項に規定する政令で定める職員に準ずる者は、職員以外の者で、内閣総理大臣の定めるところにより、引き続き職員について定められている勤務時間以上勤務した日（法令の規定により、勤務を要しないこととされ、又は休暇を与えられた日を含む。）が一月以上あるものとする。ただし、季節的の業務に四箇月以内の期間を定めて雇用され、又は季節的に四箇月以内の期間を定めて雇用されていた者にあつては、引き続き当該所定の期間を超えて勤務した場合に限る。

（失業者の退職手当の支給官署の特例の適用を受ける職員）
第十条　法第十条第一項に規定する政令で定める職員は、行政執行法人の職員とする。

（技能習得手当及び寄宿手当に相当する退職手当）
第十一条　法第十条第十項第一号に掲げる技能習得手当及び同項第二号に掲げる寄宿手当に相当する退職手当は、それぞれ雇用保険法（昭和四十九年法律第百十六号）第三十六条第一項に規定する技能習得手当及び同条第二項に規定する寄宿手当に相当する金額を同法の当該規定によるこれらの手当の支給の条件に従い支給する。

（傷病手当に相当する退職手当）
第十二条　法第十条第十項第三号に掲げる傷病手当に相当する退職手当（以下「傷病手当に相当する退職手当」という。）は、支給残日数を超えては支給しない。

2　前項に規定する支給残日数とは、法第十条第一項又は第二項の規定による退職手当の支給を受ける資格に係る同条第一項第二号に規定する所定給付日数から当該資格に係る同項に規定する待期日数及び当該退職手当の支給を受けた日数を控除した日数をいう。

3　傷病手当に相当する退職手当は、雇用保険法第三十七条第一項に規定する傷病手当の支給の条件に従い支給する。

（就業促進手当等に相当する退職手当）
第十三条　法第十条第十項第四号に掲げる就業促進手当、同項第五号に掲げる移転費及び同項第六号に掲げる求職活動支援費に相当する退職手当は、それぞれ雇用保険法第五十六条の三第一項に規定する就業促進手当、同法第五十八条第一項に規定する移転費及び同法第五十九条第一項に規定する求職活動支援費に相当する金額を同法の当該規定によるこれらの給付の支給の条件に従い支給する。

（法第十条第十三項に規定する政令で定める日数）
第十四条　法第十条第十三項に規定する政令で定める日数は、次の各号に掲げる退職手当ごとに、当該各号に定める日数とする。
一　雇用保険法第五十六条の三第一項第一号イに該当する者に係る就業促進手当に相当する退職手当　当該退職手当の支給を受けた日数に相当する日数
二　雇用保険法第五十六条の三第一項第一号ロに該当する者に係る就業促進手当に相当する退職手当　当該就業促進手当について同条第五項の規定により基本手当を支給したものとみなされる日数に相当する日数

（内閣官房令への委任）
第十五条　法第十条の規定による退職手当の支給を受けるために必要な証明書の様式及び交付の手続その他その支給に関し必要な事項は、内閣官房令で定める。

第四章　退職手当の支給制限等

（懲戒免職等処分を行う権限を有していた機関がない場合における退職手当管理機関）
第十六条　法第十一条第二号ホに規定する政令で定める機関は、次に掲げる職員の区分に応じ、当該各号に定める機関とする。
一　内閣総理大臣　内閣総理大臣
二　法第十一条第二号ホに掲げる職員のうち、

当該職員の退職の日において当該職員に対し同号ホに規定する懲戒免職等処分を行う権限を有していた機関がないものであつて、前号に掲げる者以外のもの　当該職員の退職の日において当該職員の占めていた職（当該職が廃止された場合にあつては、当該職に相当する職）の任命権を有する機関
　　（一般の退職手当等の全部又は一部を支給しないこととする場合に勘案すべき事情）
第十七条　法第十二条第一項に規定する政令で定める事情は、当該退職をした者が占めていた職の職務及び責任、当該退職をした者の勤務の状況、当該退職をした者が行つた非違の内容及び程度、当該非違に至つた経緯、当該非違後における当該退職をした者の言動、当該非違が公務の遂行に及ぼす支障の程度並びに当該非違が公務に対する国民の信頼に及ぼす影響とする。
　　（一般の退職手当等の額の全部又は一部に相当する額の納付を命ずる場合に勘案すべき事情）
第十八条　法第十七条第六項に規定する政令で定める事情は、当該退職手当の受給者の相続財産の額、当該退職手当の受給者の相続財産の額のうち同条第一項から第五項までの規定による処分を受けるべき者が相続又は遺贈により取得をした又は取得をする見込みである財産の額、当該退職手当の受給者の相続人の生計の状況及び当該一般の退職手当等に係る租税の額とする。
　　（内閣官房令への委任）
第十九条　法第十二条第二項（法第十三条第十項、第十四条第五項、第十五条第六項、第十六条第二項及び第十七条第七項において準用する場合を含む。）の書面の様式は、内閣官房令で定める。
　　　附　則（抄）
1　この政令は、公布の日から施行し、昭和二十八年八月一日から適用する。
　　　附　則（昭和三四年六月一日政令第二〇八号）（抄）
5　国家公務員退職手当法施行令（昭和二十八年政令第二百十五号。以下この項及び次項において「施行令」という。）第一条第一項各号に掲げる者以外の常時勤務に服することを要しない者の同項第二号に規定する勤務した日が引き続いて六月を超えるに至つた場合（附則第三項の規定に該当する場合を除く。）には、当分の間、その者を同号の職員とみなして、施行令の規定を適用する。この場合において、その者に対する国家公務員退職手当法（昭和二十八年法律第百八十二号）第二条の四及び第六条の五の規定による退職手当の額は、同法第二条の四から第六条の五までの規定により計算した退職手当の

額の百分の五十に相当する金額とする。
6　前項の規定の適用を受ける者（引き続き同項に規定する者であるものとした場合に、同項の規定の適用を受けることができた者を含む。）に対する施行令第八条の規定の適用については、同条中「十二月」とあるのは、「六月」とする。

別表第一　（第六条の三関係）
　イ　平成八年四月一日から平成十八年三月三十一日までの間の基礎在職期間における職員の区分についての表

第一号区分	
	一　平成八年四月一日から平成十八年三月三十一日までの間において適用されていた一般職給与法（他の法令において、引用し、準用し、又はその例による場合を含む。以下「平成八年四月以後平成十八年三月以前の一般職給与法」という。）の指定職俸給表の適用を受けていた者で同表九号俸の俸給月額以上の俸給月額を受けていたもの
	二　平成八年四月一日から平成十八年三月三十一日までの間において適用されていた裁判官の報酬等に関する法律（昭和二十三年法律第七十五号。以下「平成八年四月以後平成十八年三月以前の裁判官報酬法」という。）別表の適用を受けていた者で同表判事の項二号の報酬月額以上の報酬月額を受けていたもの
	三　平成八年四月一日から平成十八年三月三十一日までの間において適用されていた検察官の俸給等に関する法律（昭和二十三年法律第七十六号。以下「平成八年四月以後平成十八年三月以前の検察官俸給法」という。）別表の適用を受けていた者で同表検事の項二号の俸給月額以上の俸給月額を受けていたもの
	四　平成八年四月一日から平成十八年三月三十一日までの間において適用されていた特別職の職員の給与に関する法律（昭和二十四年法律第二百五十二号。以下「平成八年四月以後平成十八年三月以前の特別職給与法」という。）別表第一の適用を受けていた者で公害等

		調整委員会の常勤の委員の受ける俸給月額以上の俸給月額を受けていたもの 五　平成八年四月以後平成十八年三月以前の特別職給与法別表第二大使の項の適用を受けていた者で同項二号俸の俸給月額以上の俸給月額を受けていたもの 六　平成八年四月以後平成十八年三月以前の特別職給与法別表第二公使の項の適用を受けていた者で同項二号俸の俸給月額以上の俸給月額を受けていたもの 七　平成八年四月一日から平成十三年一月五日までの間において適用されていた旧防衛庁給与法（防衛庁設置法等の一部を改正する法律（平成十八年法律第百十八号）附則第二十七条の規定による改正前の防衛庁の職員の給与等に関する法律（昭和二十七年法律第二百六十六号）をいう。以下同じ。）の参事官等俸給表の適用を受けていた者で同表の指定職の欄九号俸の俸給月額以上の俸給月額を受けていたもの 八　平成十三年一月六日から平成十八年三月三十一日までの間において適用されていた旧防衛庁給与法（以下「平成十三年一月以後平成十八年三月以前の旧防衛庁給与法」という。）の防衛参事官等俸給表の適用を受けていた者で同表の指定職の欄九号俸の俸給月額以上の俸給月額を受けていたもの 九　平成八年四月一日から平成十八年三月三十一日までの間において適用されていた旧防衛庁給与法（以下「平成八年四月以後平成十八年三月以前の旧防衛庁給与法」という。）の自衛官俸給表の適用を受けていた者で同表の陸将、海将及び空将の欄九号俸の俸給月額以上の俸給月額を受けていたもの 一〇　前各号に掲げる者に準ずるものとして内閣総理大臣の定めるもの	四号俸から八号俸までの俸給月額を受けていたもの 二　平成八年四月以後平成十八年三月以前の裁判官報酬法別表判事の項の適用を受けていた者で同項三号から五号までの報酬月額を受けていたもの 三　平成八年四月以後平成十八年三月以前の裁判官報酬法別表簡易裁判所判事の項の適用を受けていた者で同項一号又は二号の報酬月額を受けていたもの 四　平成八年四月以後平成十八年三月以前の検察官俸給法別表検事の項の適用を受けていた者で同項三号から五号までの俸給月額を受けていたもの 五　平成八年四月以後平成十八年三月以前の特別職給与法別表第一の適用を受けていた者で公害等調整委員会の常勤の委員の受ける俸給月額に満たない俸給月額を受けていたもの 六　平成八年四月以後平成十八年三月以前の特別職給与法別表第二大使の項の適用を受けていた者で同項一号俸の俸給月額を受けていたもの 七　平成八年四月以後平成十八年三月以前の特別職給与法別表第二公使の項の適用を受けていた者で同項一号俸の俸給月額を受けていたもの 八　平成八年四月一日から平成十三年一月五日までの間において適用されていた旧防衛庁給与法（以下「平成八年四月以後平成十三年一月以前の旧防衛庁給与法」という。）の参事官等俸給表の適用を受けていた者で同表の指定職の欄四号俸から八号俸までの俸給月額を受けていたもの 九　平成十三年一月以後平成十八年三月以前の旧防衛庁給与法の防衛参事官等俸給表の適用を受けていた者で同表の指定職の欄四号俸から八号俸までの俸給月額を受けていたもの 一〇　平成八年四月以後平成十八年三月以前の旧防衛庁給与法の自衛官俸給表の適用を受けていた者で
第二号区分	一　平成八年四月以後平成十八年三月以前の一般職給与法の指定職俸給表の適用を受けていた者で同表	

	同表の陸将、海将及び空将の欄四号俸から八号俸までの俸給月額を受けていたもの又は陸将補、海将補及び空将補の(一)欄四号俸から七号俸までの俸給月額を受けていたもの 一一　平成九年六月四日から平成十八年三月三十一日までの間において適用されていた一般職の任期付研究員の採用、給与及び勤務時間の特例に関する法律(平成九年法律第六十五号。他の法令において引用する場合を含む。以下「平成九年六月以後平成十八年三月以前の任期付研究員法」という。)第六条第一項の俸給表の適用を受けていた者で同表六号俸の俸給月額を受けていたもの 一二　平成十二年十一月二十七日から平成十八年三月三十一日までの間において適用されていた一般職の任期付職員の採用及び給与の特例に関する法律(平成十二年法律第百二十五号。他の法令において、引用し、又は準用する場合を含む。以下「平成十二年十一月以後平成十八年三月以前の任期付職員法」という。)第七条第一項の俸給表の適用を受けていた者で同表七号俸の俸給月額を受けていたもの 一三　前各号に掲げる者に準ずるものとして内閣総理大臣の定めるもの	月以前の検察官俸給法別表検事の項の適用を受けていた者で同項六号から八号までの俸給月額を受けていたもの 五　平成八年四月以後平成十八年三月以前の検察官俸給法別表副検事の項の適用を受けていた者で同項一号の俸給月額を受けていたもの 六　平成八年四月以後平成十三年一月以前の旧防衛庁給与法の参事官等俸給表の適用を受けていた者で同表の指定職の欄一号俸から三号俸までの俸給月額を受けていたもの 七　平成十三年一月以後平成十八年三月以前の旧防衛庁給与法の防衛参事官等俸給表の適用を受けていた者で同表の指定職の欄一号俸から三号俸までの俸給月額を受けていたもの 八　平成八年四月以後平成十八年三月以前の旧防衛庁給与法の自衛官俸給表の適用を受けていた者で同表の陸将、海将及び空将の欄一号俸から三号俸までの俸給月額を受けていたもの、陸将補、海将補及び空将補の(一)欄一号俸から三号俸までの俸給月額を受けていたもの又は陸将補、海将補及び空将補の(二)欄に掲げる俸給月額を受けていたもののうち内閣総理大臣の定めるもの 九　前各号に掲げる者に準ずるものとして内閣総理大臣の定めるもの
第三号区分	一　平成八年四月以後平成十八年三月以前の一般職給与法の指定職俸給表の適用を受けていた者で同表一号俸から三号俸までの俸給月額を受けていたもの 二　平成八年四月以後平成十八年三月以前の裁判官報酬法別表判事の項の適用を受けていた者で同項六号から八号までの報酬月額を受けていたもの 三　平成八年四月以後平成十八年三月以前の裁判官報酬法別表簡易裁判所判事の項の適用を受けていた者で同項三号又は四号の報酬月額を受けていたもの 四　平成八年四月以後平成十八年三	第四号区分 一　平成八年四月以後平成十八年三月以前の一般職給与法の行政職俸給表(一)の適用を受けていた者でその属する職務の級が十一級であつたもの 二　平成八年四月以後平成十八年三月以前の一般職給与法の専門行政職俸給表の適用を受けていた者でその属する職務の級が七級であつたもの 三　平成八年四月以後平成十八年三月以前の一般職給与法の税務職俸給表の適用を受けていた者でその属する職務の級が十一級であつたもの 四　平成八年四月以後平成十八年三

月以前の一般職給与法の公安職俸給表（一）の適用を受けていた者でその属する職務の級が十一級であつたもの
五　平成八年四月以後平成十八年三月以前の一般職給与法の公安職俸給表（二）の適用を受けていた者でその属する職務の級が十一級であつたもの
六　平成八年四月以後平成十八年三月以前の一般職給与法の海事職俸給表（一）の適用を受けていた者でその属する職務の級が七級であつたもののうち内閣総理大臣の定めるもの
七　平成八年四月一日から平成十六年十月二十七日までの間において適用されていた一般職給与法（他の法令において、引用し、準用し、又はその例による場合を含む。以下「平成八年四月以後平成十六年十月以前の一般職給与法」という。）の教育職俸給表（一）の適用を受けていた者でその属する職務の級が五級であつたもののうち内閣総理大臣の定めるもの
八　平成十六年十月二十八日から平成十八年三月三十一日までの間において適用されていた一般職給与法（他の法令において、引用し、準用し、又はその例による場合を含む。以下「平成十六年十月以後平成十八年三月以前の一般職給与法」という。）の教育職俸給表（一）の適用を受けていた者でその属する職務の級が四級であつたもののうち内閣総理大臣の定めるもの
九　平成八年四月以後平成十八年三月以前の一般職給与法の研究職俸給表の適用を受けていた者でその属する職務の級が五級であつたもののうち内閣総理大臣の定めるもの
一〇　平成八年四月以後平成十八年三月以前の一般職給与法の医療職俸給表（一）の適用を受けていた者でその属する職務の級が四級であつたもののうち内閣総理大臣の定めるもの
一一　平成八年四月以後平成十八年

三月以前の裁判官報酬法別表判事補の項の適用を受けていた者で同項一号又は二号の報酬月額を受けていたもの
一二　平成八年四月以後平成十八年三月以前の裁判官報酬法別表簡易裁判所判事の項の適用を受けていた者で同項五号から七号までの報酬月額を受けていたもの
一三　平成八年四月以後平成十八年三月以前の検察官俸給法別表検事の項の適用を受けていた者で同項九号又は十号の俸給月額を受けていたもの
一四　平成八年四月以後平成十八年三月以前の検察官俸給法別表副検事の項の適用を受けていた者で同項二号から四号までの俸給月額を受けていたもの
一五　平成十四年十二月一日から平成十八年三月三十一日までの間において適用されていた特別職の職員の給与に関する法律（以下「平成十四年十二月以後平成十八年三月以前の特別職給与法」という。）別表第三の適用を受けていた者で同表十号俸又は十一号俸の俸給月額を受けていたもの
一六　平成八年四月以後平成十三年一月以前の旧防衛庁給与法の参事官等俸給表の適用を受けていた者でその属する職務の級が五級であつたもの
一七　平成十三年一月以後平成十八年三月以前の旧防衛庁給与法の防衛参事官等俸給表の適用を受けていた者でその属する職務の級が五級であつたもの
一八　平成八年四月以後平成十八年三月以前の旧防衛庁給与法の自衛官俸給表の適用を受けていた者で同表の陸将補、海将補及び空将補の（二）欄に掲げる俸給月額を受けていたもの（第三号区分の項第八号に掲げる者を除く。）又は一等陸佐、一等海佐及び一等空佐の（一）欄に掲げる俸給月額を受けていたもの
一九　平成九年六月以後平成十八年三月以前の任期付研究員法第六条第一項の俸給表の適用を受けてい

	た者で同表五号俸の俸給月額を受けていたもの 二〇　平成十二年十一月以後平成十八年三月以前の任期付職員法第七条第一項の俸給表の適用を受けていた者で同表六号俸の俸給月額を受けていたもの 二一　前各号に掲げる者に準ずるものとして内閣総理大臣の定めるもの
第五号区分	一　平成八年四月以後平成十八年三月以前の一般職給与法の行政職俸給表（一）の適用を受けていた者でその属する職務の級が十級であつたもの 二　平成八年四月以後平成十八年三月以前の一般職給与法の専門行政職俸給表の適用を受けていた者でその属する職務の級が六級であつたもの 三　平成八年四月以後平成十八年三月以前の一般職給与法の税務職俸給表の適用を受けていた者でその属する職務の級が十級であつたもの 四　平成八年四月以後平成十八年三月以前の一般職給与法の公安職俸給表（一）の適用を受けていた者でその属する職務の級が十級であつたもの 五　平成八年四月以後平成十八年三月以前の一般職給与法の公安職俸給表（二）の適用を受けていた者でその属する職務の級が十級であつたもの 六　平成八年四月以後平成十八年三月以前の一般職給与法の海事職俸給表（一）の適用を受けていた者でその属する職務の級が七級であつたもの（第四号区分の項第六号に掲げる者を除く。） 七　平成八年四月以後平成十六年十月以前の一般職給与法の教育職俸給表（一）の適用を受けていた者でその属する職務の級が五級であつたもの（第四号区分の項第七号に掲げる者を除く。）のうち内閣総理大臣の定めるもの 八　平成十六年十月以後平成十八年三月以前の一般職給与法の教育職

俸給表（一）の適用を受けていた者でその属する職務の級が四級であつたもの（第四号区分の項第八号に掲げる者を除く。）のうち内閣総理大臣の定めるもの

九　平成八年四月以後平成十八年三月以前の一般職給与法の研究職俸給表の適用を受けていた者でその属する職務の級が五級であつたもの（第四号区分の項第九号に掲げる者を除く。）のうち内閣総理大臣の定めるもの

一〇　平成八年四月以後平成十八年三月以前の一般職給与法の医療職俸給表（一）の適用を受けていた者でその属する職務の級が四級であつたもの（第四号区分の項第一〇号に掲げる者を除く。）のうち内閣総理大臣の定めるもの

一一　平成八年四月以後平成十八年三月以前の裁判官報酬法別表判事補の項の適用を受けていた者で同項三号又は四号の報酬月額を受けていたもの

一二　平成八年四月以後平成十八年三月以前の裁判官報酬法別表簡易裁判所判事の項の適用を受けていた者で同項八号又は九号の報酬月額を受けていたもの

一三　平成八年四月以後平成十八年三月以前の検察官俸給法別表検事の項の適用を受けていた者で同項十一号又は十二号の俸給月額を受けていたもの

一四　平成八年四月以後平成十八年三月以前の検察官俸給法別表副検事の項の適用を受けていた者で同項五号又は六号の俸給月額を受けていたもの

一五　平成十四年十二月以後平成十八年三月以前の特別職給与法別表第三の適用を受けていた者で同表九号俸の俸給月額を受けていたもの

一六　平成八年四月以後平成十三年一月以前の旧防衛庁給与法の参事官等俸給表の適用を受けていた者でその属する職務の級が四級であつたもの

一七　平成十三年一月以後平成十八年三月以前の旧防衛庁給与法の防

	衛参事官等俸給表の適用を受けていた者でその属する職務の級が四級であつたもの 一八　平成八年四月以後平成十八年三月以前の旧防衛庁給与法の自衛官俸給表の適用を受けていた者で同表の一等陸佐、一等海佐及び一等空佐の（二）欄に掲げる俸給月額を受けていたもの 一九　平成十二年十一月以後平成十八年三月以前の任期付職員法第七条第一項の俸給表の適用を受けていた者で同表五号俸の俸給月額を受けていたもの 二〇　前各号に掲げる者に準ずるものとして内閣総理大臣の定めるもの
第六号区分	一　平成八年四月以後平成十八年三月以前の一般職給与法の行政職俸給表（一）の適用を受けていた者でその属する職務の級が九級であつたもの 二　平成八年四月以後平成十八年三月以前の一般職給与法の専門行政職俸給表の適用を受けていた者でその属する職務の級が五級であつたもの 三　平成八年四月以後平成十八年三月以前の一般職給与法の税務職俸給表の適用を受けていた者でその属する職務の級が九級であつたもの 四　平成八年四月以後平成十八年三月以前の一般職給与法の公安職俸給表（一）の適用を受けていた者でその属する職務の級が九級であつたもの 五　平成八年四月以後平成十八年三月以前の一般職給与法の公安職俸給表（二）の適用を受けていた者でその属する職務の級が九級であつたもの 六　平成八年四月以後平成十八年三月以前の一般職給与法の海事職俸給表（一）の適用を受けていた者でその属する職務の級が六級であつたもののうち内閣総理大臣の定めるもの 七　平成八年四月以後平成十六年十月以前の一般職給与法の教育職俸給表（一）の適用を受けていた者でその属する職務の級が五級であつたもの（第四号区分の項第七号及び第五号区分の項第七号に掲げる者を除く。） 八　平成十六年十月以後平成十八年三月以前の一般職給与法の教育職俸給表（一）の適用を受けていた者でその属する職務の級が四級であつたもの（第四号区分の項第八号及び第五号区分の項第八号に掲げる者を除く。） 九　平成八年四月以後平成十八年三月以前の一般職給与法の研究職俸給表の適用を受けていた者でその属する職務の級が五級であつたもの（第四号区分の項第九号及び第五号区分の項第九号に掲げる者を除く。）のうち内閣総理大臣の定めるもの 一〇　平成八年四月以後平成十八年三月以前の一般職給与法の医療職俸給表（一）の適用を受けていた者でその属する職務の級が四級であつたもの（第四号区分の項第一〇号及び第五号区分の項第一〇号に掲げる者を除く。） 一一　平成八年四月以後平成十八年三月以前の一般職給与法の医療職俸給表（二）の適用を受けていた者でその属する職務の級が八級であつたもの 一二　平成八年四月以後平成十八年三月以前の一般職給与法の医療職俸給表（三）の適用を受けていた者でその属する職務の級が七級であつたもの 一三　平成十二年一月一日から平成十八年三月三十一日までの間において適用されていた一般職給与法（他の法令において、準用し、又はその例による場合を含む。以下「平成十二年一月以後平成十八年三月以前の一般職給与法」という。）の福祉職俸給表の適用を受けていた者でその属する職務の級が六級であつたもの 一四　平成八年四月以後平成十八年三月以前の裁判官報酬法別表判事補の項の適用を受けていた者で同項五号又は六号の報酬月額を受け

ていたもの
一五　平成八年四月以後平成十八年三月以前の裁判官報酬法別表簡易裁判所判事の項の適用を受けていた者で同項十号又は十一号の報酬月額を受けていたもの
一六　平成八年四月以後平成十八年三月以前の検察官俸給法別表検事の項の適用を受けていた者で同項十三号又は十四号の俸給月額を受けていたもの
一七　平成八年四月以後平成十八年三月以前の検察官俸給法別表副検事の項の適用を受けていた者で同項七号又は八号の俸給月額を受けていたもの
一八　平成八年四月以後平成十八年三月以前の特別職給与法別表第三の適用を受けていた者で同表五号俸から八号俸までの俸給月額を受けていたもの
一九　平成八年四月以後平成十三年一月以前の旧防衛庁給与法の参事官等俸給表の適用を受けていた者でその属する職務の級が三級であつたもの
二〇　平成十三年一月以後平成十八年三月以前の旧防衛庁給与法の防衛参事官等俸給表の適用を受けていた者でその属する職務の級が三級であつたもの
二一　平成八年四月以後平成十八年三月以前の旧防衛庁給与法の自衛官俸給表の適用を受けていた者で同表の一等陸佐、一等海佐及び一等空佐の（三）欄に掲げる俸給月額を受けていたもの
二二　平成九年六月以後平成十八年三月以前の任期付研究員法第六条第一項の俸給表の適用を受けていた者で同表四号俸の俸給月額を受けていたもの
二三　平成十二年十一月以後平成十八年三月以前の任期付職員法第七条第一項の俸給表の適用を受けていた者で同表四号俸の俸給月額を受けていたもの
二四　前各号に掲げる者に準ずるものとして内閣総理大臣の定めるもの

第七号区分
一　平成八年四月以後平成十八年三月以前の一般職給与法の行政職俸給表（一）の適用を受けていた者でその属する職務の級が八級であつたもの
二　平成八年四月以後平成十八年三月以前の一般職給与法の専門行政職俸給表の適用を受けていた者でその属する職務の級が四級であつたもの
三　平成八年四月以後平成十八年三月以前の一般職給与法の税務職俸給表の適用を受けていた者でその属する職務の級が八級であつたもの
四　平成八年四月以後平成十八年三月以前の一般職給与法の公安職俸給表（一）の適用を受けていた者でその属する職務の級が八級であつたもの
五　平成八年四月以後平成十八年三月以前の一般職給与法の公安職俸給表（二）の適用を受けていた者でその属する職務の級が八級であつたもの
六　平成八年四月以後平成十八年三月以前の一般職給与法の海事職俸給表（一）の適用を受けていた者でその属する職務の級が六級であつたもの（第六号区分の項第六号に掲げる者を除く。）
七　平成八年四月以後平成十六年十月以前の一般職給与法の教育職俸給表（一）の適用を受けていた者でその属する職務の級が四級であつたもののうち内閣総理大臣の定めるもの
八　平成十六年十月以後平成十八年三月以前の一般職給与法の教育職俸給表（一）の適用を受けていた者でその属する職務の級が三級であつたもののうち内閣総理大臣の定めるもの
九　平成八年四月以後平成十八年三月以前の一般職給与法の研究職俸給表の適用を受けていた者でその属する職務の級が五級であつたもの（第四号区分の項第九号、第五号区分の項第九号及び第六号区分の項第九号に掲げる者を除く。）
一〇　平成八年四月以後平成十八年

	三月以前の一般職給与法の医療職俸給表（一）の適用を受けていた者でその属する職務の級が三級であつたもの 一一　平成八年四月以後平成十八年三月以前の一般職給与法の医療職俸給表（二）の適用を受けていた者でその属する職務の級が六級又は七級であつたもの 一二　平成八年四月以後平成十八年三月以前の一般職給与法の医療職俸給表（三）の適用を受けていた者でその属する職務の級が六級であつたもの 一三　平成十二年一月以後平成十八年三月以前の一般職給与法の福祉職俸給表の適用を受けていた者でその属する職務の級が五級であつたもの 一四　平成八年四月以後平成十八年三月以前の裁判官報酬法別表判事補の項の適用を受けていた者で同項七号又は八号の報酬月額を受けていたもの 一五　平成八年四月以後平成十八年三月以前の裁判官報酬法別表簡易裁判所判事の項の適用を受けていた者で同項十二号又は十三号の報酬月額を受けていたもの 一六　平成八年四月以後平成十八年三月以前の検察官俸給法別表検事の項の適用を受けていた者で同項十五号又は十六号の俸給月額を受けていたもの 一七　平成八年四月以後平成十八年三月以前の検察官俸給法別表副検事の項の適用を受けていた者で同項九号又は十号の俸給月額を受けていたもの 一八　平成八年四月以後平成十八年三月以前の特別職給与法別表第三の適用を受けていた者で同表三号俸又は四号俸の俸給月額を受けていたもの 一九　平成八年四月以後平成十三年一月以前の旧防衛庁給与法の参事官等俸給表の適用を受けていた者でその属する職務の級が二級であつたもの 二〇　平成十三年一月以後平成十八年三月以前の旧防衛庁給与法の防	衛参事官等俸給表の適用を受けていた者でその属する職務の級が二級であつたもの 二一　平成八年四月以後平成十八年三月以前の旧防衛庁給与法の自衛官俸給表の適用を受けていた者でその属する階級が二等陸佐、二等海佐又は二等空佐であつたもの 二二　平成九年六月以後平成十八年三月以前の任期付研究員法第六条第一項の俸給表の適用を受けていた者で同表三号俸の俸給月額を受けていたもの 二三　平成十二年十一月以後平成十八年三月以前の任期付職員法第七条第一項の俸給表の適用を受けていた者で同表三号俸の俸給月額を受けていたもの 二四　前各号に掲げる者に準ずるものとして内閣総理大臣の定めるもの
第八号区分	一　平成八年四月以後平成十八年三月以前の一般職給与法の行政職俸給表（一）の適用を受けていた者でその属する職務の級が七級であつたもの 二　平成八年四月以後平成十八年三月以前の一般職給与法の行政職俸給表（二）の適用を受けていた者でその属する職務の級が六級であつたもののうち内閣総理大臣の定めるもの 三　平成八年四月以後平成十八年三月以前の一般職給与法の専門行政職俸給表の適用を受けていた者でその属する職務の級が三級であつたもののうち内閣総理大臣の定めるもの 四　平成八年四月以後平成十八年三月以前の一般職給与法の税務職俸給表の適用を受けていた者でその属する職務の級が七級であつたもの 五　平成八年四月以後平成十八年三月以前の一般職給与法の公安職俸給表（一）の適用を受けていた者でその属する職務の級が七級であつたもの 六　平成八年四月以後平成十八年三月以前の一般職給与法の公安職俸

給表（二）の適用を受けていた者でその属する職務の級が七級であつたもの
七　平成八年四月以後平成十八年三月以前の一般職給与法の海事職俸給表（一）の適用を受けていた者でその属する職務の級が五級であつたもの
八　平成八年四月以後平成十八年三月以前の一般職給与法の海事職俸給表（二）の適用を受けていた者でその属する職務の級が六級であつたもののうち内閣総理大臣の定めるもの
九　平成八年四月以後平成十六年十月以前の一般職給与法の教育職俸給表（一）の適用を受けていた者でその属する職務の級が四級であつたもの（第七号区分の項第七号に掲げる者を除く。）
一〇　平成十六年十月以後平成十八年三月以前の一般職給与法の教育職俸給表（一）の適用を受けていた者でその属する職務の級が三級であつたもの（第七号区分の項第八号に掲げる者を除く。）
一一　平成八年四月以後平成十六年十月以前の一般職給与法の教育職俸給表（四）の適用を受けていた者でその属する職務の級が三級であつたもののうち内閣総理大臣の定めるもの
一二　平成十六年十月以後平成十八年三月以前の一般職給与法の教育職俸給表（二）の適用を受けていた者でその属する職務の級が三級であつたもののうち内閣総理大臣の定めるもの
一三　平成八年四月以後平成十八年三月以前の一般職給与法の研究職俸給表の適用を受けていた者でその属する職務の級が四級であつたもの
一四　平成八年四月以後平成十八年三月以前の一般職給与法の医療職俸給表（一）の適用を受けていた者でその属する職務の級が二級であつたもののうち内閣総理大臣の定めるもの
一五　平成八年四月以後平成十八年三月以前の一般職給与法の医療職俸給表（二）の適用を受けていた者でその属する職務の級が五級であつたもののうち内閣総理大臣の定めるもの
一六　平成八年四月以後平成十八年三月以前の一般職給与法の医療職俸給表（三）の適用を受けていた者でその属する職務の級が五級であつたもの
一七　平成十二年一月以後平成十八年三月以前の一般職給与法の福祉職俸給表の適用を受けていた者でその属する職務の級が四級であつたもののうち内閣総理大臣の定めるもの
一八　平成八年四月以後平成十八年三月以前の裁判官報酬法別表判事補の項の適用を受けていた者で同項九号の報酬月額を受けていたもの
一九　平成八年四月以後平成十八年三月以前の裁判官報酬法別表簡易裁判所判事の項の適用を受けていた者で同項十四号の報酬月額を受けていたもの
二〇　平成八年四月以後平成十八年三月以前の検察官俸給法別表検事の項の適用を受けていた者で同項十七号の俸給月額を受けていたもの
二一　平成八年四月以後平成十八年三月以前の検察官俸給法別表副検事の項の適用を受けていた者で同項十一号の俸給月額を受けていたもの
二二　平成八年四月以後平成十三年一月以前の旧防衛庁給与法の参事官等俸給表の適用を受けていた者でその属する職務の級が一級であつたもののうち内閣総理大臣の定めるもの
二三　平成十三年一月以後平成十八年三月以前の旧防衛庁給与法の防衛参事官等俸給表の適用を受けていた者でその属する職務の級が一級であつたもののうち内閣総理大臣の定めるもの
二四　平成十六年十月二十八日から平成十八年三月三十一日までの間において適用されていた旧防衛庁給与法（以下「平成十六年十月以

		後平成十八年三月以前の旧防衛庁給与法」という。）の自衛隊教官俸給表の適用を受けていた者でその属する職務の級が二級であつたもの 二五　平成八年四月以後平成十八年三月以前の旧防衛庁給与法の自衛官俸給表の適用を受けていた者でその属する階級が三等陸佐、三等海佐又は三等空佐であつたもの 二六　平成九年六月以後平成十八年三月以前の任期付研究員法第六条第一項の俸給表の適用を受けていた者で同表二号俸の俸給月額を受けていたもの 二七　平成十二年十一月以後平成十八年三月以前の任期付職員法第七条第一項の俸給表の適用を受けていた者で同表一号俸又は二号俸の俸給月額を受けていたもの 二八　前各号に掲げる者に準ずるものとして内閣総理大臣の定めるもの	総理大臣の定めるもの又は六級であつたもの 六　平成八年四月以後平成十八年三月以前の一般職給与法の公安職俸給表（二）の適用を受けていた者でその属する職務の級が六級であつたもの 七　平成八年四月以後平成十八年三月以前の一般職給与法の海事職俸給表（一）の適用を受けていた者でその属する職務の級が四級であつたもの 八　平成八年四月以後平成十八年三月以前の一般職給与法の海事職俸給表（二）の適用を受けていた者でその属する職務の級が六級であつたもの（第八号区分の項第八号に掲げる者を除く。） 九　平成八年四月以後平成十六年十月以前の一般職給与法の教育職俸給表（一）の適用を受けていた者でその属する職務の級が三級であつたもの
第九号区分	一　平成八年四月以後平成十八年三月以前の一般職給与法の行政職俸給表（一）の適用を受けていた者でその属する職務の級が六級であつたもの 二　平成八年四月以後平成十八年三月以前の一般職給与法の行政職俸給表（二）の適用を受けていた者でその属する職務の級が六級であつたもの（第八号区分の項第二号に掲げる者を除く。） 三　平成八年四月以後平成十八年三月以前の一般職給与法の専門行政職俸給表の適用を受けていた者でその属する職務の級が三級であつたもの（第八号区分の項第三号に掲げる者を除く。） 四　平成八年四月以後平成十八年三月以前の一般職給与法の税務職俸給表の適用を受けていた者でその属する職務の級が六級であつたもの 五　平成八年四月以後平成十八年三月以前の一般職給与法の公安職俸給表（一）の適用を受けていた者でその属する職務の級が四級若しくは五級であつたもののうち内閣	一〇　平成十六年十月以後平成十八年三月以前の一般職給与法の教育職俸給表（一）の適用を受けていた者でその属する職務の級が二級であつたもの 一一　平成八年四月以後平成十六年十月以前の一般職給与法の教育職俸給表（四）の適用を受けていた者でその属する職務の級が三級であつたもの（第八号区分の項第一一号に掲げる者を除く。） 一二　平成十六年十月以後平成十八年三月以前の一般職給与法の教育職俸給表（二）の適用を受けていた者でその属する職務の級が三級であつたもの（第八号区分の項第一二号に掲げる者を除く。） 一三　平成八年四月以後平成十八年三月以前の一般職給与法の研究職俸給表の適用を受けていた者でその属する職務の級が三級であつたもの 一四　平成八年四月以後平成十八年三月以前の一般職給与法の医療職俸給表（一）の適用を受けていた者でその属する職務の級が二級であつたもの（第八号区分の項第一四号に掲げる者を除く。）

	一五　平成八年四月以後平成十八年三月以前の医療職俸給表（二）の適用を受けていた者でその属する職務の級が五級であつたもの（第八号区分の項第一五号に掲げる者を除く。）		いた者でその属する職務の級が一級であつたもの（第八号区分の項第二三号に掲げる者を除く。）のうち内閣総理大臣の定めるもの
	一六　平成八年四月以後平成十八年三月以前の一般職給与法の医療職俸給表（三）の適用を受けていた者でその属する職務の級が四級であつたもの		二五　平成十六年十月以後平成十八年三月以前の旧防衛庁給与法の自衛隊教官俸給表の適用を受けていた者でその属する職務の級が一級であつたもののうち内閣総理大臣の定めるもの
	一七　平成十二年一月以後平成十八年三月以前の一般職給与法の福祉職俸給表の適用を受けていた者でその属する職務の級が四級であつたもの（第八号区分の項第一七号に掲げる者を除く。）		二六　平成八年四月以後平成十八年三月以前の旧防衛庁給与法の自衛官俸給表の適用を受けていた者でその属する階級が一等陸尉、一等海尉又は一等空尉であつたもの
	一八　平成八年四月以後平成十八年三月以前の裁判官報酬法別表判事補の項の適用を受けていた者で同項十号の報酬月額を受けていたもの		二七　平成九年六月以後平成十八年三月以前の任期付研究員法第六条第一項の俸給表の適用を受けていた者で同表一号俸の俸給月額を受けていたもの
	一九　平成八年四月以後平成十八年三月以前の裁判官報酬法別表簡易裁判所判事の項の適用を受けていた者で同項十五号の報酬月額を受けていたもの		二八　前各号に掲げる者に準ずるものとして内閣総理大臣の定めるもの
	二〇　平成八年四月以後平成十八年三月以前の検察官俸給法別表検事の項の適用を受けていた者で同項十八号の俸給月額を受けていたもの	第十号区分	一　平成八年四月以後平成十八年三月以前の一般職給与法の行政職俸給表（一）の適用を受けていた者でその属する職務の級が四級又は五級であつたもの
	二一　平成八年四月以後平成十八年三月以前の検察官俸給法別表副検事の項の適用を受けていた者で同項十二号の俸給月額を受けていたもの		二　平成八年四月以後平成十八年三月以前の一般職給与法の行政職俸給表（二）の適用を受けていた者でその属する職務の級が三級であつたもののうち内閣総理大臣の定めるもの又は四級若しくは五級であつたもの
	二二　平成八年四月以後平成十八年三月以前の特別職給与法別表第三の適用を受けていた者で同表二号俸の俸給月額を受けていたもの		三　平成八年四月以後平成十八年三月以前の一般職給与法の専門行政職俸給表の適用を受けていた者でその属する職務の級が二級であつたもの
	二三　平成八年四月以後平成十三年一月以前の旧防衛庁給与法の参事官等俸給表の適用を受けていた者でその属する職務の級が一級であつたもの（第八号区分の項第二二号に掲げる者を除く。）のうち内閣総理大臣の定めるもの		四　平成八年四月以後平成十八年三月以前の一般職給与法の税務職俸給表の適用を受けていた者でその属する職務の級が四級又は五級であつたもの
	二四　平成十三年一月以後平成十八年三月以前の旧防衛庁給与法の防衛参事官等俸給表の適用を受けて		五　平成八年四月以後平成十八年三月以前の一般職給与法の公安職俸給表（一）の適用を受けていた者でその属する職務の級が三級であつたもののうち内閣総理大臣の定

めるもの又は四級若しくは五級であつたもの（第九号区分の項第五号に掲げる者を除く。）
六　平成八年四月以後平成十八年三月以前の一般職給与法の公安職俸給表（二）の適用を受けていた者でその属する職務の級が四級又は五級であつたもの
七　平成八年四月以後平成十八年三月以前の一般職給与法の海事職俸給表（一）の適用を受けていた者でその属する職務の級が三級であつたもの
八　平成八年四月以後平成十八年三月以前の一般職給与法の海事職俸給表（二）の適用を受けていた者でその属する職務の級が四級又は五級であつたもの
九　平成八年四月以後平成十六年十月以前の一般職給与法の教育職俸給表（一）の適用を受けていた者でその属する職務の級が二級であつたもののうち内閣総理大臣の定めるもの
一〇　平成十六年十月以後平成十八年三月以前の一般職給与法の教育職俸給表（一）の適用を受けていた者でその属する職務の級が一級であつたもののうち内閣総理大臣の定めるもの
一一　平成八年四月以後平成十六年十月以前の一般職給与法の教育職俸給表（四）の適用を受けていた者でその属する職務の級が二級であつたもののうち内閣総理大臣の定めるもの
一二　平成十六年十月以後平成十八年三月以前の一般職給与法の教育職俸給表（二）の適用を受けていた者でその属する職務の級が二級であつたもののうち内閣総理大臣の定めるもの
一三　平成八年四月以後平成十八年三月以前の一般職給与法の研究職俸給表の適用を受けていた者でその属する職務の級が二級であつたもののうち内閣総理大臣の定めるもの
一四　平成八年四月以後平成十八年三月以前の一般職給与法の医療職俸給表（一）の適用を受けていた者でその属する職務の級が一級であつたもののうち内閣総理大臣の定めるもの
一五　平成八年四月以後平成十八年三月以前の一般職給与法の医療職俸給表（二）の適用を受けていた者でその属する職務の級が二級であつたもののうち内閣総理大臣の定めるもの又は三級若しくは四級であつたもの
一六　平成八年四月以後平成十八年三月以前の一般職給与法の医療職俸給表（三）の適用を受けていた者でその属する職務の級が二級であつたもののうち内閣総理大臣の定めるもの又は三級であつたもの
一七　平成十二年一月以後平成十八年三月以前の一般職給与法の福祉職俸給表の適用を受けていた者でその属する職務の級が二級又は三級であつたもの
一八　平成八年四月以後平成十八年三月以前の裁判官報酬法別表判事補の項の適用を受けていた者で同項十一号又は十二号の報酬月額を受けていたもの
一九　平成八年四月以後平成十八年三月以前の裁判官報酬法別表簡易裁判所判事の項の適用を受けていた者で同項十六号又は十七号の報酬月額を受けていたもの
二〇　平成八年四月以後平成十八年三月以前の検察官俸給法別表検事の項の適用を受けていた者で同項十九号又は二十号の俸給月額を受けていたもの
二一　平成八年四月以後平成十八年三月以前の検察官俸給法別表副検事の項の適用を受けていた者で同項十三号から十五号までの俸給月額を受けていたもの
二二　平成八年四月以後平成十八年三月以前の特別職給与法別表第三の適用を受けていた者で同表一号俸の俸給月額を受けていたもの
二三　平成八年四月以後平成十三年一月以前の旧防衛庁給与法の参事官等俸給表の適用を受けていた者でその属する職務の級が一級であつたもの（第八号区分の項第二二号及び第九号区分の項第二三号に

	掲げる者を除く。）
	二四　平成十三年一月以後平成十八年三月以前の旧防衛庁給与法の防衛参事官等俸給表の適用を受けていた者でその属する職務の級が一級であつたもの（第八号区分の項第二三号及び第九号区分の項第二四号に掲げる者を除く。）
	二五　平成十六年十月以後平成十八年三月以前の旧防衛庁給与法の自衛隊教官俸給表の適用を受けていた者でその属する職務の級が一級であつたもの（第九号区分の項第二五号に掲げる者を除く。）のうち内閣総理大臣の定めるもの
	二六　平成八年四月以後平成十八年三月以前の旧防衛庁給与法の自衛官俸給表の適用を受けていた者でその属する階級が二等陸尉、二等海尉若しくは二等空尉、三等陸尉、三等海尉若しくは三等空尉、准陸尉、准海尉若しくは准空尉、陸曹長、海曹長若しくは空曹長又は一等陸曹、一等海曹若しくは一等空曹であつたもの
	二七　平成九年六月以後平成十八年三月以前の任期付研究員法第六条第二項の俸給表の適用を受けていた者
	二八　前各号に掲げる者に準ずるものとして内閣総理大臣の定めるもの
第十一号区分	第一号区分から第十号区分までのいずれの職員の区分にも属しないこととなる者

備考　内閣総理大臣は、第一号区分の項第一〇号、第二号区分の項第一三号、第三号区分の項第九号、第四号区分の項第二一号、第五号区分の項第二〇号、第六号区分の項第二四号、第七号区分の項第二四号、第八号区分の項第二八号、第九号区分の項第二八号及び第十号区分の項第二八号の規定による内閣総理大臣の定めをしようとするときは、農林水産大臣又は行政執行法人の意見を聴くものとする。

ロ　平成十八年四月一日以後の基礎在職期間における職員の区分についての表

第一号区分	一　平成十八年四月一日以後適用されている一般給与法（他の法令において、引用し、準用し、又はその例による場合を含む。以下「平成十八年四月以後の一般職給与法」という。）の指定職俸給表の適用を受けていた者で同表六号俸の俸給月額以上の俸給月額を受けていたもの
	二　平成十八年四月一日以後適用されている裁判官の報酬等に関する法律（以下「平成十八年四月以後の裁判官報酬法」という。）別表の適用を受けていた者で同表判事の項第二号の報酬月額以上の報酬月額を受けていたもの
	三　平成十八年四月一日以後適用されている検察官の俸給等に関する法律（以下「平成十八年四月以後の検察官俸給法」という。）別表の適用を受けていた者で同表検事の項第二号の俸給月額以上の俸給月額を受けていたもの
	四　平成十八年四月一日以後適用されている特別職の職員の給与に関する法律（以下「平成十八年四月以後の特別職給与法」という。）別表第一の適用を受けていた者で公害等調整委員会の常勤の委員の受ける俸給月額以上の俸給月額を受けていたもの
	五　平成十八年四月以後の特別職給与法別表第二大使の項の適用を受けていた者で同項二号俸の俸給月額以上の俸給月額を受けていたもの
	六　平成十八年四月以後の特別職給与法別表第二公使の項の適用を受けていた者で同項二号俸の俸給月額以上の俸給月額を受けていたもの
	七　平成十八年四月一日から同年七月三十日までの間において適用されていた旧防衛庁給与法（以下「平成十八年四月以後同年七月以前の旧防衛庁給与法」という。）の防衛参事官等俸給表の適用を受けていた者で同表の指定職の欄六号俸の俸給月額以上の俸給月額を受けていたもの
	八　平成十八年四月一日から平成十九年一月八日までの間において適用されていた旧防衛庁給与法（以下「平成十八年四月以後平成十九

	年一月以前の旧防衛庁給与法」という。）の自衛官俸給表の適用を受けていた者で同表の陸将、海将及び空将の欄六号俸の俸給月額以上の俸給月額を受けていたもの 八の二　平成十九年一月以後適用されている防衛省の職員の給与等に関する法律（昭和二十七年法律第二百六十六号。以下「平成十九年一月以後の防衛省給与法」という。）の自衛官俸給表の適用を受けていた者で同表の陸将、海将及び空将の欄六号俸の俸給月額以上の俸給月額を受けていたもの 九　前各号に掲げる者に準ずるものとして内閣総理大臣の定めるもの
第二号区分	一　平成十八年四月以後の一般職給与法の指定職俸給表の適用を受けていた者で同表一号俸から五号俸までの俸給月額を受けていたもの 二　平成十八年四月以後の裁判官報酬法別表判事の項の適用を受けていた者で同項三号から五号までの報酬月額を受けていたもの 三　平成十八年四月以後の裁判官報酬法別表簡易裁判所判事の項の適用を受けていた者で同項一号又は二号の報酬月額を受けていたもの 四　平成十八年四月以後の検察官俸給法別表検事の項の適用を受けていた者で同項三号から五号までの俸給月額を受けていたもの 五　平成十八年四月以後の特別職給与法別表第一の適用を受けていた者で公害等調整委員会の常勤の委員の受ける俸給月額に満たない俸給月額を受けていたもの 六　平成十八年四月以後の特別職給与法別表第二大使の項の適用を受けていた者で同項一号俸の俸給月額を受けていたもの 七　平成十八年四月以後の特別職給与法別表第二公使の項の適用を受けていた者で同項一号俸の俸給月額を受けていたもの 八　平成十八年四月以後同年七月以前の旧防衛庁給与法の防衛参事官等俸給表の適用を受けていた者で同表の指定職の欄一号俸から五号俸までの俸給月額を受けていたも
	の 九　平成十八年四月以後平成十九年一月以前の旧防衛庁給与法の自衛官俸給表の適用を受けていた者で同表の陸将、海将及び空将の欄一号俸から五号俸までの俸給月額を受けていたもの又は陸将補、海将補及び空将補の（一）欄に掲げる俸給月額を受けていたもの 九の二　平成十九年一月以後の防衛省給与法の自衛官俸給表の適用を受けていた者で同表の陸将、海将及び空将の欄一号俸から五号俸までの俸給月額を受けていたもの又は陸将補、海将補及び空将補の（一）欄に掲げる俸給月額を受けていたもの 一〇　平成十八年四月一日以後適用されている一般職の任期付研究員の採用、給与及び勤務時間の特例に関する法律（他の法令において引用する場合を含む。以下「平成十八年四月以後の任期付研究員法」という。）第六条第一項の俸給表の適用を受けていた者で同表六号俸の俸給月額を受けていたもの 一一　平成十八年四月一日以後適用されている一般職の任期付職員の採用及び給与の特例に関する法律（他の法令において、引用し、又は準用する場合を含む。以下「平成十八年四月以後の任期付職員法」という。）第七条第一項の俸給表の適用を受けていた者で同表七号俸の俸給月額を受けていたもの 一二　前各号に掲げる者に準ずるものとして内閣総理大臣の定めるもの
第三号区分	一　平成十八年四月以後の一般職給与法の行政職俸給表（一）の適用を受けていた者でその属する職務の級が十級であつたもの 二　平成十八年四月以後の一般職給与法の専門行政職俸給表の適用を受けていた者でその属する職務の級が八級であつたもの 三　平成十八年四月以後の一般職給与法の税務職俸給表の適用を受け

	ていた者でその属する職務の級が十級であつたもの 四 平成十八年四月以後の一般職給与法の公安職俸給表（一）の適用を受けていた者でその属する職務の級が十一級であつたもの 五 平成十八年四月以後の一般職給与法の公安職俸給表（二）の適用を受けていた者でその属する職務の級が十級であつたもの 六 平成十八年四月以後の一般職給与法の教育職俸給表（一）の適用を受けていた者でその属する職務の級が五級であつたもの 七 平成十八年四月以後の一般職給与法の研究職俸給表の適用を受けていた者でその属する職務の級が六級であつたもの 八 平成十八年四月以後の一般職給与法の医療職俸給表（一）の適用を受けていた者でその属する職務の級が五級であつたもの 八の二 平成二十九年四月一日以後適用されている一般職給与法（他の法令において、引用し、準用し、又はその例による場合を含む。）の専門スタッフ職俸給表の適用を受けていた者でその属する職務の級が四級であつたもの 九 平成十八年四月以後の裁判官報酬法別表判事の項の適用を受けていた者で同項六号から八号までの報酬月額を受けていたもの 一〇 平成十八年四月以後の裁判官報酬法別表簡易裁判所判事の項の適用を受けていた者で同項三号又は四号の報酬月額を受けていたもの 一一 平成十八年四月以後の検察官俸給法別表検事の項の適用を受けていた者で同項六号から八号までの俸給月額を受けていたもの 一二 平成十八年四月以後の検察官俸給法別表副検事の項の適用を受けていた者で同項一号又は二号の俸給月額を受けていたもの 一三 平成十八年四月以後の特別職給与法別表第三の適用を受けていた者で同表十二号俸の俸給月額を受けていたもの 一四 平成十八年四月以後同年七月	以前の旧防衛庁給与法の防衛参事官等俸給表の適用を受けていた者でその属する職務の級が六級であつたもの 一五 平成十八年四月以後平成十九年一月以前の旧防衛庁給与法の自衛官俸給表の適用を受けていた者で同表の陸将補、海将補及び空将補の（二）欄に掲げる俸給月額を受けていたもののうち内閣総理大臣の定めるもの 一五の二 平成十九年一月以後の防衛省給与法の自衛官俸給表の適用を受けていた者で同表の陸将補、海将補及び空将補の（二）欄に掲げる俸給月額を受けていたもののうち内閣総理大臣の定めるもの 一六 前各号に掲げる者に準ずるものとして内閣総理大臣の定めるもの
第四号区分	一 平成十八年四月以後の一般職給与法の行政職俸給表（一）の適用を受けていた者でその属する職務の級が九級であつたもの 二 平成十八年四月以後の一般職給与法の専門行政職俸給表の適用を受けていた者でその属する職務の級が七級であつたもの 三 平成十八年四月以後の一般職給与法の税務職俸給表の適用を受けていた者でその属する職務の級が九級であつたもの 四 平成十八年四月以後の一般職給与法の公安職俸給表（一）の適用を受けていた者でその属する職務の級が十級であつたもの 五 平成十八年四月以後の一般職給与法の公安職俸給表（二）の適用を受けていた者でその属する職務の級が九級であつたもの 六 平成十八年四月以後の一般職給与法の海事職俸給表（一）の適用を受けていた者でその属する職務の級が七級であつたもののうち内閣総理大臣の定めるもの 七 平成十八年四月以後の一般職給与法の教育職俸給表（一）の適用を受けていた者でその属する職務の級が四級であつたもののうち内閣総理大臣の定めるもの

	八　平成十八年四月以後の一般職給与法の研究職俸給表の適用を受けていた者でその属する職務の級が五級であつたもののうち内閣総理大臣の定めるもの 九　平成十八年四月以後の一般職給与法の医療職俸給表（一）の適用を受けていた者でその属する職務の級が四級であつたもののうち内閣総理大臣の定めるもの 九の二　平成二十年四月一日以後適用されている一般職給与法（他の法令において、引用し、準用し、又はその例による場合を含む。以下「平成二十年四月以後の一般職給与法」という。）の専門スタッフ職俸給表の適用を受けていた者でその属する職務の級が三級であつたもの 一〇　平成十八年四月以後の裁判官報酬法別表判事補の項の適用を受けていた者で同項一号又は二号の報酬月額を受けていたもの 一一　平成十八年四月以後の裁判官報酬法別表簡易裁判所判事の項の適用を受けていた者で同項五号から七号までの報酬月額を受けていたもの 一二　平成十八年四月以後の検察官俸給法別表検事の項の適用を受けていた者で同項九号又は十号の俸給月額を受けていたもの 一三　平成十八年四月以後の検察官俸給法別表副検事の項の適用を受けていた者で同項三号から五号までの俸給月額を受けていたもの 一四　平成十八年四月以後の特別職給与法別表第三の適用を受けていた者で同表十号俸又は十一号俸の俸給月額を受けていたもの 一五　平成十八年四月以後同年七月以前の旧防衛庁給与法の防衛参事官等俸給表の適用を受けていた者でその属する職務の級が五級であつたもの 一六　平成十八年四月以後平成十九年一月以前の旧防衛庁給与法の自衛官俸給表の適用を受けていた者で同表の陸将補、海将補及び空将補の（二）欄に掲げる俸給月額を受けていたもの（第三号区分の項	第一五号に掲げる者を除く。）又は一等陸佐、一等海佐及び一等空佐の（一）欄に掲げる俸給月額を受けていたもの 一六の二　平成十九年一月以後の防衛省給与法の自衛官俸給表の適用を受けていた者で同表の陸将補、海将補及び空将補の（二）欄に掲げる俸給月額を受けていたもの（第三号区分の項第一五号の二に掲げる者を除く。）又は一等陸佐、一等海佐及び一等空佐の（一）欄に掲げる俸給月額を受けていたもの 一七　平成十八年四月以後の任期付研究員法第六条第一項の俸給表の適用を受けていた者で同表五号俸の俸給月額を受けていたもの 一八　平成十八年四月以後の任期付職員法第七条第一項の俸給表の適用を受けていた者で同表六号俸の俸給月額を受けていたもの 一九　前各号に掲げる者に準ずるものとして内閣総理大臣の定めるもの
第五号区分	一　平成十八年四月以後の一般職給与法の行政職俸給表（一）の適用を受けていた者でその属する職務の級が八級であつたもの 二　平成十八年四月以後の一般職給与法の専門行政職俸給表の適用を受けていた者でその属する職務の級が六級であつたもの 三　平成十八年四月以後の一般職給与法の税務職俸給表の適用を受けていた者でその属する職務の級が八級であつたもの 四　平成十八年四月以後の一般職給与法の公安職俸給表（一）の適用を受けていた者でその属する職務の級が九級であつたもの 五　平成十八年四月以後の一般職給与法の公安職俸給表（二）の適用を受けていた者でその属する職務の級が八級であつたもの 六　平成十八年四月以後の一般職給与法の海事職俸給表（一）の適用を受けていた者でその属する職務の級が七級であつたもの（第四号区分の項第六号に掲げる者を除

	七　平成十八年四月以後の一般職給与法の教育職俸給表（一）の適用を受けていた者でその属する職務の級が四級であつたもの（第四号区分の項第七号に掲げる者を除く。）のうち内閣総理大臣の定めるもの 八　平成十八年四月以後の一般職給与法の研究職俸給表の適用を受けていた者でその属する職務の級が五級であつたもの（第四号区分の項第八号に掲げる者を除く。）のうち内閣総理大臣の定めるもの 九　平成十八年四月以後の一般職給与法の医療職俸給表（一）の適用を受けていた者でその属する職務の級が四級であつたもの（第四号区分の項第九号に掲げる者を除く。）のうち内閣総理大臣の定めるもの 九の二　平成二十年四月以後の一般職給与法の専門スタッフ職俸給表の適用を受けていた者でその属する職務の級が二級であつたもの 一〇　平成十八年四月以後の裁判官報酬法別表判事補の項の適用を受けていた者で同項三号又は四号の報酬月額を受けていたもの 一一　平成十八年四月以後の裁判官報酬法別表簡易裁判所判事の項の適用を受けていた者で同項八号又は九号の報酬月額を受けていたもの 一二　平成十八年四月以後の検察官俸給法別表検事の項の適用を受けていた者で同項十一号又は十二号の俸給月額を受けていたもの 一三　平成十八年四月以後の検察官俸給法別表副検事の項の適用を受けていた者で同項六号又は七号の俸給月額を受けていたもの 一四　平成十八年四月以後の特別給与法別表第三の適用を受けていた者で同表九号俸の俸給月額を受けていたもの 一五　平成十八年四月以後同年七月以前の旧防衛庁給与法の防衛参事官等俸給表の適用を受けていた者でその属する職務の級が四級であつたもの
	一六　平成十八年四月以後平成十九年一月以前の旧防衛庁給与法の自衛官俸給表の適用を受けていた者で同表の一等陸佐、一等海佐及び一等空佐の（二）欄に掲げる俸給月額を受けていたもの 一六の二　平成十九年一月以後の防衛省給与法の自衛官俸給表の適用を受けていた者で同表の一等陸佐、一等海佐及び一等空佐の（二）欄に掲げる俸給月額を受けていたもの 一七　平成十八年四月以後の任期付職員法第七条第一項の俸給表の適用を受けていた者で同表五号俸の俸給月額を受けていたもの 一八　前各号に掲げる者に準ずるものとして内閣総理大臣の定めるもの
第六号区分	一　平成十八年四月以後の一般職給与法の行政職俸給表（一）の適用を受けていた者でその属する職務の級が七級であつたもの 二　平成十八年四月以後の一般職給与法の専門行政職俸給表の適用を受けていた者でその属する職務の級が五級であつたもの 三　平成十八年四月以後の一般職給与法の税務職俸給表の適用を受けていた者でその属する職務の級が七級であつたもの 四　平成十八年四月以後の一般職給与法の公安職俸給表（一）の適用を受けていた者でその属する職務の級が八級であつたもの 五　平成十八年四月以後の一般職給与法の公安職俸給表（二）の適用を受けていた者でその属する職務の級が七級であつたもの 六　平成十八年四月以後の一般職給与法の海事職俸給表（一）の適用を受けていた者でその属する職務の級が六級であつたもののうち内閣総理大臣の定めるもの 七　平成十八年四月以後の一般職給与法の教育職俸給表（一）の適用を受けていた者でその属する職務の級が四級であつたもの（第四号区分の項第七号及び第五号区分の項第七号に掲げる者を除く。）

	八　平成十八年四月以後の一般職給与法の研究職俸給表の適用を受けていた者でその属する職務の級が五級であつたもの（第四号区分の項第八号及び第五号区分の項第八号に掲げる者を除く。）のうち内閣総理大臣の定めるもの 九　平成十八年四月以後の一般職給与法の医療職俸給表（一）の適用を受けていた者でその属する職務の級が四級であつたもの（第四号区分の項第九号及び第五号区分の項第九号に掲げる者を除く。） 一〇　平成十八年四月以後の一般職給与法の医療職俸給表（二）の適用を受けていた者でその属する職務の級が八級であつたもの 一一　平成十八年四月以後の一般職給与法の医療職俸給表（三）の適用を受けていた者でその属する職務の級が七級であつたもの 一二　平成十八年四月以後の一般職給与法の福祉職俸給表の適用を受けていた者でその属する職務の級が六級であつたもの 一三　平成十八年四月以後の裁判官報酬法別表判事補の項の適用を受けていた者で同項五号又は六号の報酬月額を受けていたもの 一四　平成十八年四月以後の裁判官報酬法別表簡易裁判所判事の項の適用を受けていた者で同項十号又は十一号の報酬月額を受けていたもの 一五　平成十八年四月以後の検察官俸給法別表検事の項の適用を受けていた者で同項十三号又は十四号の俸給月額を受けていたもの 一六　平成十八年四月以後の検察官俸給法別表副検事の項の適用を受けていた者で同項八号又は九号の俸給月額を受けていたもの 一七　平成十八年四月以後の特別職給与法別表第三の適用を受けていた者で同表五号俸から八号俸までの俸給月額を受けていたもの 一八　平成十八年四月以後同年七月以前の旧防衛庁給与法の防衛参事官等俸給表の適用を受けていた者でその属する職務の級が三級であつたもの	一九　平成十八年四月以後平成十九年一月以前の旧防衛庁給与法の自衛官俸給表の適用を受けていた者で同表の一等陸佐、一等海佐及び一等空佐の（三）欄に掲げる俸給月額を受けていたもの 一九の二　平成十九年一月以後の防衛省給与法の自衛官俸給表の適用を受けていた者で同表の一等陸佐、一等海佐及び一等空佐の（三）欄に掲げる俸給月額を受けていたもの 二〇　平成十八年四月以後の任期付研究員法第六条第一項の俸給表の適用を受けていた者で同表四号俸の俸給月額を受けていたもの 二一　平成十八年四月以後の任期付職員法第七条第一項の俸給表の適用を受けていた者で同表四号俸の俸給月額を受けていたもの 二二　前各号に掲げる者に準ずるものとして内閣総理大臣の定めるもの
第七号区分	一　平成十八年四月以後の一般職給与法の行政職俸給表（一）の適用を受けていた者でその属する職務の級が六級であつたもの 二　平成十八年四月以後の一般職給与法の専門行政職俸給表の適用を受けていた者でその属する職務の級が四級であつたもの 三　平成十八年四月以後の一般職給与法の税務職俸給表の適用を受けていた者でその属する職務の級が六級であつたもの 四　平成十八年四月以後の一般職給与法の公安職俸給表（一）の適用を受けていた者でその属する職務の級が七級であつたもの 五　平成十八年四月以後の一般職給与法の公安職俸給表（二）の適用を受けていた者でその属する職務の級が六級であつたもの 六　平成十八年四月以後の一般職給与法の海事職俸給表（一）の適用を受けていた者でその属する職務の級が六級であつたもの（第六号区分の項第六号に掲げる者を除く。） 七　平成十八年四月以後の一般職給

与法の教育職俸給表（一）の適用を受けていた者でその属する職務の級が三級であつたもののうち内閣総理大臣の定めるもの

八　平成十八年四月以後の一般職給与法の研究職俸給表の適用を受けていた者でその属する職務の級が五級であつたもの（第四号区分の項第八号、第五号区分の項第八号及び第六号区分の項第八号に掲げる者を除く。）

九　平成十八年四月以後の一般職給与法の医療職俸給表（一）の適用を受けていた者でその属する職務の級が三級であつたもの

一〇　平成十八年四月以後の一般職給与法の医療職俸給表（二）の適用を受けていた者でその属する職務の級が六級又は七級であつたもの

一一　平成十八年四月以後の一般職給与法の医療職俸給表（三）の適用を受けていた者でその属する職務の級が六級であつたもの

一二　平成十八年四月以後の一般職給与法の福祉職俸給表の適用を受けていた者でその属する職務の級が五級であつたもの

一二の二　平成二十年四月以後の一般職給与法の専門スタッフ職俸給表の適用を受けていた者でその属する職務の級が一級であつたもの

一三　平成十八年四月以後の裁判官報酬法別表判事補の項の適用を受けていた者で同項七号又は八号の報酬月額を受けていたもの

一四　平成十八年四月以後の裁判官報酬法別表簡易裁判所判事の項の適用を受けていた者で同項十二号又は十三号の報酬月額を受けていたもの

一五　平成十八年四月以後の検察官俸給法別表検事の項の適用を受けていた者で同項十五号又は十六号の俸給月額を受けていたもの

一六　平成十八年四月以後の検察官俸給法別表副検事の項の適用を受けていた者で同項十号又は十一号の俸給月額を受けていたもの

一七　平成十八年四月以後の特別職給与法別表第三の適用を受けていた者で同表三号俸又は四号俸の俸給月額を受けていたもの

一八　平成十八年四月以後同年七月以前の旧防衛庁給与法の防衛参事官等俸給表の適用を受けていた者でその属する職務の級が二級であつたもの

一九　平成十八年四月以後平成十九年一月以前の旧防衛庁給与法の自衛官俸給表の適用を受けていた者でその属する階級が二等陸佐、二等海佐又は二等空佐であつたもの

一九の二　平成十九年一月以後の防衛省給与法の自衛官俸給表の適用を受けていた者でその属する階級が二等陸佐、二等海佐又は二等空佐であつたもの

二〇　平成十八年四月以後の任期付研究員法第六条第一項の俸給表の適用を受けていた者で同表三号俸の俸給月額を受けていたもの

二一　平成十八年四月以後の任期付職員法第七条第一項の俸給表の適用を受けていた者で同表三号俸の俸給月額を受けていたもの

二二　前各号に掲げる者に準ずるものとして内閣総理大臣の定めるもの

第八号区分	一　平成十八年四月以後の一般職給与法の行政職俸給表（一）の適用を受けていた者でその属する職務の級が五級であつたもの 二　平成十八年四月以後の一般職給与法の行政職俸給表（二）の適用を受けていた者でその属する職務の級が五級であつたもののうち内閣総理大臣の定めるもの 三　平成十八年四月以後の一般職給与法の専門行政職俸給表の適用を受けていた者でその属する職務の級が三級であつたもののうち内閣総理大臣の定めるもの 四　平成十八年四月以後の一般職給与法の税務職俸給表の適用を受けていた者でその属する職務の級が五級であつたもの 五　平成十八年四月以後の一般職給与法の公安職俸給表（一）の適用を受けていた者でその属する職務の級が六級であつたもの

六　平成十八年四月以後の一般職給与法の公安職俸給表（二）の適用を受けていた者でその属する職務の級が五級であつたもの 七　平成十八年四月以後の一般職給与法の海事職俸給表（一）の適用を受けていた者でその属する職務の級が五級であつたもの 八　平成十八年四月以後の一般職給与法の海事職俸給表（二）の適用を受けていた者でその属する職務の級が六級であつたもののうち内閣総理大臣の定めるもの 九　平成十八年四月以後の一般職給与法の教育職俸給表（一）の適用を受けていた者でその属する職務の級が三級であつたもの（第七号区分の項第七号に掲げる者を除く。） 一〇　平成十八年四月以後の一般職給与法の教育職俸給表（二）の適用を受けていた者でその属する職務の級が三級であつたもののうち内閣総理大臣の定めるもの 一一　平成十八年四月以後の一般職給与法の研究職俸給表の適用を受けていた者でその属する職務の級が四級であつたもの 一二　平成十八年四月以後の一般職給与法の医療職俸給表（一）の適用を受けていた者でその属する職務の級が二級であつたもののうち内閣総理大臣の定めるもの 一三　平成十八年四月以後の一般職給与法の医療職俸給表（二）の適用を受けていた者でその属する職務の級が五級であつたもののうち内閣総理大臣の定めるもの 一四　平成十八年四月以後の一般職給与法の医療職俸給表（三）の適用を受けていた者でその属する職務の級が五級であつたもの 一五　平成十八年四月以後の一般職給与法の福祉職俸給表の適用を受けていた者でその属する職務の級が四級であつたもののうち内閣総理大臣の定めるもの 一六　平成十八年四月以後の裁判官報酬法別表判事補の項の適用を受けていた者で同項九号の報酬月額を受けていたもの	一七　平成十八年四月以後の裁判官報酬法別表簡易裁判所判事の項の適用を受けていた者で同項十四号の報酬月額を受けていたもの 一八　平成十八年四月以後の検察官俸給法別表検事の項の適用を受けていた者で同項十七号の俸給月額を受けていたもの 一九　平成十八年四月以後の検察官俸給法別表副検事の項の適用を受けていた者で同項十二号の俸給月額を受けていたもの 二〇　平成十八年四月以後同年七月以前の旧防衛庁給与法の防衛参事官等俸給表の適用を受けていた者でその属する職務の級が一級であつたもののうち内閣総理大臣の定めるもの 二一　平成十八年四月以後平成十九年一月以前の旧防衛庁給与法の自衛隊教官俸給表の適用を受けていた者でその属する職務の級が二級であつたもの 二一の二　平成十九年一月以後の防衛省給与法の自衛隊教官俸給表の適用を受けていた者でその属する職務の級が二級であつたもの 二二　平成十八年四月以後平成十九年一月以前の旧防衛庁給与法の自衛官俸給表の適用を受けていた者でその属する階級が三等陸佐、三等海佐又は三等空佐であつたもの 二二の二　平成十九年一月以後の防衛省給与法の自衛官俸給表の適用を受けていた者でその属する階級が三等陸佐、三等海佐又は三等空佐であつたもの 二三　平成十八年四月以後の任期付研究員法第六条第一項の俸給表の適用を受けていた者で同表二号俸の俸給月額を受けていたもの 二四　平成十八年四月以後の任期付職員法第七条第一項の俸給表の適用を受けていた者で同表一号俸又は二号俸の俸給月額を受けていたもの 二五　前各号に掲げる者に準ずるものとして内閣総理大臣の定めるもの
第九号	一　平成十八年四月以後の一般職給

区分	
	与法の行政職俸給表（一）の適用を受けていた者でその属する職務の級が四級であつたもの 二　平成十八年四月以後の一般職給与法の行政職俸給表（二）の適用を受けていた者でその属する職務の級が五級であつたもの（第八号区分の項第二号に掲げる者を除く。） 三　平成十八年四月以後の一般職給与法の専門行政職俸給表の適用を受けていた者でその属する職務の級が三級であつたもの（第八号区分の項第三号に掲げる者を除く。） 四　平成十八年四月以後の一般職給与法の税務職俸給表の適用を受けていた者でその属する職務の級が四級であつたもの 五　平成十八年四月以後の一般職給与法の公安職俸給表（一）の適用を受けていた者でその属する職務の級が四級であつたもののうち内閣総理大臣の定めるもの又は五級であつたもの 六　平成十八年四月以後の一般職給与法の公安職俸給表（二）の適用を受けていた者でその属する職務の級が四級であつたもの 七　平成十八年四月以後の一般職給与法の海事職俸給表（一）の適用を受けていた者でその属する職務の級が四級であつたもの 八　平成十八年四月以後の一般職給与法の海事職俸給表（二）の適用を受けていた者でその属する職務の級が六級であつたもの（第八号区分の項第八号に掲げる者を除く。） 九　平成十八年四月以後の一般職給与法の教育職俸給表（一）の適用を受けていた者でその属する職務の級が二級であつたもの 一〇　平成十八年四月以後の一般職給与法の教育職俸給表（二）の適用を受けていた者でその属する職務の級が三級であつたもの（第八号区分の項第一〇号に掲げる者を除く。） 一一　平成十八年四月以後の一般職給与法の研究職俸給表の適用を受けていた者でその属する職務の級	が三級であつたもの 一二　平成十八年四月以後の一般職給与法の医療職俸給表（一）の適用を受けていた者でその属する職務の級が二級であつたもの（第八号区分の項第一二号に掲げる者を除く。） 一三　平成十八年四月以後の一般職給与法の医療職俸給表（二）の適用を受けていた者でその属する職務の級が五級であつたもの（第八号区分の項第一三号に掲げる者を除く。） 一四　平成十八年四月以後の一般職給与法の医療職俸給表（三）の適用を受けていた者でその属する職務の級が四級であつたもの 一五　平成十八年四月以後の一般職給与法の福祉職俸給表の適用を受けていた者でその属する職務の級が四級であつたもの（第八号区分の項第一五号に掲げる者を除く。） 一六　平成十八年四月以後の裁判官報酬法別表判事補の項の適用を受けていた者で同項十号の報酬月額を受けていたもの 一七　平成十八年四月以後の裁判官報酬法別表簡易裁判所判事の項の適用を受けていた者で同項十五号の報酬月額を受けていたもの 一八　平成十八年四月以後の検察官俸給法別表検事の項の適用を受けていた者で同項十八号の俸給月額を受けていたもの 一九　平成十八年四月以後の検察官俸給法別表副検事の項の適用を受けていた者で同項十三号の俸給月額を受けていたもの 二〇　平成十八年四月以後の特別職給与法別表第三の適用を受けていた者で同表二号俸の俸給月額を受けていたもの 二一　平成十八年四月以後同年七月以前の旧防衛庁給与法の防衛参事官等俸給表の適用を受けていた者でその属する職務の級が一級であつたもの（第八号区分の項第二〇号に掲げる者を除く。）のうち内閣総理大臣の定めるもの 二二　平成十八年四月以後平成十九年一月以前の旧防衛庁給与法の自

	衛隊教官俸給表の適用を受けていた者でその属する職務の級が一級であつたもののうち内閣総理大臣の定めるもの 二二の二　平成十九年一月以後の防衛省給与法の自衛隊教官俸給表の適用を受けていた者でその属する職務の級が一級であつたもののうち内閣総理大臣の定めるもの 二三　平成十八年四月以後平成十九年一月以前の旧防衛庁給与法の自衛官俸給表の適用を受けていた者でその属する階級が一等陸尉、一等海尉又は一等空尉であつたもの 二三の二　平成十九年一月以後の防衛省給与法の自衛官俸給表の適用を受けていた者でその属する階級が一等陸尉、一等海尉又は一等空尉であつたもの 二四　平成十八年四月以後の任期付研究員法第六条第一項の俸給表の適用を受けていた者で同表一号俸の俸給月額を受けていたもの 二五　前各号に掲げる者に準ずるものとして内閣総理大臣の定めるもの
第十号区分	一　平成十八年四月以後の一般職給与法の行政職俸給表（一）の適用を受けていた者でその属する職務の級が三級であつたもの 二　平成十八年四月以後の一般職給与法の行政職俸給表（二）の適用を受けていた者でその属する職務の級が三級であつたもののうち内閣総理大臣の定めるもの又は四級であつたもの 三　平成十八年四月以後の一般職給与法の専門行政職俸給表の適用を受けていた者でその属する職務の級が二級であつたもの 四　平成十八年四月以後の一般職給与法の税務職俸給表の適用を受けていた者でその属する職務の級が三級であつたもの 五　平成十八年四月以後の一般職給与法の公安職俸給表（一）の適用を受けていた者でその属する職務の級が三級であつたもののうち内閣総理大臣の定めるもの又は四級であつたもの（第九号区分の項第

五号に掲げる者を除く。）
六　平成十八年四月以後の一般職給与法の公安職俸給表（二）の適用を受けていた者でその属する職務の級が三級であつたもの
七　平成十八年四月以後の一般職給与法の海事職俸給表（一）の適用を受けていた者でその属する職務の級が三級であつたもの
八　平成十八年四月以後の一般職給与法の海事職俸給表（二）の適用を受けていた者でその属する職務の級が四級又は五級であつたもの
九　平成十八年四月以後の一般職給与法の教育職俸給表（一）の適用を受けていた者でその属する職務の級が一級であつたもののうち内閣総理大臣の定めるもの
一〇　平成十八年四月以後の一般職給与法の教育職俸給表（二）の適用を受けていた者でその属する職務の級が二級であつたもののうち内閣総理大臣の定めるもの
一一　平成十八年四月以後の一般職給与法の研究職俸給表の適用を受けていた者でその属する職務の級が二級であつたもののうち内閣総理大臣の定めるもの
一二　平成十八年四月以後の一般職給与法の医療職俸給表（一）の適用を受けていた者でその属する職務の級が一級であつたもののうち内閣総理大臣の定めるもの
一三　平成十八年四月以後の一般職給与法の医療職俸給表（二）の適用を受けていた者でその属する職務の級が二級であつたもののうち内閣総理大臣の定めるもの又は三級若しくは四級であつたもの
一四　平成十八年四月以後の一般職給与法の医療職俸給表（三）の適用を受けていた者でその属する職務の級が二級であつたもののうち内閣総理大臣の定めるもの又は三級であつたもの
一五　平成十八年四月以後の一般職給与法の福祉職俸給表の適用を受けていた者でその属する職務の級が二級又は三級であつたもの
一六　平成十八年四月以後の裁判官報酬法別表判事補の項の適用を受

	けていた者で同項十一号又は十二号の報酬月額を受けていたもの 一七　平成十八年四月以後の裁判官報酬法別表簡易裁判所判事の項の適用を受けていた者で同項十六号又は十七号の報酬月額を受けていたもの 一八　平成十八年四月以後の検察官俸給法別表検事の項の適用を受けていた者で同項十九号又は二十号の俸給月額を受けていたもの 一九　平成十八年四月以後の検察官俸給法別表副検事の項の適用を受けていた者で同項十四号から十六号までの俸給月額を受けていたもの 二〇　平成十八年四月以後の特別職給与法別表第三の適用を受けていた者で同表一号俸の俸給月額を受けていたもの 二一　平成十八年四月以後同年七月以前の旧防衛庁給与法の防衛参事官等俸給表の適用を受けていた者でその属する職務の級が一級であつたもの（第八号区分の項第二〇号及び第九号区分の項第二一号に掲げる者を除く。） 二二　平成十八年四月以後平成十九年一月以前の旧防衛庁給与法の自衛隊教官俸給表の適用を受けていた者でその属する職務の級が一級であつたもの（第九号区分の項第二二号に掲げる者を除く。）のうち内閣総理大臣の定めるもの 二二の二　平成十九年一月以後の防衛省給与法の自衛隊教官俸給表の適用を受けていた者でその属する職務の級が一級であつたもの（第九号区分の項第二二号の二に掲げる者を除く。）のうち内閣総理大臣の定めるもの 二三　平成十八年四月以後平成十九年一月以前の旧防衛庁給与法の自衛官俸給表の適用を受けていた者でその属する階級が二等陸尉、二等海尉若しくは二等空尉、三等陸尉、三等海尉若しくは三等空尉、准陸尉、准海尉若しくは准空尉、陸曹長、海曹長若しくは空曹長又は一等陸曹、一等海曹若しくは一等空曹であつたもの	二三の二　平成十九年一月以後の防衛省給与法の自衛官俸給表の適用を受けていた者でその属する階級が二等陸尉、二等海尉若しくは二等空尉、三等陸尉、三等海尉若しくは三等空尉、准陸尉、准海尉若しくは准空尉、陸曹長、海曹長若しくは空曹長又は一等陸曹、一等海曹若しくは一等空曹であつたもの 二四　平成十八年四月以後の任期付研究員法第六条第二項の俸給表の適用を受けていた者 二五　前各号に掲げる者に準ずるものとして内閣総理大臣の定めるもの
第十一号区分	第一号区分から第十号区分までのいずれの職員の区分にも属しないこととなる者

備考
一　内閣総理大臣は、第一号区分の項第九号、第二号区分の項第一二号、第三号区分の項第一六号、第四号区分の項第一九号、第五号区分の項第一八号、第六号区分の項第二二号、第七号区分の項第二二号、第八号区分の項第二五号、第九号区分の項第二五号及び第十号区分の項第二五号の規定による内閣総理大臣の定めをしようとするときは、農林水産大臣又は行政執行法人の意見を聴くものとする。
二　平成十八年四月以後平成十九年一月以前の旧防衛庁給与法の自衛官俸給表又は平成十九年一月以後の防衛省給与法の自衛官俸給表の適用を受けていた者で退職の日に昇任したもの（公務上死亡した者又は公務上の傷病によりその職に堪えないで退職した者を除く。）は、その昇任前の階級に属していたものとみなす。

別表第2・別表第3　略

国家公務員退職手当法の一部を改正する法律の施行に伴う経過措置に関する政令（抄）

（平成18年3月3日政令第30号）
最終改正：平成29年12月22日政令第316号

（法附則第二条に規定する政令で定める法人等）

第一条　国家公務員退職手当法の一部を改正する法律（以下「法」という。）附則第二条に規定する政令で定める法人は、次に掲げる法人とする。

一　独立行政法人に係る改革を推進するための独立行政法人農林水産消費技術センター法及び独立行政法人森林総合研究所法の一部を改正する法律（平成十九年法律第八号。以下「農林水産消費技術センター法等改正法」という。）第一条の規定による改正前の独立行政法人農林水産消費技術センター法（平成十一年法律第百八十三号）第二条の独立行政法人農林水産消費技術センター

二　農林水産消費技術センター法等改正法附則第三条第一項の規定による解散前の独立行政法人肥飼料検査所

三　農林水産消費技術センター法等改正法附則第三条第一項の規定による解散前の独立行政法人農薬検査所

四　道路運送車両法及び自動車検査独立行政法人法の一部を改正する法律（平成二十七年法律第四十四号。以下「平成二十七年道路運送車両法等改正法」という。）第二条の規定による改正前の自動車検査独立行政法人法（平成十一年法律第二百十八号）第二条の自動車検査独立行政法人（自動車検査独立行政法人法及び道路運送車両法の一部を改正する法律（平成十九年法律第九号）の施行の日の前日までの間におけるものに限る。）

五　独立行政法人国立公文書館

六　独立行政法人駐留軍等労働者労務管理機構

七　独立行政法人統計センター

八　独立行政法人造幣局

九　独立行政法人国立印刷局

十　独立行政法人製品評価技術基盤機構

十一　独立行政法人国立病院機構（独立行政法人通則法の一部を改正する法律の施行に伴う関係法律の整備に関する法律（平成二十六年法律第六十七号。以下「平成二十六年独法整備法」という。）の施行の日の前日までの間におけるものに限る。）

2　次に掲げる国営企業等に係る法附則第二条に規定する政令で定める日は、平成十八年四月一日とする。

一　国有林野の有する公益的機能の維持増進を図るための国有林野の管理経営に関する法律等の一部を改正する等の法律（平成二十四年法律第四十二号）第五条第一号の規定による廃止前の国有林野事業を行う国の経営する企業に勤務する職員の給与等に関する特例法（昭和二十九年法律第百四十一号）第二条第一項に規定する国有林野事業を行う国の経営する企業

二　前項第一号から第十号までに掲げる法人

3　第一項第十一号に掲げる法人に係る法附則第二条に規定する政令で定める日は、平成十八年八月一日とする。

4　郵政民営化法（平成十七年法律第九十七号）第百六十六条第一項の規定による解散前の日本郵政公社に係る法附則第二条に規定する政令で定める日は、平成十九年三月三十一日とする。

（法附則第三条第二項に規定する政令で定める者等）

第一条の二　法附則第三条第二項第十号に規定する政令で定める者は、次の各号に掲げる者とし、同項第十号に規定する政令で定める日は、それぞれ当該各号に定める日とする。

一　国家公務員退職手当法（昭和二十八年法律第百八十二号）第二条第一項に規定する職員（以下「職員」という。）として在職した後、平成十八年四月一日以後平成十九年三月三十一日までの間に引き続いて地方公務員又は同法第七条の二第一項に規定する公庫等職員（他の法律の規定により、同条の規定の適用について、同項に規定する公庫等職員とみなされる者を含む。以下この条及び次条において「公庫等職員」という。）若しくは国家公務員退職手当法等の一部を改正する法律（平成二十年法律第九十五号）第一条の規定による改正前の国家公務員退職手当法第七条の三第一項に規定する独立行政法人等役員（以下この条及び次条において「独立行政法人等役員」という。）となった者で、地方公務員又は公庫等職員若しくは独立行政法人等役員として在職した後同年四月一日以後に引き続いて独立行政法人通則法の一部を改正する法律（平成二十六年法律第六十六号。次号において「平成二十六年通則法改正法」という。）による改正前の独立行政法人通則法（平成十一年法律第百三号）第二条第二項に規定する特定独立行政法人（国営企業等に該当するものを除く。）の職員又は独立行政法人通則法

第二条第四項に規定する行政執行法人（国営企業等に該当するものを除く。）の職員となったもの（その者の基礎在職期間（国家公務員退職手当法第五条の二第二項に規定する基礎在職期間をいう。以下同じ。）のうち当該地方公務員又は公庫等職員若しくは独立行政法人等役員となった日前の期間に、新制度適用職員としての在職期間が含まれない者に限る。）　当該地方公務員又は公庫等職員若しくは独立行政法人等役員となった日
　二　平成十八年三月三十一日に地方公務員として在職していた者又は同日に公庫等職員として在職していた者のうち職員から引き続いて公庫等職員となった者若しくは同日に独立行政法人等役員として在職していた者のうち職員から引き続いて独立行政法人等役員となった者で、地方公務員又は公庫等職員若しくは独立行政法人等役員として在職した後平成十九年四月一日以後に引き続いて平成二十六年通則法改正法による改正前の独立行政法人通則法第二条第二項に規定する特定独立行政法人（国営企業等に該当するものを除く。）の職員又は独立行政法人通則法第二条第四項に規定する行政執行法人（国営企業等に該当するものを除く。）の職員となったもの　平成十八年四月一日
２　法附則第三条第三項の規定は、前項第二号に掲げる者について準用する。
　（法附則第三条第三項の規定により読み替えて適用する同条第一項に規定する政令で定める額）
第二条　法附則第三条第三項（前条第二項において準用する場合を含む。）の規定により読み替えて適用する法附則第三条第一項に規定する政令で定める額は、同条第二項第八号及び第九号並びに前条第一項第二号に掲げる者が、内閣総理大臣の定めるところにより、その者の地方公務員、公庫等職員又は独立行政法人等役員としての在職期間において職員として在職していたものとみなした場合に、その者が平成十八年三月三十一日において受けるべき俸給月額とする。
　（法附則第六条第二項第八号に規定する政令で定める職員）
第三条　法附則第六条第二項第八号に規定する政令で定める職員は、次に掲げる職員とする。
　一　内閣府設置法の一部を改正する法律（平成二十六年法律第三十一号）附則第四条第一号の規定による改正前の特別職の職員の給与に関する法律（昭和二十四年法律第二百五十二号）第一条第十七号に掲げる総合科学技術会議の常勤の議員
　二　個人情報の保護に関する法律及び行政手続における特定の個人を識別するための番号の利用等に関する法律の一部を改正する法律（平成二十七年法律第六十五号）附則第十三条の規定による改正前の特別職の職員の給与に関する法律第一条第十四号の二に掲げる特定個人情報保護委員会の委員長及び常勤の委員
　（特定の者に対する退職手当の額の計算に関する経過措置）
第四条　裁判官の報酬等に関する法律の一部を改正する法律（平成十七年法律第百十六号）附則第二条の規定による報酬月額を受けていたことがある者が退職した場合においては、その者が当該報酬月額を受けていた間、俸給月額として百二十二万六千円を受けていたものとみなして、その者に対する退職手当の額を計算するものとする。
　（基礎在職期間に旧財務省造幣局の職員としての在職期間等が含まれる場合に関する経過措置）
第五条　退職した者の基礎在職期間に次に掲げる期間が含まれる場合においては、当該期間における職員としての在職を職員以外の者としての在職と、当該期間を国家公務員退職手当法第五条の二第二項第七号に規定する政令で定める在職期間とそれぞれみなして、同法第六条の四及び国家公務員退職手当法施行令（昭和二十八年政令第二百十五号）第六条の二の規定を適用する。
　一　独立行政法人造幣局法（平成十四年法律第四十号）附則第八条による改正前の国営企業及び特定独立行政法人の労働関係に関する法律（昭和二十三年法律第二百五十七号）第二条第一号ニに掲げる事業（これに附帯する事業を含む。）を行う国の経営する企業に勤務する職員としての在職期間（一般職の職員の給与に関する法律（昭和二十五年法律第九十五号。以下「一般職給与法」という。）の適用を受けていた職員としての在職期間を除く。次号及び第三号において同じ。）
　二　独立行政法人国立印刷局法（平成十四年法律第四十一号）附則第九条による改正前の国営企業及び特定独立行政法人の労働関係に関する法律第二条第一号ハに掲げる事業（これに附帯する事業を含む。）を行う国の経営する企業に勤務する職員としての在職期間
　三　郵政民営化法等の施行に伴う関係法律の整備等に関する法律（平成十七年法律第百二号）第二条第十二号の規定による廃止前の日

本郵政公社法施行法（平成十四年法律第九十八号）第四十一条による改正前の国営企業及び特定独立行政法人の労働関係に関する法律第二条第一号イに掲げる事業（これに附帯する事業を含む。）を行う国の経営する企業に勤務する職員としての在職期間

四　平成二十六年独法整備法第八十八条の規定による改正前の独立行政法人宇宙航空研究開発機構法（平成十四年法律第百六十一号）附則第十条第一項の規定により解散した旧独立行政法人航空宇宙技術研究所の職員としての在職期間

五　平成二十六年独法整備法第六十七十条の規定による改正前の独立行政法人産業技術総合研究所法（平成十一年法律第二百三号）第二条の独立行政法人産業技術総合研究所の職員としての在職期間（独立行政法人産業技術総合研究所法の一部を改正する法律（平成十六年法律第八十三号）の施行の日の前日までの間に限る。）

六　平成八年四月一日から平成十六年十月二十七日までの間において適用されていた一般職給与法（他の法令において、引用し、準用し、又はその例による場合を含む。）の教育職俸給表（二）又は教育職俸給表（三）の適用を受けていた期間

七　平成二十六年独法整備法第四十七条の規定による改正前の独立行政法人情報通信研究機構法（平成十一年法律第百六十二号）第三条の独立行政法人情報通信研究機構の職員としての在職期間（独立行政法人通信総合研究所法の一部を改正する法律（平成十四年法律第百三十四号）附則第二条の規定により独立行政法人情報通信研究機構となった旧独立行政法人通信総合研究所の職員としての在職期間を含み、独立行政法人情報通信研究機構法の一部を改正する法律（平成十八年法律第二十一号）の施行の日の前日までの間に限る。）

八　独立行政法人消防研究所の解散に関する法律（平成十八年法律第二十二号）第一項の規定により解散した旧独立行政法人消防研究所の職員としての在職期間

九　独立行政法人酒類総合研究所の職員としての在職期間（独立行政法人酒類総合研究所法の一部を改正する法律（平成十八年法律第二十三号）の施行の日の前日までの間に限る。）

十　独立行政法人に係る改革を推進するための文部科学省関係法律の整備に関する法律（平成十八年法律第二十四号。以下「平成十八年独法改革文部科学省関係法整備法」という。）第三条の規定による改正前の独立行政法人国立オリンピック記念青少年総合センター法（平成十一年法律第百六十七号）第二条の国立オリンピック記念青少年総合センターの職員としての在職期間

十一　学校教育法等の一部を改正する法律（平成十八年法律第八十号）第四条の規定による改正前の独立行政法人国立特殊教育総合研究所法（平成十一年法律第百六十五号）第二条の独立行政法人国立特殊教育総合研究所、独立行政法人大学入試センター、独立行政法人国立女性教育会館、独立行政法人に係る改革を推進するための文部科学省関係法律の整備等に関する法律（平成二十一年法律第十八号）附則第二条第一項の規定により解散した旧独立行政法人国立国語研究所、独立行政法人国立科学博物館、平成二十六年独法整備法第七十九条の規定による改正前の独立行政法人物質・材料研究機構法（平成十一年法律第百七十三号）第三条の独立行政法人物質・材料研究機構、平成二十六年独法整備法第八十条の規定による改正前の独立行政法人防災科学技術研究所法（平成十一年法律第百七十四号）第三条の独立行政法人防災科学技術研究所、平成二十六年独法整備法第八十一条の規定による改正前の独立行政法人放射線医学総合研究所法（平成十一年法律第百七十六号）第二条の独立行政法人放射線医学総合研究所、独立行政法人国立美術館、独立行政法人国立博物館法の一部を改正する法律（平成十九年法律第七号）による改正前の独立行政法人国立博物館法（平成十一年法律第百七十八号）第二条の独立行政法人国立博物館及び独立行政法人国立博物館法の一部を改正する法律附則第二条第一項の規定により解散した旧独立行政法人文化財研究所の職員としての在職期間（平成十八年独法改革文部科学省関係法整備法の施行の日の前日までの間に限る。）

十二　独立行政法人に係る改革を推進するための厚生労働省関係法律の整備に関する法律（平成十八年法律第二十五号。以下「平成十八年独法改革厚生労働省関係法整備法」という。）第一条の規定による改正前の独立行政法人産業安全研究所法（平成十一年法律第百八十一号）第二条の独立行政法人産業安全研究所及び平成十八年独法改革厚生労働省関係法整備法附則第八条第一項の規定により解散した旧独立行政法人産業医学総合研究所の職員としての在職期間

十三　独立行政法人医薬基盤研究所法の一部を改正する法律（平成二十六年法律第三十八号）附則第二条第一項の規定により解散した

旧独立行政法人国立健康・栄養研究所の職員としての在職期間（平成十八年独法改革厚生労働省関係法整備法の施行の日の前日までの間に限る。）

十四　独立行政法人に係る改革を推進するための農林水産省関係法律の整備に関する法律（平成十八年法律第二十六号。以下「平成十八年独法改革農林水産省関係法整備法」という。）第一条の規定による改正前の独立行政法人農業・生物系特定産業技術研究機構法（平成十一年法律第百九十二号）第三条の独立行政法人農業・生物系特定産業技術研究機構並びに平成十八年独法改革農林水産省関係法整備法附則第八条第一項の規定により解散した旧独立行政法人農業者大学校、旧独立行政法人農業工学研究所及び旧独立行政法人食品総合研究所の職員としての在職期間（独立行政法人農業技術研究機構法の一部を改正する法律（平成十四年法律第百二十九号）附則第二条の規定により独立行政法人農業・生物系特定産業技術研究機構となった旧独立行政法人農業技術研究機構の職員としての在職期間を含む。）

十五　平成二十六年独法整備法第百五十三条の規定による改正前の独立行政法人水産総合研究センター法（平成十一年法律第百九十九号）第二条の独立行政法人水産総合研究センター及び平成十八年独法改革農林水産省関係法整備法附則第十六条第一項の規定により解散した旧独立行政法人さけ・ます資源管理センターの職員としての在職期間（平成二十六年独法整備法第百五十三条の規定による改正前の独立行政法人水産総合研究センター法第二条の独立行政法人水産総合研究センターの職員としての在職期間にあっては、平成十八年独法改革農林水産省関係法整備法の施行の日の前日までの間に限る。）

十六　独立行政法人に係る改革を推進するための農林水産省関係法律の整備に関する法律（平成二十七年法律第七十号。以下「平成二十七年独法改革農林水産省関係法整備法」という。）附則第二条第一項の規定により解散した旧独立行政法人種苗管理センター、独立行政法人家畜改良センター、農林水産消費技術センター法等改正法附則第六条第一項の規定により解散した旧独立行政法人林木育種センター、平成二十七年独法改革農林水産省関係法整備法附則第九条第一項の規定により解散した旧独立行政法人水産大学校、平成二十六年独法整備法第百四十九条の規定による改正前の独立行政法人農業生物資源研究所法（平成十一年法律第百九十三号）第二条の独立行政法人農業生物資源研究所、平成二十六年独法整備法第百五十条の規定による改正前の独立行政法人農業環境技術研究所法（平成十一年法律第百九十四号）第二条の独立行政法人農業環境技術研究所、平成二十六年独法整備法第百五十一条の規定による改正前の独立行政法人国際農林水産業研究センター法（平成十一年法律第百九十七号）第二条の独立行政法人国際農林水産業研究センター及び平成二十六年独法整備法第百五十二条の規定による改正前の独立行政法人森林総合研究所法（平成十一年法律第百九十八号）第二条の独立行政法人森林総合研究所の職員としての在職期間（平成十八年独法改革農林水産省関係法整備法の施行の日の前日までの間に限る。）

十七　独立行政法人工業所有権情報・研修館の職員としての在職期間（特許審査の迅速化等のための特許法等の一部を改正する法律（平成十六年法律第七十九号）附則第五条の規定により独立行政法人工業所有権情報・研修館となった旧独立行政法人工業所有権総合情報館の職員としての在職期間を含み、独立行政法人工業所有権情報・研修館法の一部を改正する法律（平成十八年法律第二十七号）の施行の日の前日までの間に限る。）

十八　平成二十六年独法整備法第百八十四条の規定による改正前の独立行政法人土木研究所法（平成十一年法律第百五号）第二条の独立行政法人土木研究所及び独立行政法人に係る改革を推進するための国土交通省関係法律の整備に関する法律（平成十八年法律第二十八号。以下「平成十八年独法改革国土交通省関係法整備法」という。）附則第八条第一項の規定により解散した旧独立行政法人北海道開発土木研究所の職員としての在職期間（平成二十六年独法整備法第百八十四条の規定による改正前の独立行政法人土木研究所法第二条の独立行政法人土木研究所の職員としての在職期間にあっては、平成十八年独法改革国土交通省関係法整備法の施行の日の前日までの間に限る。）

十九　平成十八年独法改革国土交通省関係法整備法附則第八条第一項の規定により解散した旧独立行政法人海技大学校及び平成十八年独法改革国土交通省関係法整備法第八条の規定による改正前の独立行政法人海員学校法（平成十一年法律第二百十四号）第二条の独立行政法人海員学校の職員としての在職期間

二十　平成二十六年独法整備法第百八十五条の

規定による改正前の独立行政法人建築研究所法（平成十一年法律第二百六号）第二条の独立行政法人建築研究所、平成二十七年道路運送車両法等改正法附則第十一条第一項の規定により解散した旧独立行政法人交通安全環境研究所、平成二十六年独法整備法第百八十七条の規定による改正前の独立行政法人海上技術安全研究所法（平成十一年法律第二百八号）第二条の独立行政法人海上技術安全研究所、平成二十六年独法整備法第百八十八条の規定による改正前の独立行政法人港湾空港技術研究所法（平成十一年法律第二百九号）第二条の独立行政法人港湾空港技術研究所、平成二十六年独法整備法第百八十九条の規定による改正前の独立行政法人電子航法研究所法（平成十一年法律第二百十号）第二条の独立行政法人電子航法研究所、独立行政法人に係る改革を推進するための国土交通省関係法律の整備に関する法律（平成二十七年法律第四十八号）附則第二条第一項の規定により解散した旧独立行政法人航海訓練所及び独立行政法人航空大学校の職員としての在職期間（平成十八年独法改革国土交通省関係法整備法の施行の日の前日までの間に限る。）

二十一　平成二十六年独法整備法第二百四条の規定による改正前の独立行政法人国立環境研究所法（平成十一年法律第二百十六号）第二条の独立行政法人国立環境研究所の職員としての在職期間（独立行政法人国立環境研究所法の一部を改正する法律（平成十八年法律第二十九号）の施行の日の前日までの間に限る。）

（研究交流促進法施行令の適用に関する経過措置）

第六条　法附則第十七条の規定による改正前の研究交流促進法（昭和六十一年法律第五十七号）第六条第一項の規定の適用に係る研究交流促進法施行令（昭和六十一年政令第三百四十五号）第四条第二項の総務大臣の承認は、法附則第十七条の規定による改正後の研究交流促進法第六条第一項の規定の適用に係る同令第四条第二項の総務大臣の承認とみなす。

　　　附　則

この政令は、平成十八年四月一日から施行する。

国家公務員退職手当法の規定による早期退職希望者の募集及び認定の制度に係る書面の様式等を定める内閣官房令（抄）

（平成25年5月24日総務省令第58号）
最終改正：令和3年8月27日内閣官房令第9号

（応募及び応募の取下げの様式）

第一条　国家公務員退職手当法（以下「法」という。）第八条の二第三項の規定による応募（以下「応募」という。）は、別記様式第一の申請書によるものとする。

2　法第八条の二第三項の規定による応募の取下げは、別記様式第二の申請書によるものとする。

（認定をし、又はしない旨の決定の通知の様式）

第二条　法第八条の二第六項の規定による通知は、次の各号の区分に応じて当該各号に定める通知書によるものとする。

一　法第八条の二第五項の規定による認定（以下「認定」という。）をする旨の決定をしたとき　別記様式第三

二　認定をしない旨の決定をしたとき　別記様式第四

（退職すべき期日の通知の様式）

第三条　法第八条の二第七項の規定による通知（以下「第七項通知」という。）は、別記様式第五の通知書によるものとする。ただし、前条第一号に定める通知書により第七項通知を併せて行った場合は、別記様式第五の通知書を省略することができる。

（内閣総理大臣に対する送付及び報告）

第四条　法第八条の二第九項の規定による送付及び報告は、次の各号に掲げる機関（当該機関が所管する行政執行法人（独立行政法人通則法（平成十一年法律第百三号）第二条第四項に規定する行政執行法人をいう。）を含む。）ごとに、毎年四月中に、前年度に認定を受けた応募をした職員の数及び当該認定に係る全ての募集実施要項（法第八条の二第二項に規定する募集実施要項をいう。以下同じ。）（同条第五項に規定する必要な方法を周知した場合にあっては、当該方法を含む。）について、別記様式第六により行うものとする。

一　衆議院事務局（衆議院法制局及び裁判官訴追委員会事務局を含む。）

二　参議院事務局（参議院法制局及び裁判官弾劾裁判所事務局を含む。）

三　国立国会図書館
四　会計検査院
五　人事院
六　内閣官房（内閣法制局を含む。）
七　内閣府本府
八　宮内庁
九　公正取引委員会
十　国家公安委員会
十一　個人情報保護委員会
十二　カジノ管理委員会
十三　金融庁
十四　消費者庁
十五　デジタル庁
十六　総務省
十七　法務省
十八　外務省
十九　財務省
二十　文部科学省
二十一　厚生労働省
二十二　農林水産省
二十三　経済産業省
二十四　国土交通省
二十五　環境省
二十六　防衛省
二十七　最高裁判所

（募集実施要項の記載事項）

第五条　国家公務員退職手当法施行令（以下「施行令」という。）第九条の五第一項第七号の内閣官房令で定める事項は、次に掲げるものとする。

一　法第八条の二第三項各号に掲げる職員が応募をすることはできない旨

二　法第八条の二第五項の規定により認定をしない旨の決定をする場合がある旨

三　認定を行った後遅滞なく、退職すべき期間のいずれかの日から退職すべき期日を定め、第七項通知を行うこととなる旨（募集実施要項に退職すべき期間を記載した場合に限る。）

四　施行令第九条の七第一項の規定により募集の期間を延長する場合があるときは、その旨

五　施行令第九条の八第一項の規定により退職すべき期日を繰り上げ、又は繰り下げる場合があるときは、その旨

（退職すべき期日の繰上げ又は繰下げに係る同意の様式）

第六条　施行令第九条の八第一項の規定による同意は、次の各号の区分に応じて当該各号に定める同意書によるものとする。

一　退職すべき期日を繰り上げるとき　別記様式第七

二　退職すべき期日を繰り下げるとき　別記様式第八

（新たに定めた退職すべき期日の通知の様式）

第七条　施行令第九条の八第二項の規定による新たに定めた退職すべき期日の通知は、別記様式第九の通知書によるものとする。

　　　附　則

（施行期日）

1　この省令は、平成二十五年六月一日から施行する。

（経過措置）

2　復興庁が廃止されるまでの間における第四条の規定の適用については、同条中「十五　デジタル庁」とあるのは、
「十五　デジタル庁
　十五の二　復興庁」とする。

別記様式　略

失業者の退職手当支給規則（抄）

(昭和50年３月29日総理府令第14号)
最終改正：令和４年６月17日総務省令第５号

（基本手当の日額）
第一条　国家公務員退職手当法（以下「法」という。）第十条第一項に規定する基本手当の日額は、次条の規定により算定した賃金日額を雇用保険法（昭和四十九年法律第百十六号）第十七条に規定する賃金日額とみなして同法第十六条の規定を適用して計算した金額とする。

（賃金日額）
第二条　賃金日額は、退職の月前における最後の六月（月の末日に退職した場合には、その月及び前五月。以下「退職の月前六月」という。）に支払われた給与（臨時に支払われる給与及び三箇月を超える期間ごとに支払われる給与を除く。以下この条において同じ。）の総額を百八十で除して得た額とする。

2　給与が、労働した日若しくは時間によつて算定され、又は出来高払制その他の請負制によつて定められている場合において、前項の規定による額が、退職の月前六月に支払われた給与の総額を当該期間中に労働した日数で除して得た額の百分の七十に相当する額に満たないときは、同項の規定にかかわらず、当該額をもつて賃金日額とする。

3　前二項に規定する給与の総額は、職員に通貨で支払われたすべての給与によつて計算する。

4　退職の月前六月に給与の全部又は一部を支払われなかつた場合における給与の総額は、前項の規定にかかわらず、次の各号に掲げる額とする。

　一　退職の月前六月において給与の全部を支払われなかつた場合においては、当該六月の各月において受けるべき基本給月額（法第六条の五第二項に規定する基本給月額をいう。以下この項において同じ。）の合計額
　二　退職の月前六月のうちいずれかの月において給与の全部を支払われなかつた場合においては、その月において受けるべき基本給月額と退職の月前六月に支払われた給与の額との合計額
　三　退職の月前六月のうちいずれかの月において給与の一部を支払われなかつた期間がある場合においては、当該期間の属する月において受けるべき基本給月額（当該基本給月額が、その期間の属する月に支払われた給与の額に満たないときは、その支払われた額とする。）と退職の月前六月のうち当該期間の属する月以外の月に支払われた給与の額との合計額

5　第一項から前項までの規定にかかわらず、これらの規定により算定した賃金日額が、雇用保険法第十七条第四項第一号に掲げる額に満たないときはその額を、同項第二号に掲げる額を超えるときはその額を、それぞれ賃金日額とする。

（退職票の交付）
第三条　所属庁等の長（法第八条の二第一項に規定する各省各庁の長等をいう。以下同じ。）は、退職した者が法第十条第一項又は第二項の規定による退職手当（以下「基本手当に相当する退職手当」という。）の支給を受ける資格を有している場合においては、別記様式第一による国家公務員退職票（以下「退職票」という。）をその者に交付しなければならない。

（在職票の交付）
第四条　所属庁等の長は、勤続期間十二月未満（国家公務員退職手当法施行令（以下「施行令」という。）第一条第一項各号に掲げる者以外の常時勤務に服することを要しない者については、同項第二号に規定する勤務した月が引き続いて十二月を超えるに至らない期間とする。以下同じ。）の者が退職する場合においては、別記様式第二による国家公務員在職票（以下「在職票」という。）をその者に交付しなければならない。ただし、施行令第一条第一項各号に掲げる者以外の常時勤務に服することを要しない者のうち施行令第九条の九の規定に該当しない者が退職する場合には、この限りでない。

（退職票の提出）
第五条　基本手当に相当する退職手当の支給を受ける資格を有する者（以下「受給資格者」という。）は、退職後速やかにその住所又は居所を管轄する公共職業安定所（以下「管轄公共職業安定所」という。）に出頭し、第三条の規定により交付を受けた退職票を提出して求職の申込みをするものとする。この場合においては、その者が第八条第五項又は第八条の四第四項の規定により受給期間延長等通知書の交付を受けているときは、併せて提出しなければならない。

（受給資格証の交付等）
第六条　管轄公共職業安定所の長は、退職の際施行令第十条に規定する職員（以下「特例職員」という。）以外の受給資格者から前条の規定による退職票の提出及び求職の申込みを受けたときは、別記様式第三（その一）による失業者退職手当受給資格証（以下「受給資格証（その一）」という。）を当該受給資格者に交付しなけ

ればならない。
2　管轄公共職業安定所の長は、特例職員である受給資格者から前条の規定による退職票の提出及び求職の申込みを受けたときは、当該退職票に必要な事項を記載し、当該特例職員に返付しなければならない。
3　特例職員である受給資格者は、前項の規定による退職票の返付を受けたときは、速やかに当該退職票をその者に係る法第十条第一項に規定する官署又は事務所（以下「所轄官署等」という。）に提出するものとする。
4　所轄官署等の長は、前項の規定による退職票の提出を受けたときは、別記様式第三（その二）による失業者退職手当受給資格証（以下「受給資格証（その二）」という。）を当該特例職員に交付しなければならない。
5　受給資格者は、受給資格証（特例職員以外の受給資格者については受給資格証（その一）を、特例職員である受給資格者については受給資格証（その二）をいう。以下同じ。）の交付を受けた後、氏名を変更した場合にあつては別記様式第三の二による受給資格者氏名変更届に、住所又は居所を変更した場合にあつては別記様式第三の二による受給資格者住所変更届に、氏名又は住所若しくは居所の変更の事実を証明することができる書類及び受給資格証を添えて、変更後最初に出頭した失業の認定日に管轄公共職業安定所の長に提出しなければならない。ただし、受給資格証を提出することができないことについて正当な理由があるときは、これを添えないことができる。
6　管轄公共職業安定所の長は、受給資格者氏名変更届又は受給資格者住所変更届の提出を受けたときは、受給資格証に必要な改定をし、当該受給資格者に返付しなければならない。
　（法第十条第一項に規定する内閣官房令で定める者）
第六条の二　法第十条第一項に規定する内閣官房令で定める者は、次のとおりとする。
　一　法第五条第一項第二号に規定する者
　二　法第八条の二第五項に規定する認定を受けて同条第八項第三号に規定する退職すべき期日に退職した者
　三　国家公務員法（昭和二十二年法律第百二十号）第七十八条第二号の規定による免職又はこれに準ずる処分を受けた者
　四　公務上の傷病により退職した者
　五　施行令第三条各号（第一号及び第二号を除く。）に掲げる者
　（法第十条第一項に規定する内閣官房令で定める理由）
第七条　法第十条第一項に規定する内閣官房令で定める理由は、次のとおりとする。
　一　疾病又は負傷（法第十条第十項第三号の規定により傷病手当に相当する退職手当の支給を受ける場合における当該給付に係る疾病又は負傷を除く。）
　二　前号に掲げるもののほか、管轄公共職業安定所の長がやむを得ないと認めるもの
　（受給期間延長の申出）
第八条　法第十条第一項の申出は、別記様式第四による受給期間延長等申請書に医師の証明書その他の第七条各号に掲げる理由に該当することの事実を証明することができる書類及び受給資格証（受給資格証の交付を受けていない場合には、退職票。以下この条において同じ。）を添えて管轄公共職業安定所の長に提出することによつて行うものとする。ただし、受給資格証を添えて提出することができないことについて正当な理由があるときは、これを添えないことができる。
2　前項の申出は、当該申出に係る者が法第十条第一項に規定する理由に該当するに至つた日の翌日から、基本手当に相当する退職手当の支給を受ける資格に係る退職の日の翌日から起算して四年を経過する日までの間（同項の規定により加算された期間が四年に満たない場合は、当該期間の最後の日までの間）にしなければならない。ただし、天災その他申出をしなかつたことについてやむを得ない理由があるときは、この限りでない。
3　前項ただし書の場合における第一項の申出は、当該理由がやんだ日の翌日から起算して七日以内にしなければならない。
4　第二項ただし書の場合における第一項の申出は、受給期間延長等申請書に天災その他の申出をしなかつたことについてやむを得ない理由を証明することができる書類を添えなければならない。
5　管轄公共職業安定所の長は、第一項の申出をした者が法第十条第一項に規定する理由に該当すると認めたときは、その者に別記様式第五による受給期間延長等通知書を交付しなければならない。この場合（第一項ただし書の規定により受給資格証を添えないで同項の申出を受けたときを除く。）において、管轄公共職業安定所の長は、受給資格証に必要な事項を記載した上、返付しなければならない。
6　前項の規定により受給期間延長等通知書の交付を受けた者は、次の各号のいずれかに該当する場合には、速やかに、その旨を管轄公共職業安定所の長に届け出るとともに、当該各号に掲

げる書類を提出しなければならない。この場合において、管轄公共職業安定所の長は、提出を受けた書類に必要な事項を記載した上、返付しなければならない。
　一　その者が提出した受給期間延長等申請書の記載内容に重大な変更があつた場合　交付を受けた受給期間延長等通知書
　二　法第十条第一項に規定する理由がやんだ場合　交付を受けた受給期間延長等通知書及び受給資格証
7　第一項の申出は、代理人に行わせることができる。この場合において、代理人は、その資格を証明する書類に同項に規定する書類を添えて同項の公共職業安定所の長に提出しなければならない。
8　前項の規定は、第六項の場合及び第二項ただし書の場合における第一項の申出に、第一項ただし書の規定は、第六項の場合について準用する。
（法第十条第三項の内閣官房令で定める事業）
第八条の二　法第十条第三項の内閣官房令で定める事業は、次の各号のいずれかに該当するものとする。
　一　その事業を開始した日又はその事業に専念し始めた日から起算して、三十日を経過する日が、法第十条第一項に規定する雇用保険法第二十条第一項を適用した場合における同項各号に掲げる受給資格者の区分に応じ、当該各号に定める期間の末日後であるもの
　二　その事業について当該事業を実施する受給資格者が第二十一条第一項に規定する就業手当又は再就職手当の支給を受けたもの
　三　その事業により当該事業を実施する受給資格者が自立することができないと管轄公共職業安定所の長が認めたもの
（法第十条第三項の内閣官房令で定める職員）
第八条の三　法第十条第三項の内閣官房令で定める職員は、次の各号のいずれかに該当するものとする。
　一　法第十条第一項に規定する退職の日以前に同条第三項に規定する事業を開始し、当該退職の日後に当該事業に専念する職員
　二　その他事業を開始した職員に準ずるものとして管轄公共職業安定所の長が認めた職員
（支給の期間の特例の申出）
第八条の四　法第十条第三項に規定する雇用保険法第二十条の二に規定する場合に相当するものとして内閣官房令で定める場合は、法第十条第一項に規定する退職の日後に同条第三項に規定する事業を開始した職員又は前条に規定する職員が公共職業安定所長にその旨を申し出た場合

とする。
2　前項の申出は、別記様式第四による受給期間延長等申請書に登記事項証明書その他法第十条第一項に規定する退職の日後に同条第三項に規定する事業を開始した職員又は前条に規定する職員に該当することの事実を証明することができる書類及び受給資格証（受給資格証の交付を受けていない場合には、退職票。以下この条において同じ。）を添えて管轄公共職業安定所の長に提出することによつて行うものとする。
3　前二項の申出（以下この条において「特例申出」という。）は、当該特例申出に係る者が法第十条第三項に規定する事業を開始した日又は当該事業に専念し始めた日の翌日から起算して、二箇月以内にしなければならない。ただし、天災その他申出をしなかつたことについてやむを得ない理由があるときは、この限りでない。
4　管轄公共職業安定所の長は、特例申出をした者が法第十条第一項に規定する退職の日後に同条第三項に規定する事業を開始した職員又は前条に規定する職員に該当すると認めたときは、その者に別記様式第五による受給期間延長等通知書を交付しなければならない。この場合（第六項の規定により準用する第八条第一項ただし書の規定により受給資格証を添えて特例申出を受けたときを除く。）において、管轄公共職業安定所の長は、受給資格証に必要な事項を記載した上、返付しなければならない。
5　前項の規定により受給期間延長等通知書の交付を受けた者は、次の各号のいずれかに該当する場合には、速やかに、その旨を管轄公共職業安定所の長に届け出るとともに、当該各号に掲げる書類を提出しなければならない。この場合において、管轄公共職業安定所の長は、提出を受けた書類に必要な事項を記載した上、返付しなければならない。
　一　その者が提出した受給期間延長等申請書の記載内容に重大な変更があつた場合　交付を受けた受給期間延長等通知書
　二　法第十条第三項に規定する事業を廃止し、又は休止した場合　交付を受けた受給期間延長等通知書及び受給資格証
6　第八条第七項の規定は、特例申出及び前項の場合並びに第三項ただし書の場合における特例申出に、第八条第一項ただし書の規定は、第二項及び前項の場合に、第八条第三項及び第四項の規定は、第三項ただし書の場合における特例申出について準用する。
（法第十条第三項の支給期間の特例）
第八条の五　法第十条第三項の内閣官房令で定め

る支給期間についての特例は、同項に規定する事業の実施期間（当該実施期間の日数が四年から同条第一項により算定される支給期間の日数を除いた日数を超える場合における当該超える日数を除く。）を同項の規定による支給期間に算入しないものとする。

（基本手当に相当する退職手当の支給調整）

第九条　基本手当に相当する退職手当で法第十条第一項の規定によるものは、当該受給資格者が第五条の規定による求職の申込みをした日から起算して、雇用保険法第三十三条に規定する期間及び待期日数（法第十条第一項に規定する待期日数をいう。以下同じ。）に等しい失業の日数を経過した後に支給する。

2　受給資格者が待期日数の期間内に職業に就き、次の各号に掲げるいずれかの給付を受ける資格を取得しないうちに再び離職した場合においては、その離職の日の翌日から起算して待期日数の残日数に等しい失業の日数を経過した後に基本手当に相当する退職手当を支給する。
　一　雇用保険法の規定による基本手当、高年齢求職者給付金又は特例一時金
　二　基本手当に相当する退職手当
　三　法第十条第四項又は第五項の規定による退職手当（以下「高年齢求職者給付金に相当する退職手当」という。）
　四　法第十条第六項又は第七項の規定による退職手当（以下「特例一時金に相当する退職手当」という。）

3　雇用保険法の規定による基本手当の支給を受ける資格を有する者が同法第二十条第一項又は第二項に規定する期間内に受給資格者となつた場合においては、当該基本手当の支給を受けることができる日数（法第十条第一項の規定による退職手当に係る場合にあつては、その日数に待期日数を加えた日数）に等しい失業の日数が経過した後に基本手当に相当する退職手当を支給する。

4　受給資格者が、基本手当に相当する退職手当の支給を受けることができる日数（法第十条第一項の規定による退職手当に係る受給資格者にあつては、その日数に待期日数を加えた日数）の経過しないうちに職業に就き、雇用保険法の規定による基本手当の支給を受ける資格を取得した場合においては、当該基本手当の支給を受けることができる日数（法第十条第一項の規定による退職手当に係る受給資格者にあつては、その日数に待期日数の残日数を加えた日数）に等しい失業の日数が経過した後に基本手当に相当する退職手当を支給する。

（基本手当に相当する退職手当の支給日）

第十条　基本手当に相当する退職手当は、毎月十六日又は管轄公共職業安定所の長の指定する日に、それぞれの前日までの間における失業の認定を受けた日の分を支給する。

（基本手当に相当する退職手当の支給手続）

第十一条　法第十条第一項の規定による退職手当に係る受給資格者は、待期日数の経過後速やかに管轄公共職業安定所に出頭して職業の紹介を求め、別記様式第六による失業認定申告書に受給資格証を添えて提出した上、待期日数の間における失業の認定を受けるものとする。

2　受給資格者が基本手当に相当する退職手当の支給を受けようとするときは、法第十条第一項の規定による退職手当に係る場合にあつては前項に規定する失業の認定を受けた後、同条第二項の規定による退職手当に係る場合にあつては第五条に規定する求職の申込みをした後に管轄公共職業安定所の長が指定する失業の認定を受けるべき日ごとに管轄公共職業安定所に出頭して職業の紹介を求め、前項に規定する失業認定申告書に受給資格証を添えて提出した上、失業の認定を受けなければならない。

3　管轄公共職業安定所の長は、特例職員である受給資格者について前項に規定する失業の認定を行うときは、雇用保険法第十九条及び第三十二条から第三十四条までの規定に準じて支給の制限を行うべき事実の有無を確認し、当該事実の有無を所轄官署等の長に通知しなければならない。

（公共職業訓練等を受講する場合における届出）

第十二条　受給資格者は、公共職業安定所の長の指示により雇用保険法第十五条第三項に規定する公共職業訓練等を受けることとなつたときは、速やかに別記様式第七による公共職業訓練等受講届（以下「受講届」という。）及び別記様式第八による公共職業訓練等通所届（以下「通所届」という。）に受給資格証を添えて管轄公共職業安定所等（特例職員である受給資格者については、所轄官署等をいう。以下同じ。）の長に提出するものとする。第八条第一項ただし書の規定は、この場合について準用する。

2　管轄公共職業安定所等の長は、前項の規定による受講届及び通所届の提出を受けたときは、受給資格証に必要な事項を記載し、当該受給資格者に返付しなければならない。

3　受給資格者は、受講届及び通所届の記載事項に変更があつたときは、速やかにその旨を記載した届書に受給資格証を添えて管轄公共職業安定所等の長に提出しなければならない。第八条第一項ただし書の規定は、この場合について準

用する。

4　管轄公共職業安定所等の長は、前項の規定による届書の提出を受けたときは、受給資格証に必要な改定をし、当該受給資格者に返付しなければならない。

（技能習得手当に相当する退職手当等の支給手続）

第十三条　受給資格者は、法第十条第九項第一号又は同条第十項第一号若しくは第二号の規定による退職手当の支給を受けようとするときは、別記様式第八の二による公共職業訓練等受講証明書に受給資格証を添えて管轄公共職業安定所等の長に提出しなければならない。第八条第一項ただし書の規定は、この場合について準用する。

2　管轄公共職業安定所等の長は、前項の規定による証明書の提出を受けたときは、受給資格証に必要な事項を記載し、当該受給資格者に返付しなければならない。

（法第十条第九項第二号に規定する内閣官房令で定める者）

第十三条の二　法第十条第九項第二号イに規定する内閣官房令で定める者のうち次の各号に掲げる者は、当該各号に定める者とする。

一　雇用保険法第二十四条の二第一項第一号に掲げる者に相当する者　退職職員（退職した法第二条第一項に規定する職員（同条第二項の規定により職員とみなされる者を含む。）をいう。以下この項において同じ。）であつて、雇用保険法第二十四条の二第一項第一号に掲げる者に該当するもの

二　雇用保険法第二十四条の二第一項第二号に掲げる者に相当する者　退職職員であつて、その者を同法第四条第一項に規定する被保険者と、その者が退職の際勤務していた国又は行政執行法人（独立行政法人通則法（平成十一年法律第百三号）第二条第四項に規定する行政執行法人をいう。次号において同じ。）の事務又は事業を雇用保険法第五条第一項に規定する適用事業とみなしたならば同法第二十四条の二第一項第二号に掲げる者に該当するもの

三　雇用保険法第二十四条の二第一項第三号に掲げる者に相当する者　退職職員であつて、その者を同法第四条第一項に規定する被保険者と、その者が退職の際勤務していた国又は行政執行法人の事務又は事業を同法第五条第一項に規定する適用事業とみなしたならば同法第二十四条の二第一項第三号に掲げる者に該当するもの

2　法第十条第九項第二号ロに規定する内閣官房令で定める者は、前項第二号に定める者とする。

（傷病手当に相当する退職手当の支給手続）

第十四条　受給資格者は、法第十条第十項第三号の規定による退職手当の支給を受けようとするときは、別記様式第九による傷病手当に相当する退職手当支給申請書に受給資格証を添えて管轄公共職業安定所等の長に提出しなければならない。第八条第一項ただし書の規定は、この場合について準用する。

2　管轄公共職業安定所等の長は、前項の規定による支給申請書の提出を受けたときは、受給資格証に必要な事項を記載し、当該受給資格者に返付しなければならない。

（退職票等の提出）

第十五条　退職票又は在職票の交付を受けた者が法第十条第一項に規定する期間内（在職票の交付を受けた者にあつては、当該在職票に係る退職の日の翌日から起算して一年の期間内）に国家公務員となつた場合においては、当該退職票又は在職票を新たに所属することとなつた所属庁等の長に提出しなければならない。

2　所属庁等の長は、前項の規定により退職票又は在職票を提出した者が勤続期間十二月未満で退職するときは、当該退職票又は在職票をその者に返付しなければならない。

（退職票等の再交付）

第十六条　受給資格者又は勤続期間十二月未満で退職した者は、退職票又は在職票を滅失又は損傷した場合においては、もとの所属庁等の長にその旨を申し出て退職票又は在職票の再交付を受けることができる。

2　もとの所属庁等の長は、前項の規定による再交付をするときは、その退職票又は在職票に再交付の旨及びその年月日を記載しなければならない。

3　退職票又は在職票の再交付があつたときは、もとの退職票又は在職票はその効力を失う。

（受給資格証の再交付）

第十七条　前条の規定は、受給資格証の再交付について準用する。この場合において、同条中「退職票又は在職票」とあるのは「受給資格証」と、「もとの所属庁等の長」とあるのは「管轄公共職業安定所等の長」と読み替えるものとする。

（高年齢受給資格証の交付等）

第十七条の二　管轄公共職業安定所の長は、高年齢求職者給付金に相当する退職手当の支給を受ける資格を有する者（以下「高年齢受給資格者」という。）のうち特例職員以外の者から退職票の提出及び求職の申込みを受けたときは、

別記様式第九の二（その一）による失業者退職手当高年齢受給資格証（以下「高年齢受給資格証（その一）」という。）をその者に交付しなければならない。

2　管轄公共職業安定所の長は、特例職員である高年齢受給資格者から退職票の提出及び求職の申込みを受けたときは、当該退職票に必要な事項を記載し、当該特例職員に返付しなければならない。

3　特例職員である高年齢受給資格者は、前項の規定による退職票の返付を受けたときは、速やかに当該退職票をその者に係る所轄官署等に提出するものとする。

4　所轄官署等の長は、前項の規定による退職票の提出を受けたときは、別記様式第九の二（その二）による失業者退職手当高年齢受給資格証（以下「高年齢受給資格証（その二）」という。）を当該特例職員に交付しなければならない。

（特例受給資格証の交付等）

第十八条　管轄公共職業安定所の長は、特例一時金に相当する退職手当の支給を受ける資格を有する者（以下「特例受給資格者」という。）のうち特例職員以外の者から退職票の提出及び求職の申込みを受けたときは、別記様式第十（その一）による失業者退職手当特例受給資格証（以下「特例受給資格証（その一）」という。）をその者に交付しなければならない。

2　管轄公共職業安定所の長は、特例職員である特例受給資格者から退職票の提出及び求職の申込みを受けたときは、当該退職票に必要な事項を記載し、当該特例職員に返付しなければならない。

3　特例職員である特例受給資格者は、前項の規定による退職票の返付を受けたときは、速やかに当該退職票をその者に係る所轄官署等に提出するものとする。

4　所轄官署等の長は、前項の規定による退職票の提出を受けたときは、別記様式第十（その二）による失業者退職手当特例受給資格証（以下「特例受給資格証（その二）」という。）を当該特例職員に交付しなければならない。

（準用）

第十九条　第三条、第五条前段、第六条第五項及び第六項、第九条第二項、第十一条第一項及び第三項並びに第十五条から第十七条までの規定は、高年齢求職者給付金に相当する退職手当の支給について準用する。この場合において、これらの規定（第九条第二項各号を除く。）中「法第十条第一項又は第二項」とあるのは「法第十条第四項又は第五項」と、「基本手当」とあるのは「高年齢求職者給付金」と、「受給資格者」とあるのは「高年齢受給資格者」と、「法第十条第一項」とあるのは「法第十条第四項」と、「別記様式第六による失業認定申告書」とあるのは「別記様式第十の二による高年齢受給資格者失業認定申告書」と、「受給資格証」とあるのは「高年齢受給資格証（特例職員以外の高年齢受給資格者については高年齢受給資格証（その一）を、特例職員である高年齢受給資格者については高年齢受給資格証（その二）をいう。以下同じ。）」と、「法第十条第一項に規定する期間内（在職票の交付を受けた者にあつては、当該在職票に係る退職の日の翌日から起算して一年の期間内）に」とあるのは「当該退職票又は在職票に係る退職の日の翌日から起算して一年を経過する日までに、高年齢求職者給付金に相当する退職手当の支給を受けることなく」と読み替えるものとする。

2　第三条、第五条前段、第六条第五項及び第六項、第九条第二項、第十一条第一項及び第三項並びに第十五条から第十七条までの規定は、特例一時金に相当する退職手当の支給について準用する。この場合において、これらの規定（第九条第二項各号を除く。）中「法第十条第一項又は第二項」とあるのは「法第十条第六項又は第七項」と、「基本手当」とあるのは「特例一時金」と、「受給資格者」とあるのは「特例受給資格者」と、「法第十条第一項」とあるのは「法第十条第六項」と、「別記様式第六による失業認定申告書」とあるのは「別記様式第十一による特例受給資格者失業認定申告書」と、「受給資格証」とあるのは「特例受給資格証（特例職員以外の特例受給資格者については特例受給資格証（その一）を、特例職員である特例受給資格者については特例受給資格証（その二）をいう。以下同じ。）」と、「法第十条第一項に規定する期間内（在職票の交付を受けた者にあつては、当該在職票に係る退職の日の翌日から起算して一年の期間内）に」とあるのは「当該退職票又は在職票に係る退職の日の翌日から起算して六箇月を経過する日までに、特例一時金に相当する退職手当の支給を受けることなく」と読み替えるものとする。

（高年齢求職者給付金に相当する退職手当の支給手続等）

第十九条の二　高年齢求職者給付金に相当する退職手当で法第十条第四項の規定によるものは、当該高年齢受給資格者が前条第一項において準用する第五条の規定による求職の申込みをした日から起算して、雇用保険法第三十三条に規定する期間及び待期日数に等しい失業の日数を経過した後に支給する。

2 　高年齢受給資格者が高年齢求職者給付金に相当する退職手当の支給を受けようとするときは、法第十条第四項の規定による退職手当に係る場合にあつては前条第一項において準用する第十一条第一項の規定による失業の認定を受けた後に、法第十条第五項の規定による退職手当に係る場合にあつては前条第一項において準用する第五条の規定による求職の申込みをした後に管轄公共職業安定所の長が指定する失業の認定を受けるべき日に管轄公共職業安定所に出頭して職業の紹介を求め、高年齢受給資格者失業認定申告書に高年齢受給資格証を添えて提出した上、失業の認定を受けなければならない。

3 　雇用保険法の規定による基本手当の支給を受ける資格を有する者が同法第二十条第一項又は第二項に規定する期間内に高年齢受給資格者となつた場合においては、当該基本手当の支給を受けることができる日数（法第十条第四項の規定による退職手当に係る高年齢受給資格者にあつては、その日数に待期日数を加えた日数）に等しい失業の日数が経過した後に高年齢求職者給付金に相当する退職手当を支給する。

（特例一時金に相当する退職手当の支給手続等）

第二十条　特例一時金に相当する退職手当で法第十条第六項の規定によるものは、当該特例受給資格者が第十九条第二項において準用する第五条の規定による求職の申込みをした日から起算して、雇用保険法第三十三条に規定する期間及び待期日数に等しい失業の日数を経過した後に支給する。

2 　特例受給資格者が特例一時金に相当する退職手当の支給を受けようとするときは、法第十条第六項の規定による退職手当に係る場合にあつては第十九条第二項において準用する第十一条第一項の規定による失業の認定を受けた後に、法第十条第七項の規定による退職手当に係る場合にあつては第十九条第二項において準用する第五条の規定による求職の申込みをした後に管轄公共職業安定所の長が指定する失業の認定を受けるべき日に管轄公共職業安定所に出頭して職業の紹介を求め、特例受給資格者失業認定申告書に特例受給資格証を添えて提出した上、失業の認定を受けなければならない。

3 　雇用保険法の規定による基本手当の支給を受ける資格を有する者が同法第二十条第一項又は第二項に規定する期間内に特例受給資格者となつた場合においては、当該基本手当の支給を受けることができる日数（法第十条第六項の規定による退職手当に係る特例受給資格者にあつては、その日数に待期日数を加えた日数）に等しい失業の日数が経過した後に特例一時金に相当する退職手当を支給する。

（就業促進手当等に相当する退職手当の支給手続）

第二十一条　受給資格者又は法第十条第十一項に規定する者は、同条第十項第四号から第六号までの規定による退職手当の支給を受けようとするときは、同項第四号の規定による退職手当のうち雇用保険法第五十六条の三第一項第一号イに該当する者に係る就業促進手当（以下「就業手当」という。）に相当する退職手当にあつては別記様式第十一の二による就業手当に相当する退職手当支給申請書に、同号ロに該当する者に係る就業促進手当（雇用保険法施行規則（昭和五十年労働省令第三号）第八十三条の四に規定する就業促進定着手当（以下「就業促進定着手当」という。）を除く。以下「再就職手当」という。）に相当する退職手当にあつては別記様式第十一の三による再就職手当に相当する退職手当支給申請書に、同号ロに該当する者に係る就業促進手当（就業促進定着手当に限る。）に相当する退職手当にあつては別記様式第十一の四による就業促進定着手当に相当する退職手当支給申請書に、同項第二号に該当する者に係る就業促進手当（以下「常用就職支度手当」という。）に相当する退職手当にあつては別記様式第十二による常用就職支度手当に相当する退職手当支給申請書に、法第十条第十項第五号の規定による退職手当にあつては別記様式第十三による移転費に相当する退職手当支給申請書に、同項第六号の規定による退職手当のうち雇用保険法第五十九条第一項第一号に該当する行為をする者に係る求職活動支援費に相当する退職手当にあつては別記様式第十四による求職活動支援費（広域求職活動費）に相当する退職手当支給申請書に、同項第二号に該当する行為をする者に係る求職活動支援費に相当する退職手当にあつては別記様式第十四の二による求職活動支援費（短期訓練受講費）に相当する退職手当支給申請書に、同項第三号に該当する行為をする者に係る求職活動支援費に相当する退職手当にあつては別記様式第十四の三による求職活動支援費（求職活動関係役務利用費）に相当する退職手当支給申請書にそれぞれ受給資格証、高年齢受給資格証又は特例受給資格証を添えて管轄公共職業安定所等の長に提出しなければならない。ただし、受給資格証、高年齢受給資格証又は特例受給資格証を提出することができないことについて正当な理由があるときは、これを添えないことができる。

2 　管轄公共職業安定所等の長は、前項の規定に

よる申請書の提出を受けたときは、受給資格証、高年齢受給資格証又は特例受給資格証に必要な事項を記載し、その者に返付しなければならない。

　　　附　則（抄）
（施行期日）
1　この府令は、昭和五十年四月一日から施行する。

別記様式　略

国家公務員退職手当法施行令第四条の二の規定による退職の理由の記録に関する内閣官房令（抄）

（平成25年総務省令第57号）
最終改正：令和2年12月18日内閣官房令第6号

　国家公務員退職手当法施行令（昭和二十八年政令第二百十五号）第四条の二の規定に基づき、国家公務員退職手当法施行令第四条の二の規定による退職の理由の記録に関する省令を次のように定める。

（退職理由記録の記載事項等）
第一条　国家公務員退職手当法施行令第四条の二の規定により作成する同令第三条各号（第一号中任期を終えて退職した者に係る部分及び第二号を除く。）に掲げる者の退職の理由の記録（以下「退職理由記録」という。）には、次に掲げる事項を記載しなければならない。
　一　作成年月日
　二　氏名及び生年月日
　三　退職の日における勤務官署又は事務所及び職名
　四　勤続期間並びに採用年月日及び退職年月日
　五　退職の理由及び当該退職の理由に該当するに至った経緯
　六　作成者の職名及び氏名
2　退職理由記録の様式は、別記様式とする。
3　退職理由記録には、職員が提出した辞職の申出の書面の写しを添付しなければならない。
（作成時期）
第二条　退職理由記録は、職員の退職後速やかに作成しなければならない。
（保管）
第三条　退職理由記録は、国家公務員退職手当法（昭和二十八年法律第百八十二号）第八条の二第一項に規定する各省各庁の長等が保管する。
2　退職理由記録は、その作成の日から五年間保管しなければならない。

　　　附　則（抄）
（施行期日）
1　この省令は、平成二十五年十一月一日から施行する。

別記様式　略

国家公務員退職手当法の運用方針（抄）

（昭和60年4月30日総人第261号）
最終改正：令和4年8月3日閣人人第501号

第二条関係
一　国家公務員退職手当法施行令（昭和二十八年政令第二百十五号。以下「施行令」という。）第一条第一項第二号に掲げる者が、国家公務員退職手当法の適用を受ける非常勤職員について（昭和六十年四月三十日付け総人第二百六十号。以下「総人第二百六十号」という。）第一項に規定する「同項に規定する職員について定められている勤務時間以上勤務した日」が一月において十八日（一月間の日数（行政機関の休日に関する法律（昭和六十三年法律第九十一号）第一条第一項各号に掲げる日の日数は、算入しない。）が二十日に満たない日数の場合にあっては、十八日から二十日と当該日数との差に相当する日数を減じた日数）に満たないことが客観的に明らかとなった場合には、その日をもって退職したものとして取り扱うものとする。
二　国家公務員等退職手当暫定措置法施行令の一部を改正する政令（昭和三十四年政令第二百八号）附則第五項に規定する「勤務した日が引き続いて六月を超えるに至った場合」とは、総人第二百六十号第一項の「勤務日数」が同項の「職員みなし日数」以上ある月が引き続いて六月を超えるに至った場合をいう。

第二条の三関係
一　本条第一項に規定する「他の法令に別段の定めがある場合」とは、例えば次に掲げる場合をいう。
　イ　地方税法（昭和二十五年法律第二百二十六号）第四十一条及び第五十条の六並びに第三百二十八条の五及び第三百二十八条の六に基づく徴収を行う場合
　ロ　国家公務員共済組合法（昭和三十三年法律第百二十八号）第百一条に基づく控除を行う場合
　ハ　所得税法（昭和四十年法律第三十三号）第百九十九条及び第二百一条に基づく徴収を行う場合
二　退職手当の支払方法として、その支給を受けるべき者の預金若しくは貯金への振込み又は隔地送金の方法によることは、本条第一項本文に規定する支払方法に含まれる。
三　施行令第一条の二に規定する「小切手の振出し」は、支出官が小切手を振り出す場合のほか、資金前渡官吏が小切手を振り出す場合も含まれる。
四　本条第二項に規定する「特別の事情がある場合」とは、例えば次に掲げる場合をいう。
　イ　死亡等による予期し得ない退職のため、事前に退職手当の支給手続を行うことができなかった場合や退職手当管理機関が退職手当審査会に諮問した場合等であって、退職手当の支給手続に相当な時間を要するとき。
　ロ　基礎在職期間に第五条の二第二項第二号から第七号までに掲げる在職期間が含まれると考えられる場合等であって、その確認に相当な時間を要するとき。

第三条関係
一　「俸給」とは、一般職の職員の給与に関する法律（昭和二十五年法律第九十五号。以下「一般職給与法」という。）第五条第一項に規定する俸給又は勤務に対する報酬として支給される給与であってこれに相当するものをいう。
二　前号の場合において、賃金又は手当の支給を受けている者に対する退職手当の算定の基礎となる俸給月額は、次に掲げる額とする。
　イ　賃金又は手当の額のうち俸給に相当する部分の額が賃金又は手当の額の算定上明らかである者については、次に掲げる額
　　(1)　賃金又は手当の額が月額で定められている者については、当該俸給に相当する部分の月額
　　(2)　賃金又は手当の額が日額で定められている者については、当該俸給に相当する部分の日額の二十一倍に相当する額
　ロ　イに該当する者以外の者については、次に掲げる額
　　(1)　賃金又は手当の額が月額で定められている者については、当該月額の八割五分に相当する額
　　(2)　賃金又は手当の額が日額で定められている者については、当該日額の八割五分に相当する額の二十一倍に相当する額
三　本条第二項の規定は、次に掲げる者に対しては適用しない。
　イ　国家公務員法（昭和二十二年法律第百二十号）第八十一条の六第一項の規定により退職した者（同法第八十一条の七第一項の期限又は同条第二項の規定により延長された期限の到来により退職した者を含む。）又はこれに準ずる他の法令の規定により退

職した者
ロ　定年に達した日以後その者の非違による
　ことなく退職した者（イに該当する者を除
　き、次のいずれかに該当する者を含む。）
　(1)　国家公務員法等の一部を改正する法律
　　（令和三年法律第六十一号。以下「令和
　　三年国家公務員法等改正法」という。）
　　附則第三条第五項に規定する旧国家公務
　　員法勤務延長期限若しくは同条第六項の
　　規定により延長された期限の到来により
　　退職した者又はこれに準ずる他の法令の
　　規定により退職した者
　(2)　令和三年国家公務員法等改正法附則第
　　三条第五項に規定する旧国家公務員法勤
　　務延長期限若しくは同条第六項の規定に
　　より延長された期限の到来前に退職した
　　者又はこれに準ずる他の法令の規定によ
　　り退職した者
ハ　裁判官で日本国憲法第八十条に定める任
　期を終えて退職し、又は任期の終了に伴う
　裁判官の配置等の事務の都合により任期の
　終了前一年内に退職したもの
ニ　法律の規定に基づく任期を終えて退職し
　た者（イに該当する者を除く。）
ホ　定年の定めのない職を職員の配置等の事
　務の都合により退職した者
ヘ　施行令第三条第四号に掲げる職を職員の
　配置等の事務の都合により定年に達する日
　前に退職した者
ト　十一年未満の期間勤続した者であって、
　六十歳（附則第十二項各号に掲げる者に
　あっては、当該各号に定める年齢）に達し
　た日以後その者の非違によることなく退職
　した者（附則第十四項各号に掲げる者及び
　イからヘまでに該当する者を除き、ロ(1)又
　は(2)に該当する者を含む。）
四　例えば次に掲げる場合に、職員をその者の
　事情によらないで引き続いて勤続することを
　困難とする理由により退職した者として取り
　扱おうとするときは、その者の事情によるこ
　となく辞職を申し出たものかどうかについ
　て、特に慎重に判断するものとする。
イ　直前において国家公務員法第八十二条に
　規定する懲戒処分又はこれに準ずる処分を
　受けた職員に対し、その辞職を承認する場
　合
ロ　その者からの辞職の申出前又は辞職の申
　出後辞職の承認前に、その者に懲戒処分に
　付すことにつき相当の事由があると思料す
　るに至った場合には、辞職の承認を保留
　し、必要な実情調査を行うべきこととなる

が、その結果、国家公務員法第八十二条に
規定する懲戒処分又はこれに準ずる処分に
付した上で、その辞職を承認するとき。

第四条関係
一　本条第一項第一号に規定する「これに準ず
　る他の法令の規定」とは、例えば次に掲げる
　法律の規定をいう。
イ　私的独占の禁止及び公正取引の確保に関
　する法律（昭和二十二年法律第五十四号）
　第三十条
ロ　裁判所法（昭和二十二年法律第五十九
　号）第五十条
ハ　検察庁法（昭和二十二年法律第六十一
　号）第二十二条
ニ　会計検査院法（昭和二十二年法律第七十
　三号）第五条
ホ　国会職員法（昭和二十二年法律第八十五
　号）第十五条の六及び第十五条の七
ヘ　裁判所職員臨時措置法（昭和二十六年法
　律第二百九十九号）本則
ト　自衛隊法（昭和二十九年法律第百六十五
　号）第四十四条の六、第四十四条の七及び
　第四十五条
二　例えば第三条関係第四号イ又はロに掲げる
　場合に、職員をその者の事情によらないで引
　き続いて勤続することを困難とする理由によ
　り退職した者として取り扱おうとするとき
　は、その者の事情によることなく辞職を申し
　出たものかどうかについて、特に慎重に判断
　するものとする。
三　本条第二項の規定の適用については、次に
　定めるところによる。
イ　「定年に達した日」の計算方法は、年齢
　計算ニ関スル法律（明治三十五年法律第五
　十号）の定めるところによる。
ロ　「定年に達した日以後その者の非違によ
　ることなく退職した者（前項の規定に該当
　する者を除く。）」とは、次に掲げる者のう
　ち、その者の都合により退職した者をい
　う。
　(1)　定年に達した日以後定年退職日の前日
　　までの間において、その者の非違による
　　ことなく退職した者
　(2)　国家公務員法第八十一条の七第一項の
　　期限又は同条第二項の規定により延長さ
　　れた期限の到来前にその者の非違による
　　ことなく退職した者
　(3)　令和三年国家公務員法等改正法附則第
　　三条第五項に規定する旧国家公務員法勤
　　務延長期限若しくは同条第六項の規定に

より延長された期限の到来前にその者の非違によることなく退職した者
　　(4)　(2)又は(3)に掲げる規定に準ずる他の法令の規定により勤務した後その者の非違によることなく退職した者
　ハ　本条第二項の規定は、令和三年国家公務員法等改正法附則第三条第五項に規定する旧国家公務員法勤務延長期限若しくは同条第六項の規定により延長された期限の到来により退職した者又はこれに準ずる他の法令の規定により退職した者に対しても適用されるものとする。
　ニ　例えば第三条関係第四号イ又はロに掲げる場合には、その者の非違によることなく辞職を申し出たものかどうかについて、特に慎重に判断するものとする。
四　附則第六項及び国家公務員等退職手当法の一部を改正する法律（昭和四十八年法律第三十号）附則第五項の規定は、本条第二項の規定により退職した者に対し適用されるものとする。

第五条関係
一　本条第一項第一号に規定する「これに準ずる他の法令の規定」とは、第四条関係第一号に定めるところによる。
二　例えば第三条関係第四号イ又はロに掲げる場合に、職員をその者の事情によらないで引き続いて勤続することを困難とする理由により退職した者として取り扱おうとするときは、その者の事情によることなく辞職を申し出たものかどうかについて、特に慎重に判断するものとする。
三　本条第二項の規定の適用については、第四条関係第三号に定めるところによる。
四　附則第六項及び第八項並びに国家公務員等退職手当法の一部を改正する法律（昭和四十八年法律第三十号）附則第五項及び第七項の規定は、本条第二項の規定により退職した者に対し適用されるものとする。

第五条の二関係
一　「俸給月額の減額改定」には、職員が引き続いて地方公務員、公庫等職員又は独立行政法人等役員その他職員以外のもの（以下「地方公務員等」という。）となり再び職員となった場合において、当該地方公務員等としての在職期間中に俸給月額の減額改定が行われたことにより再び職員となったときの俸給月額が先の職員として受けていた俸給月額より少なくなった場合を含むものとする。

二　「給与の支給の基準」とは、独立行政法人通則法（平成十一年法律第百三号）第五十七条第二項に規定する給与の支給の基準をいう。
三　「俸給月額が減額されたことがある場合」とは、職員として受ける俸給月額が減額されたことがある場合をいい、例えば、次に掲げる場合はこれに該当しない。
　イ　地方公務員等としての在職期間においてその者の本俸（俸給月額に相当するものをいう。以下同じ。）が減額された場合
　ロ　地方公務員等から職員となった場合において地方公務員等を退職した際に受けていた本俸より当該退職に引き続いて職員となった際に受けていた俸給月額が少ない場合
四　「俸給月額の減額改定以外の理由」には、職員がその者の俸給表の適用を異にして異動した場合において当該異動後に受けていたその者の俸給月額が異動前に受けていたその者の俸給月額より少ない場合を含む。

第五条の三関係
一　「定年に達する日」の計算方法は、第四条関係第三号イに定めるところによる。
二　「定年に達する日から政令で定める一定の期間」の計算方法は、民法（明治二十九年法律第八十九号）第百四十三条の規定を準用するものとする。
三　「退職の日におけるその者の年齢」の単位は、年齢のとなえ方に関する法律（昭和二十四年法律第九十六号）第一項の定めるところによる。
四　「退職の日において定められているその者に係る定年」は、退職の日に昇任した自衛官については、当該昇任前の階級について定められている定年とする。

第六条の四関係
一　本条第一項に規定する「通勤による傷病による休職」には、平成三年四月一日以後に退職した者の同日前の「通勤による傷病による休職」を含む。
二　本条第一項に規定する「その他これらに準ずる事由により現実に職務をとることを要しない期間」には、次に掲げる期間は含まれない。
　イ　一般職給与法第十五条の規定により給与の減額をされた期間
　ロ　一般職の職員の勤務時間、休暇等に関する法律第十六条に規定する休暇の期間

ハ　イ又はロに規定する期間に相当する期間
三　施行令第六条第三項第二号に規定する育児休業には、国家公務員退職手当法の一部を改正する法律（平成十七年法律第百十五号）施行日前（国営企業等職員にあっては適用日前）における国会職員の育児休業等に関する法律（平成三年法律第百八号）第三条第一項の規定による育児休業（国会職員の育児休業等に関する法律の一部を改正する法律（平成二十二年法律第六十二号）による改正前の国会職員の育児休業等に関する法律附則第二条の規定により同法第三条の規定による育児休業の承認とみなされる育児休業の許可に係る育児休業を含む。）、国家公務員の育児休業等に関する法律（平成三年法律第百九号）第三条第一項（同法第二十七条第一項及び裁判所職員臨時措置法において準用する場合を含む。）の規定による育児休業（一般職の職員の給与に関する法律等の一部を改正する法律（平成二十二年法律第五十三号）附則第七条の規定による改正前の国家公務員の育児休業等に関する法律附則第二条の規定により同法第三条の規定による育児休業の承認とみなされる育児休業の許可に係る育児休業を含む。）及び裁判官の育児休業に関する法律（平成三年法律第百十一号）第二条第一項の規定による育児休業を含む。

第七条関係

　本条第五項に規定する「その他の事由」とは、自己の意思に基づく転職、異動等すべての場合を含む。

第七条の二関係

一　本条第一項に規定する「要請」とは、任命権者又はその委任を受けた者が、職員に対し、公庫等職員として在職した後再び職員に復帰させることを前提として、公庫等に退職出向することを慫慂する行為をいう。
二　本条第二項に規定する「要請」とは、公庫等が、公庫等職員に対し、職員として在職した後再び公庫等職員に復帰させることを前提として、国に退職出向することを慫慂する行為をいう。

第八条関係

一　本条第一項に規定する「要請」とは、任命権者又はその委任を受けた者が、職員に対し、独立行政法人等役員として在職した後再び職員に復帰させることを前提として、独立行政法人等に退職出向することを慫慂する行為をいう。
二　本条第二項に規定する「要請」とは、独立行政法人等が、独立行政法人等役員に対し、職員として在職した後再び独立行政法人等役員に復帰させることを前提として、国に退職出向することを慫慂する行為をいう。

第八条の二関係

一　本条第一項に規定する「定年前」とは、定年に達する日前をいい、「定年に達する日」の計算方法は、年齢計算ニ関スル法律の定めるところによる。
二　本条第一項第一号に定める「年齢以上の年齢」の単位は、年齢のとなえ方に関する法律第一項の定めるところによる。
三　本条第三項第三号に規定する「定年に達する者」とは、定年に達する日を迎える者をいい、「定年に達する日」の計算方法は、第一号に定めるところによる。
四　本条第三項第四号、第五項第二号及び第八項第四号に規定する「これに準ずる処分」とは、例えば次に掲げる規定による処分（故意又は重大な過失によらないで管理又は監督に係る職務を怠った場合における処分を除く。）をいう。
　イ　国会職員法第二十八条及び第二十九条
　ロ　裁判官分限法（昭和二十二年法律第百二十号）第二条
　ハ　自衛隊法第四十六条
五　本条第五項に規定する認定をし、又はしない旨の決定を行うに当たっては、応募者の意思の尊重と応募者間の不公平感の払拭に留意しつつ、厳正かつ公正に対処するものとする。
六　本条第五項第三号に規定する「その他応募者に対し認定を行うことが公務に対する国民の信頼を確保する上で支障を生ずると認める場合」とは、例えば次に掲げる場合をいう。
　イ　応募者に非違行為があると思料される場合で、例えば次に掲げる場合
　　(1)　応募者が逮捕され、その逮捕の理由となった犯罪又はその者が犯したと思料される犯罪に係る法定刑の上限が禁錮以上に当たるものである場合
　　(2)　応募者が本条第五項第二号に規定する処分を受けるべき行為をしたと思料されるが、その者が行方不明となり事実の聴取等ができない場合
　ロ　応募者が選挙の公認候補予定者である場合等、応募者が選挙に立候補することが明らかである場合

第十一条関係
　本条第一号に規定する「その他の職員としての身分を当該職員の非違を理由として失わせる処分」とは、国家公務員法の適用を受けない職員が、他の法令の規定によりこれらに規定する国家公務員法の規定に実質的に該当する場合をいう。

第十二条関係
一　非違の発生を抑止するという制度目的に留意し、一般の退職手当等の全部を支給しないこととすることを原則とするものとする。
二　一般の退職手当等の一部を支給しないこととする処分にとどめることとする場合は、施行令第十七条に規定する「当該退職をした者が行った非違の内容及び程度」について、次のいずれかに該当する場合に限定する。その場合であっても、公務に対する国民の信頼に及ぼす影響に留意して、慎重な検討を行うものとする。
　イ　停職以下の処分にとどめる余地がある場合に、特に厳しい措置として懲戒免職等処分とされた場合
　ロ　懲戒免職等処分の理由となった非違が、正当な理由がない欠勤その他の行為により職場規律を乱したことのみである場合であって、特に参酌すべき情状のある場合
　ハ　懲戒免職等処分の理由となった非違が過失（重過失を除く。）による場合であって、特に参酌すべき情状のある場合
　ニ　過失（重過失を除く。）により禁錮以上の刑に処せられ、執行猶予を付された場合であって、特に参酌すべき情状のある場合
三　一般の退職手当等の一部を支給しないこととする処分にとどめることとすることを検討する場合には、例えば、当該退職をした者が指定職以上の職員であるとき又は当該退職をした者が占めていた職の職務に関連した非違であるときには処分を加重することを検討すること等により、施行令第十七条に規定する「当該退職をした者が占めていた職の職務及び責任」を勘案することとする。
四　一般の退職手当等の一部を支給しないこととする処分にとどめることとすることを検討する場合には、例えば、過去にも類似の非違を行ったことを理由として懲戒処分を受けたことがある場合には処分を加重することを検討すること等により、施行令第十七条に規定する「当該退職をした者の勤務の状況」を勘案することとする。
五　一般の退職手当等の一部を支給しないこととする処分にとどめることとすることを検討する場合には、例えば、当該非違が行われることとなった背景や動機について特に参酌すべき情状がある場合にはそれらに応じて処分を減軽又は加重することを検討すること等により、施行令第十七条に規定する「当該非違に至った経緯」を勘案することとする。
六　一般の退職手当等の一部を支給しないこととする処分にとどめることとすることを検討する場合には、例えば、当該非違による被害や悪影響を最小限にするための行動をとった場合には処分を減軽することを検討し、当該非違を隠蔽する行動をとった場合には処分を加重することを検討すること等により、施行令第十七条に規定する「当該非違後における当該退職をした者の言動」を勘案することとする。
七　一般の退職手当等の一部を支給しないこととする処分にとどめることとすることを検討する場合には、例えば、当該非違による被害や悪影響が結果として重大であった場合には処分を加重することを検討すること等により、施行令第十七条に規定する「当該非違が公務の遂行に及ぼす支障の程度」を勘案することとする。
八　本条第一項第二号に規定する「これに準ずる退職」とは、例えば次に掲げる規定による退職をいう。
　イ　国会議員法第十条
　ロ　公職選挙法（昭和二十五年法律第百号）第九十条
　ハ　自衛隊法第三十八条第二項

第十三条関係
一　本条に規定する支払差止処分を行うに当たっては、公務に対する国民の信頼確保の要請と退職者の権利の尊重に留意しつつ、厳正かつ公正に対処するものとする。
二　本条第二項第一号に規定する「その者に対し一般の退職手当等の額を支払うことが公務に対する国民の信頼を確保する上で支障を生ずると認めるとき」とは、当該退職者の逮捕の理由となった犯罪又はその者が犯したと思料される犯罪（以下「逮捕の理由となった犯罪等」という。）に係る法定刑の上限が禁錮以上の刑に当たるものであるときをいう。
三　本条第四項の規定に基づき、支払差止処分後の事情の変化を理由に、当該支払差止処分を受けた者から当該支払差止処分の取消しの申立てがあった場合には、事情の変化の有無を速やかに確認しなければならない。

四　前号の場合において、取消しの申立てに理由がないと認める場合には、その旨及び当該認定に不服がある場合には行政不服審査法（平成二十六年法律第六十八号）に基づき審査請求ができる旨を速やかに申立者に通知するものとする。
五　本条第五項ただし書に規定する「その他これを取り消すことが支払差止処分の目的に明らかに反すると認めるとき」とは、支払差止処分を受けた者が現に勾留されているときなど、その者が起訴される可能性が極めて高いと認められるときをいう。
六　本条第七項に規定する「一般の退職手当等の額の支払を差し止める必要がなくなった」と認める場合とは、例えば次に掲げる場合をいう。
　イ　退職をした者の逮捕の理由となった犯罪等について、犯罪後の法令により刑が廃止された場合又は大赦があった場合
　ロ　退職をした者の逮捕の理由となった犯罪等に係る刑事事件に関し公訴を提起しない処分がなされた場合
　ハ　退職をした者が、その者の逮捕の理由となった犯罪等について、法定刑の上限として罰金以下の刑が定められている犯罪に係る起訴をされた場合又は略式手続による起訴をされた場合

第十四条関係

本条第一項の規定により一般の退職手当等の全部又は一部を支給しないこととする処分を行うにあたっては、当該処分を受ける者が第十二条第一項各号に該当していた場合に同項の規定により受けたであろう処分と同様の処分とすることを原則とするものとする。

第十五条関係

一　本条第一項の規定による一般の退職手当等の返納の手続については、国にあっては、国の債権の管理等に関する法律（昭和三十一年法律第百十四号）の定めるところによる。
二　本条第一項の規定による処分により返納を命ずる一般の退職手当等の額は、第十二条関係第二号から第七号までに規定する基準のほか、同項に規定する「当該退職をした者の生計の状況」を勘案して定める額とする。
三　本条第一項に規定する「当該退職をした者の生計の状況」を勘案するに当たっては、退職手当の生活保障としての性格にかんがみ、当該退職をした者又はその者と生計を共にする者が現在及び将来どのような支出を要するか、どのような財産を有しているか、現在及び将来どのような収入があるか等についての申立てを受け、返納すべき額の全額を返納させることが困難であると認められる場合には、返納額を減免することができることとする。
四　当該一般の退職手当等の支払に際して源泉徴収した所得税及び住民税の額については、当該源泉徴収をした各省各庁の長等の債権の管理を行う歳入徴収官等が還付請求を行う。したがって、当該税の額については、返納を命ずる額からは減じないが、当該退職をした者に対する納入告知の額からは減ずることとする。

第十六条関係

一　本条第一項の規定による一般の退職手当等の返納の手続については、国にあっては、国の債権の管理等に関する法律の定めるところによる。
二　本条第一項の規定による処分により返納を命ずる一般の退職手当等の額は、第十二条関係第二号から第七号までに規定する基準のほか、同項に規定する「当該遺族の生計の状況」を勘案して定める額とする。
三　本条第一項に規定する「当該遺族の生計の状況」を勘案するに当たっては、退職手当の生活保障としての性格にかんがみ、当該遺族又はその者と生計を共にする者が、現在及び将来どのような支出を要するか、どのような財産を有しているか、現在及び将来どのような収入があるか等についての申立てを受け、返納すべき額の全額を返納させることが困難であると認められる場合には、返納額を減免することができることとする。
四　当該遺族が当該一般の退職手当等について納付した又は納付すべき相続税の額については、当該遺族が還付請求を行うことができる。したがって、当該税の額については、返納を命ずる額からは減じない。

第十七条関係

一　本条第一項から第五項までの規定による処分を行うにあたっては、当該処分を受けるべき者は非違を行った者ではないことを踏まえ、個別の事案ごとに諸事情を考慮した運用をするものとする。
二　本条第一項から第五項までの規定による一般の退職手当等に相当する額の納付の手続については、国にあっては、国の債権の管理等に関する法律の定めるところによる。

三　本条第一項から第五項までの規定による処分により納付を命ずる一般の退職手当等の額は、第十二条関係第二号から第七号までに規定する基準のほか、次の第四号から第八号までを勘案して定める額とする。
四　本条において、当該一般の退職手当等の額には、源泉徴収された所得税額及び住民税額又はみなし相続財産とされて納入した若しくは納入すべき相続税額を含まないものとする。
五　施行令第十八条に規定する「当該退職手当の受給者の相続財産の額」を勘案するに当たっては、当該相続財産の額が当該一般の退職手当等の額よりも小さいときは、当該相続人の納付額の合計額を当該相続財産の額の範囲内で定めることとする。
六　相続人が複数あるときは、原則として、相続人が実際に相続（包括遺贈を含む。）によって得た財産の価額に応じて按分して計算した額を勘案して各相続人の納付額を定める。ただし、納付命令の時点で遺産分割がなされていない場合には、当該相続人が相続放棄をした場合を除き、民法の規定による相続分により按分して計算した額を勘案して各相続人の納付額を定めることとする。
七　本条第一項から第五項までの規定による処分を受けるべき者が納付すべき額は、当該者が相続財産を取得したことにより納付した又は納付すべき相続税の額についての申立てを受け、当該税の額から、当該相続財産の額から当該一般の退職手当等の額を減じた額の相続であれば納付したであろう相続税の額を減じた額を控除して定めることとする。
八　施行令第十八条に規定する「当該退職手当の受給者の相続人の生計の状況」を勘案するに当たっては、退職手当の生活保障としての性格にかんがみ、処分を受けるべき者又はその者と生計を共にする者が現在及び将来どのような支出を要するか、どのような財産を有しているか、現在及び将来どのような収入があるか等についての申立てを受け、納付すべき額の全額を納付させることが困難であると認められる場合には、納付額を減免することができることとする。

第十九条関係

一　本条各項の規定による退職手当審査会等への諮問事項は、本条第一項に該当する処分の処分案とする。
二　退職手当管理機関は、退職手当審査会等に対し、前号の処分案とともに、当該事案の内容及び処分案の理由を併せて提示するものとする。

第二十条関係

本条第二項に規定する「その他の事由」とは、第七条関係に定めるところによる。

附則第九項関係

本項の規定は、退職手当の調整額の基礎となる俸給月額についても適用される。

附則第十二項関係

本項の規定は、次に掲げる者に対しても適用されるものとする。
イ　令和三年国家公務員法等改正法附則第三条第五項に規定する旧国家公務員法勤務延長期限若しくは同条第六項の規定により延長された期限の到来前にその者の非違によることなく退職した者又はこれに準ずる他の法令の規定により退職した者
ロ　イの期限の到来により退職した者又はこれに準ずる他の法令の規定により退職した者

附則第十三項関係

本項の規定は、附則第十二項関係イ及びロに定める者に対しても適用されるものとする。

附則第十五項関係

本項の規定の適用による退職日俸給月額には、次に掲げる額を含むものとする。
イ　一般職給与法附則第十項（裁判所職員臨時措置法において準用する場合を含む。）に規定する基礎俸給月額と特定日俸給月額との差額に相当する額並びに同法附則第十二項及び第十三項（裁判所職員臨時措置法において準用する場合を含む。）に規定する人事院規則で定めるところにより算出した額
ロ　検察官の俸給等に関する法律（昭和二十三年法律第七十六号）附則第五条第二項に規定する任命日の前日にその者が受けていた俸給月額に百分の七十を乗じて得た額と任命日に同条第一項の規定によりその者の受ける俸給月額との差額に相当する額及び同条第三項の準則で定めるところにより算出した額
ハ　防衛省の職員の給与等に関する法律（昭和二十七年法律第二百六十六号）附則第七項に規定する基礎俸給月額と特定日俸給月額との差額に相当する額並びに同法附則第

九項及び第十項に規定する政令で定めるところにより算出した額
ニ　イからハに準ずる給与の支給の基準によるイからハに規定する額に相当する額

国家公務員退職手当法の一部を改正する法律（平成十七年法律第百十五号）附則第三条関係
　本条の規定は、国家公務員退職手当法第八条の二第五項に規定する認定を受けて同条第八項第三号に規定する退職すべき期日に退職した者には適用しない。

国家公務員退職手当法の一部を改正する法律（平成17年法律第115号）の施行後の退職手当の取扱いについて（抄）

（平成18年3月14日総人恩総第204号）
最終改正：令和3年7月7日閣人人第442号

　標記について、国家公務員退職手当法施行令（昭和28年政令第215号）第6条第2項、第6条の2及び別表第1並びに国家公務員退職手当法の一部を改正する法律の施行に伴う経過措置に関する政令（平成18年政令第30号）第2条の規定に基づき、下記のとおり定め、平成18年4月1日以降、これにより取り扱うこととするので、通知します。

記

第一　国家公務員退職手当法施行令第6条第2項関係

1　国家公務員退職手当法施行令（以下「施行令」という。）第6条第2項第2号に規定する内閣総理大臣の定める要件は、次の各号のいずれにも該当することとする。
(1)　学術の調査、研究又は指導への従事が、休職の期間の初日の前日（休職の期間が更新された場合にあっては、更新された休職の期間の初日の前日）において、次のいずれにも該当するものであったこと。
　　イ　相当程度高度な学術の調査、研究又は指導に従事するものであること。
　　ロ　その成果によって休職の期間の終了後においても公務の能率的な運営に特に資することが見込まれるものであること。
(2)　学術の調査、研究又は指導への従事が、法人の要請に基づき行われたものであったこと。
(3)　学術の調査、研究又は指導への従事によって退職した者が法人から退職手当（これに相当する給付を含む。）の支給を受けていないこと。

2　休職の期間の初日（休職の期間が更新された場合にあっては、更新された休職の期間の初日）が平成29年1月1日前である場合における前項の規定の適用については、同項第1号中「休職の期間の初日の前日（休職の期間が更新された場合にあっては、更新された休職の期間の初日の前日）において、次のいずれにも該当するものであった」とあるのは「次のいずれにも該当することにつき、休職

の期間の初日の前日（休職の期間が更新された場合にあっては、更新された休職の期間の初日の前日）までに、各省各庁の長等（財政法（昭和22年法律第34号）第20条第2項に規定する各省各庁の長及び独立行政法人通則法（平成11年法律第103号）第2条第4項に規定する行政執行法人の長並びにこれらの委任を受けた者をいう。）が内閣総理大臣の承認を受けていた」とする。ただし、裁判所職員の休職又は国会職員の休職については、この限りでない。

3　休職の期間の初日（休職の期間が更新された場合にあっては、更新された休職の期間の初日）が平成18年4月1日である場合における第1項の規定の適用については、前項の規定にかかわらず、第1項第1号中「休職の期間の初日の前日（休職の期間が更新された場合にあっては、更新された休職の期間の初日の前日）において、次のいずれにも該当するものであった」とあるのは「次のいずれにも該当することにつき、休職の期間の初日（休職の期間が更新された場合にあっては、更新された休職の期間の初日）までに、各省各庁の長等（財政法第20条第2項に規定する各省各庁の長及び独立行政法人通則法第2条第4項に規定する行政執行法人の長並びにこれらの委任を受けた者をいう。）が内閣総理大臣の承認を受けていた」とする。ただし、裁判所職員の休職又は国会職員の休職については、この限りでない。

第二　国家公務員退職手当法施行令第6条の2関係

1　退職した者の基礎在職期間に施行令第6条の2第1号の特定基礎在職期間が含まれる場合においては、その者は、次の各号に掲げる当該特定基礎在職期間に連続する職員としての引き続いた在職期間の初日にその者が従事していた職務の区分に応じ、当該特定基礎在職期間において、当該各号に定める職員として在職していたものとみなす。
  ⑴　一般給与法（他の法令において、引用し、準用し、又はその例による場合を含む。以下同じ。）の指定職俸給表の適用を受ける職員が従事する職務、裁判官の職務、検察官の職務及び特別職の職員の給与に関する法律（昭和24年法律第252号。以下「特別職給与法」という。）第1条各号に掲げる特別職の職員（同条第73号に掲げる職員及び第74号に掲げる職員で国会職員の給与等に関する規程（昭和22年10月16日両院議長決定。以下「国会職員給与規程」という。）の特別給料表又は指定職給料表の適用を受ける職員以外のものを除く。）が従事する職務（以下「特定職務」という。）　当該特定基礎在職期間の直前の職員としての引き続いた在職期間の末日にその者が従事していた職務と同種の職務に従事する職員
  ⑵　特定職務以外の職務　当該職務と同種の職務に従事する職員

2　退職した者の基礎在職期間に施行令第6条の2第2号の特定基礎在職期間が含まれる場合においては、その者は、次の各号に掲げる当該特定基礎在職期間に連続する職員としての引き続いた在職期間の初日にその者が従事していた職務の区分に応じ、当該特定基礎在職期間において、当該各号に定める職員として在職していたものとみなす。
  ⑴　特定職務　当該特定基礎在職期間にその者が現に従事していた職務又は業務が当該特定基礎在職期間を通じておおむね一種類の職員が従事する職務と類似しているものであった場合にあっては当該職員が従事する職務、それ以外の場合にあっては内閣総理大臣が決定する職務に従事する職員
  ⑵　特定職務以外の職務　当該職務と同種の職務に従事する職員

3　退職した者が前2項の規定により特定基礎在職期間において前2項各号に定める職員として在職していたものとみなされる場合に、当該特定基礎在職期間の初日の属する月から当該特定基礎在職期間の末日の属する月までの各月にその者が属していた職員の区分を決めるのに必要な官職の職制上の段階、職務の級、階級その他職員の職務の複雑、困難及び責任の度に関する事項のうち、職務の級、階級、号俸又は俸給月額については、当該特定基礎在職期間にその者に適用されることとなる初任給の決定、昇格、昇給等に関する規定の例により定める。

4　退職した者が第1項の規定により特定基礎在職期間において同項各号に定める職員として在職していたものとみなされる場合に当該特定基礎在職期間の初日の属する月から当該特定基礎在職期間の末日の属する月までの各月にその者が属していた職員の区分を決めるのに必要な官職の職制上の段階、職務の級、階級その他職員の職務の複雑、困難及び責任の度に関する事項のうち、一般職給与法第10条の2第1項の規定による俸給の特別調整額（これに準ずる額を含む。以下この項におい

て「俸給の特別調整額」という。）について
は、次の各号のいずれにも該当する場合に限
り、その者は、当該特定基礎在職期間におい
て、当該特定基礎在職期間の直前の職員とし
ての引き続いた在職期間の末日（以下この項
において「特定基礎在職期間の直前の日」と
いう。）にその者が占めていた官職に応じた
俸給の特別調整額の区分（平成8年4月1日
から平成19年3月31日までの間において適用
されていた人事院規則9－17（俸給の特別調
整額）第2条に規定する区分及び平成19年4
月1日以後適用されている同規則第1条第2
項に規定する区分をいう。以下同じ。）と当
該特定基礎在職期間に連続する職員としての
引き続いた在職期間の初日（以下この項にお
いて「特定基礎在職期間に連続する日」とい
う。）にその者が占めていた官職に応じた俸
給の特別調整額の区分のうちいずれか低い区
分による俸給の特別調整額の支給を受けてい
たものとみなす。
 (1) 特定基礎在職期間の直前の日にその者が
  従事していた職務と特定基礎在職期間に連
  続する日にその者が従事していた職務が同
  種のものであること。
 (2) 特定基礎在職期間の直前の日及び特定基
  礎在職期間に連続する日にその者が属する
  職務の級が同一であり、かつ、その者が俸
  給の特別調整額の支給を受けていたこと。
5 退職した者が第1項及び第2項の規定によ
り特定基礎在職期間においてこれらの項の各
号に定める職員として在職していたものとみ
なされる場合には、当該特定基礎在職期間中
の次の各号に掲げる期間に関して行われた処
分又は行為は、当該各号に定める期間に関し
て行われた処分又は行為とみなす。
 (1) 地方公務員法（昭和25年法律第261号）
  第55条の2ただし書若しくは地方公営企業
  等の労働関係に関する法律（昭和27年法律
  第289号）第6条第1項ただし書の規定に
  よる休職の期間、法人の就業規則等に定め
  られている休職で労働組合業務に専ら従事
  するためのものの期間、地方公務員法第26
  条の5第1項に規定する自己啓発等休業の
  期間、法人の就業規則等に定められている
  休業で国家公務員の自己啓発等休業に関す
  る法律（平成19年法律第45号）第2条第5
  項に規定する自己啓発等休業に相当するも
  のの期間、地方公務員法第26条の6第1項
  に規定する配偶者同行休業の期間又は法人
  の就業規則等に定められている休業で国家
  公務員の配偶者同行休業に関する法律（平
成25年法律第78号）第2条第4項に規定す
る配偶者同行休業に相当するものの期間
施行令第6条第3項第1号に規定する現実
に職務をとることを要しない期間
 (2) 地方公務員の育児休業等に関する法律
  （平成3年法律第110号）第2条第1項の規
  定による育児休業の期間（当該育児休業に
  係る子が1歳に達した日の属する月までの
  期間に限る。）、育児休業、介護休業等育児
  又は家族介護を行う労働者の福祉に関する
  法律（平成3年法律第76号）第5条の規定
  による育児休業の期間（当該育児休業に係
  る子が1歳に達した日の属する月までの期
  間に限る。）、地方公務員の育児休業等に関
  する法律第10条第1項に規定する育児短時
  間勤務の期間又は法人の就業規則等に定め
  られている短時間勤務で国家公務員の育児
  休業等に関する法律（平成3年法律第109
  号）第12条第1項に規定する育児短時間勤
  務に相当するものの期間　施行令第6条第
  3項第2号に規定する現実に職務をとるこ
  とを要しない期間
 (3) 地方公務員法第28条第2項に規定する休
  職の期間（公務上の傷病による休職及び通
  勤による傷病による休職の期間を除く。）、
  同法第27条第2項に基づき条例で規定する
  休職の期間（地方公務員を施行令第6条で
  定める法人の業務に従事させるための休職
  の期間を除く。）、同法第29条に規定する停
  職の期間、外国の地方公共団体の機関等に
  派遣される一般職の地方公務員の処遇等に
  関する法律（昭和62年法律第78号）第2条
  の規定による派遣の期間、地方公務員の育
  児休業等に関する法律第2条第1項に規定
  する育児休業の期間（前号に掲げる期間を
  除く。）、公益的法人等への一般職の地方公
  務員の派遣等に関する法律（平成12年法律
  第50号）第2条の規定による職員派遣の期
  間、法人の就業規則等に定められている休
  職の期間（第1号に掲げる期間並びに業務
  上の傷病による休職及び通勤による傷病に
  よる休職の期間を除く。）若しくは停職の
  期間（これに相当する出勤停止の期間を含
  む。）又は育児休業、介護休業等育児又は
  家族介護を行う労働者の福祉に関する法律
  第5条の規定による育児休業の期間（前号
  に掲げる期間を除く。）　施行令第6条第3
  項第3号に規定する現実に職務をとること
  を要しない期間

第三　国家公務員退職手当法施行令別表第1関係

1 施行令別表第1イの表第1号区分の項第10号に規定する内閣総理大臣の定めるものは、別表第1イの表第1号区分の項各号、別表第2イの表第1号区分の項各号、別表第6イの表第1号区分の項、別表第9イの表第1号区分の項及び別表第14イの表第1号区分の項各号に掲げる者とする。
2 施行令別表第1イの表第2号区分の項第13号に規定する内閣総理大臣の定めるものは、別表第1イの表第2号区分の項各号、別表第2イの表第2号区分の項各号、別表第6イの表第2号区分の項各号、別表第6ロの表第2号区分の項、別表第9イの表第2号区分の項及び別表第14イの表第2号区分の項に掲げる者とする。
3 施行令別表第1イの表第3号区分の項各号に規定する内閣総理大臣の定めるものは、次の各号に掲げる区分に応じ、当該各号に定めるものとする。
 (1) 施行令別表第1イの表第3号区分の項第8号に規定する内閣総理大臣の定めるもの 平成8年4月以後平成18年3月以前の旧防衛庁給与法の自衛官俸給表の適用を受けていた者で陸将補、海将補及び空将補の㈡欄に掲げる俸給月額を受けていたもののうち、陸将補、海将補又は空将補以上の階級にあった期間が30月を超えていたもの
 (2) 施行令別表第1イの表第3号区分の項第9号に規定する内閣総理大臣の定めるもの 別表第1イの表第3号区分の項各号、別表第2イの表第3号区分の項、別表第6イの表第3号区分の項各号及び別表第6ロの表第3号区分の項に掲げる者
4 施行令別表第1イの表第4号区分の項各号に規定する内閣総理大臣の定めるものは、次の各号に掲げる区分に応じ、当該各号に定めるものとする。
 (1) 施行令別表第1イの表第4号区分の項第6号に規定する内閣総理大臣の定めるもの 平成8年4月以後平成18年3月以前の一般職給与法の海事職俸給表㈠の適用を受けていた者でその属する職務の級が7級であったもののうち、平成8年4月以後平成18年3月以前の一般職給与法第10条の2第1項の規定による俸給の特別調整額でその額が俸給月額に100分の25の支給割合を乗じて得た額であるもの(これに準ずる額を含む。)の支給を受けていたものとする。
 (2) 施行令別表第1イの表第4号区分の項第7号に規定する内閣総理大臣の定めるもの 平成8年4月以後平成16年10月以前の一般職給与法の教育職俸給表㈠の適用を受けていた者でその属する職務の級が5級であったもののうち、平成8年4月以後平成16年10月以前の一般職給与法第10条の2第1項の規定による俸給の特別調整額でその額が俸給月額に100分の25の支給割合を乗じて得た額であるもの(これに準ずる額を含む。)の支給を受けていたものであり、かつ、平成8年4月以後平成16年10月以前の一般職給与法第19条の4第1項の規定による期末手当でその計算の基礎とされる平成8年4月1日から平成13年3月31日までの間において適用されていた一般職給与法(以下「平成8年4月以後平成13年3月以前の一般職給与法」という。)第19条の4第4項又は平成13年4月1日から平成16年10月27日までの間に適用されていた一般職給与法(以下「平成13年4月以後平成16年10月以前の一般職給与法」という。)第19条の4第5項に規定する人事院規則で定める割合が100分の20であったもの(これに準ずる手当を含む。)の支給を受ける者であったもの
 (3) 施行令別表第1イの表第4号区分の項第8号に規定する内閣総理大臣の定めるもの 平成16年10月以後平成18年3月以前の一般職給与法の教育職俸給表㈠の適用を受けていた者でその属する職務の級が4級であったもののうち、平成16年10月以後平成18年3月以前の一般職給与法第10条の2第1項の規定による俸給の特別調整額でその額が俸給月額に100分の25の支給割合を乗じて得た額であるもの(これに準ずる額を含む。)の支給を受けていたものであり、かつ、平成16年10月以後平成18年3月以前の一般職給与法第19条の4第1項の規定による期末手当でその計算の基礎とされる平成16年10月以後平成18年3月以前の一般職給与法第19条の4第5項に規定する人事院規則で定める割合が100分の20であったもの(これに準ずる手当を含む。)の支給を受ける者であったもの
 (4) 施行令別表第1イの表第4号区分の項第9号に規定する内閣総理大臣の定めるもの 平成8年4月以後平成18年3月以前の一般職給与法の研究職俸給表の適用を受けていた者でその属する職務の級が5級であったもののうち、平成8年4月以後平成18年3月以前の一般職給与法第10条の2第1項の規定による俸給の特別調整額でその額が俸給月額に100分の25の支給割合を乗じて

得た額であるもの（これに準ずる額を含む。）の支給を受けていたもの
(5) 施行令別表第1イの表第4号区分の項第10号に規定する内閣総理大臣の定めるもの
平成8年4月以後平成18年3月以前の一般職給与法の医療職俸給表㈠の適用を受けていた者でその属する職務の級が4級であったもののうち、平成8年4月以後平成18年3月以前の一般職給与法第10条の2第1項の規定による俸給の特別調整額でその額が俸給月額に100分の25の支給割合を乗じて得た額であるもの（これに準ずる額を含む。）の支給を受けていたものであり、かつ、平成8年4月以後平成18年3月以前の一般職給与法第19条の4第1項の規定による期末手当でその計算の基礎とされる平成8年4月以後平成13年3月以前の一般職給与法第19条の4第4項又は平成13年4月以後平成18年3月以前の一般職給与法第19条の4第5項に規定する人事院規則で定める割合が100分の20であったもの（これに準ずる手当を含む。）の支給を受ける者であったもの
(6) 施行令別表第1イの表第4号区分の項第21号に規定する内閣総理大臣の定めるもの
別表第1イの表第4号区分の項各号、別表第2イの表第4号区分の項各号、別表第3イの表第4号区分の項、別表第4イの表第4号区分の項、別表第5イの表第4号区分の項、別表第6イの表第4号区分の項各号、別表第6ロの表第4号区分の項各号、別表第7イの表第4号区分の項、別表第8イの表第4号区分の項、別表第9イの表第4号区分の項各号、別表第11イの表第4号区分の項、別表第13イの表第4号区分の項、別表第14イの表第4号区分の項各号及び別表第15イの表第4号区分の項に掲げる者

5 施行令別表第1イの表第5号区分の項各号に規定する内閣総理大臣の定めるものは、次の各号に掲げる区分に応じ、当該各号に定めるものとする。
(1) 施行令別表第1イの表第5号区分の項第7号に規定する内閣総理大臣の定めるもの
平成8年4月以後平成16年10月以前の一般職給与法の教育職俸給表㈠の適用を受けていた者でその属する職務の級が5級であったもののうち、平成8年4月以後平成16年10月以前の一般職給与法第19条の4第1項の規定による期末手当でその計算の基礎とされる平成8年4月以後平成13年3月以前の一般職給与法第19条の4第4項又は平成13年4月以後平成16年10月以前の一般職給与法第19条の4第5項に規定する人事院規則で定める割合が100分の20であったもの（これに準ずる手当を含む。）の支給を受ける者であったもの
(2) 施行令別表第1イの表第5号区分の項第8号に規定する内閣総理大臣の定めるもの
平成16年10月以後平成18年3月以前の一般職給与法の教育職俸給表㈠の適用を受けていた者でその属する職務の級が4級であったもののうち、平成16年10月以後平成18年3月以前の一般職給与法第19条の4第1項の規定による期末手当でその計算の基礎とされる平成16年10月以後平成18年3月以前の一般職給与法第19条の4第5項に規定する人事院規則で定める割合が100分の20であったもの（これに準ずる手当を含む。）の支給を受ける者であったもの
(3) 施行令別表第1イの表第5号区分の項第9号に規定する内閣総理大臣の定めるもの
平成8年4月以後平成18年3月以前の一般職給与法の研究職俸給表の適用を受けていた者でその属する職務の級が5級であったもののうち、平成8年4月以後平成18年3月以前の一般職給与法第10条の2第1項の規定による俸給の特別調整額でその額が俸給月額に100分の20の支給割合を乗じて得た額であるもの（これに準ずる額を含む。）の支給を受けていたもの
(4) 施行令別表第1イの表第5号区分の項第10号に規定する内閣総理大臣の定めるもの
平成8年4月以後平成18年3月以前の一般職給与法の医療職俸給表㈠の適用を受けていた者でその属する職務の級が4級であったもののうち、平成8年4月以後平成18年3月以前の一般職給与法第19条の4第1項の規定による期末手当でその計算の基礎とされる平成8年4月以後平成13年3月以前の一般職給与法第19条の4第4項又は平成13年4月以後平成18年3月以前の一般職給与法第19条の4第5項に規定する人事院規則で定める割合が100分の20であったもの（これに準ずる手当を含む。）の支給を受ける者であったもの
(5) 施行令別表第1イの表第5号区分の項第20号に規定する内閣総理大臣の定めるもの
別表第1イの表第5号区分の項各号、別表第2イの表第5号区分の項各号、別表第3イの表第5号区分の項、別表第4イの表第5号区分の項、別表第5イの表第5号区

分の項、別表第6イの表第5号区分の項各号、別表第6ロの表第5号区分の項各号、別表第7イの表第5号区分の項各号、別表第8イの表第5号区分の項各号、別表第9イの表第5号区分の項各号、別表第10イの表第5号区分の項、別表第11イの表第5号区分の項、別表第13イの表第5号区分の項、別表第14イの表第5号区分の項及び別表第15イの表第5号区分の項に掲げる者

6 施行令別表第1イの表第6号区分の項各号に規定する内閣総理大臣の定めるものは、次の各号に掲げる区分に応じ、当該各号に定めるものとする。
(1) 施行令別表第1イの表第6号区分の項第6号に規定する内閣総理大臣の定めるもの
平成8年4月以後平成18年3月以前の一般職給与法の海事職俸給表㈠の適用を受けていた者でその属する職務の級が6級であったもののうち、平成8年4月以後平成18年3月以前の一般職給与法第10条の2第1項の規定による俸給の特別調整額でその額が俸給月額に100分の20以上の支給割合を乗じて得た額であるもの（これに準ずる額を含む。）の支給を受けていたもの
(2) 施行令別表第1イの表第6号区分の項第9号に規定する内閣総理大臣の定めるもの
平成8年4月以後平成18年3月以前の一般職給与法の研究職俸給表の適用を受けていた者でその属する職務の級が5級であったもののうち、平成8年4月以後平成18年3月以前の一般職給与法第10条の2第1項の規定による俸給の特別調整額でその額が俸給月額に100分の16の支給割合を乗じて得た額であるもの（これに準ずる額を含む。）の支給を受けていたもの
(3) 施行令別表第1イの表第6号区分の項第24号に規定する内閣総理大臣の定めるもの
別表第1イの表第6号区分の項、別表第2イの表第6号区分の項各号、別表第3イの表第6号区分の項、別表第4イの表第6号区分の項、別表第5イの表第6号区分の項、別表第6イの表第6号区分の項各号、別表第6ロの表第6号区分の項各号、別表第7イの表第6号区分の項各号、別表第8イの表第6号区分の項各号、別表第9イの表第6号区分の項各号、別表第10イの表第6号区分の項各号、別表第11イの表第6号区分の項各号、別表第12イの表第6号区分の項、別表第13イの表第6号区分の項、別表第14イの表第6号区分の項各号及び別表第15イの表第6号区分の項に掲げる者

7 施行令別表第1イの表第7号区分の項各号に規定する内閣総理大臣の定めるものは、次の各号に掲げる区分に応じ、当該各号に定めるものとする。
(1) 施行令別表第1イの表第7号区分の項第7号に規定する内閣総理大臣の定めるもの
平成8年4月以後平成16年10月以前の一般職給与法の教育職俸給表㈠の適用を受けていた者でその属する職務の級が4級であったもののうち、平成8年4月以後平成16年10月以前の一般職給与法第19条の4第1項の規定による期末手当でその計算の基礎とされる平成8年4月以後平成13年3月以前の一般職給与法第19条の4第4項又は平成13年4月以後平成16年10月以前の一般職給与法第19条の4第5項に規定する人事院規則で定める割合が100分の15であったもの（これに準ずる手当を含む。）の支給を受ける者であったもの
(2) 施行令別表第1イの表第7号区分の項第8号に規定する内閣総理大臣の定めるもの
平成16年10月以後平成18年3月以前の一般職給与法の教育職俸給表㈠の適用を受けていた者でその属する職務の級が3級であったもののうち、平成16年10月以後平成18年3月以前の一般職給与法第19条の4第1項の規定による期末手当でその計算の基礎とされる平成16年10月以後平成18年3月以前の一般職給与法第19条の4第5項に規定する人事院規則で定める割合が100分の15であったもの（これに準ずる手当を含む。）の支給を受ける者であったもの
(3) 施行令別表第1イの表第7号区分の項第24号に規定する内閣総理大臣の定めるもの
別表第1イの表第7号区分の項、別表第2イの表第7号区分の項各号、別表第3イの表第7号区分の項、別表第4イの表第7号区分の項、別表第5イの表第7号区分の項、別表第6イの表第7号区分の項各号、別表第6ロの表第7号区分の項各号、別表第7イの表第7号区分の項各号、別表第8イの表第7号区分の項各号、別表第9イの表第7号区分の項各号、別表第10イの表第7号区分の項各号、別表第11イの表第7号区分の項各号、別表第12イの表第7号区分の項、別表第13イの表第7号区分の項、別表第14イの表第7号区分の項各号及び別表第15イの表第7号区分の項に掲げる者

8 施行令別表第1イの表第8号区分の項各号に規定する内閣総理大臣の定めるものは、次の各号に掲げる区分に応じ、当該各号に定め

るものとする。
(1) 施行令別表第1イの表第8号区分の項第2号に規定する内閣総理大臣の定めるもの
　　平成8年4月以後平成18年3月以前の一般職給与法の行政職俸給表(一)の適用を受けていた者でその属する職務の級が6級であったもののうち、3人以上の職種の長(平成8年4月1日から平成18年3月31日までの間において適用されていた人事院規則9－8(初任給、昇格、昇給等の基準)の行政職俸給表(二)級別標準職務表に規定する電話交換手の組長、作業船の船長、機関長、甲板長若しくは操機長、一般技能職員の職長、家政職員の主任、車庫長又は守衛長若しくは巡視長(人事院規則が適用される者以外の者でこれらに準ずるものを含む。)であって、これらの職にあることが発令内容等から確認できるものをいう。以下この号において同じ。)(2人の職種の長と当該2人の職種の長の直接指揮監督する者が合わせておおむね10人以上であった場合にあっては、2人の職種の長)を直接指揮監督する職務に従事していた者(その事実が発令内容等から確認できるものに限る。)

(2) 施行令別表第1イの表第8号区分の項第3号に規定する内閣総理大臣の定めるもの
　　平成8年4月以後平成18年3月以前の一般職給与法の専門行政職俸給表の適用を受けていた者でその属する職務の級が3級であったもののうち、平成8年4月以後平成18年3月以前の一般職給与法第10条の2第1項の規定による俸給の特別調整額でその額が俸給月額に100分の10以上の支給割合を乗じて得た額であるもの(これに準ずる額を含む。)の支給を受けていたもの

(3) 施行令別表第1イの表第8号区分の項第14号に規定する内閣総理大臣の定めるもの
　　平成8年4月以後平成18年3月以前の一般職給与法の医療職俸給表(一)の適用を受けていた者でその属する職務の級が2級であったもののうち、平成8年4月以後平成18年3月以前の一般職給与法第10条の2第1項の規定による俸給の特別調整額でその額が俸給月額に100分の10以上の支給割合を乗じて得た額であるもの(これに準ずる額を含む。)の支給を受けていたもの

(4) 施行令別表第1イの表第8号区分の項第15号に規定する内閣総理大臣の定めるもの
　　平成8年4月以後平成18年3月以前の一般職給与法の医療職俸給表(二)の適用を受けていた者でその属する職務の級が5級であったもののうち、平成8年4月以後平成18年3月以前の一般職給与法第10条の2第1項の規定による俸給の特別調整額でその額が俸給月額に100分の12以上の支給割合を乗じて得た額であるもの(これに準ずる額を含む。)の支給を受けていたもの

(5) 施行令別表第1イの表第8号区分の項第17号に規定する内閣総理大臣の定めるもの
　　平成12年1月以後平成18年3月以前の一般職給与法の福祉職俸給表の適用を受けていた者でその属する職務の級が4級であったもののうち、平成12年1月以後平成18年3月以前の一般職給与法第10条の2第1項の規定による俸給の特別調整額でその額が俸給月額に100分の12以上の支給割合を乗じて得た額であるもの(これに準ずる額を含む。)の支給を受けていたもの

(6) 施行令別表第1イの表第8号区分の項第22号に規定する内閣総理大臣の定めるもの
　　平成8年4月以後平成13年1月以前の旧防衛庁給与法の参事官等俸給表の適用を受けていた者でその属する職務の級が1級であったもののうち、同表の1級の欄7号俸の俸給月額以上の俸給月額を受けていたもので、かつ、平成8年4月以後平成13年1月以前の旧防衛庁給与法第18条の2第1項の規定による期末手当でその計算の基礎とされる平成8年4月1日から平成9年12月31日までの間において適用されていた旧防衛庁給与法施行令(防衛庁設置法等の一部を改正する法律の施行に伴う関係政令の整備に関する政令(平成19年政令第3号)第7条の規定による改正前の防衛庁の職員の給与等に関する法律施行令(昭和27年政令第368号)をいう。以下同じ。)第12条の5第2項又は平成10年1月1日から平成13年1月5日までの間において適用されていた旧防衛庁給与法施行令(以下「平成10年1月以後平成13年1月以前の旧防衛庁給与法施行令」という。)第12条の6第2項に規定する割合が100分の9であったものの支給を受ける者であったもの

(7) 施行令別表第1イの表第8号区分の項第23号に規定する内閣総理大臣の定めるもの
　　平成13年1月以後平成18年3月以前の旧防衛庁給与法の防衛参事官等俸給表の適用を受けていた者でその属する職務の級が1級であったもののうち、同表の1級の欄7号俸の俸給月額以上の俸給月額を受けていたもので、かつ、平成13年1月以後平成18

年3月以前の旧防衛庁給与法第18条の2第1項の規定による期末手当でその計算の基礎とされる平成13年1月6日から平成18年3月31日までの間において適用されていた旧防衛庁給与法施行令（以下「平成13年1月以後平成18年3月以前の旧防衛庁給与法施行令」という。）第12条の6第2項に規定する割合が100分の9であったものの支給を受ける者であったもの

(8) 施行令別表第1イの表第8号区分の項第28号に規定する内閣総理大臣の定めるもの
別表第2イの表第8号区分の項各号、別表第3イの表第8号区分の項、別表第4イの表第8号区分の項、別表第5イの表第8号区分の項、別表第6イの表第8号区分の項各号、別表第6ロの表第8号区分の項各号、別表第7イの表第8号区分の項各号、別表第8イの表第8号区分の項各号、別表第9イの表第8号区分の項各号、別表第10イの表第8号区分の項各号、別表第11イの表第8号区分の項各号、別表第12イの表第8号区分の項、別表第13イの表第8号区分の項、別表第14イの表第8号区分の項各号及び別表第15イの表第8号区分の項に掲げる者

9 施行令別表第1イの表第9号区分の項各号に規定する内閣総理大臣の定めるものは、次の各号に掲げる区分に応じ、当該各号に定めるものとする。

(1) 施行令別表第1イの表第9号区分の項第5号に規定する内閣総理大臣の定めるもの
平成8年4月以後平成18年3月以前の一般職給与法の公安職俸給表㈠の適用を受けていた者でその属する職務の級が4級又は5級であったもののうち、皇宮警部補以上の階級にあった期間が156月を超える皇宮護衛官、副看守長以上の階級にあった期間が120月を超える刑務官又は警備士以上の階級にあった期間が24月を超える入国警備官であったもの

(2) 施行令別表第1イの表第9号区分の項第23号に規定する内閣総理大臣の定めるもの
平成8年4月以後平成13年1月以前の旧防衛庁給与法の参事官等俸給表の適用を受けていた者でその属する職務の級が1級であったもののうち、平成8年4月以後平成13年1月以前の旧防衛庁給与法第18条の2第1項の規定による期末手当でその計算の基礎とされる平成8年4月1日から平成9年12月31日までの間において適用されていた旧防衛庁給与法施行令第12条の5第2項又は平成10年1月以後平成13年1月以前の旧防衛庁給与法施行令第12条の6第2項に規定する割合が100分の9であったものの支給を受ける者であったもの

(3) 施行令別表第1イの表第9号区分の項第24号に規定する内閣総理大臣の定めるもの
平成13年1月以後平成18年3月以前の旧防衛庁給与法の防衛参事官等俸給表の適用を受けていた者でその属する職務の級が1級であったもののうち、平成13年1月以後平成18年3月以前の旧防衛庁給与法第18条の2第1項の規定による期末手当でその計算の基礎とされる平成13年1月以後平成18年3月以前の旧防衛庁給与法施行令第12条の6第2項に規定する割合が100分の9であったものの支給を受ける者であったもの

(4) 施行令別表第1イの表第9号区分の項第25号に規定する内閣総理大臣の定めるもの
平成16年10月以後平成18年3月以前の旧防衛庁給与法の自衛隊教官俸給表の適用を受けていた者でその属する職務の級が1級であったもののうち、平成16年10月以後平成18年3月以前の旧防衛庁給与法第18条の2第1項の規定による期末手当でその計算の基礎とされる平成16年10月28日から平成18年3月31日までの間において適用されていた旧防衛庁給与法施行令（以下「平成16年10月以後平成18年3月以前の旧防衛庁給与法施行令」という。）第12条の6第2項に規定する割合が100分の10であったものの支給を受ける者であったもの

(5) 施行令別表第1イの表第9号区分の項第28号に規定する内閣総理大臣の定めるもの
別表第2イの表第9号区分の項各号、別表第3イの表第9号区分の項各号、別表第4イの表第9号区分の項、別表第5イの表第9号区分の項、別表第6イの表第9号区分の項各号、別表第6ロの表第9号区分の項各号、別表第7イの表第9号区分の項各号、別表第9イの表第9号区分の項各号、別表第10イの表第9号区分の項各号、別表第11イの表第9号区分の項各号、別表第12イの表第9号区分の項、別表第13イの表第9号区分の項、別表第14イの表第9号区分の項各号及び別表第15イの表第9号区分の項に掲げる者

10 施行令別表第1イの表第10号区分の項各号に規定する内閣総理大臣の定めるものは、次の各号に掲げる区分に応じ、当該各号に定めるものとする。

(1) 施行令別表第1イの表第10号区分の項第

2号に規定する内閣総理大臣の定めるもの
　平成8年4月以後平成18年3月以前の一般職給与法の行政職俸給表㈡の適用を受けていた者でその属する職務の級が3級であったもののうち、昭和60年6月30日以前に適用されていた一般職給与法（以下「昭和60年6月以前の一般職給与法」という。）の行政職俸給表㈡の適用を受けていた者でその属する職務の等級が2等級以上の等級であった期間を有するもの又は昭和60年7月1日以後適用されている一般職給与法（以下「昭和60年7月以後の一般職給与法」という。）の行政職俸給表㈡の適用を受けていた者でその属する職務の級が3級以上の級であった期間を有するもので、かつ、これらの期間が合わせて120月を超えていたもの
⑵　施行令別表第1イの表第10号区分の項第5号に規定する内閣総理大臣の定めるもの
　平成8年4月以後平成18年3月以前の一般職給与法の公安職俸給表㈠の適用を受けていた者でその属する職務の級が3級であったもののうち、副看守長以上の階級にあった期間が60月を超える刑務官又は警備士補以上の階級にあった期間が60月を超える入国警備官であったもの
⑶　施行令別表第1イの表第10号区分の項第11号に規定する内閣総理大臣の定めるもの
　平成8年4月以後平成16年10月以前の一般職給与法の教育職俸給表㈣の適用を受けていた者でその属する職務の級が2級であったもののうち、平成8年4月以後平成16年10月以前の一般職給与法第10条の2第1項の規定による俸給の特別調整額でその額が俸給月額に100分の12以上の支給割合を乗じて得た額であるもの（これに準ずる額を含む。）の支給を受けていたもの
⑷　施行令別表第1イの表第10号区分の項第12号に規定する内閣総理大臣の定めるもの
　平成16年10月以後平成18年3月以前の一般職給与法の教育職俸給表㈡の適用を受けていた者でその属する職務の級が2級であったもののうち、平成16年10月以後平成18年3月以前の一般職給与法第10条の2第1項の規定による俸給の特別調整額でその額が俸給月額に100分の12以上の支給割合を乗じて得た額であるもの（これに準ずる額を含む。）の支給を受けていたもの
⑸　施行令別表第1イの表第10号区分の項第16号に規定する内閣総理大臣の定めるもの
　平成8年4月以後平成18年3月以前の一般職給与法の医療職俸給表㈢の適用を受けていた者でその属する職務の級が2級であったもののうち、昭和60年6月以前の一般職給与法の医療職俸給表㈢の適用を受けていた者でその属する職務の等級が3等級以上の等級であった期間を有するもの又は昭和60年7月以後の一般職給与法の医療職俸給表㈢の適用を受けていた者でその属する職務の級が2級以上の級であった期間を有するもので、かつ、これらの期間が合わせて360月を超えていたもの
⑹　施行令別表第1イの表第10号区分の項第25号に規定する内閣総理大臣の定めるもの
　平成16年10月以後平成18年3月以前の旧防衛庁給与法の自衛隊教官俸給表の適用を受けていた者でその属する職務の級が1級であったもののうち、平成16年10月以後平成18年3月以前の旧防衛庁給与法第18条の2第1項の規定による期末手当でその計算の基礎とされる平成16年10月以後平成18年3月以前の旧防衛庁給与法施行令第12条の6第2項に規定する割合が100分の5であったものの支給を受ける者であったもの
⑺　施行令別表第1イの表第10号区分の項第28号に規定する内閣総理大臣の定めるもの
　別表第2イの表第10号区分の項各号、別表第3イの表第10号区分の項各号、別表第4イの表第10号区分の項各号、別表第5イの表第10号区分の項各号、別表第6イの表第10号区分の項各号、別表第6ロの表第10号区分の項各号、別表第7イの表第10号区分の項各号、別表第8イの表第10号区分の項各号、別表第9イの表第10号区分の項各号、別表第10イの表第10号区分の項各号、別表第11イの表第10号区分の項各号、別表第12イの表第10号区分の項、別表第13イの表第10号区分の項、別表第14イの表第10号区分の項各号及び別表第15イの表第10号区分の項に掲げる者

11　施行令別表第1ロの表第1号区分の項第9号に規定する内閣総理大臣の定めるものは、別表第1ロの表第1号区分の項各号、別表第2ロの表第1号区分の項各号、別表第9ロの表第1号区分の項及び別表第14ロの表第1号区分の項に掲げる者とする。

12　施行令別表第1ロの表第2号区分の項第12号に規定する内閣総理大臣の定めるものは、別表第1ロの表第2号区分の項各号、別表第2ロの表第2号区分の項各号、別表第3ロの表第2号区分の項、別表第6ハの表第2号区分の項、別表第9ロの表第2号区分の項及び

別表第14ロの表第2号区分の項各号に掲げる者とする。
13 施行令別表第1ロの表第3号区分の項各号に規定する内閣総理大臣の定めるものは、次の各号に掲げる区分に応じ、当該各号に定めるものとする。
 (1) 施行令別表第1ロの表第3号区分の項第15号に規定する内閣総理大臣の定めるもの 平成18年4月以後平成19年1月以前の旧防衛庁給与法の自衛官俸給表の適用を受けていた者で同表の陸将補、海将補及び空将補の㈡欄に掲げる俸給月額を受けていたもののうち、陸将補、海将補又は空将補以上の階級にあった期間が30月を超えていたもの
 (1の2) 施行令別表第1ロの表第3号区分の項第15号の2に規定する内閣総理大臣の定めるもの 平成19年1月以後の防衛省給与法の自衛官俸給表の適用を受けていた者で同表の陸将補、海将補及び空将補の㈡欄に掲げる俸給月額を受けていたもののうち、陸将補、海将補又は空将補以上の階級にあった期間が30月を超えていたもの
 (2) 施行令別表第1ロの表第3号区分の項第16号に規定する内閣総理大臣の定めるもの 別表第1ロの表第3号区分の項各号、別表第2ロの表第3号区分の項各号、別表第3ロの表第3号区分の項各号、別表第4ロの表第3号区分の項、別表第5ロの表第3号区分の項、別表第6ロの表第3号区分の項、別表第7ロの表第3号区分の項各号、別表第14ロの表第3号区分の項及び別表第15ロの表第3号区分の項に掲げる者
14 施行令別表第1ロの表第4号区分の項各号に規定する内閣総理大臣の定めるものは、次の各号に掲げる区分に応じ、当該各号に定めるものとする。
 (1) 施行令別表第1ロの表第4号区分の項第6号に規定する内閣総理大臣の定めるもの 平成18年4月以後の一般職給与法の海事職俸給表㈠の適用を受けていた者でその属する職務の級が7級であったもののうち、俸給の特別調整額の区分が一種の官職を占めていたもの(これに準ずるものを含む。)
 (2) 施行令別表第1ロの表第4号区分の項第7号に規定する内閣総理大臣の定めるもの 平成18年4月以後の一般職給与法の教育職俸給表㈠の適用を受けていた者でその属する職務の級が4級であったもののうち、俸給の特別調整額の区分が一種の官職を占めていたもの(これに準ずるものを含む。)であり、かつ、平成18年4月以後の一般職給与法第19条の4第1項の規定による期末手当でその計算の基礎とされる平成18年4月以後の一般職給与法第19条の4第5項に規定する人事院規則で定める割合が100分の20であったもの(これに準ずる手当を含む。)の支給を受ける者であったもの
 (3) 施行令別表第1ロの表第4号区分の項第8号に規定する内閣総理大臣の定めるもの 平成18年4月以後の一般職給与法の研究職俸給表の適用を受けていた者でその属する職務の級が5級であったもののうち、俸給の特別調整額の区分が一種の官職を占めていたもの(これに準ずるものを含む。)
 (4) 施行令別表第1ロの表第4号区分の項第9号に規定する内閣総理大臣の定めるもの 平成18年4月以後の一般職給与法の医療職俸給表㈠の適用を受けていた者でその属する職務の級が4級であったもののうち、俸給の特別調整額の区分が一種の官職を占めていたもの(これに準ずるものを含む。)であり、かつ、平成18年4月以後の一般職給与法第19条の4第1項の規定による期末手当でその計算の基礎とされる平成18年4月以後の一般職給与法第19条の4第5項に規定する人事院規則で定める割合が100分の20であったもの(これに準ずる手当を含む。)の支給を受ける者であったもの
 (5) 施行令別表第1ロの表第4号区分の項第19号に規定する内閣総理大臣の定めるもの 別表第2ロの表第4号区分の項各号、別表第3ロの表第4号区分の項、別表第4ロの表第4号区分の項、別表第5ロの表第4号区分の項、別表第6ハの表第4号区分の項各号、別表第7ロの表第4号区分の項、別表第8ロの表第4号区分の項各号、別表第9ロの表第4号区分の項各号、別表第11ロの表第4号区分の項、別表第14ロの表第4号区分の項各号及び別表第15ロの表第4号区分の項に掲げる者
15 施行令別表第1ロの表第5号区分の項各号に規定する内閣総理大臣の定めるものは、次の各号に掲げる区分に応じ、当該各号に定めるものとする。
 (1) 施行令別表第1ロの表第5号区分の項第7号に規定する内閣総理大臣の定めるもの 平成18年4月以後の一般職給与法の教育職俸給表㈠の適用を受けていた者でその属する職務の級が4級であったもののうち、平成18年4月以後の一般職給与法第19条の4第1項の規定による期末手当でその計算

の基礎とされる平成18年4月以後の一般職給与法第19条の4第5項に規定する人事院規則で定める割合が100分の20であったもの（これに準ずる手当を含む。）の支給を受ける者であったもの
　(2)　施行令別表第1ロの表第5号区分の項第8号に規定する内閣総理大臣の定めるもの
　　平成18年4月以後の一般職給与法の研究職俸給表の適用を受けていた者でその属する職務の級が5級であったもののうち、俸給の特別調整額の区分が二種の官職を占めていたもの（これに準ずるものを含む。）
　(3)　施行令別表第1ロの表第5号区分の項第9号に規定する内閣総理大臣の定めるもの
　　平成18年4月以後の一般職給与法の医療職俸給表㈠の適用を受けていた者でその属する職務の級が4級であったもののうち、平成18年4月以後の一般職給与法第19条の4第1項の規定による期末手当でその計算の基礎とされる平成18年4月以後の一般職給与法第19条の4第5項に規定する人事院規則で定める割合が100分の20であったもの（これに準ずる手当を含む。）の支給を受ける者であったもの
　(4)　施行令別表第1ロの表第5号区分の項第18号に規定する内閣総理大臣の定めるもの
　　別表第2ロの表第5号区分の項各号、別表第3ロの表第5号区分の項各号、別表第4ロの表第5号区分の項、別表第5ロの表第5号区分の項、別表第6ハの表第5号区分の項各号、別表第7ロの表第5号区分の項各号、別表第8ロの表第5号区分の項各号、別表第9ロの表第5号区分の項各号、別表第10ロの表第5号区分の項、別表第11ロの表第5号区分の項、別表第13ロの表第5号区分の項、別表第14ロの表第5号区分の項、別表第15ロの表第5号区分の項及び別表第16ロの表第5号区分の項に掲げる者
16　施行令別表第1ロの表第6号区分の項各号に規定する内閣総理大臣の定めるものは、次の各号に掲げる区分に応じ、当該各号に定めるものとする。
　(1)　施行令別表第1ロの表第6号区分の項第6号に規定する内閣総理大臣の定めるもの
　　平成18年4月以後の一般職給与法の海事職俸給表㈠の適用を受けていた者でその属する職務の級が6級であったもののうち、俸給の特別調整額の区分が一種又は二種の官職を占めていたもの（これに準ずるものを含む。）
　(2)　施行令別表第1ロの表第6号区分の項第8号に規定する内閣総理大臣の定めるもの
　　平成18年4月以後の一般職給与法の研究職俸給表の適用を受けていた者でその属する職務の級が5級であったもののうち、俸給の特別調整額の区分が三種の官職を占めていたもの（これに準ずるものを含む。）
　(3)　施行令別表第1ロの表第6号区分の項第22号に規定する内閣総理大臣の定めるもの
　　別表第2ロの表第6号区分の項各号、別表第3ロの表第6号区分の項各号、別表第4ロの表第6号区分の項、別表第5ロの表第6号区分の項別表第6ハの表第6号区分の項各号、別表第7ロの表第6号区分の項各号、別表第8ロの表第6号区分の項各号、別表第9ロの表第6号区分の項各号、別表第10ロの表第6号区分の項各号、別表第11ロの表第6号区分の項各号、別表第12ロの表第6号区分の項、別表第13ロの表第6号区分の項、別表第14ロの表第6号区分の項各号、別表第15ロの表第6号区分の項及び別表第16ロの表第6号区分の項各号に掲げる者
17　施行令別表第1ロの表第7号区分の項各号に規定する内閣総理大臣の定めるものは、次の各号に掲げる区分に応じ、当該各号に定めるものとする。
　(1)　施行令別表第1ロの表第7号区分の項第7号に規定する内閣総理大臣の定めるもの
　　平成18年4月以後の一般職給与法の教育職俸給表㈠の適用を受けていた者でその属する職務の級が3級であったもののうち、平成18年4月以後の一般職給与法第19条の4第1項の規定による期末手当でその計算の基礎とされる平成18年4月以後の一般職給与法第19条の4第5項に規定する人事院規則で定める割合が100分の15であったもの（これに準ずる手当を含む。）の支給を受ける者であったもの
　(2)　施行令別表第1ロの表第7号区分の項第22号に規定する内閣総理大臣の定めるもの
　　別表第2ロの表第7号区分の項各号、別表第3ロの表第7号区分の項各号、別表第4ロの表第7号区分の項、別表第5ロの表第7号区分の項、別表第6ハの表第7号区分の項各号、別表第7ロの表第7号区分の項各号、別表第8ロの表第7号区分の項各号、別表第9ロの表第7号区分の項各号、別表第10ロの表第7号区分の項各号、別表第11ロの表第7号区分の項各号、別表第12ロの表第7号区分の項、別表第13ロの表第7号区分の項、別表第14ロの表第7号区分

の項各号、別表第15ロの表第7号区分の項及び別表第16の表第7号区分の項各号に掲げる者
18 施行令別表第1ロの表第8号区分の項各号に規定する内閣総理大臣の定めるものは、次の各号に掲げる区分に応じ、当該各号に定めるものとする。
  (1) 施行令別表第1ロの表第8号区分の項第2号に規定する内閣総理大臣の定めるもの
    平成18年4月以後の一般職給与法の行政職俸給表㈡の適用を受けていた者でその属する職務の級が5級であったもののうち、3人以上の職種の長（平成18年4月1日以後適用されている人事院規則9-8（初任給、昇格、昇給等の基準）の行政職俸給表㈡級別標準職務表に規定する電話交換手の組長、作業船の船長、機関長、甲板長若しくは操機長、一般技能職員の職長、家政職員の主任、車庫長又は守衛長若しくは巡視長（人事院規則が適用される者以外の者でこれらに準ずるものを含む。）であって、これらの職にあることが発令内容等から確認できるものをいう。以下この号において同じ。）（2人の職種の長と当該2人の職種の長の直接指揮監督する者が合わせておおむね10人以上であった場合にあっては、2人の職種の長）を直接指揮監督する職務に従事していた者（その事実が発令内容等から確認できるものに限る。）
  (2) 施行令別表第1ロの表第8号区分の項第3号に規定する内閣総理大臣の定めるもの
    平成18年4月以後の一般職給与法の専門行政職俸給表の適用を受けていた者でその属する職務の級が3級であったもののうち、俸給の特別調整額の区分が五種又は五種より高い区分の官職を占めていたもの（これに準ずるものを含む。）
  (3) 施行令別表第1ロの表第8号区分の項第12号に規定する内閣総理大臣の定めるもの
    平成18年4月以後の一般職給与法の医療職俸給表㈠の適用を受けていた者でその属する職務の級が2級であったもののうち、俸給の特別調整額の区分が五種又は五種より高い区分の官職を占めていたもの（これに準ずるものを含む。）
  (4) 施行令別表第1ロの表第8号区分の項第13号に規定する内閣総理大臣の定めるもの
    平成18年4月以後の一般職給与法の医療職俸給表㈡の適用を受けていた者でその属する職務の級が5級であったもののうち、俸給の特別調整額の区分が四種又は四種より高い区分の官職を占めていたもの（これに準ずるものを含む。）
  (5) 施行令別表第1ロの表第8号区分の項第15号に規定する内閣総理大臣の定めるもの
    平成18年4月以後の一般職給与法の福祉職俸給表の適用を受けていた者でその属する職務の級が4級であったもののうち、俸給の特別調整額の区分が四種又は四種より高い区分の官職を占めていたもの（これに準ずるものを含む。）
  (6) 施行令別表第1ロの表第8号区分の項第20号に規定する内閣総理大臣の定めるもの
    平成18年4月以後同年7月以前の旧防衛庁給与法の防衛参事官等俸給表の適用を受けていた者でその属する職務の級が1級であったもののうち、同表の1級の欄7号俸の俸給月額以上の俸給月額を受けていたもので、かつ、平成18年4月以後同年7月以前の旧防衛庁給与法第18条の2第1項の規定による期末手当でその計算の基礎とされる平成18年4月1日から同年7月30日までの間において適用されていた旧防衛庁給与法施行令（以下「平成18年4月以後同年7月以前の旧防衛庁給与法施行令」という。）第12条の6第2項に規定する割合が100分の9であったものの支給を受ける者であったもの
  (7) 施行令別表第1ロの表第8号区分の項第25号に規定する内閣総理大臣の定めるもの
    別表第2ロの表第8号区分の項各号、別表第3ロの表第8号区分の項各号、別表第4ロの表第8号区分の項、別表第5ロの表第8号区分の項、別表第6ハの表第8号区分の項各号、別表第7ロの表第8号区分の項各号、別表第8ロの表第8号区分の項各号、別表第9ロの表第8号区分の項各号、別表第10ロの表第8号区分の項各号、別表第11ロの表第8号区分の項各号、別表第12ロの表第8号区分の項、別表第13ロの表第8号区分の項、別表第14ロの表第8号区分の項各号、別表第15ロの表第8号区分の項及び別表第16ロの表第8号区分の項各号に掲げる者
19 施行令別表第1ロの表第9号区分の項各号に規定する内閣総理大臣の定めるものは、次の各号に掲げる区分に応じ、当該各号に定めるものとする。
  (1) 施行令別表第1ロの表第9号区分の項第5号に規定する内閣総理大臣の定めるもの
    平成18年4月以後の一般職給与法の公安職俸給表㈠の適用を受けていた者でその属

する職務の級が4級であったもののうち、皇宮警部補以上の階級にあった期間が156月を超える皇宮護衛官、副看守長以上の階級にあった期間が120月を超える刑務官又は警備士以上の階級にあった期間が24月を超える入国警備官であったもの
(2) 施行令別表第1ロの表第9号区分の項第21号に規定する内閣総理大臣の定めるもの　平成18年4月以後同年7月以前の旧防衛庁給与法の防衛参事官等俸給表の適用を受けていた者でその属する職務の級が1級であったもののうち、平成18年4月以後同年7月以前の旧防衛庁給与法第18条の2第1項の規定による期末手当でその計算の基礎とされる平成18年4月以後同年7月以前の旧防衛庁給与法施行令第12条の6第2項に規定する割合が100分の9であったものの支給を受ける者であったもの
(3) 施行令別表第1ロの表第9号区分の項第22号に規定する内閣総理大臣の定めるもの　平成18年4月以後平成19年1月以前の旧防衛庁給与法の自衛隊教官俸給表の適用を受けていた者でその属する職務の級が1級であったもののうち、平成18年4月以後平成19年1月以前の旧防衛庁給与法第18条の2第1項の規定による期末手当でその計算の基礎とされる平成18年4月1日から平成19年1月8日までの間において適用されていた旧防衛庁給与法施行令（以下「平成18年4月以後平成19年1月以前の旧防衛庁給与法施行令」という。）第12条の6第2項に規定する割合が100分の10であったものの支給を受ける者であったもの
(3の2) 施行令別表第1ロの表第9号区分の項第22号の2に規定する内閣総理大臣の定めるもの　平成19年1月以後の防衛省給与法の自衛隊教官俸給表の適用を受けていた者でその属する職務の級が1級であったもののうち、平成19年1月以後の防衛省給与法第18条の2第1項の規定による期末手当でその計算の基礎とされる平成19年1月9日以後適用されている防衛省の職員の給与等に関する法律施行令（昭和27年政令第368号。以下「平成19年1月以後の防衛省給与法施行令」という。）第12条の6第2項に規定する割合が100分の10であったものの支給を受ける者であったもの
(4) 施行令別表第1ロの表第9号区分の項第25号に規定する内閣総理大臣の定めるもの　別表第2ロの表第9号区分の項各号、別表第3ロの表第9号区分の項各号、別表第4ロの表第9号区分の項、別表第5ロの表第9号区分の項、別表第6ハの表第9号区分の項各号、別表第7ロの表第9号区分の項各号、別表第9ロの表第9号区分の項各号、別表第10ロの表第9号区分の項各号、別表第11ロの表第9号区分の項各号、別表第12ロの表第9号区分の項、別表第13ロの表第9号区分の項、別表第14ロの表第9号区分の項各号、別表第15ロの表第9号区分の項及び別表第16の表第9号区分の項各号に掲げる者
20　施行令別表第1ロの表第10号区分の項各号に規定する内閣総理大臣の定めるものは、次の各号に掲げる区分に応じ、当該各号に定めるものとする。
(1) 施行令別表第1ロの表第10号区分の項第2号に規定する内閣総理大臣の定めるもの　平成18年4月以後の一般職給与法の行政職俸給表㈡の適用を受けていた者でその属する職務の級が3級であったもののうち、昭和60年6月以前の一般職給与法の行政職俸給表㈡の適用を受けていた者でその属する職務の等級が2等級以上の等級であった期間を有するもの又は昭和60年7月以後の一般職給与法の行政職俸給表㈡の適用を受けていた者でその属する職務の級が3級以上の級であった期間を有するもので、かつ、これらの期間が合わせて120月を超えていたもの
(2) 施行令別表第1ロの表第10号区分の項第5号に規定する内閣総理大臣の定めるもの　平成18年4月以後の一般職給与法の公安職俸給表㈠の適用を受けていた者でその属する職務の級が3級であったもののうち、副看守長以上の階級にあった期間が60月を超える刑務官又は警備士補以上の階級にあった期間が60月を超える入国警備官であったもの
(3) 施行令別表第1ロの表第10号区分の項第10号に規定する内閣総理大臣の定めるもの　平成18年4月以後の一般職給与法の教育職俸給表㈡の適用を受けていた者でその属する職務の級が2級であったもののうち、俸給の特別調整額の区分が四種又は四種より高い区分の官職を占めていたもの（これに準ずるものを含む。）
(4) 施行令別表第1ロの表第10号区分の項第14号に規定する内閣総理大臣の定めるもの　平成18年4月以後の一般職給与法の医療職俸給表㈢の適用を受けていた者でその属する職務の級が2級であったもののうち、

昭和60年6月以前の一般職給与法の医療職俸給表㈢の適用を受けていた者でその属する職務の等級が3等級以上の等級であった期間を有するもの又は昭和60年7月以後の一般職給与法の医療職俸給表㈢の適用を受けていた者でその属する職務の級が2級以上の級であった期間を有するもので、かつ、これらの期間が合わせて360月を超えていたもの
(5) 施行令別表第1ロの表第10号区分の項第22号に規定する内閣総理大臣の定めるもの
　　平成18年4月以後平成19年1月以前の旧防衛庁給与法の自衛隊教官俸給表の適用を受けていた者でその属する職務の級が1級であったもののうち、平成18年4月以後平成19年1月以前の旧防衛庁給与法第18条の2第1項の規定による期末手当でその計算の基礎とされる平成18年4月以後平成19年1月以前の旧防衛庁給与法施行令第12条の6第2項に規定する割合が100分の5であったものの支給を受ける者であったもの
(5の2) 施行令別表第1ロの表第10号区分の項第22号の2に規定する内閣総理大臣の定めるもの　平成19年1月以後の防衛省給与法の自衛隊教官俸給表の適用を受けていた者でその属する職務の級が1級であったもののうち、平成19年1月以後の防衛省給与法第18条の2第1項の規定による期末手当でその計算の基礎とされる平成19年1月以後の防衛省給与法施行令第12条の6第2項に規定する割合が100分の5であったものの支給を受ける者であったもの
(6) 施行令別表第1ロの表第10号区分の項第25号に規定する内閣総理大臣の定めるもの　別表第2ロの表第10号区分の項各号、別表第3ロの表第10号区分の項各号、別表第4ロの表第10号区分の項、別表第5ロの表第10号区分の項各号、別表第6ハの表第10号区分の項各号、別表第7ロの表第10号区分の項各号、別表第8ロの表第10号区分の項各号、別表第9ロの表第10号区分の項各号、別表第10ロの表第10号区分の項各号、別表第11ロの表第10号区分の項各号、別表第12ロの表第10号区分の項、別表第13ロの表第10号区分の項、別表第14ロの表第10号区分の項各号、別表第15ロの表第10号区分の項及び別表第16ロの表第10号区分の項に掲げる者

第四　国家公務員退職手当法の一部を改正する法律の施行に伴う経過措置に関する政令第2条関係
　国家公務員退職手当法の一部を改正する法律の施行に伴う経過措置に関する政令（以下「経過措置令」という。）第2条に規定する俸給月額は、退職した者で国家公務員退職手当法の一部を改正する法律（平成17年法律第115号）附則第3条第2項第8号及び第9号並びに経過措置令第1条の2第1項第2号に掲げる者であったものが第二の第1項及び第2項の規定により同法の施行の日の前日を含む特定基礎在職期間においてこれらの項の各号に定める職員として在職していたものとみなされる場合に当該特定基礎在職期間においてその者に適用されることとなる初任給の決定、昇格、昇給等に関する規定の例により計算した場合にその者が同日において受けるべき俸給月額とする。

　　　附　則
　施行令別表第1ロの表第10号区分の項各号に規定する内閣総理大臣の定めるものは、第三第20項各号に定めるもののほか、当分の間、次の各号に掲げる区分に応じ、当該各号に定めるものとする。
　(1) 施行令別表第1ロの表第10号区分の項第2号に規定する内閣総理大臣の定めるもの　平成18年4月以後の一般職給与法の行政職俸給表㈠の適用を受けていた者でその属する職務の級が3級であったもののうち、国立ハンセン病療養所に勤務する看護助手（総看護師長室に勤務する看護助手を除く。）であったもの（その事実が発令内容等から確認できるものに限る。）
　(2) 施行令別表第1ロの表第10号区分の項第14号に規定する内閣総理大臣の定めるもの　平成18年4月以後の一般職給与法の医療職俸給表㈢の適用を受けていた者でその属する職務の級が2級であったもののうち、国立ハンセン病療養所に勤務する看護師（総看護師長室に勤務する看護師を除く。）であったもの（その事実が発令内容等から確認できるものに限る。）
　(3) 施行令別表第1ロの表第10号区分の項第25号に規定する内閣総理大臣の定めるもの　平成18年4月以後の一般職給与法の行政職俸給表㈡の適用を受けていた者でその属する職務の級が2級であったもののうち、国立ハンセン病療養所に勤務する看護助手（総看護師長室に勤務する看護助手を除く。）であったもの（その事実が発令内容等から確認できるものに限る。）又は平成18年4月以後の一般職給与法の医療職俸給表㈢の適用を受けていた者でその属する職

務の級が1級であったもののうち、国立ハンセン病療養所に勤務する准看護師（総看護師長室に勤務する准看護師を除く。）であったもの（その事実が発令内容等から確認できるものに限る。）

別表第一 特別の事情による俸給月額を受けていた者等であった基礎在職期間における職員の区分についての表（第三関係）

イ　平成8年4月1日から平成18年3月31日までの間の基礎在職期間における職員の区分についての表

第1号区分	(1) 平成8年4月以後平成18年3月以前の裁判官報酬法第15条の規定の適用を受けていた判事であったもの (2) 平成8年4月以後平成18年3月以前の特別職給与法第3条第2項の規定の適用を受けていた者 (3) 平成8年4月以後平成18年3月以前の特別職給与法第3条第3項の規定の適用を受けていた者で平成8年4月以後平成18年3月以前の一般職給与法の指定職俸給表9号俸の俸給月額に相当する額以上の俸給月額を受けていたもの (4) 平成8年4月以後平成18年3月以前の特別職給与法第4条第2項の規定の適用を受けていた者 (5) 平成17年4月1日から平成18年3月31日までの間において適用されていた特別職の職員の給与に関する法律等の一部を改正する法律（平成16年法律第146号）附則第2項又は第3項（以下「平成16年特別職給与法第146号附則」という。）の規定の適用を受けていた者 (6) 平成9年6月以後平成18年3月以前の任期付研究員法第6条第4項の規定の適用を受けていた者で平成9年6月4日から平成18年3月31日までの間において適用されていた一般職給与法（以下「平成9年6月以後平成18年3月以前の一般職給与法」という。）の指定職俸給表9号俸の俸給月額に相当する額以上の俸給月額を受けていたもの (7) 平成12年11月以後平成18年3月以前の任期付職員法第7条第3項の規定の適用を受けていた者で平成12年11月27日から平成18年3月31日までの間において適用されていた一般職給与法（以下「平成12年11月以後平成18年3月以前の一般職給与法」という。）の指定職

	俸給表9号俸の俸給月額に相当する額以上の俸給月額を受けていたもの (8) 平成14年4月1日から平成18年3月31日までの間において適用されていた二千五年日本国際博覧会政府代表の設置に関する臨時措置法（平成14年法律第19号）第6条の規定の適用を受けていた者		9号俸の俸給月額に満たない俸給月額を受けていたもの (6) 平成12年11月以後平成18年3月以前の任期付職員法第7条第3項の規定の適用を受けていた者で平成12年11月以後平成18年3月以前の一般職給与法の指定職俸給表9号俸の俸給月額に相当する額に満たない俸給月額を受けていたもの
第2号区分	(1) 平成8年4月以後平成18年3月以前の裁判官報酬法第15条の規定の適用を受けていた簡易裁判所判事であったもの (2) 平成8年4月以後平成18年3月以前の特別職給与法第3条第3項の規定の適用を受けていた者で平成8年4月以後平成18年3月以前の一般職給与法の指定職俸給表9号俸の俸給月額に相当する額に満たない俸給月額を受けていたもの (3) 平成8年4月1日から平成14年11月30日までの間において適用されていた特別職給与法（以下「平成8年4月以後平成14年11月以前の特別職給与法」という。）附則第3項の規定の適用を受けていた者で平成8年4月1日から平成14年11月30日までの間において適用されていた一般職給与法（以下「平成8年4月以後平成14年11月以前の一般職給与法」という。）の指定職俸給表4号俸の俸給月額に相当する額以上の俸給月額を受けていたもの (4) 平成14年12月以後平成18年3月以前の特別職給与法附則第3項の規定の適用を受けていた者で平成14年12月1日から平成18年3月31日までの間において適用されていた一般職給与法（以下「平成14年12月以後平成18年3月以前の一般職給与法」という。）の指定職俸給表4号俸の俸給月額に相当する額以上の俸給月額を受けていたもの (5) 平成9年6月以後平成18年3月以前の任期付研究員法第6条第4項の規定の適用を受けていた者で平成9年6月以後平成18年3月以前の一般職給与法の指定職俸給表	第3号区分	(1) 平成8年4月以後平成18年3月以前の検察官俸給法第9条の規定の適用を受けていた者 (2) 平成8年4月以後平成14年11月以前の特別職給与法附則第3項の規定の適用を受けていた者で平成8年4月以後平成14年11月以前の一般職給与法の指定職俸給表4号俸の俸給月額に相当する額に満たない俸給月額を受けていたもの（平成8年4月以後平成14年11月以前の特別職給与法別表第3に掲げる8号俸の俸給月額にその額と同表に掲げる7号俸の俸給月額との差額の3倍に相当する額を超え8倍に相当する額を超えない範囲内の額を加えた額の俸給月額を受けていたものに限る。） (3) 平成14年12月以後平成18年3月以前の特別職給与法附則第3項の規定の適用を受けていた者で平成14年12月以後平成18年3月以前の一般職給与法の指定職俸給表4号俸の俸給月額に相当する額に満たない俸給月額を受けていたもの
		第4号区分	(1) 平成8年4月以後平成14年11月以前の特別職給与法第3条第5項又は附則第3項の規定の適用を受けていた者で平成8年4月以後平成14年11月以前の特別職給与法別表第3に掲げる8号俸の俸給月額にその額と同表に掲げる7号俸の俸給月額との差額の2倍又は3倍に相当する額を加えた額の俸給月額を受けていたもの (2) 平成8年4月以後平成16年10月以前の一般職給与法の教育職俸給表四の適用を受けていた者でその属する職務の級が5級であったもの

第5号区分	(1) 平成8年4月以後平成14年11月以前の特別職給与法第3条第5項又は附則第3項の規定の適用を受けていた者で平成8年4月以後平成14年11月以前の特別職給与法別表第3に掲げる8号俸の俸給月額にその額と同表に掲げる7号俸の俸給月額との差額を加えた額の俸給月額を受けていたもの (2) 平成8年4月以後平成16年10月以前の一般職給与法の教育職俸給表(四)の適用を受けていた者でその属する職務の級が4級であったもののうち、平成8年4月以後平成16年10月以前の一般職給与法第19条の4第1項の規定による期末手当でその計算の基礎とされる平成8年4月以後平成13年3月以前の一般職給与法第19条の4第4項又は平成13年4月以後平成16年10月以前の一般職給与法第19条の4第5項に規定する人事院規則で定める割合が100分の20であったもの（これに準ずる手当を含む。）の支給を受ける者であったもの
第6号区分	平成8年4月以後平成16年10月以前の一般職給与法の教育職俸給表(四)の適用を受けていた者でその属する職務の級が4級であったもの（その者の職務が教授であり、かつ、学科の長（これに準ずる者を含む。）であったものに限る。）のうち、平成8年4月以後平成16年10月以前の一般職給与法第19条の4第1項の規定による期末手当でその計算の基礎とされる平成8年4月以後平成13年3月以前の一般職給与法第19条の4第4項又は平成13年4月以後平成16年10月以前の一般職給与法第19条の4第5項に規定する人事院規則で定める割合が100分の15であったもの（これに準ずる手当を含む。）の支給を受ける者であったもの
第7号区分	平成8年4月以後平成16年10月以前の一般職給与法の教育職俸給表(四)の適用を受けていた者でその属する職務の級が4級であったもの（第5号区分の項第2号及び第6号区分の項に掲げる者を除く。）

ロ　平成18年4月1日以後の基礎在職期間における職員の区分についての表

第1号区分	(1) 平成18年4月1日以後適用されている裁判官の報酬等に関する法律の一部を改正する法律（平成17年法律第116号）附則第2条第1項の規定の適用を受けていた者 (2) 平成18年4月以後の特別職給与法第3条第2項の規定の適用を受けていた者 (3) 平成18年4月以後の特別職給与法第3条第3項の規定の適用を受けていた者で平成18年4月以後の一般職給与法の指定職俸給表6号俸の俸給月額に相当する額以上の俸給月額を受けていたもの (4) 平成18年4月以後適用されている特別職給与法第4条第2項の規定の適用を受けていた者 (5) 平成18年4月1日以後適用されている平成16年特別職給与法第146号附則の規定の適用を受けていた者 (6) 平成18年4月以後の任期付研究員法第6条第4項の規定の適用を受けていた者で平成18年4月以後の一般職給与法の指定職俸給表6号俸の俸給月額に相当する額以上の俸給月額を受けていたもの (7) 平成18年4月以後の任期付職員法第7条第3項の規定の適用を受けていた者で平成18年4月以後の一般職給与法の指定職俸給表6号俸の俸給月額に相当する額以上の俸給月額を受けていたもの (8) 平成18年4月1日以後適用されている二千五年日本国際博覧会政府代表の設置に関する臨時措置法第6条の規定の適用を受けていた者
第2号区分	(1) 平成18年4月以後の裁判官報酬法第15条の規定の適用を受けていた簡易裁判所判事 (2) 平成18年4月以後の特別職給与法第3条第3項の規定の適用を受けていた者で平成18年4月以後の一般職給与法の指定職俸給表6号俸の俸給月額に相当する額に満たない俸給月額を受けていたもの (3) 平成18年4月以後の特別職給与法附則第3項の規定の適用を受け

	ていた者で平成18年4月以後の一般職給与法の指定職俸給表1号俸の俸給月額に相当する額以上の俸給月額を受けていたもの
	(4) 平成18年4月以後の任期付研究員法第6条第4項の規定の適用を受けていた者で平成18年4月以後の一般職給与法の指定職俸給表6号俸の俸給月額に満たない俸給月額を受けていたもの
	(5) 平成18年4月以後の任期付職員法第7条第3項の規定の適用を受けていた者で平成18年4月以後の一般職給与法の指定職俸給表6号俸の俸給月額に相当する額に満たない俸給月額を受けていたもの
第3号区分	(1) 平成18年4月以後の検察官俸給法第9条の規定の適用を受けていた者
	(2) 平成18年4月以後の特別職給与法附則第3項の規定の適用を受けていた者で平成18年4月以後の一般職給与法の指定職俸給表1号俸の俸給月額に相当する額に満たない俸給月額を受けていたもの

別表第2 国会職員であった基礎在職期間における職員の区分についての表（第三関係）
 イ 平成8年4月1日から平成18年3月31日までの間の基礎在職期間における職員の区分についての表

第1号区分	(1) 平成8年4月1日から平成18年3月31日までの間において適用されていた国会職員給与規程（以下「平成8年4月以後平成18年3月以前の国会職員給与規程」という。）の特別給料表の適用を受けていた者で同表各議院事務局の常任委員会専門員及び国立国会図書館の専門調査員の項3号給の給料月額以上の給料月額を受けていたもの
	(2) 平成8年4月以後平成18年3月以前の国会職員給与規程の指定職給料表の適用を受けていた者で同表9号給の給料月額以上の給料月額を受けていたもの
第2号区分	(1) 平成8年4月以後平成18年3月以前の国会職員給与規程の特別給料表各議院事務局の常任委員会専門員及び国立国会図書館の専門調査員の項の適用を受けていた者で同項1号給又は2号給の給料月額を受けていたもの
	(2) 平成8年4月以後平成18年3月以前の国会職員給与規程の指定職給料表の適用を受けていた者で同表4号給から8号給までの給料月額を受けていたもの
第3号区分	平成8年4月以後平成18年3月以前の国会職員給与規程の指定職給料表の適用を受けていた者で同表1号給から3号給までの給料月額を受けていたもの
第4号区分	(1) 平成8年4月1日から平成14年11月30日までの間において適用されていた国会職員給与規程（以下「平成8年4月以後平成14年11月以前の国会職員給与規程」という。）第1条第13項の適用を受けていた者で平成8年4月以後平成14年11月以前の国会職員給与規程の特別給料表各議院事務局の議長又は副議長の秘書事務をつかさどる参事の項に掲げる8号給の給料月額にその額と同項に掲げる7号給の給料月額との差額の2倍又は3倍に相当する額を加えた額の給料月額を受けていたもの
	(2) 平成14年12月1日から平成18年3月31日までの間において適用されていた国会職員給与規程（以下「平成14年12月以後平成18年3月以前の国会職員給与規程」という。）の特別給料表各議院事務局の議長又は副議長の秘書事務をつかさどる参事の項の適用を受けていた者で同表10号給又は11号給の給料月額を受けていたもの
	(3) 平成8年4月以後平成18年3月以前の国会職員給与規程の行政職給料表㈠の適用を受けていた者でその属する職務の級が11級であったもの
第5号区分	(1) 平成8年4月以後平成14年11月以前の国会職員給与規程第1条第13項の適用を受けていた者で平成8年4月以後平成14年11月以前の国会職員給与規程の特別給料表各

		議院事務局の議長又は副議長の秘書事務をつかさどる参事の項に掲げる8号給の給料月額にその額と同項に掲げる7号給の給料月額との差額を加えた額の給料月額を受けていたもの (2) 平成14年12月以後平成18年3月以前の国会職員給与規程の特別給料表各議院事務局の議長又は副議長の秘書事務をつかさどる参事の項の適用を受けていた者で同項9号給の給料月額を受けていたもの (3) 平成8年4月以後平成18年3月以前の国会職員給与規程の行政職給料表㈠の適用を受けていた者でその属する職務の級が10級であったもの	第8号区分	あったもの (1) 平成8年4月以後平成18年3月以前の国会職員給与規程の行政職給料表㈠の適用を受けていた者でその属する職務の級が7級であったもの (2) 平成8年4月以後平成18年3月以前の国会職員給与規程の速記職給料表の適用を受けていた者でその属する職務の級が7級であったもの (3) 平成8年4月以後平成18年3月以前の国会職員給与規程の議院警察職給料表の適用を受けていた者でその属する職務の級が6級であったもの
第6号区分	(1) 平成8年4月以後平成18年3月以前の国会職員給与規程の特別給料表各議院事務局の議長又は副議長の秘書事務をつかさどる参事の項の適用を受けていた者で同項5号給から8号給までの給料月額を受けていたもの (2) 平成8年4月以後平成18年3月以前の国会職員給与規程の行政職給料表㈠の適用を受けていた者でその属する職務の級が9級であったもの		第9号区分	(1) 平成8年4月以後平成18年3月以前の国会職員給与規程の特別給料表各議院事務局の議長又は副議長の秘書事務をつかさどる参事の項の適用を受けていた者で同項2号給の給料月額を受けていたもの (2) 平成8年4月以後平成18年3月以前の国会職員給与規程の行政職給料表㈠の適用を受けていた者でその属する職務の級が6級であったもの (3) 平成8年4月以後平成18年3月以前の国会職員給与規程の行政職給料表㈡の適用を受けていた者でその属する職務の級が6級であったもの (4) 平成8年4月以後平成18年3月以前の国会職員給与規程の速記職給料表の適用を受けていた者でその属する職務の級が6級であったもの (5) 平成8年4月以後平成18年3月以前の国会職員給与規程の議院警察職給料表の適用を受けていた者でその属する職務の級が5級であったもの
第7号区分	(1) 平成8年4月以後平成18年3月以前の国会職員給与規程の特別給料表各議院事務局の議長又は副議長の秘書事務をつかさどる参事の項の適用を受けていた者で同項3号給又は4号給の給料月額を受けていたもの (2) 平成8年4月以後平成18年3月以前の国会職員給与規程の行政職給料表㈠の適用を受けていた者でその属する職務の級が8級であったもの (3) 平成8年4月以後平成18年3月以前の国会職員給与規程の速記職給料表の適用を受けていた者でその属する職務の級が8級であったもの (4) 平成8年4月以後平成18年3月以前の国会職員給与規程の議院警察職給料表の適用を受けていた者でその属する職務の級が7級で		第10号区分	(1) 平成8年4月以後平成18年3月以前の国会職員給与規程の特別給料表各議院事務局の議長又は副議長の秘書事務をつかさどる参事の項の適用を受けていた者で同項1号給の給料月額を受けていたもの (2) 平成8年4月以後平成18年3月

	以前の国会職員給与規程の行政職給料表㈠の適用を受けていた者でその属する職務の級が4級又は5級であったもの (3) 平成8年4月以後平成18年3月以前の国会職員給与規程の行政職給料表㈡の適用を受けていた者でその属する職務の級が3級であったもののうち、昭和60年6月30日以前に適用されていた国会職員給与規程（以下「昭和60年6月以前の国会職員給与規程」という。）の行政職給料表㈡の適用を受けていた者でその属する職務の等級が2等級以上の等級であった期間を有するもの若しくは昭和60年7月1日以後適用されている国会職員給与規程（以下「昭和60年7月以後の国会職員給与規程」という。）の行政職給料表㈡の適用を受けていた者でその属する職務の級が3級以上の級であった期間を有するもので、かつ、これらの期間が合わせて120月を超えていたもの又は4級若しくは5級であったもの (4) 平成8年4月以後平成18年3月以前の国会職員給与規程の速記職給料表の適用を受けていた者でその属する職務の級が4級又は5級であったもの (5) 平成8年4月以後平成18年3月以前の国会職員給与規程の議院警察職給料表の適用を受けていた者でその属する職務の級が3級又は4級であったもの

ロ　平成18年4月1日以後の基礎在職期間における職員の区分についての表

第1号区分	(1) 平成18年4月1日以後適用されている国会職員給与規程（以下「平成18年4月以後の国会職員給与規程」という。）の特別給料表の適用を受けていた者で同表各議院事務局の常任委員会専門員及び国立国会図書館の専門調査員の項3号給の給料月額以上の給料月額を受けていたもの (2) 平成18年4月以後の国会職員給与規程の指定職給料表の適用を受けていた者で同表6号給の給料月額以上の給料月額を受けていたもの (3) 平成20年4月1日以後適用されている特定任期付職員の給与の特例に関する規程（以下「平成20年4月以後の特定任期付職員給与特例規程」という。）第2条第3項の適用を受けていた者で平成18年4月以後の国会職員給与規程の指定職給料表6号給の給料月額に相当する額以上の給料月額を受けていたもの
第2号区分	(1) 平成18年4月以後の国会職員給与規程の特別給料表各議院事務局の常任委員会専門員及び国立国会図書館の専門調査員の項の適用を受けていた者で同項1号給又は2号給の給料月額を受けていたもの (2) 平成18年4月以後の国会職員給与規程の指定職給料表の適用を受けていた者で同表1号給から5号給までの給料月額を受けていたもの (3) 平成20年4月以後の特定任期付職員給与特例規程第2条第1項の給料表の適用を受けていた者で同表7号給の給料月額を受けていたもの (4) 平成20年4月以後の特定任期付職員給与特例規程第2条第3項の適用を受けていた者で平成18年4月以後の国会職員給与規程の指定職給料表6号給の給料月額に相当する額に満たない給料月額を受けていたもの
第3号区分	(1) 平成18年4月以後の国会職員給与規程の特別給料表各議院事務局の議長又は副議長の秘書事務をつかさどる参事の項の適用を受けていた者で同項12号給の給料月額を受けていたもの (2) 平成18年4月以後の国会職員給与規程の行政職給料表㈠の適用を受けていた者でその属する職務の級が10級であったもの
第4号区分	(1) 平成18年4月以後の国会職員給与規程の特別給料表各議院事務局の議長又は副議長の秘書事務をつかさどる参事の項の適用を受けて

			いた者で同項10号給又は11号給の給料月額を受けていたもの (2)　平成18年４月以後の国会議員給与規程の行政職給料表㈠の適用を受けていた者でその属する職務の級が９級であったもの (3)　平成20年４月以後の特定任期付職員給与特例規程第２条第１項の給料表の適用を受けていた者で同表６号給の給料月額を受けていたもの
第５号区分	(1)　平成18年４月以後の国会職員給与規程の特別給料表各議院事務局の議長又は副議長の秘書事務をつかさどる参事の項の適用を受けていた者で同項９号給の給料月額を受けていたもの (2)　平成18年４月以後の国会職員給与規程の行政職給料表㈠の適用を受けていた者でその属する職務の級が８級であったもの (3)　平成20年４月以後の特定任期付職員給与特例規程第２条第１項の給料表の適用を受けていた者で同表５号給の給料月額を受けていたもの		
第６号区分	(1)　平成18年４月以後の国会職員給与規程の特別給料表各議院事務局の議長又は副議長の秘書事務をつかさどる参事の項の適用を受けていた者で同項５号給から８号給までの給料月額を受けていたもの (2)　平成18年４月以後の国会職員給与規程の行政職給料表㈠の適用を受けていた者でその属する職務の級が７級であったもの (3)　平成20年４月以後の特定任期付職員給与特例規程第２条第１項の給料表の適用を受けていた者で同表４号給の給料月額を受けていたもの		
第７号区分	(1)　平成18年４月以後の国会職員給与規程の特別給料表各議院事務局の議長又は副議長の秘書事務をつかさどる参事の項の適用を受けていた者で同項３号給又は４号給の給料月額を受けていたもの (2)　平成18年４月以後の国会職員給与規程の行政職給料表㈠の適用を		

受けていた者でその属する職務の級が６級であったもの
(3)　平成18年４月以後の国会議員給与規程の速記職給料表の適用を受けていた者でその属する職務の級が６級であったもの
(4)　平成18年４月以後の国会議員給与規程の議院警察職給料表の適用を受けていた者でその属する職務の級が６級であったもの
(5)　平成20年４月以後の特定任期付職員給与特例規程第２条第１項の給料表の適用を受けていた者で同表３号給の給料月額を受けていたもの

第８号区分	(1)　平成18年４月以後の国会職員給与規程の行政職給料表㈠の適用を受けていた者でその属する職務の級が５級であったもの (2)　平成18年４月以後の国会職員給与規程の行政職給料表㈡の適用を受けていた者でその属する職務の級が５級であったもののうち、３人以上の職種の長（平成18年４月１日以後適用されている国会職員の初任給、昇格、昇給等の基準に関する件（昭和32年11月11日両院議長協議決定）の行政職給料表㈡級別標準職務表に規定する電話交換手の組長、一般技能職員の職長又は車庫長であって、これらの職にあることが発令内容等から確認できるものをいう。以下この号において同じ。）（２人の職種の長と当該２人の職種の長の直接指揮監督する者が合わせておおむね10人以上であった場合にあっては、２人の職種の長）を直接指揮監督する職務に従事していた者（その事実が発令内容等から確認できるものに限る。） (3)　平成18年４月以後の国会職員給与規程の速記職給料表の適用を受けていた者でその属する職務の級が５級であったもの (4)　平成18年４月以後の国会職員給与規程の議院警察職給料表の適用を受けていた者でその属する職務の級が５級であったもの (5)　平成20年４月以後の特定任期付

	職員給与特例規程第2条第1項の給料表の適用を受けていた者で同表1号給又は2号給の給料月額を受けていたもの
第9号区分	(1) 平成18年4月以後の国会職員給与規程の特別給料表各議院事務局の議長又は副議長の秘書事務をつかさどる参事の項の適用を受けていた者で同項2号給の給料月額を受けていたもの (2) 平成18年4月以後の国会職員給与規程の行政職給料表㈠の適用を受けていた者でその属する職務の級が4級であったもの (3) 平成18年4月以後の国会職員給与規程の行政職給料表㈡の適用を受けていた者でその属する職務の級が5級であったもの（第8号区分の項第2号に掲げる者を除く。） (4) 平成18年4月以後の国会職員給与規程の速記職給料表の適用を受けていた者でその属する職務の級が4級であったもの (5) 平成18年4月以後の国会職員給与規程の議院警察職給料表の適用を受けていた者でその属する職務の級が4級であったもの
第10号区分	(1) 平成18年4月以後の国会職員給与規程の特別給料表各議院事務局の議長又は副議長の秘書事務をつかさどる参事の項の適用を受けていた者で同項1号給の給料月額を受けていたもの (2) 平成18年4月以後の国会職員給与規程の行政職給料表㈠の適用を受けていた者でその属する職務の級が3級であったもの (3) 平成18年4月以後の国会職員給与規程の行政職給料表㈡の適用を受けていた者でその属する職務の級が3級であったもののうち、昭和60年6月以前の国会職員給与規程の行政職給料表㈡の適用を受けていた者でその属する職務の等級が2等級以上の等級であった期間を有するもの若しくは昭和60年7月以後の国会職員給与規程の行政職給料表㈡の適用を受けていた者でその属する職務の級が3級以上の級であった期間を有するもの で、かつ、これらの期間が合わせて120月を超えていたもの又は4級であったもの (4) 平成18年4月以後の国会職員給与規程の速記職給料表の適用を受けていた者でその属する職務の級が3級であったもの (5) 平成18年4月以後の国会職員給与規程の議院警察職給料表の適用を受けていた者でその属する職務の級が3級であったもの

別表第3～別表第16　略

国家公務員の自己啓発等休業に関する法律第8条第2項の規定により読み替えて適用される国家公務員退職手当法第7条第4項に規定する内閣総理大臣が定める要件について

（平成19年7月20日総人恩総第812号）
最終改正：令和4年4月22日閣人人第271号

　標記について、国家公務員の自己啓発等休業に関する法律（平成19年法律第45号）第8条第2項（同法第10条及び裁判所職員臨時措置法（昭和26年法律第299号）において準用する場合を含む。）の規定により読み替えて適用される国家公務員退職手当法（昭和28年法律第182号）第7条第4項の規定に基づき、下記のとおり定め、平成19年8月1日以降、これにより取り扱うこととするので、通知します。

記

1　国家公務員の自己啓発等休業に関する法律（以下「法」という。）第8条第2項（法第10条及び裁判所職員臨時措置法（以下「措置法」という。）において準用する場合を含む。）の規定により読み替えて適用される国家公務員退職手当法（以下「退職手当法」という。）第7条第4項に規定する内閣総理大臣の定める要件は、次の各号のいずれにも該当することとする。
　(1)　自己啓発等休業（法第2条第5項（法第10条及び措置法において準用する場合を含む。）に規定する自己啓発等休業をいう。以下同じ。）の期間中の法第2条第3項又は第4項（法第10条及び措置法において準用する場合を含む。）に規定する大学等における修学又は国際貢献活動の内容が、その成果によって当該自己啓発等休業の期間の終了後においても公務の能率的な運営に特に資することが見込まれるものとして当該自己啓発等休業の期間の初日の前日（法第4条（法第10条及び措置法において準用する場合を含む。）の規定により自己啓発等休業の期間が延長された場合にあっては、延長された自己啓発等休業の期間の初日の前日）までに、各省各庁の長等（財政法（昭和22年法律第34号）第20条第2項に規定する各省各庁の長及び独立行政法人通則法（平成11年法律第103号）第2条第4項に規定する行政執行法人の長並びにこれらの委任を受けた者をいう。）が内閣総理大臣の承認を受けたこと。
　(2)　自己啓発等休業の期間中の行為を原因として国家公務員法（昭和22年法律第120号）第82条の規定による懲戒処分又はこれに準ずる処分を受けていないこと。
　(3)　自己啓発等休業の期間の末日の翌日から起算した職員としての在職期間（退職手当法第7条第5項、第7条の2第1項及び第8条第1項の規定により職員としての引き続いた在職期間に含むものとされる期間を含む。）が5年に達するまでの期間中に退職したものではないこと。ただし、次のいずれかに該当する場合は、この限りでない。
　　イ　通勤（退職手当法第4条第2項に規定する通勤（他の法令の規定により通勤とみなされるものを含む。）をいう。以下同じ。）による負傷若しくは病気（以下「傷病」という。）若しくは死亡により退職した場合又は退職手当法第5条第1項に規定する公務上の傷病若しくは死亡（他の法令の規定により公務とみなされる業務に係る業務上の傷病又は死亡を含む。）により退職した場合
　　ロ　国家公務員法等の一部を改正する法律（令和3年法律第61号）附則第3条第5項に規定する旧国家公務員法勤務延長期限若しくは同条第6項の規定により延長された期限の到来により退職した場合又はこれに準ずる他の法令の規定により退職した場合
　　ハ　国家公務員法第81条の6第1項の規定により退職した場合（同法第81条の7第1項の期限又は同条第2項の規定により延長された期限の到来により退職した場合を含む。）又はこれに準ずる他の法令の規定により退職した場合
　　ニ　任期を定めて採用された職員が、当該任期が満了したことにより退職した場合
　　ホ　退職手当法第20条各項の規定に該当して退職した場合
2　前項第3号の職員としての在職期間には、次に掲げる期間を含まないものとする。
　(1)　国家公務員法第79条の規定による休職の期間（通勤による傷病若しくは退職手当法第5条第1項に規定する公務上の傷病（他の法令の規定により公務とみなされる業務に係る業務上の傷病を含む。）により国家公務員法第79条第1号に掲げる事由に該当し、又は人事院規則11-4（職員の身分保障）第3条に規定する事由（同条第1項第3号に規定する事由を除く。）に該当して休職にされた場合における当該休職の期間を除く。）
　(2)　国家公務員法第82条の規定による停職の期間

⑶ 国家公務員法第108条の６第１項ただし書の規定により職員団体の業務に専ら従事した期間又は行政執行法人の労働関係に関する法律（昭和23年法律第257号）第７条第１項ただし書の規定により労働組合の業務に専ら従事した期間
⑷ 国家公務員の育児休業等に関する法律（平成３年法律第109号）第３条第１項の規定による育児休業をした期間
⑸ 自己啓発等休業をした期間
⑹ 国家公務員の配偶者同行休業に関する法律（平成25年法律第78号）第２条第４項の規定による配偶者同行休業をした期間
⑺ ⑴から⑹までの期間に準ずる期間
3 裁判官及び裁判官の秘書官以外の裁判所職員の自己啓発等休業に係る第１項の規定の適用については、同項第１号中「見込まれるものとして当該自己啓発等休業の期間の初日の前日（法第４条（法第10条及び措置法において準用する場合を含む。）の規定により自己啓発等休業の期間が延長された場合にあっては、延長された自己啓発等休業の期間の初日の前日）までに、各省各庁の長等（財政法（昭和22年法律第34号）第20条第２項に規定する各省各庁の長及び独立行政法人通則法（平成11年法律第103号）第２条第４項に規定する行政執行法人の長並びにこれらの委任を受けた者をいう。）が内閣総理大臣の承認を受けたこと」とあるのは、「見込まれること」とする。

国家公務員退職手当法の適用を受ける非常勤職員について

（昭和60年４月30日総人第260号）
最終改正：令和４年８月３日閣人人第501号

標記について、国家公務員退職手当法施行令（昭和28年政令第215号）第１条第１項第２号及び第９条の９の規定に基づき、下記のとおり定めたので、通知します。
なお、国家公務員等退職手当法の解釈及び運用方針（昭和28年９月３日付け蔵計第1,832号）は廃止します。

記
1 国家公務員退職手当法施行令（以下「施行令」という。）第１条第１項第２号に規定する「内閣総理大臣の定めるところにより、職員について定められている勤務時間以上勤務した日（法令の規定により、勤務を要しないこととされ、又は休暇を与えられていた日を含む。）が引き続いて12月を超えるに至つたもの」は、雇用関係が事実上継続していると認められる場合において、同項に規定する職員について定められている勤務時間以上勤務した日（以下「勤務日数」という。）が18日（１月間の日数（行政機関の休日に関する法律（昭和63年法律第91号）第１条第１項各号に掲げる日の日数は、算入しない。）が20日に満たない日数の場合にあっては、18日から20日と当該日数との差に相当する日数を減じた日数。次項において「職員みなし日数」という。）以上ある月が引き続いて12月を超えるに至った者とする。
2 施行令第９条の９に規定する「内閣総理大臣の定めるところにより、引き続き職員について定められている勤務時間以上勤務した日（法令の規定により、勤務を要しないこととされ、又は休暇を与えられた日を含む。）が１月以上あるもの」は、雇用関係が事実上継続していると認められる場合において、勤務日数が職員みなし日数以上ある月が１月以上ある者とする。
3 前２項の勤務日数には、次の各号に掲げる日を含むものとする。
一 国家公務員法（昭和22年法律第120号）第79条の規定による休職、同法第82条の規定による停職、国家公務員の育児休業等に関する法律（平成３年法律第109号。以下「育児休業法」という。）第３条第１項の規定による育児休業その他これらに準ずる事由により勤務を要しないこととされた日（任命権者又は

その委任を受けた者が当該事由がなければ勤務を要するものとして定めた日に限る。)
二　育児休業法第26条第1項の規定による育児時間その他これに準ずる事由により勤務しない時間を勤務したものとみなした場合に、職員について定められている勤務時間以上勤務した日
三　一般職の職員の勤務時間、休暇等に関する法律（平成6年法律第33号）第23条の規定に基づく人事院規則により休暇を与えられた日（これに相当する日を含む。以下同じ。)
四　前三号に掲げる日に準ずる日
4　第1項及び第2項の勤務日数には、行政機関の休日に関する法律第1条第1項各号に掲げる日（実際に勤務した日及び休暇を与えられた日を除く。）を含まないものとする。

期間業務職員の退職手当に係る取扱いについて

（平成22年9月30日総人恩総第836号）
最終改正：令和4年8月3日閣人人第502号

標記について、平成22年10月1日に人事院規則8-12-8（人事院規則8-12（職員の任免）の一部を改正する人事院規則）等が施行されることにより新たに設けられる期間業務職員の、国家公務員退職手当法（昭和28年法律第182号。以下「退職手当法」という。）の規定による退職手当に係る取扱いについては、下記の点に留意されたい。

なお、人事院規則8-12-8（人事院規則8-12（職員の任免）の一部を改正する人事院規則）による改正後の人事院規則8-12（職員の任免）第46条の2第3項において「任命権者は、期間業務職員の採用又は任期の更新に当たっては、業務の遂行に必要かつ十分な任期を定めるもの」と規定されている趣旨を踏まえると、退職手当法の適用を避けるために、任期と任期の間を1日空けるような運用は適当ではないと考える。

記

1　期間業務職員のうち、雇用関係が事実上継続していると認められる場合において、常勤職員について定められている勤務時間以上勤務した日が18日（1月間の日数（行政機関の休日に関する法律（昭和63年法律第91号）第1条第1項各号に掲げる日の日数は、算入しない。）が20日に満たない日数の場合にあっては、18日から20日と当該日数との差に相当する日数を減じた日数）以上ある月が引き続いて6月を超えるに至ったもので、その超えるに至った日以後引き続き当該勤務時間により勤務することとされているものについては、退職手当法が適用されること（国家公務員退職手当法施行令（昭和28年政令第215号）第1条第1項第2号、国家公務員等退職手当暫定措置法施行令の一部を改正する政令（昭和34年政令第208号）附則第5項、国家公務員退職手当法の適用を受ける非常勤職員について（昭和60年総人第260号）第1項及び第3項並びに国家公務員退職手当法の運用方針（昭和60年総人第261号）第2条関係第2号）。
2　上記1の場合において、任期満了により当該期間業務職員が退職したときの退職手当の計算については、退職手当法第3条第1項が適用されること。

3　期間業務職員が退職した場合（退職手当法第12条第1項各号のいずれかに該当する場合を除く。）において、当該者が退職の日又はその翌日に同一任命権者（国家公務員法（昭和22年法律第120号）第55条第2項の規定により任命権が委任されている場合には、その委任を受けた者をいう。）に再び期間業務職員として採用されたときは、雇用関係が事実上継続していると認められ、その在職期間の計算は引き続いて在職したものとして取り扱うこと（退職手当法第7条第3項）。

以　上

早期退職募集制度の運用について

（平成25年5月24日総人恩総第403号）
最終改正：令和4年4月22日閣人人第275号

　国家公務員の退職給付の給付水準の見直し等のための国家公務員退職手当法等の一部を改正する法律（平成24年法律第96号）の一部及び国家公務員退職手当法施行令の一部を改正する政令（平成25年政令第158号）の一部が平成25年6月1日に施行され、新たに早期退職募集制度が導入されることとなった。
　ついては、各府省等におかれては、平成25年6月1日以降、下記事項に留意の上、その適正な運用を図られたい。

記

第一　募集に係る事項
　1　募集を行う主体
　　(1)　募集を行う主体は、「各省各庁の長等」であること（国家公務員退職手当法（昭和28年法律第182号。以下「法」という。）第8条の2第1項）。「各省各庁の長等」とは、財政法（昭和22年法律第34号）第20条第2項に規定する各省各庁の長及び独立行政法人通則法（平成11年法律第103号）第2条第4項に規定する行政執行法人（以下「行政執行法人」という。）の長並びにこれらの委任を受けた者をいうものであること（以下この通知における「各省各庁の長等」について同じ。）。
　　(2)　委任は、募集の都度行っても、事務分掌規程等で包括的に定めても差し支えないこと。
　　(3)　各省各庁の長等が連携し、合同で募集を行うことは差し支えないこと。
　2　募集実施要項等の周知
　　(1)　各省各庁の長等は、募集の対象となるべき職員（以下「対象者」という。）に対し、募集実施要項（法第8条の2第5項ただし書に規定する必要な方法を定めた場合は、これを含む。以下「募集実施要項等」という。）を周知しなければならないこと。
　　　この場合の職員とは、常時勤務に服することを要する国家公務員（自衛隊法（昭和29年法律第165号）第45条の2第1項の規定により採用された者及び行政執行法人の役員を除く。）であって、募集を行う各省各庁の長等の組織に現に所属しているものをいうこと（以下この通知における「職

員」について同じ。）。なお、各省各庁の長等は、職員以外の者（例えば、異動により他府省に所属している者）に対して周知する義務は負わないものであること。
(2) 周知を行うに当たっては、全ての対象者に応募をする機会が確保されるよう、例えば、口頭又は書面によって対象者に直接通知する方法や庁内の掲示板又は庁内イントラネットへ掲示する方法など、内容が対象者に認識される合理的かつ適切な方法によること。以下この通知における「周知」の方法については同様であること。
(3) 各省各庁の長等は、職員に復帰することを前提として出向している者（以下「出向者」という。）に対しても、必要に応じ、募集実施要項等の内容について情報提供をすることができるものであること。

3 募集実施要項の必要的記載事項
各省各庁の長等は、募集実施要項に次の事項を記載しなければならないこと（法第8条の2第2項、国家公務員退職手当法施行令（昭和28年政令第215号。以下「施行令」という。）第9条の5第1項各号及び国家公務員退職手当法の規定による早期退職希望者の募集及び認定の制度に係る書面の様式等を定める内閣官房令（平成25年総務省令第58号。以下「内閣官房令」という。）第5条各号）。
(1) 募集を行う目的
法第8条の2第1項第1号に掲げる募集（以下「1号募集」という。）又は同項第2号に掲げる募集（以下「2号募集」という。）の別を併せて明記すること。
(2) 募集の対象となるべき職員の範囲
イ 対象者は特定複数（2人以上）となるように範囲を設定すること。
ロ 特定の仕方は、職位や勤続年数等、各省各庁の長等の任意であること。なお、性別等による差別的な特定はできないこと。また、年齢については、1号募集の場合は退職日において定年（当分の間、施行令附則第4項後段の規定の適用を受ける者にあっては、同令附則第3項の表の上欄に掲げる者の区分に応じ、同表の下欄に掲げる年齢）前20年（当分の間、施行令附則第4項前段の規定に準じ、15年）内の年齢以上であることが必要であること。
ハ 対象者には法第8条の2第3項各号に掲げる職員が含まれないことを注記すること。
(3) 募集人数（認定予定者数）

対象者の志気・心情に配慮する等の観点から、対象者の総数と募集人数が同数とならないように設定すること。ただし、2号募集の場合は、この限りでないこと。
(4) 募集の期間（応募受付期間）
イ 募集の期間は、早期退職希望者の募集が時限措置であることを踏まえ、対象者の総数や組織の業務形態、人事管理の事情等を勘案の上、各省各庁の長等が適切と考える期間を任意に設定すること。ただし、次の点に留意すること。
① 募集の期間を通年と設定することはできないこと。
② 年度を跨ぐ募集の期間を設定することは差し支えないこと。
ロ 募集の期間の開始及び終了の年月日時を記載すること。
ハ 募集の期間を延長する場合があり得るときは、その旨を記載すること。
ニ 募集の期間の終了の年月日時が到来するまでに応募をした職員の数が募集人数以上の一定数（以下「応募上限数」という。）に達した時点で募集の期間は満了するものとするときは、その旨及び応募上限数を記載すること。
(5) 認定を受けた場合に退職すべき期日又は期間
イ 退職すべき期間を記載する場合には、各省各庁の長等が認定を行った後遅滞なく、当該期間内のいずれかの日から退職すべき期日を定め、法第8条の2第7項の規定に基づき通知することとなる旨を記載すること。
ロ 退職すべき期間を記載する場合には、対象者が具体的な退職時期を予測できるよう配慮すること。
ハ 認定を行った後に生じた事情に鑑み、当該認定を受けた職員（以下「認定応募者」という。）が退職すべき期日に退職することにより公務の能率的運営の確保に著しい支障を及ぼすこととなると認める場合において、当該認定応募者にその旨及びその理由を明示し、退職すべき期日の繰上げ同意書（内閣官房令第6条第1号別記様式第七。以下同じ。）又は退職すべき期日の繰下げ同意書（内閣官房令第6条第2号別記様式第八。以下同じ。）により当該認定応募者の同意を得て、公務の能率的運営を確保するために必要な限度で、当該退職すべき期日を繰り上げ、又は繰り下げることがあり得る

ときは、その旨を記載すること。
(6) 募集実施要項の内容を周知させるための説明会を開催する予定があるときは、その旨
(7) 応募申請書（内閣官房令第1条第1項別記様式第一。以下同じ。）及び応募取下げ申請書（内閣官房令第1条第2項別記様式第二。以下同じ。）の提出手続
　受付窓口、担当者名、受付（提出）方法を記載すること。
(8) 不認定となる場合がある旨の明示
(9) 応募をした職員に対する認定又は不認定の通知の予定時期
(10) 募集に関する問合せを受けるための連絡先
4　必要な方法（法第8条の2第5項ただし書）
(1) 必要な方法の設定は、全ての募集において必須ではないこと。各省各庁の長等の判断により必要に応じ設定すること。
(2) 必要な方法は、法第8条の2第5項各号に掲げる4つの理由以外で不認定の判断を下す根拠になるものであることから、これを定めた場合には、その内容の周知は必須であり、特に留意すること。

第二　応募及び応募の取下げに係る事項
1　職員による応募
(1) 職員は、早期退職希望者の募集に応募をする場合には、応募申請書に必要事項を記入の上、募集の期間内に募集実施要項で指定された窓口に提出すること。
(2) 次の職員は応募をすることができないものであること（法第8条の2第3項各号）。
　イ　法第2条第2項の規定により職員とみなされる者
　ロ　臨時的に任用される職員その他の法律により任期を定めて任用される者
　ハ　退職すべき期日又は退職すべき期間の末日が到来するまでに定年に達する者
　ニ　国家公務員法第82条の規定による懲戒処分（軽過失による管理監督義務違反に係る処分を除く。以下同じ。）又はこれに準ずる処分（特別職の国家公務員に係る懲戒処分をいい、いわゆる矯正処分をいうものではない。以下同じ。）を募集の開始の日において受けている者又は募集の期間中に受けた者
2　出向者の取扱い
　各省各庁の長等は、上記第一の2の(3)の情報提供等の結果、出向者から職員復帰後に応募をする旨の意向を確認した場合には、その者について、人事上の措置を講じて職員に復帰させ、その後応募申請書を受け付けることができるものであること。
3　応募の取下げ
　応募をした者は、法第8条の2第8項第3号に規定する退職すべき期日が到来するまでの間いつでも応募の取下げを行うことができること。この場合、応募取下げ申請書に必要事項を記入の上、募集実施要項で指定された窓口に提出すること。
4　応募及び応募の取下げの強制禁止（法第8条の2第4項）
　応募も応募の取下げも職員に強制してはならないこと。

第三　認定に係る事項
1　認定又は不認定の判断（法第8条の2第5項）
　各省各庁の長等は、応募をした職員に対して認定を行うこと。ただし、次のいずれかに該当する場合には不認定とすること。
(1) 応募が募集実施要項又は法第8条の2第3項の規定に適合しない場合
(2) 応募をした職員が応募をした後、国家公務員法第82条の規定による懲戒処分又はこれに準ずる処分を受けた場合
(3) 応募をした職員が上記(2)に規定する処分を受けるべき行為（在職期間中の当該応募をした職員の非違に当たる行為であって、その非違の内容及び程度に照らして当該処分に値することが明らかなものをいう。）をしたことを疑うに足りる相当な理由がある場合その他応募をした職員に対し認定を行うことが公務に対する国民の信頼を確保する上で支障を生ずると認める場合
(4) 応募をした職員を引き続き職務に従事させることが公務の能率的運営を確保し、又は長期的な人事管理を計画的に推進するために特に必要であると認める場合
　また、上記(1)から(4)までのいずれにも該当しない応募をした職員の数が募集人数を超える場合であって、当該場合において認定をする職員の数を当該募集人数の範囲内に制限するために必要な方法をあらかじめ周知していたときは、当該方法に従って、当該募集人数を超える分の応募をした職員について認定をしないことができるものであること。
2　認定とした職員への連絡
(1) 各省各庁の長等は、認定をする旨の決定

をしたときは、遅滞なく、応募をした職員に対し認定通知書（内閣官房令第２条第１号別記様式第三。以下同じ。）を交付すること（法第８条の２第６項）。当該交付については、辞令交付の手続に準ずること。
(2) 認定通知書に記載する認定日は、実際に認定通知書を交付する日とし、認定通知書には、認定日以後の日付で「退職すべき期日」又は「退職すべき期間」を記載すること。認定日と退職すべき期日を同日とすることは差し支えないこと。また、認定日を募集の期間中の日付とすることも差し支えないこと。
(3) 各省各庁の長等が募集実施要項において退職すべき期日に代えて退職すべき期間を記載した場合には、認定を行った後遅滞なく、当該期間内のいずれかの日から退職すべき期日を定め、上記(1)により認定通知書を交付した応募をした職員に対し当該期日を退職すべき期日の決定通知書（内閣官房令第３条別記様式第五）により通知すること（法第８条の２第７項）。ただし、認定通知書に当該期日を記載した場合は、この限りでないこと。
(4) 認定後に生じた事情に鑑み、認定応募者が退職すべき期日に退職することにより公務の能率的運営の確保に著しい支障を及ぼすこととなると認めるときは、当該認定応募者にその旨及びその理由を明示し、退職すべき期日の繰上げ同意書又は退職すべき期日の繰下げ同意書により当該認定応募者の同意を得て、公務の能率的運営を確保するために必要な限度で、当該退職すべき期日を繰り上げ、又は繰り下げることができること。この場合、新たに定めた退職すべき期日を当該認定応募者に対し退職すべき期日の変更通知書（内閣官房令第７条別記様式第九）により通知すること。
(5) 相応の準備（上記第二の２）を経た出向者について、職員復帰日と同日に、応募申請書の提出を受けて認定通知書を交付した上で、辞職を承認することは差し支えないこと。
3 不認定とした職員への連絡
(1) 各省各庁の長等は、認定をしない旨の決定をしたときは、遅滞なく、応募をした職員に対し不認定通知書（内閣官房令第２条第２号別記様式第四。以下同じ。）を交付すること（法第８条の２第６項）。当該交付については、辞令交付の手続に準ずること。
(2) 不認定通知書には、不認定の理由を記載すること（法第８条の２第６項）。
4 認定後に非違行為等が発覚した場合
(1) 退職前
認定応募者について、認定後、退職すべき期日までの間に、在職中の非違行為等が発覚した場合には、従来と同じように任命権者は任用上の処分に係る検討及び判断等を行うものであること。
また、その後、懲戒処分をしたときは、これと同時に応募認定退職（早期退職希望者の募集に応募をし、認定を受けて退職すべき期日に退職したこと。以下同じ。）に係る認定の効力は自動失効するものであること（法第８条の２第８項第４号）。
(2) 退職後
認定応募者について、退職後、在職期間中に懲戒免職等処分を受けるべき行為をしたことが発覚した場合には、法第四章に定める手続に従って処理すること。

第四 その他留意事項
1 出向先の人事当局への適切な情報提供等
出向者について一連の手続をとるに当たっては、各省各庁の長等は、出向者が現に所属する出向先（他の各省各庁の長等の組織等）の人事当局への適切な情報提供等に努めること。
2 退職すべき期日前後に退職した場合の取扱い
(1) 退職すべき期日前又は期日後に退職した場合
退職すべき期日前又は期日後に認定応募者が退職した場合には、当該認定の効力は失われるため、応募認定退職とはならないものであること（法第８条の２第８項第３号）。
(2) 退職すべき期日当日に死亡した場合
退職すべき期日当日に認定応募者が死亡退職した場合には、公務上死亡の場合には公務上死亡による退職として、公務外死亡の場合には応募認定退職として、それぞれ取り扱うこと。
3 退職すべき期間を超えて定年に達した場合の取扱い
退職すべき期間の末日までは定年に達しなかった認定応募者が、認定後に生じた官側の事情により、退職すべき期間外に退職すべき期日を設定されたため、当該期日までに定年に達する場合には、応募認定退職とは取り扱わず、定年に達した日以後非違なく退職した

者又は定年退職者として取り扱うこと。

　ただし、当分の間、法附則第16項の規定の適用を受ける者であって退職すべき期間の末日までは同項により読み替えた年齢に達しなかった認定応募者が、認定後に生じた官側の事情により、退職すべき期間外に退職すべき期日を設定されたため、当該期日までに当該年齢に達する場合には、応募認定退職とは取り扱わず、定年に達した日以後遅滞なく退職した者として取り扱うこと。

4　募集の期間を延長した場合

　各省各庁の長等は、法第8条の2第1項各号に掲げる募集の目的を達成するため必要があると認めるときは、募集の期間を延長することができること。この場合、次の点に留意すること。

(1)　延長により募集の期間を実質的に通年とすることはできないこと。

(2)　延長される期間における募集条件は、当初の条件と同一にすること。

(3)　募集の期間を延長したときは、直ちにその旨及び当該延長後の募集の期間の終了の年月日時を対象者に周知しなければならないこと。

(4)　応募上限数を設定していた場合には、延長後の募集の期間の終了の年月日時が到来するまでに応募をした職員の数が当該応募上限数に達した時点で当該募集の期間は満了すること。

5　募集の期間が満了した場合

(1)　募集の期間の終了の年月日時が到来するまでに応募をした職員の数が応募上限数に達した時点で募集の期間は満了する旨及び応募上限数を募集実施要項に記載している場合には、応募をした職員の数が当該応募上限数に達した時点で募集の期間は満了するものであること。

(2)　上記(1)により募集の期間が満了した場合には、直ちにその旨を対象者に周知しなければならないこと。

　　　　　　　　　　以　　上

問一覧（目次詳細）

第1編　総　説

1　退職手当制度の沿革
　　終戦後の退職手当制度の沿革（「国家公務員退職手当法」の制定まで）について、簡単に説明されたい。………………………………………………23

2　退職手当の基本法規
　　退職手当については、どのような基本法規・通達があるのか。………23

3　退職手当の性格
　　国家公務員の退職手当の性格は、どういうものか。………………………26

4　退職手当の種類
　　退職手当には、どのような種類があるのか。………………………………27

5　退職手当の請求権
　　退職手当について、退職者に請求権は存在するか。………………………27

6　退職手当の自主返納、受給権放棄
　　退職手当の自主返納や退職手当の受給権放棄は可能なのか。国会議員である国務大臣等が退職手当受給権を放棄することは可能なのか。………28

7　退職手当の追給
　　退職手当の支給後、俸給の増額改定が退職の日以前まで遡及して適用された場合、退職手当の追給が必要になるのか。………………………………31

第2編　国家公務員退職手当法

第1章　総　則（第1条〜第2条の3）

　1　趣旨（第1条）

8　慰労金の支給
　　退職手当に代わるものとして慰労金を支給することはできるのか。…………35

　2　適用範囲（第2条）

9　常時勤務に服することを要する国家公務員
　　法第2条第1項に規定する「常時勤務に服することを要する国家公務員」とは、具体的にはどのような職員をいうのか。………………………………35

10　国会議員等の退職手当
　　国会議員及び国会議員の秘書には、退職手当が支給されるのか。………36

11	国務大臣等の退職手当
	国務大臣、副大臣、大臣政務官、大臣補佐官又は秘書官に対して退職手当を支給するのか。……………………………………………………………36
12	国務大臣が内閣改造により辞職した場合
	国務大臣が内閣改造により辞職した場合は、法第何条の退職手当を支給するのか。……………………………………………………………………37
13	各省の大臣が内閣改造等により他省の大臣として再任された場合
	各省の大臣が内閣改造や内閣総辞職に伴い新内閣において他省の大臣となった場合、退職手当を支払うのか。……………………………………37
14	司法修習生となった場合
	職員が退職し、引き続いて司法修習生となった場合には、退職手当を支給して差し支えないか。………………………………………………………38
15	最高裁判所の裁判官となった場合
	職員が退職し、引き続いて最高裁判所裁判官に任命された場合には、退職手当を支給して差し支えないか。………………………………………38
16	任期付職員及び臨時的任用職員
	任用付職員や臨時的任用職員には退職手当は支給されるのか。…………39
17	任期終了等
	職員の退職には、任期終了に伴う退職も含まれるのか。…………………40
18	分限免職
	国家公務員法第78条の規定による分限免職の場合は、退職手当を支給するものと解して差し支えないか。………………………………………………40
19	分限免職の取消し
	職員が分限免職により退職手当の支給を受けたが、後で当該免職処分が取り消された場合には、既に支給された退職手当は返納して在職期間は引き続くものとして取り扱うものと解して差し支えないか。…………………41
20	一般職と特別職の兼職者が退職した場合
	それぞれ俸給月額や勤続期間の異なる一般職の官職と特別職の官職を兼ねている者が退職した場合にはどう取り扱うのか。………………………41
21	暫定再任用職員の退職手当
	国家公務員法等の一部を改正する法律(令和3年法律第61号)附則第4条に基づく暫定再任用職員の退職手当の取扱いはどのようになるか。…………41

3 遺族の範囲及び順位(第2条の2)

22 親族の範囲
職員が死亡した場合には、退職手当は遺族に支給することになるが、子、父母、親族等の範囲は民法の規定(例えば民法第725条)によって解釈して差し支えないか。……………………………………………………………42

23 遺族が生死不明の場合
職員が死亡し、遺族のうち第1順位者について同順位者がなく、かつ、その者が生死不明である場合には、次順位者に退職手当を支給してよいか。
……………………………………………………………………………………42

24 遺族が死亡した場合
退職手当の支給を受けるべき遺族となった者が、その支給を受けないうちに死亡した場合は、退職手当は次順位の遺族に支給されるのか。…………42

25 遺族が相続権を放棄した場合
退職手当の支給を受けるべき第1順位者の遺族が相続放棄した場合、退職手当は第2順位の遺族に支給されるのか。………………………………42

26 遺族で同順位者が複数いる場合
遺族に退職手当が支給される場合において、同順位者が複数いる場合はどのように支給するのか。……………………………………………………43

27 複数いる同順位の遺族のうちの1人が退職手当の受給権を放棄した場合
退職手当の支給を受けるべき遺族で同順位者が複数いる場合、そのうちの1人が退職手当の受給権を放棄した場合は、当該放棄した遺族が受給することとなっていた退職手当額は他の遺族に支給されるのか。………………43

28 第1順位者である遺族が退職手当の受給権を放棄した場合
第1順位者である遺族が退職手当の受給権を放棄した場合は、次順位者に支給することとなるのか。……………………………………………………43

29 遺族が未成年者の場合
退職手当の支給を受ける遺族が未成年者の場合、当該未成年者に支給してよいか。……………………………………………………………………44

30 遺族が1人もいない場合
職員が死亡し、死亡当時、退職手当の支給を受けるべき遺族が1人もいないときは、退職手当はどうなるのか。………………………………………44

31 生計関係の認定基準
職員が死亡した場合における生計関係の認定基準は、どのようなものか。…44

32 事実上の婚姻関係にある者

　　　　法第２条の２第１項第１号括弧内の「届出をしないが、職員の死亡当時事実上婚姻関係と同様の事情にあつた者」とは、どのような者であるのか。 ································45

33　いわゆる法律婚と事実婚とが併存する場合
　　　　職員の死亡当時、届出のある配偶者といわゆる内縁関係にある者とが併存する場合、退職手当の支給を受ける者はどちらになるのか。 ················46

34　遺族から排除される者
　　　　法第２条の２第４項の規定により「退職手当の支給を受けることができる遺族としない」とされる者は、具体的にどのような者か。 ················46

35　法第２条の２第４項の「故意に死亡させた者」
　　　　法第２条の２第４項の「故意に死亡させた者」の意味はどういうことか。 ································47

36　「故意に死亡させた者」の判断
　　　　「故意に死亡させた者」の「故意」の有無は、司法判断（判決）によるのか。 ································47

4　退職手当の支払（第２条の３）

37　退職手当の支払方法
　　　　退職手当はいかなる方法で支払うべきか。 ················47

38　退職手当の法定控除
　　　　職員に支給する退職手当から一部控除が認められるケースとしては、どのようなものがあるのか。 ················48

39　退職手当の住宅貸付等の債務の控除
　　　　共済組合に対して住宅貸付等の債務がある職員が死亡により退職し、その者の遺族に退職手当を支給する場合において、当該遺族の退職手当から当該債務に相当する金額を控除することができるのか。 ················54

40　退職手当と留学費用返還金との相殺
　　　　職員が留学費用返還債務を負ったまま退職した場合に、当該債務を退職手当支給の際に相殺することができるか。 ················55

41　退職手当と過払給与金との相殺
　　　　給与の過払い分を退職手当の支給の際に相殺することはできるか。 ················55

42　退職手当のいわゆる口座振込払
　　　　退職手当を口座振込の方法により支払うことができるのか。 ················56

43　退職手当の複数口座への振込み
　　　　退職手当を複数口座への振込みとすることができるか。 ················56

44 退職手当の支払期限
　　退職手当はいつまでに支払わなければならないのか。……………………56
45 法第2条の3第2項の「特別の事情」
　　銀行振込先が確知できないことは、法第2条の3第2項に規定する「特別の事情」に該当するか。………………………………………………………57
46 退職後行方不明（その1）
　　職員が退職後行方不明となったため、家族から退職手当の請求があった場合において、その者が職員の収入によって生計を維持されている者であるときは、これに応じて差し支えないか。………………………………………57
47 退職後行方不明（その2）
　　退職した職員が行方不明のため、退職手当を本人に支給できない場合は、どのように取り扱うのか。給与を支払うために登録されていた口座に退職手当を振り込んでよいか。…………………………………………………58
48 退職後死亡
　　職員が退職し、退職手当の支給を受けないうちに死亡した場合には、その退職手当は誰に支給するのか。…………………………………………58

第2章　一般の退職手当（第2条の4〜第8条の2）

1　退職手当の基本額（第2条の4）

49 退職手当の基本額の種類
　　退職手当の基本額とは何か。…………………………………………………59
50 退職手当の基本額の算定
　　退職手当の基本額はどのように計算するのか。計算の具体例を示して説明されたい。………………………………………………………………………60

2　俸給月額

51 俸給月額と諸手当
　　退職手当の算定の基礎となる俸給月額には、手当が含まれているのか。……60
52 休職者等の俸給月額
　　退職の日における俸給月額が、休職等により一部支給されない状態の場合には、どのように取り扱うのか。……………………………………………62
53 給与が賃金又は手当の名称で支給される者の俸給月額
　　給与が賃金又は手当の名称で支給される者については、退職手当の算定の基礎となる俸給月額は、どのように取り扱うのか。………………………62
54 給与の減額改定に伴い支給される差額

退職手当の算定の基礎となる俸給月額には、給与の減額改定に伴い経過措置として支給される差額は含まれるのか。……………………………63

3 退職理由

55 **退職理由と適用条項**
　主な退職理由と法の適用条項とは、どのような関係になっているのか。……64

56 **傷病の程度**
　退職手当法上、傷病による退職の「傷病」とは、どの程度のものをいうのか。……………………………………………………………………………………65

57 **「公務上」又は「通勤による」の認定の基準**
　退職理由にある「公務上」又は「通勤による」の認定は、何によって行うのか。……………………………………………………………………………………65

58 **派遣法と公務上の認定**
　いわゆる派遣法の規定に基づく派遣職員が、派遣先の業務上の傷病・死亡により退職した場合には、退職手当法上「公務上の傷病・死亡」として扱うのか。……………………………………………………………………………………65

59 **退職手当支給後の公務認定**
　死亡した職員の遺族に対して公務外死亡による退職手当を支給した後に当該死亡が公務災害によるものと認定された場合は、改めて公務上死亡による退職手当を支給し直すこととなるのか。……………………………………66

60 **通勤途上における死亡**
　通勤途上における死亡については、退職手当法上どのように取り扱うのか。……………………………………………………………………………………67

61 **定年年齢**
　国家公務員の定年年齢は、どのようになっているのか。……………………68

62 **定年に達した日**
　「定年に達した日」とはいつか。………………………………………………69

63 **勤務延長の内容等**
　勤務延長とは、どのようなものか。勤務延長された場合には、定年退職日に退職手当を支給することとなるのか。……………………………………………70

64 **勤務延長の期限の到来による退職**
　勤務延長の期限の到来により退職する場合には、定年退職の退職手当と同様に取り扱うのか。…………………………………………………………………72

65 **勤務延長の期限の到来前に退職する場合**
　勤務延長の期限の到来前に退職する場合には、退職手当はどのように取り

扱うのか。…………………………………………………………………73

66 その者の事情によらないで引き続いて勤続することを困難とする理由
「その者の事情によらないで引き続いて勤続することを困難とする理由により退職した者」とは、どのような者か。………………………………74

67 「定年に達した日以後その者の非違によることなく退職した者」
「定年に達した日以後その者の非違によることなく退職した者」とは、どのような者か。………………………………………………………………74

68 退職後に非違行為が判明した場合
法第4条第2項及び第5条第2項に規定する「定年に達した日以後その者の非違によることなく退職した者」であるとして退職手当を支給した者について、退職手当の支給後に、在職中の非違行為が発覚した場合、退職理由を変更して退職手当の額を計算し直し、差額について返納を受けることは可能か。……………………………………………………………………75

69 勧奨退職の廃止
退職理由の一つとされていた「勧奨退職」は廃止されたのか。………75

70 退職理由の記録の作成者等
退職理由の記録は、誰が作成するのか。また、その記録の保管者及び保管期間はどうなっているのか。…………………………………………………76

[4] 自己の都合による退職等の場合の退職手当の基本額（第3条）

71 法第3条に該当する退職の場合
法第3条に該当する退職の場合には、どのようなものがあるか。………76

72 法第3条第2項の「その者の都合により退職した者」
法第3条第2項の「その者の都合により退職した者」とは、どのような者をいうのか。…………………………………………………………………77

73 臨時的任用職員の任期満了前の退職
育休代替職員として臨時的に任用した職員について、育児休業中の職員が当初予定していた育児休業期間よりも早く復帰したため、代替職員も期間満了前に退職することとなった。この場合、法第3条第2項も適用することとなるのか。…………………………………………………………………78

74 法律の規定に基づく任期
運用方針第3条関係第3号ニの「法律の規定に基づく任期」（定年、勤務延長期限を除く）には、どのようなものがあるのか。……………………79

75 6月を超えない任期の臨時的任用職員の退職手当
国家公務員法第60条第1項の規定に基づき「6月を超えない任期」で臨時

的任用をされた者が、その任期の終了により退職した場合の退職手当について、説明されたい。法第3条第2項の適用はあるのか。……………79

⑤ 11年以上25年未満勤続後の定年退職等の場合の退職手当の基本額（第4条）

76 法第4条の退職

法第4条に該当する退職の場合には、どのようなものがあるのか。…………81

⑥ 25年以上勤続後の定年退職等の場合の退職手当の基本額（第5条）

77 法第5条の退職

法第5条に該当する退職の場合には、どのようなものがあるか。……………82

⑦ 俸給月額の減額改定以外の理由により俸給月額が減額されたことがある場合の退職手当の基本額に係る特例（第5条の2）

78 基礎在職期間

基礎在職期間（法第5条の2第2項）について簡単に説明されたい。………83

79 法第5条の2第1項の基本額の特例の基本的考え方

法第5条の2第1項の基本額の特例の基本的考え方について説明されたい。……………………………………………………………………85

80 俸給表間の異動等に伴う俸給月額の減額

俸給表間の異動や一般職・特別職・行政執行法人の間で異動したことに伴い俸給月額が減額された者も法第5条の2第1項の特例の対象となるのか。……………………………………………………………………85

81 分限処分による降格に伴う俸給月額の減額

勤務成績不良や官職に不適格であることを理由に降格を受けたことにより俸給月額が減額された者も法第5条の2第1項の特例の対象となるのか。……………………………………………………………………86

82 俸給の調整額の調整数の改定に伴う俸給月額の減額

一般職給与法第10条に規定する俸給の調整額について、人事院規則9－6（俸給の調整額）別表第1の調整数欄に掲げられる調整数が改定されたことに伴い俸給月額が減額された場合、法第5条の2第1項の特例の対象となるのか。……………………………………………………………86

83 臨時的任用職員が任期付任用職員となった際の俸給月額の減額

臨時的任用職員等（常勤）であった者が引き続いて任期付任用職員等（常勤）となったことにより俸給月額の減額が生じた場合、法第5条の2第1項の特例の対象となるのか。……………………………………………………88

84 平成17年改正法施行前の俸給月額の減額
　　平成17年改正法施行前の俸給月額の減額は、法第５条の２第１項の特例の対象となるのか。……………………………………………………………………89

85 地方公務員としての出向期間中の本俸の減額
　　地方公務員としての出向期間中に本俸が減額された場合は法第５条の２第１項の適用対象となるのか。…………………………………………………89

86 地方公務員から職員になった場合の俸給月額の減少
　　地方公務員から職員（国家公務員）になった場合において、地方公務員として受けていた本俸より当該職員となった際に受けていた俸給月額が少ない場合は、当該地方公務員として受けていた本俸を特定減額前俸給月額としてよいか。……………………………………………………………………89

87 法第５条の２第１項の特例と法第５条の３の特例の同時適用
　　法第５条の２第１項の特例措置の対象者が同時に法第５条の３の定年前早期退職特例措置の対象者である場合、退職手当はどのように計算するのか、具体例により示されたい。………………………………………………90

88 地方公務員等から再び職員となった場合に係る減額日
　　職員が引き続いて地方公務員（又は公庫等職員）となり再び職員となった場合において、当該地方公務員（又は当該公庫等職員）から引き続き職員となった際に受けていた俸給月額が、俸給の減額改定以外の理由により、当該地方公務員（又は当該公庫等職員）となった日の前日に受けていた俸給月額より少ない場合については、法第５条の２第１項の「減額日」はいつになるのか。……………………………………………………………………91

89 減額が複数回あった場合の特定減額前俸給月額
　　次の各ケースにおける特定減額前俸給月額について示されたい。…………92
　　① 給与改定による俸給月額の減額があり、その後に給与改定以外の理由の俸給月額の減額があった場合
　　② 給与改定以外の理由による俸給月額の減額があり、その後に給与改定による俸給月額の減額があった場合
　　③ 給与改定とそれ以外の理由の俸給月額の減額が同時にあった場合
　　④ 給与改定以外の理由による俸給月額の減額が複数回あった場合

8 定年前早期退職者に対する退職手当の基本額に係る特例（第５条の３）

90 定年前早期退職特例措置の要件
　　法第５条の３の定年前早期退職特例措置が適用されるための要件につい

て、法第 5 条の 3 の委任に基づき政令で規定されている内容を含め、簡単に説明されたい。 ………………………………………………………………………… 95

91 法第 5 条の 3 の「政令で定める一定の期間前」
　　法第 5 条の 3 の「定年に達する日から政令で定める一定の期間前までに退職した者」とは、どのような者か。 ……………………………………………… 96

92 法第 5 条の 3 の「政令で定める年齢」
　　法第 5 条の 3 の「政令で定める年齢」とは何歳か。また、年齢の単位（数え方）はどうなっているのか。 ………………………………………………… 97

93 法第 5 条の 3 の「政令で定める割合」
　　法第 5 条の 3 の表中「政令で定める割合」とは、どのような割合か。 ……… 98

94 法第 5 条の 3 の規定の適用例
　　法第 5 条の 3 の規定の適用について具体例を示されたい。 …………………… 99

9 退職手当の基本額の最高限度額（第 6 条、第 6 条の 2 、第 6 条の 3 ）

95 最高限度額
　　法第 6 条、第 6 条の 2 及び第 6 条の 3 について、それぞれ簡単に説明されたい。 ……………………………………………………………………………… 100

10 退職手当の調整額（第 6 条の 4 ）

96 退職手当の調整額の基本的考え方
　　退職手当の調整額の基本的考え方について説明されたい。 …………………… 101

97 国務大臣や審議会常勤委員等の調整額
　　国務大臣や審議会常勤委員等の特別職幹部職員等の調整額はどのように計算するのか。 ………………………………………………………………………… 102

98 地方公務員や公庫等職員であった期間の取扱い
　　調整額の算定上、地方公務員や公庫等職員であった期間はどのように取り扱うのか。 ………………………………………………………………………… 102

99 法第 6 条の 4 第 1 項に規定する「現実に職務をとることを要しない期間」
　　法第 6 条の 4 第 1 項に規定する「現実に職務をとることを要しない期間」について、説明されたい。 …………………………………………………………… 104

100 無断欠勤した期間
　　無断欠勤した期間は「現実に職務をとることを要しない期間」に含まれるのか。 ……………………………………………………………………………… 105

101 分限免職が取消しとなった場合の退職の日から復職の日までの期間
　　分限免職が取消しとなった場合、退職の日から復職の日までの期間につい

問一覧（目次詳細） 403

> ては、「現実に職務をとることを要しない期間」に該当し、その月数の2分の1を除算することとなるのか。……………………………………… 106

102 **調整額が零又は2分の1となる場合**
> 調整額が零又は法第6条の4第1項により計算した額の2分の1となる場合について説明されたい。…………………………………………… 107

103 **平成17年改正法施行後取扱決定第三第20項第1号に規定する「120月を超えていたもの」**
> 行政職俸給表㈡の適用を受けていた職員の調整額で、施行令別表第1ロの表第10号区分の項第2号に規定する内閣総理大臣の定めるものとして、平成17年改正法施行後取扱決定第三第20項第1号に規定する「120月を超えていたもの」の調整額の算定は次の①、②のいずれとなるのか。………… 108
> ① 調整額の対象となる職務の級（行政職俸給表㈡3級以上の級等。②も同じ）であった期間が120月を超えていた期間、すなわち当該職務の級であった121月以降の月が調整額の対象となる（当該期間が130月の場合は10月分の調整額が支給される）。
> ② 調整額の対象となる職務の級であった期間が120月を超えていれば、当該期間は全て調整額の対象となる（60月分の調整額が支給される）。

104 **平成17年改正法施行後取扱決定第三第20項第1号に規定する「120月を超えていたもの」の数え方**
> 施行令別表第1ロの表第10号区分の項第2号に規定する内閣総理大臣の定めるものとして、平成17年改正法施行後取扱決定第三第20項第1号に規定する「120月を超えていたもの」の該当を判断する際、休職月等を除算して月を数えるのか。……………………………………………………………… 108

105 **行政職俸給表㈡の適用職員で第8号区分に属する者**
> 平成18年4月以後の行政職俸給表㈡の適用を受けていた職員で、職員の区分が第8号区分に属する者はどのような者か。……………………………… 108

106 **月単位による調整額の計算**
> 法第6条の4第1項の規定によれば、調整額は月単位として計算されることから、1日でも職員として在職していればその月は調整額の計算の対象とされるのか。……………………………………………………………… 109

107 **調整額の計算の対象とされない休職月等**
> 調整額の計算の対象とされない休職月等の特定方法について、具体例により示されたい。……………………………………………………………… 109

108 **法第6条の4第1項に規定する「職員を政令で定める法人その他の団体**

の業務に従事させるための休職」
　　　法第6条の4第1項に規定する「職員を政令で定める法人その他の団体の業務に従事させるための休職」について、説明されたい。……………112

109　法第6条の4第1項に規定する「休職であつて職員を当該職員の職務に密接な関連があると認められる学術研究その他の業務に従事させるためのもの」
　　　法第6条の4第1項に規定する「休職であつて職員を当該職員の職務に密接な関連があると認められる学術研究その他の業務に従事させるためのもので当該業務への従事が公務の能率的な運営に特に資するものとして政令で定める要件を満たすもの」について、説明されたい。……………113

110　いわゆる専従休職期間
　　　いわゆる専従休職期間の退職手当法上の扱いについて、説明されたい。……115

111　平成18年4月1日前の育児休業期間
　　　平成18年4月1日前の育児休業期間（平成4年4月1日前の「義務教育諸学校等の女子教育職員及び医療施設、社会福祉施設等の看護婦、保母等の育児休業に関する法律」（昭和50年法律第62号）の規定に基づく育児休業期間を含む。）はどのように取り扱うのか。……………117

112　施行令第6条第3項第2号の「当該育児休業に係る子が1歳に達した日」
　　　施行令第6条第3項第2号の「当該育児休業に係る子が1歳に達した日」とは、当該子の1歳の誕生日の前日と解してよいか。……………119

113　育児休業に係る子が1歳に達した日の確認
　　　育児休業に係る子が1歳に達した日はどのように確認するのか。…………119

114　特定基礎在職期間中の育児休業等
　　　特定基礎在職期間中に育児休業等を取得した場合、その期間の調整額はどのように計算したらよいのか。……………120

115　自己啓発等休業期間の扱い
　　　自己啓発等休業の期間は、退職手当法上、どのように取り扱うのか。……120

116　平成18年4月1日より前に存在しなくなった職種であった期間の扱い
　　　平成18年4月1日より前に非公務員化されたり存在しなくなったりした職種等であった期間については、調整額の計算においてどのように取り扱うのか。……………121

117　月の途中で昇格・降格した場合の職員の区分
　　　月の途中で昇格・降格したこと等により、同一の月に複数の職員の区分に該当する場合には、どのように調整月額を決定するのか。……………122

118 併任や兼官により複数の職員の区分に該当する場合
　　　併任や兼官をしていることにより、同一の月に複数の職員の区分に該当する場合、どのように調整月額を決定するのか。……………………………… 122
119 同じ調整月額が複数あった場合
　　　高い方から順に数えて同じ調整月額が複数あった場合には、調整額の計算においてどのような順序で加算するのか。……………………………… 122
120 内閣総理大臣の定めがない職種・区分の適用関係
　　　施行令別表第1の職員の区分の表下欄中「……のうち内閣総理大臣の定めるもの」と規定されているにもかかわらず内閣総理大臣決定に定められていない職種・区分の適用関係は、どうなるのか。……………………………… 123
121 職員の区分について内閣総理大臣の定めをする際の意見聴取
　　　施行令で、行政執行法人等については、調整額の算定に用いる職員の区分について内閣総理大臣の定めをしようとするときは当該行政執行法人等の意見を聴くものとすることとされているのはなぜか。……………………………… 123

　11　一般の退職手当の額に係る特例（第6条の5）

122 法第6条の5の対象者
　　　法第6条の5はどのような者が対象となるのか。……………………………… 124

　12　勤続期間の計算（第7条）

123 勤続期間の基本的事項
　　　勤続期間の基本的事項について説明されたい。……………………………… 124
124 「職員としての引き続いた在職期間」
　　　法第7条第1項の「職員としての引き続いた在職期間」とはどのような意味か。……………………………… 125
125 勤続期間と基礎在職期間の違い
　　　法第7条に規定する勤続期間と法第5条の2第2項に規定する基礎在職期間の違いについて説明されたい。……………………………… 125
126 勤続期間と調整額の算定の基礎となる期間に係る除算
　　　勤続期間と、調整額の算定の基礎となる期間について、休職月等による除算の扱いに差があるのか。……………………………… 126
127 月単位による在職期間の計算
　　　法第7条第2項の規定によれば、在職期間は月を単位として計算されることから、1日でも職員として在職していれば1月として計算されるのか。……………………………… 130
128 勤続期間の計算における休職期間の半減方法

職員が私事傷病により5月16日から翌年の5月15日までの1年間休職となっている場合には、勤続期間はどのように計算するのか。……………… 130

129 **勤続期間の計算における育児休業期間**
以下の場合について、勤続期間の計算はどのように計算するのか。……… 131
　　　　　　〜令和3年4月5日　　通常勤務
　　令和3年4月6日〜令和3年5月14日　　産前休暇
　　令和3年5月15日〜令和3年7月9日　　産後休暇
　　令和3年7月10日〜令和4年7月25日　　育児休業
　　　　　　　　（子が1歳に達した日＝令和4年5月13日）
　　令和4年7月26日〜　通常勤務

130 **地方公務員期間の取扱い**
地方公務員から引き続いて国の職員になった場合の地方公務員としての在職期間は、どのように取り扱うのか。………………………………………… 131

131 **法第7条第5項の「その他の事由」**
法第7条第5項の「その他の事由」とは、具体的にどのような事由か。…… 132

132 **一般地方独立行政法人等期間の取扱い**
地方公務員➡一般地方独立行政法人等➡地方公務員➡職員の経歴を有する職員については、在職期間は全て通算して差し支えないか。………………… 132

133 **公庫等—地方公務員の取扱い**
公庫等➡地方公務員➡職員の経歴を有する職員については、在職期間は全て通算して差し支えないか。……………………………………………………… 133

134 **一般地方独立行政法人—地方公務員の取扱い**
一般地方独立行政法人➡地方公務員➡職員の経歴を有する職員の一般地方独立行政法人の職員としての在職期間については、職員としての在職期間に通算することができないものと解して差し支えないか。………………… 133

135 **公庫等に出向し地方公共団体を経由した者**
職員➡公庫等➡地方公務員➡職員の経歴を有する職員については、在職期間は全て通算して差し支えないか。………………………………………… 133

136 **最短の勤続期間**
職員が退職して退職手当が支給されることとなる最短の勤続期間は、どのくらいか。……………………………………………………………………… 134

13 公庫等職員として在職した後引き続いて職員となった者に対する退職手当の特例（第7条の2）

137 公庫等への出向期間の通算措置の概要
法第7条の2に規定する公庫等への出向期間の通算措置について、その概要を説明されたい。……………………………………………………………… 134

138 公庫等在職期間の通算要件
職員が公庫等へ職員出向した場合、在職期間の通算が行われるための要件を簡単に説明されたい。………………………………………………… 135

139 公庫等の要件
法第7条の2第1項に規定する公庫等となるための要件を簡単に説明されたい。………………………………………………………………………… 135

140 法第7条の2第1項の「要請」
法第7条の2第1項の「要請」とはどのような意味か。……………… 136

141 2以上の公庫等への出向
職員が任命権者の要請に応じ、公庫等を2以上勤務して職員に復帰した場合（職員➡公庫等➡公庫等➡職員）には、これら2以上の法人の在職期間を通算して差し支えないか。……………………………………………… 136

142 他法で公庫等職員である期間と同様に取り扱うこととされている出向期間
退職手当について、他の法令によって、公庫等職員である期間と同様に取り扱うこととされている出向期間にはどのようなものがあるか。………… 137

143 法第7条の2第2項の趣旨
法第7条の2第2項の規定の趣旨について説明されたい。………………… 142

144 公庫等出向中の休職期間等の取扱い
任命権者の要請に応じ、公庫等への出向歴を有する職員が、当該出向中に病気休職等によって現実に職務をとることを要しない期間がある場合には、勤続期間の計算上、法第7条の2第3項の規定に基づき法第7条第4項の規定を準用することとし、当該在職期間の2分の1を除算する。…… 143

145 公庫等から財団法人等への再出向
職員が、任命権者等の要請に応じ、公庫等へ出向した後、当該公庫等職員としての身分を保有したまま更に公庫等以外の財団法人、社団法人等へ再出向し、その後再び職員に復帰した場合には、全期間が通算されるのか。… 144

146 公庫等から地方公共団体に異動した者の在職期間（その1）
職員➡公庫等➡地方公共団体又は地方公社等➡公庫等➡職員の経歴を有す

147 公庫等から地方公共団体に異動した者の在職期間（その2）
　　　公庫等➡地方公共団体又は地方公社➡公庫等➡職員の経歴を有する職員については、在職期間は全て通算して差し支えないか。……………… 144
148 非特定独法化に伴い法定承継された職員の当該法人での在職期間
　　　組織改革により、国の機関（特定独立行政法人（行政執行法人）を含む。）が非特定独立行政法人（行政執行法人以外の独立行政法人）となった際に、当該国の機関の職員から当該法人に法定承継された職員が引き続き当該法人の職員として在職した後再び国の職員となって退職した場合、当該法人職員としての在職期間は職員としての在職期間及び基礎在職期間に通算されるのか。……………………………………………………………… 145
149 非特定独法化に伴い法定承継された職員の当該法人での育児休業期間
　　　組織改革により、国の機関が非特定独立行政法人（行政執行法人以外の独立行政法人）となった際に、当該国の機関の職員から当該法人に法定承継された職員が、当該法人で育児休業を取得して国に復帰し退職することとなった場合、勤続期間の計算上、この育児休業の取扱いはどうなるのか（当該非特定独立行政法人の設立根拠法等に、当該非特定独立行政法人に法定承継された職員が再度国の職員となった場合に、当該非特定独立行政法人の職員としての在職期間を法第2条第1項に規定する職員としての在職期間とみなす旨規定されている場合）。……………………………… 146
150 公庫等に出向中の業務上災害による傷病のため復帰後退職することとなった場合
　　　公庫等に出向中、業務上災害による傷病のため当該公庫等において休職した後、国に復帰し、休職期間を経てその傷病が原因で退職することとなった場合の①公庫等在職中の休職期間についての勤続期間計算上の取扱い、②国に復帰してからの休職期間の勤続期間計算上の取扱い、③当該退職について公務上傷病退職とすることができるか、について説明されたい。…… 147
151 公庫等への退職出向期間中に退職した場合の退職手当の支払
　　　職員であった者が公庫等への退職出向期間中にやむを得ず公庫等を退職した場合の退職手当の支払は、どの機関が行うのか。また、その実質的な費用負担関係はどうなるのか。……………………………………………… 147

14 独立行政法人等役員として在職した後引き続いて職員となった者に対する退職手当に係る特例（第8条）

152　独立行政法人等への役員出向期間の通算要件
職員が独立行政法人等へ役員として出向した場合、当該役員としての在職期間の通算が行われるための要件を簡単に説明されたい。……………… 148

153　法第8条第1項の「要請」
法第8条第1項の「要請」とはどのような意味か。……………………… 149

154　独立行政法人等への役員出向中の病気休職期間の取扱い
任命権者の要請に応じ、独立行政法人等への役員出向歴を有する職員が、当該出向中に病気休職によって現実に職務をとることを要しない期間がある場合には、勤続期間の計算上、法第8条第3項の規定に基づき法第7条第4項の規定を準用することとし、当該在職期間の2分の1を除算するのか。……………………………………………………………………………… 149

155　2以上の独立行政法人等への役員出向
職員が任命権者の要請に応じ、2以上の独立行政法人等で役員として勤務し職員に復帰した場合（職員➡独立行政法人(A)役員➡独立行政法人(B)役員➡職員）には、これら2以上の法人の在職期間を通算して差し支えないか。……………………………………………………………………………… 149

156　公庫等へ職員出向し役員となった場合
公庫等に職員出向し、出向先の公庫等で役員に就任した場合は、法第8条の適用はあるのか。………………………………………………………… 150

15 定年前に退職する意思を有する職員の募集等（第8条の2）

157　早期退職募集制度の内容
早期退職募集制度とは何か。……………………………………………… 150

158　早期退職募集制度と勧奨退職の違い
早期退職募集制度は、従前の勧奨退職と何が異なるのか。…………… 151

159　募集や認定等を行う主体
早期退職募集制度において、募集や認定等を行う主体はどこか。…… 151

160　2号募集の要件
早期退職募集について、いわゆる「2号募集」は組織の改廃又は官署若しくは事務所の移転があれば実施してよいのか。………………………… 152

161　募集の実施回数、募集期間、募集時期
早期退職募集について、1年間に実施する回数、募集期間、募集時期に制限はあるのか。………………………………………………………… 153

162 募集の期間の延長

　早期退職募集について、募集の期間の延長は可能か。また、延長を複数回行っても差し支えないか。……………………………………………… 153

163 募集の期間の末日から退職すべき期日までが長期に及ぶ場合

　早期退職募集について、募集の期間の末日から退職すべき期日までが長期に及んでもよいのか。………………………………………………… 154

164 募集人数及び応募上限数の設定における留意点

　早期退職募集について、募集人数や応募上限数を設定する上での留意すべき点はあるか。また、募集人数や応募上限数を「○人程度」や「若干名」とすることは可能か。…………………………………………………… 154

165 出向者を対象とする募集

　早期退職募集について、他府省庁に出向中の者や退職出向している者を募集対象にできるか。…………………………………………………… 155

166 病気休職、育児休業、配偶者同行休業中の職員に対する募集

　早期退職募集について、病気休職、育児休業、配偶者同行休業中の職員を募集対象に含めることは可能か。………………………………………… 156

167 処分を受けるべき行為をしたことを疑うに足りる相当な理由がある場合

　法第8条の2第5項第3号に規定する「処分を受けるべき行為をしたことを疑うに足りる相当な理由がある場合」とは、具体的にどのような場合か。……………………………………………………………………… 157

168 認定を行うことが公務に対する国民の信頼を確保する上で支障を生ずると認める場合

　法第8条の2第5項第3号に規定する「その他応募者に対し認定を行うことが公務に対する国民の信頼を確保する上で支障を生ずると認める場合」に該当する具体的な例を示されたい。……………………………… 157

169 応募者を引き続き職務に従事させることが公務の能率的運営を確保し、又は長期的な人事管理を計画的に推進するために特に必要であると認める場合

　法第8条の2第5項第4号に規定する「応募者を引き続き職務に従事させることが公務の能率的運営を確保し、又は長期的な人事管理を計画的に推進するために特に必要であると認める場合」とは、具体的にどのような場合か。……………………………………………………………………… 158

170 「必要な方法」を定めていない場合

　早期退職募集について、応募者の数が募集人数を超えた場合、募集人数の

範囲内に制限するために必要な方法を定めていないときはどのような扱いになるのか。……………………………………………………………… 159

171 不認定者を繰上げ認定することの可否
早期退職募集について、募集人数を超えたため「必要な方法」により一部の者を不認定とした場合、その後に認定者の認定が失効するなどの事情変更があれば不認定者を繰上げ認定することは可能か。…………………… 159

172 募集人数を超える人数の認定
早期退職募集について、認定者数を募集人数内に制限するために「必要な方法」を定めていたが、応募状況及び人事上の都合等を勘案して、募集人数を超えて認定しても差し支えないか。…………………………………… 159

173 応募人数が募集人数を超えない場合の不認定
早期退職募集について、応募人数が募集人数を超えない場合であっても、法第8条の2第5項各号に掲げられたもの以外の事由をもって不認定とし得る旨を定めることはできないか。………………………………………… 160

第3章　特別の退職手当（第9条・第10条）

① 予告を受けない退職者の退職手当（第9条）

174 予告を受けない退職者の退職手当
法第9条の「予告を受けない退職者の退職手当」について説明されたい。……………………………………………………………………………… 161

175 育児休業に伴う臨時的任用職員が、育児休業職員の復帰により退職（免職）となる場合の取扱い
育児休業に伴う臨時的任用職員については、育児休業職員が休業事由の消滅により職務に復帰することとなった場合は退職（免職）となるが、法第9条の規定による「予告を受けない退職者の退職手当」の支給対象となるのか。……………………………………………………………………… 162

② 失業者の退職手当（第10条）

176 失業者の退職手当の趣旨
法第10条（失業者の退職手当）の規定を設けている趣旨は何か。………… 163

177 失業者の退職手当の受給資格
「失業者の退職手当」の受給資格について説明されたい。………………… 168

178 失業の認定
「失業」とはどういう意味か。また「失業の認定」はどこで受けるのか。
……………………………………………………………………………… 169

179 支給制限処分を行う場合の失業者の退職手当
　　職員が懲戒免職等処分を受けた場合又は禁錮以上の刑が確定し失職した場合に、一般の退職手当の全額について支給制限処分を行ったとしても、法第10条の規定による「失業者の退職手当」は支給できるものと解して差し支えないか。 …………………………………………………………………………… 169

180 基本手当の給付日数
　　「失業者の退職手当」の計算の基礎となる基本手当の所定給付日数について説明されたい。 …………………………………………………………………… 169

181 基本手当の日額の決め方
　　基本手当の日額は、どのようにして決めるのか。 …………………………… 170

182 「退職の月前における最後の6月に支払われた給与の総額」
　　賃金日額算定の「退職の月前における最後の6月に支払われた給与の総額」は、次の①、②のいずれとなるのか。 ……………………………………… 171
　　　① 退職の月前の最後の6月の期間内に支払われた給与の総額
　　　② 退職の月前の最後の6月の勤務の対価として支払われた給与の総額

183 まとめて支払われる通勤手当の取扱い
　　賃金日額の計算の際、6月分まとめて支払われる通勤手当についてはどのように取り扱うのか。 …………………………………………………………… 171

184 寒冷地手当の取扱い
　　寒冷地手当については、賃金日額算定の「退職の月前における最後の6月に支払われた給与」に含まれるのか。 ……………………………………… 172

185 給付日数の延長
　　基本手当に相当する退職手当の給付日数の延長には、どのようなものがあるのか。 ………………………………………………………………………… 172

186 基本手当の計算例
　　基本手当に相当する退職手当の計算について具体例を示されたい。 ……… 173

187 基本手当に相当する退職手当の受給手続
　　基本手当に相当する退職手当に係る「国家公務員退職票」及び「国家公務員在職票」の発行の要件や受給のための手続について説明されたい。 ……… 174

第4章　退職手当の支給制限等（第11条～第19条）

1 概要等（第11条等）

188 退職手当の支給制限処分等
　　退職手当の支給制限処分等について、説明されたい。 ……………………… 176

189 懲戒免職等処分の範囲
　支給制限処分等の対象となる「懲戒免職等処分」には、停職等の懲戒処分も含まれるのか。……………………………………………………………… 176
190 支給制限処分等の主体
　支給制限処分等を行う主体はどこか。……………………………………… 177
191 支給制限処分等の対象となる退職手当
　支給制限処分等の対象となる退職手当の範囲は何か。…………………… 177
192 支給制限処分等の際に勘案すべき事情
　支給制限処分等を行う際の勘案すべき事情について、説明されたい。… 177
193 支給制限等に係る書面の様式
　支給制限処分等を行う際、当該処分を受けるべき者に通知するための書面はどのようになっているのか。……………………………………………… 178
194 支給制限処分等の処分性
　支給制限処分等は行政処分に当たるか。また、行政不服審査法に基づく審査請求や行政事件訴訟法に基づく提起の対象となるのか。……………… 181

② 懲戒免職等処分を受けた場合等の退職手当の支給制限（第12条）

195 支給制限処分の対象となる失職
　法第12条第1項第2号の「失職」について、説明されたい。…………… 181
196 失職と執行猶予
　職員が刑事事件に関与し、禁錮以上の刑に処せられたが、執行猶予を付せられたので、退職手当を支給してよいか。……………………………………… 182
197 執行猶予の期間経過
　職員が刑事事件に関与し、禁錮以上の刑に処せられたため失職し、支給制限処分を行ったが、執行猶予を付せられ、かつ、後日、当該執行猶予の期間が経過した場合においては、退職手当を支給して差し支えないか。……… 182
198 処分前の一般の退職手当等の額
　処分前の一般の退職手当等の額は、どのように計算された額か。……… 182
199 所在が知れないときの通知
　法第12条第3項の規定の内容について説明されたい。…………………… 183

③ 退職手当の支払の差止め（第13条）

200 支払差止処分
　支払差止処分について説明されたい。……………………………………… 183
201 支払差止処分の対象となる刑事事件
　支払差止処分は、例えば、休暇中の交通事故による自動車運転過失致死な

ど職務に関連しない刑事事件であっても、基礎在職期間中の行為に係る刑事事件である限り、支払差止処分の対象となるのか。……………… 184

202 「犯罪があると思料するに至つたとき」
　　法第13条第2項第1号の「犯罪があると思料するに至つたとき」とは具体的にどのようなときか。……………………………………………… 184

203 その者に対し一般の退職手当等の額を支払うことが…支障を生ずると認めるとき
　　法第13条第2項第1号の「その者に対し一般の退職手当等の額を支払うことが公務に対する国民の信頼を確保する上で支障を生ずると認めるとき」とは具体的にどのようなときか。………………………………………… 184

204 懲戒免職等処分を受けるべき行為
　　法第13条第2項第2号の「懲戒免職等処分を受けるべき行為」について、説明されたい。……………………………………………………… 185

205 出向期間中に行った非違が退職後に発覚した場合
　　公庫等や地方公共団体への出向期間中に行った非違について、その後国に復帰して退職した後に発覚した場合、懲戒免職等処分を受けるべき行為をしたことを疑うに足りる相当な理由があると思料するに至ったときは、退職手当の支払差止処分を行うことができるか。……………………… 185

206 支払差止処分を取り消さなければならない場合
　　支払差止処分を取り消さなければならない場合とは、どのような場合か。
　　……………………………………………………………………………… 185

207 支払差止処分後に支給制限処分が行われたときの取扱い
　　支払差止処分後に支給制限処分が行われたときの支払差止処分の取扱いはどのようにすべきか。…………………………………………… 186

4 退職後禁錮以上の刑に処せられた場合等の退職手当の支給制限（第14条）

208 重ねて支給制限処分を行うことの可否
　　同じ行為について重ねて支給制限処分を行うことはできるか。……… 187

209 退職後に起訴された場合
　　退職後に起訴された場合であって、禁錮以上の刑に処せられたことを理由に支給制限処分を行うことができるのは、基礎在職期間中の行為に限られるのか。…………………………………………………………… 187

210 意見の聴取の手続
　　法第14条第3項の規定の内容について、説明されたい。……………… 187

問一覧（目次詳細）　415

5 退職手当の返納（第15条・第16条）

211 返納命令処分
返納命令処分を行う場合について、説明されたい。……………………… 188

212 返納額の範囲
返納命令処分を行う場合、その額の範囲はどのようになっているのか。…… 188

213 返納の手続
一般の退職手当等の返納の手続については、具体的にどのように行えばよいのか。……………………………………………………………………… 189

214 返納命令処分の対象となる刑事事件
職員が退職後、職務に関連しない刑事事件（例えば、休暇中に犯した窃盗、詐欺）で起訴され禁錮以上の刑に処せられた場合でも、基礎在職期間中の行為に係る刑事事件である限り、返納命令処分の対象となるのか。…… 189

215 返納命令処分が可能な期間
返納命令処分を行うことができるのはいつまでか。………………………… 189

216 「生計の状況」
「生計の状況」とは具体的にどのように勘案すべきか。…………………… 189

217 税額の調整
退職手当の支払に当たって納められた税額と返納を命ぜられる額との調整はどのように行われるのか。…………………………………………… 190

6 退職手当受給者の相続人からの退職手当相当額の納付（第17条）

218 納付命令処分の趣旨
納付命令処分の趣旨について説明されたい。………………………………… 190

219 納付命令処分を行う際の考慮要素
納付命令処分を行う際の考慮要素は何か。…………………………………… 191

220 納付命令処分が可能な期間
納付命令処分を行うに当たって、いつまでに必要手続を行わなければならないか。また、処分を行うことができる期間はいつまでか。………………… 191

7 退職手当審査会（第18条）

221 退職手当審査会
退職手当審査会について簡単に説明されたい。……………………………… 191

8 退職手当審査会への諮問（第19条）

222 諮問の対象となる処分
退職手当審査会に諮問しなければならない処分とは何か。………………… 192

223 「口頭で意見を述べる機会」

　　　　法第19条第２項の「口頭で意見を述べる機会」とは何か。・・・・・・・・・・・・・・・・・・・・ 192

第５章　雑　　則（第20条・第21条）
① 地方公務員となった者の取扱い（第20条）
224　地方公務員となった場合
職員が退職し、引き続いて地方公務員となった場合には、退職手当を支給しなくてもよいか。・・・ 193
225　試験採用と退職手当の請求
職員が地方公務員採用試験に合格し、地方公務員となるため退職し、その者から退職手当の請求があった場合には、退職手当を支給して差し支えないか。・・ 193
226　「その他の事由」
法第20条第２項に規定する「その他の事由」とは、具体的にどのようなことをいうのか。・・ 194
② 実施規定（第21条）
227　法第21条を委任根拠とする政令の規定
法第21条を委任根拠とする政令の規定にはどのようなものがあるのか。・・・・ 194

第６章　附　　則
228　法原始附則第６項から第８項まで及び第11項の概要
法原始附則第６項から第８項まで及び第11項の概要について、説明されたい。・・ 195
229　法原始附則第９項の内容
平成17年法律第115号により新設された法原始附則第９項の規定の内容について説明されたい。・・ 196
230　法原始附則第12項から第14項までの内容
令和５年４月１日以後、引上げ前の定年年齢以後に退職した者の退職手当の取扱いについて説明されたい。・・ 197
231　法原始附則第15項の内容
定年の段階的な引上げに伴い、当分の間、60歳超の職員の給与水準は60歳に達した日後における最初の４月１日以後、原則７割とすることとされているが、この俸給月額の減額に、いわゆる「ピーク時特例」は適用されるのか。・・・ 197

232 法原始附則第16項の内容
　　法原始附則第16項の概要について説明されたい。……………………… 197
233 60歳超の職員を対象とした早期退職の募集
　　60歳超の職員を対象とした早期退職の募集は可能か。60歳超の職員が応募認定退職する場合、定年前早期退職特例措置による割増措置は適用されるのか。…………………………………………………………………………… 198
234 当分の間の法第5条の3の適用
　　当分の間の、応募認定退職の場合の法第5条の3の規定の適用について具体例を示されたい。………………………………………………………… 198
235 当分の間の法第5条の2第1項の特例と法第5条の3の特例の同時適用
　　当分の間、応募認定退職、かつ法第5条の2第1項の特例措置の対象者が同時に法第5条の3の定年前早期退職特例措置の対象者である場合、退職手当はどのように計算するのか、具体例により示されたい。……………… 199

第7章　改正法律の附則（平成17年改正法関係）

236 平成17年法律第115号附則第3条の内容
　　平成17年法律第115号附則第3条の規定の内容について説明されたい。…… 201
237 退職出向者の新制度切替日前日額等
　　平成17年法律第115号附則第3条に関して、退職出向者の新制度切替日前日額及び旧法等退職手当額の俸給月額はどのように計算するのか。………… 206
238 定年前早期退職特例措置が適用される場合の新制度切替日前日額の割増率
　　平成17年法律第115号附則第3条に関して、定年前早期退職特例措置が適用される場合、新制度切替日前日額の割増率はどのように計算するのか。…… 207
239 定年退職者の新制度切替日前日額の退職理由
　　平成17年法律第115号附則第3条に関して、定年退職者の新制度切替日前日額の退職理由はどうなるのか。前日額を算定する時点で定年前であった場合は定年前早期退職特例措置は適用されるのか。…………………………… 207
240 旧法等退職手当額の勤続期間計算における育児休業期間の取扱い
　　平成17年法律第115号附則第3条の規定による新制度切替日前日額及び附則第4条の規定による旧法等退職手当額の勤続期間計算において、子が1歳に達するまでの間取得した育児休業の特例（国家公務員の育児休業等に関する法律第10条第2項の特例）は勘案されるのか。……………………… 208
241 育児休業や病気休職の復職者に係る新制度切替日前日額の俸給月額

平成17年法律第115号附則第3条に関して、新制度切替日前日額の俸給月額について、平成18年4月1日施行の給与構造改革の経過措置により、給与については育児休業や病気休職の復職時においては復職調整後の現給保障が行われることとなるが、新制度切替日前日額の俸給月額は、復職時調整前の現に受けていた俸給月額となるのか。……………………… 208

242 平成17年法律第115号附則第5条の内容
  平成17年法律第115号附則第5条の規定の内容について説明されたい。……208

第8章 非常勤職員

243 退職手当法の適用を受ける非常勤職員の範囲
  非常勤職員のうち退職手当法の適用を受ける範囲について説明されたい。
  …………………………………………………………………………………… 211

244 国の一般会計又は特別会計の歳出予算の常勤職員給与の目から俸給が支給される者
  施行令第1条第1項第1号に規定する国の一般会計又は特別会計の歳出予算の常勤職員給与の目から俸給が支給される者（いわゆる常勤労務者）とは、どのような者をいうのか概要を説明されたい。……………………… 212

245 期間業務職員
  期間業務職員とはどのような者をいうのか。…………………………… 212

246 非常勤職員の退職手当の概要
  非常勤職員の退職手当の扱い（常勤職員との違い）について、概要を説明されたい。………………………………………………………………………… 213

247 非常勤職員の適用条項の制限
  非常勤職員が退職した場合には、退職手当の適用条項が制限されているが、具体的にはどのようになっているのか。…………………………… 214

248 期間業務職員の退職手当法適用要件
  期間業務職員が、退職手当法の適用を受けるための要件を簡単に説明されたい。……………………………………………………………………… 215

249 期間業務職員の勤務日（その1）
  期間業務職員については、「職員」と同様の勤務時間により勤務した日が職員みなし日数以上ある月が引き続いていることが必要とされるが、職員みなし日数とは何か。また、勤務日数の計算の際には休暇等が含まれるのか。…………………………………………………………………………… 217

250 期間業務職員の勤務日（その2）
　採用又は退職をした月については、雇用関係が丸々1月間ある月において職員みなし日数以上勤務することが必要か。……………218

251 期間業務職員の勤務日（その3）
　期間業務職員が、職員みなし日数以上勤務した日がある月が引き続いて6月を超えた後、欠勤により職員みなし日数以上勤務しないことが客観的に明らかとなった場合には、退職手当法上はその日をもって退職したものとし、その際に退職手当を支給しなければならないか。また、職員みなし日数以上勤務した日が引き続いて1月超12月以下であるうちに、欠勤により職員みなし日数以上勤務しないことが客観的に明らかとなった場合には、職員みなし日数以上勤務した日が引き続いて6月を超えておらず退職手当法上の職員としてみなされない者であっても、在職票（法第10条、問187参照）を交付するのか。……………219

252 期間業務職員の勤務日（その4）
　期間業務職員が、1月において職員みなし日数以上勤務しないことが客観的に明らかとなった場合、その日をもって退職したものとされるが、具体的には「土日祝日を含めて月末までの全日を勤務したとしても職員みなし日数以上勤務しない」ことが明らかになったときと解するのか。…………219

253 期間業務職員の退職理由
　期間業務職員の任期終了に伴う退職の場合、退職手当法上の退職理由は「任期終了」となるのか。また、期間業務職員が1月において職員みなし日数以上勤務しないことが客観的に明らかとなり退職したとみなされる場合、退職手当法上の退職理由はどうなるのか。……………220

254 期間業務職員の6月以下の公務上死傷病
　「職員」については、法第7条第6項ただし書の規定により、6月未満の短期在職であっても公務上の死亡又は傷病により退職した場合には退職手当が支給されることとの均衡上、期間業務職員についても、6月以下であっても公務上の死亡又は傷病による退職である場合には、退職手当が支給されるものと解して差し支えないか。……………220

255 期間業務職員の俸給月額
　期間業務職員の退職手当の算定の基礎となる俸給月額はどのようなものか。……………221

256 期間業務職員の調整額
　期間業務職員に退職手当の調整額は支給されるか。……………221

257 期間業務職員の退職手当の計算例
　　期間業務職員について、次に掲げるような設例の場合、退職手当（一般の退職手当）の額の計算方法はどうなるのか。 …………………………………… 221
　　【設例】
　　　○4月1日に採用され同年12月15日退職（12月以外各月とも職員について定められている勤務時間以上勤務した日が職員みなし日数以上ある。）
　　　○退職理由…自己都合退職
　　　○退職時の給与のうち俸給分（月額）…180,000円

258 期間業務職員の週休日をはさんでの採用
　　期間業務職員が3月31日までの雇用期間を終了し、再び4月2日に任用され、4月1日が週休日の場合には、在職期間は引き続くものとして取り扱って差し支えないか。 ………………………………………………………………… 222

259 国の期間業務職員→国の「職員」
　　国の期間業務職員が引き続いて「職員」となった場合には、期間業務職員としての在職期間を通算することとして差し支えないか。 …………………… 223

260 職員を退職して翌日に期間業務職員となった場合
　　職員を退職し、翌日付けで期間業務職員となった場合、国家公務員として1日の空白もなく在職していることから法第7条第3項の規定が適用されるのか。 ……………………………………………………………………………………… 224

261 国の期間業務職員に再採用された場合
　　国の期間業務職員が、退職手当法上の「職員」とみなされるためには、所定の期間が引き続いて6月を超えるに至る必要があることから、次のいずれのケースとも通算されないものとして取り扱って差し支えないか。 ……… 224
　　　①　国・「職員」➡国・期間業務職員
　　　②　地方・期間業務職員➡国・「職員」➡国・期間業務職員
　　　③　地方・期間業務職員➡地方・「職員」➡国・「職員」➡国・期間業務職員
　　　④　地方・期間業務職員➡国・期間業務職員
　　　⑤　地方・「職員」➡国・期間業務職員

262 地方の期間業務職員→国の「職員」
　　地方公共団体の期間業務職員が引き続いて国の「職員」となった場合には、地方の期間業務職員としての在職期間を通算することとして差し支えないか。 ……………………………………………………………………………………… 225

263 地方の期間業務職員→地方の「職員」→国の「職員」
　　退職手当法と同様の内容を定めた退職手当条例を有する地方公共団体において、地方の期間業務職員として所定の日数以上勤務した月が6月を超えるに至った後引き続いて地方の「職員」となり、さらにその後引き続いて国の「職員」となった場合には、全期間が国の「職員」としての在職期間として取り扱って差し支えないか。……………………………………… 225

264 非常勤職員の「予告を受けない退職者の退職手当」に係る資格要件
　　非常勤職員に対して、法第9条の「予告を受けない退職者の退職手当」を支給することはできるか。…………………………………………………… 226

265 非常勤職員の「失業者の退職手当」に係る資格要件
　　非常勤職員が退職した場合に「失業者の退職手当」を支給することができるのか。………………………………………………………………………… 226

第3編　特別法令

1　派遣法等（総論）

266 派遣法等の概要
　　いわゆる派遣法等における派遣期間に係る退職手当法上の取扱いについて、概要を説明されたい。………………………………………………… 231

267 特別法令に基づく国家公務員の休業等の概要
　　特別法令に基づく国家公務員の休業等期間に係る退職手当法上の取扱いについて、概要を説明されたい。…………………………………………… 242

2　防衛省の職員の給与等に関する法律（昭和27年法律第266号）

268 任期制自衛官の退職手当
　　任期制自衛官の退職手当の概要について説明されたい。……………… 246

269 防衛大学校卒業生の退職手当
　　防衛大学校の学生であった期間の取扱いについて説明されたい。…… 249

270 予備自衛官等の退職手当
　　予備自衛官等の退職手当の概要について説明されたい。……………… 250

271 自衛隊員の懲戒処分としての降格による給与の減額
　　自衛隊員に係る懲戒処分としての降格による給与の減額は退職手当法第5条の2第1項の特例対象となるのか。…………………………………… 251

3　最高裁判所裁判官退職手当特例法（昭和41年法律第52号）

272 最高裁判所裁判官に係る退職手当
　　最高裁判所裁判官に係る退職手当法の適用はどうなっているのか。……… 252

4 競争の導入による公共サービスの改革に関する法律（平成18年法律第51号）

273 公共サービス従事者となるため退職し再び職員となった場合の退職手当
対象公共サービス従事者となるため退職し、当該対象公共サービス従事者として在職した後再び職員となった者が退職した場合、退職手当法上、どのように取り扱うのか。……………………………………………………… 255

第4編 関係事項

274 退職手当の請求
退職手当については、退職者の請求を待って支給するのか。………… 261

275 退職手当の端数処理
退職手当の額に端数を生じた場合には、その端数はどう取り扱うのか。…… 261

276 遺族に等分支給する場合の端数処理
職員が死亡により退職した場合において退職手当の支給を受けるべき同順位の遺族が2人以上ある場合には、その人数によって等分して支給することになるが、端数処理は等分後の額について行うものと解して差し支えないか。…………………………………………………………………… 262

277 退職手当の追給に係る端数処理
退職手当の支給後、追給が必要になった場合、追給額の計算において、先の支払の際に切り捨てた端数は、既に支払ったものとして扱うのか、まだ支払っていないものとして扱うのか。…………………………………… 262

278 消滅時効
退職手当は、何年で消滅時効になるか。また起算点はいつで、中断はあるか。……………………………………………………………………… 262

279 退職手当額の通知
一般職の職員が退職した場合には、退職手当額を通知しなければならないか。……………………………………………………………………… 263

本書の内容は、令和5年4月1日現在のものである。

**公務員の
退職手当質疑応答集〈全訂第7版〉**

全訂新版発行	昭和60年8月20日
全訂第2版発行	平成元年6月30日
全訂第3版発行	平成5年7月10日
全訂第4版発行	平成19年3月5日
全訂第5版発行	平成24年2月10日
全訂第6版発行	平成27年12月18日
全訂第7版発行	令和5年6月30日
3刷発行	令和7年4月8日

編著者　退職手当制度研究会
発行者　光行　明
発行所　学陽書房

〒102-0072 東京都千代田区飯田橋1-9-3
（営業）電話 03-3261-1111（代）
　　　　FAX 03-5211-3300
（編集）電話 03-3261-1112（代）
https://www.gakuyo.co.jp/

印刷／東光整版印刷　製本／東京美術紙工　装幀／佐藤　博
© 2023, Printed in Japan　ISBN 978-4-313-13397-6　C2032
乱丁・落丁本については、送料小社負担にてお取り替え致します。

JCOPY ＜出版者著作権管理機構　委託出版物＞
本書の無断複製は著作権法上での例外を除き禁じられています。複製される場合は、そのつど事前に、出版者著作権管理機構（電話03-5244-5088、FAX03-5244-5089、e-mail:info@jcopy.or.jp）の許諾を得てください。